DIEU
UNE BIOGRAPHIE

Ouvrage publié sous la direction
de Charles Ronsac

JACK MILES

DIEU
UNE BIOGRAPHIE

Traduit de l'anglais (États-Unis) par Pierre-Emmanuel Dauzat

ROBERT LAFFONT

Titre original : GOD A BIOGRAPHY
© Jack Miles, 1995
Traduction française : Éditions Robert Laffont, S.A., Paris, 1996

ISBN 2-221-08171-4
(édition originale : ISBN 0-679-41833-4 Alfred A. Knopf, Inc., New York)

À Jacqueline
et pour Kathleen

*Sur moi descend l'inspiration
et j'écris : Au commencement était l'action !*

Goethe, *Faust I.*

CLÉ

L'image et l'original

Que Dieu ait créé l'homme, mâle et femelle, à son image est une question de foi. Que, des siècles durant, nos pères aient bataillé pour se parfaire à l'image de leur Dieu est un fait historique. Au fil de longs siècles, alors que le Dieu des juifs et des chrétiens était la réalité ultime et incontestée de l'Occident, les hommes et les femmes de l'Europe, puis de l'Amérique, ont à dessein cherché à prendre modèle sur lui. Ils ont cru que, en s'évertuant, ils pourraient être de meilleures copies du divin original, et ils se sont attelés à la tâche avec diligence. L'*imitatio Dei*, ou imitation de Dieu, était une catégorie centrale de la piété juive. L'imitation du Christ, de Dieu fait homme, n'était pas moins centrale pour les chrétiens.

Beaucoup, en Occident, ne croient plus en Dieu, mais la foi perdue, comme une fortune dilapidée, a des effets qui perdurent. La maturité venant, un jeune homme élevé dans l'opulence peut se défaire de sa fortune et vivre dans la pauvreté. Son personnage restera cependant celui d'un homme élevé dans l'opulence, car il ne saurait se défaire de son histoire. Pareillement, des siècles de construction rigoureuse et pieuse ont créé un idéal d'homme qui tient ferme quand bien même, pour beaucoup, ses fondements ont disparu. Lorsque les Occidentaux rencontrent une culture dont l'idéal est différent, lorsque nous nous surprenons à dire, par exemple, que « les Japonais sont différents », nous découvrons, indirectement, l'étrangeté et la durabilité de notre idéal propre, de l'idée — héritée — que nous nous faisons de ce que doit être un homme. En apparence, on ne compte plus les points de rapprochement entre le Japon et l'Occident. Le Japon mange du bœuf ; l'Occident des sushis. Le Japon s'est fait au costume trois-pièces ; le kimono est entré dans le vocabulaire occidental. Il n'en subsiste pas moins une différence de taille, car, tout au long des siècles où le Dieu de la Bible a été le miroir de l'Occident, le

Japon scrutait un tout autre miroir religieux et culturel. Ce livre sur Dieu entend placer le miroir biblique, détergé et astiqué, entre les mains du lecteur.

Pour des non-Occidentaux, la connaissance du Dieu que l'Occident a adoré ouvre une voie singulièrement directe vers le cœur et l'origine de l'idéal d'homme occidental. Mais, pour les Occidentaux eux-mêmes, une connaissance approfondie de ce Dieu peut contribuer à rendre conscient et subtil ce qui est autrement pour le moins inconscient et naïf. D'une certaine façon, nous sommes tous des immigrés du passé. Et de même qu'un immigré retournant après de longues années dans son pays natal peut voir son propre visage dans celui des étrangers, le lecteur occidental moderne et laïque peut éprouver un léger frémissement de reconnaissance de soi en présence de l'antique protagoniste de la Bible.

Comment un mécréant peut-il faire l'expérience de la présence de Dieu ? De génération en génération, judaïsme et christianisme ont transmis de diverses manières leur connaissance de Dieu. Pour un petit lot, il y a eu, et il y a toujours, les disciplines exigeantes et parfois ésotériques de l'ascétisme, du mysticisme et de la théologie. Pour la multitude, il y a, de manière peut-être remarquable, un livre qu'un incroyant non moins qu'un croyant peut ouvrir et lire. La connaissance de Dieu, en tant que personnage littéraire, n'exclut ni ne requiert la croyance en Dieu, et c'est à cette connaissance que s'efforce d'introduire le livre que vous avez sous les yeux.

Il s'est trouvé des philosophes de la religion pour prétendre que les dieux sont tous des projections de la personnalité humaine. Soit. Mais s'il en est ainsi, au moins devons-nous prendre acte de ce fait empirique : plutôt que de projeter leurs personnalités sur des dieux qu'ils ont entièrement créés, nombreux sont les êtres humains qui ont choisi d'introjecter — de recevoir en eux — les projections religieuses d'autres personnalités humaines.

C'est pourquoi la religion excite tant de fascination, d'envie, et (parfois) de colère chez les écrivains et les critiques littéraires qui s'y penchent sérieusement. La religion — la religion occidentale en particulier — peut être considérée comme une œuvre littéraire dont le succès a dépassé les rêves les plus fous de n'importe quel écrivain. Tout personnage qui « prend vie » dans une œuvre d'art littéraire peut avoir une certaine influence sur les êtres de chair et de sang qui rencontrent l'œuvre. Le *Don Quichotte* de Miguel Cervantès, dont le personnage-titre prend modèle sur la littérature de son temps, est un tableau incomparablement saisissant et hilarant de ce processus en action. Cervantès a certainement réfléchi à l'influence que finirait par avoir son livre : de fait, il présente son « vrai » Don Quichotte croisant des gens qui connaissent un personnage littéraire du même nom. De nos jours, des millions de gens mêlent la vraie vie à la vie des vedettes de cinéma sur grand écran, assignent au mélange une importance sans commune mesure avec celle qu'ils accordent aux êtres humains de chair et de sang qu'ils connaissent, puis en souffrent les mélancoliques conséquences. Leur chair est triste, hélas ! et ils ont vu tous les films.

Nul personnage, cependant, de la scène, de la page ou de l'écran, n'a jamais été reçu ainsi que Dieu l'a été. En Occident, Dieu est plus qu'un mot de la tribu. Bienvenu ou non, il est un membre virtuel de la famille occidentale. Des parents qui auraient rompu avec lui ne sauraient en écarter leur progéniture, car non seulement tout le monde a entendu parler de lui, mais tout le monde, aujourd'hui encore, peut vous en toucher un mot. Voici quelques années de cela, le dramaturge Neil Simon a publié une comédie, *God's Favorite*, inspirée du Livre de Job. Parmi les spectateurs, peu avaient lu le livre en question, mais ce n'était pas nécessaire : ils savaient bien assez de quoi Dieu avait l'air pour goûter les plaisanteries. Si rien n'est grave, rien n'est drôle, écrivait Oscar Wilde. D'où venait donc l'idée sérieuse de Dieu dans l'esprit du public de Broadway prêt à s'esclaffer à l'écoute des tirades de Simon ?

Elle venait presque entièrement de la Bible et, en termes humains plus spécifiques, elle venait de ceux qui écrivirent la Bible. Aux yeux de la foi, la Bible ne se résume pas à des mots *sur* Dieu : elle est aussi la Parole de Dieu. Il en est l'auteur autant que le protagoniste. Mais que les auteurs anciens qui ont écrit la Bible aient créé Dieu, ou qu'ils se soient contentés de coucher par écrit la Révélation, leur œuvre a été, en termes littéraires, un succès renversant. Depuis deux mille ans, il ne s'est passé une semaine sans qu'on la lise à des auditoires qui l'ont reçue avec le sérieux le plus absolu, et qui ont délibérément cherché à étendre son influence sur eux. De ce point de vue, elle est certainement sans parallèle dans la littérature occidentale, et probablement sans parallèle dans la littérature universelle. On pense aussitôt au Coran, mais les musulmans ne tiennent pas le Coran pour une œuvre littéraire : dans leur esprit, il occupe une niche métaphysique à part. En revanche, tout en révérant dans la Bible autre chose que de la littérature pure, juifs et chrétiens ne nient pas qu'il s'agisse *aussi* de littérature, et admettent qu'on puisse l'apprécier à ce titre sans blasphème.

Sous l'empire de la religion, le lecteur de la Bible attache une importance centrale et explicite à la bonté de Dieu. Juifs et chrétiens ont adoré en Dieu l'origine de toute vertu, une source de justice, de sagesse, de miséricorde, de patience, de force et d'amour. Mais de manière périphérique et implicite, ils se sont aussi accoutumés, puis attachés, au fil des siècles, à ce que nous pouvons appeler l'angoisse de Dieu. Ainsi que j'essaierai de le montrer dans les pages qui suivent, Dieu est un amalgame de personnalités diverses en un seul personnage. Si la tension entre celles-ci rend Dieu difficile, elle le rend aussi convaincant, voire irrésistible. Tout en cherchant sciemment à être son émule en vertus, l'Occident a inconsciemment assimilé cette tension génératrice d'angoisse entre son unité et sa multiplicité. En définitive, malgré le désir ardent, qu'éprouvent parfois les Occidentaux, d'un idéal d'homme plus simple, moins tourmenté, davantage « centré », les seules personnes auxquelles nous trouvons une réalité satisfaisante sont celles dont l'identité marie plusieurs identités subalternes incompatibles. C'est en effet ce que nous, Occidentaux, cherchons à savoir les uns des autres en apprenant à nous connaître. Incongruité et conflit intérieur n'ont pas simplement droit de cité dans la culture occidentale : ils sont pour ainsi dire requis. Les gens qui ont juste l'intelligence nécessaire pour jouer les divers rôles ne sont pas à la hauteur de cet idéal. Ils ont une personnalité — ou un répertoire de personnalités —, mais manquent de caractère. Les gens simples et sans malice, qui se savent tels sans embarras, et embrassent sans ciller le rôle qui leur est assigné, ne sont pas non plus à la hauteur. Libre à nous d'admirer leur paix intérieure, mais en Occident il est peu probable que nous les imiterons. Centrés, trop centrés, ils ont du caractère, mais guère de personnalité. Ils nous fatiguent, comme nous nous fatiguerions de nous si nous étions pareils à eux.

Si nous nous rendons les choses si difficiles, c'est que nos pères ont cru être à l'image d'un Dieu qui, en fait, s'était rendu la tâche pareillement difficile. Le monothéisme ne reconnaît qu'un seul Dieu : « Écoute, ô Israël, le Seigneur est notre Dieu, le Seigneur est un[1]. » S'agissant de Dieu, la Bible n'insiste sur rien autant que sur son unicité. Dieu est le Roc, l'intégrité en personne. Et pourtant ce même être mêle diverses personnalités. Pure unité (personnage seulement) ou pure multiplicité (personnalité seulement) eût été autrement plus facile. Or il est les deux, et l'image de l'humain qui procède de lui nécessite donc les deux.

C'est étrange à dire, mais Dieu n'est pas un saint. Il ne manque pas de reproches à lui faire, et les efforts n'ont pas manqué pour l'amender. Du haut des chaires, on préfère passer sous silence une bonne partie de ce que la Bible dit de lui : à y regarder de trop près, ça devient un scandale. Mais si l'on se borne à prêcher activement une partie de la Bible, rien n'en est tout à fait nié. Sur la page improbablement inexpurgée de la Bible, Dieu demeure tel qu'il a été : l'original qui a été la Foi de nos Pères, et dont l'image vit encore parmi nous, tel un idéal séculier difficile, mais dynamique.

1

PRÉLUDE

Peut-on écrire la vie de Dieu ?

Peut-on dire d'un personnage littéraire qu'il vit sa vie de la naissance à la mort, ou évolue de quelque autre manière du commencement à la fin ? Ou, fixé sur les pages d'un livre, à jamais pris au piège des mêmes mots et des mêmes actions, est-il le contraire d'un être humain qui vit et évolue ?

À en croire William Kerrigan [1], qui dans un récent survol de la question parle des deux écoles adverses comme des critiques et des érudits, la dispute sur ce point a façonné un siècle de critique de *Hamlet*. Les critiques, affirme-t-il, dominants au début du siècle, croyaient au personnage. Ils croyaient que pour parler de *Hamlet*, de la pièce, il fallait parler de l'homme Hamlet : de ce qu'il disait et faisait, de ses métamorphoses entre ses premiers et ses derniers mots sur scène. Les érudits, dominants au milieu du siècle, faisaient leur devise de ce vers de Hamlet : « L'important c'est la pièce » (II, 2). Ils croyaient, empiriquement parlant, qu'il n'y avait point de Hamlet, juste les mots de Shakespeare sur la page, et que, en toute légitimité, on ne pouvait parler que d'eux. Allait-on au-delà que ce ne pouvait être dans le reste imaginé de Hamlet — car le reste était silence, pour reprendre un autre vers de la pièce. On ne pouvait que s'aventurer dans le reste du drame élisabéthain, et de la société élisabéthaine, à l'affût d'autres pièces que Shakespeare avait pu connaître, histoire d'approfondir sa connaissance de la langue qu'il parlait, et ainsi de suite.

Le doyen des critiques se nommait A.C. Bradley, dont le *Shakespearean Tragedy*, publié en 1904, conserve une certaine influence. Le tournant de la critique à l'érudition, et du personnage à la dramaturgie, peut être daté de 1933, lorsque L.C. Knights écrivit un essai resté célèbre sous le titre « Combien d'enfants a eus Lady Macbeth ? », où il raillait la naïveté d'un Bradley présumant qu'on pouvait parler d'un personnage littéraire en soi. Pour Knights, une

15

telle approche convenait peut-être à la biographie, certainement pas à la critique littéraire.

Des décennies durant, montre Kerrigan, le triomphe de l'érudition sur la critique a paru complet. Ceux qui, aujourd'hui, enseignent Shakespeare ou écrivent à son sujet ont été pour la plupart formés par des érudits. Mais la critique n'a jamais tout à fait plié sa tente, et dans les dernières années du siècle s'est produite une intéressante bifurcation.

D'un côté, à la forme d'historicisme dont l'essai de Knights a marqué la naissance, a succédé un « nouvel historicisme » intellectuellement redevable à la pensée française. En gros, alors que l'ancien historicisme cherchait à comprendre l'histoire telle qu'elle était inscrite dans le texte de la pièce, le nouvel historicisme cherche à comprendre la pièce telle qu'elle s'inscrit dans l'histoire. Ainsi, Kerrigan écrit :

> Stephen Greenblatt [le mieux connu des nouveaux historicistes] conclut son *Renaissance Self-Fashioning* sur cette déclaration fameuse : il avait commencé à écrire un livre sur les individus de la Renaissance, pour découvrir au bout du compte qu'il n'est point d'individus. On est un peu stupéfait d'apprendre, au début de ses *Shakespearean Negotiations*, qu'il a commencé ce livre, également, en quête de l'intensité singulière de l'écrivain pour découvrir finalement qu'il n'y a pas d'écrivains : « Ce livre prétend que, si intensément marquées soient-elles par l'intelligence créative et l'obsession privée des individus, les œuvres d'art sont le produit de négociations et d'échanges collectifs. »

L'érudition n'a donc pas fini de régner. D'un autre côté, pourtant, il se trouve au moins quelques anciens érudits pour faire défection et se rallier subrepticement à la critique. Ainsi de Kerrigan lui-même. « J'ai été formé par les érudits, confie-t-il, et parler d'"évolution du personnage" dans *Hamlet* me gêne. Mais je ne vois pas comment décrire autrement le passage du Hamlet qui s'abomine, des deux derniers soliloques, au Hamlet d'une belle sérénité de l'acte V. » Philosophiquement, Bradley était un hégélien, et le combat singulier qui l'opposait à Knights était la version littéraire du vieil affrontement entre l'idéalisme allemand (ou continental) et l'empirisme britannique. Mais les deux traditions remontent, en dernière instance, à l'Antiquité classique, et Kerrigan clôt son tour d'horizon sur Aristote.

> Il nous faut donc comprendre le commencement de Hamlet et sa fin, et les lier l'un à l'autre. En Aristote modernes élucidant la mystérieuse tragédie du personnage, il nous faut rattacher le début, le milieu et la fin.
>
> Voilà comment c'est fait.

LA BIOGRAPHIE DE DIEU

Voilà donc comment sera fait ce livre. J'ai commencé cet avant-propos en évoquant *Hamlet*, parce que j'entends situer mon propos dans le champ de la littérature. Si la vie du Seigneur Dieu m'intéresse ici, c'est — uniquement — en tant que protagoniste d'un classique de la littérature universelle, à savoir la Bible hébraïque ou l'Ancien Testament. Je ne parle pas du Seigneur Dieu en tant qu'objet d'une croyance religieuse (bien que mon propos ne soit certainement pas de le dénoncer). Je n'entends pas, comme le fait la théologie, tenir des propos originaux sur Dieu en tant que réalité extra-littéraire. N'étant pas historien, je ne m'attacherai pas non plus aux communautés israélites et juives successives qui ont cru en Dieu. Mon intérêt ne va pas à ces communautés de croyants, mais, à la manière d'A.C. Bradley, au Dieu auquel elles croyaient. Et je crois avec Bradley, contre Knights, que l'effet biographique — la suggestion artistique d'une vie — est inséparable de l'effet dramatique ou littéraire proprement dit. A moins que le spectateur de *Hamlet* ne puisse croire que Hamlet est né et va mourir, à moins que son imagination ne quitte la scène pour se transporter dans la vie, dont il n'est aucune preuve directe sur scène, la pièce meurt avec son protagoniste. Un personnage censé n'avoir aucune vie hors de la scène ne saurait avoir de vie sur scène. Il en va de même pour Dieu, en tant que protagoniste de la Bible.

Si l'on a une conception restrictive de la biographie, comme d'une branche de l'histoire, il ne saurait y avoir de biographie d'un personnage non historique. Or, dans la Bible hébraïque, Dieu fait une première apparition, et une dernière. Nous le voyons d'abord en tant que créateur, hors de l'histoire et avant elle, mettant en branle d'une main de maître les corps célestes par lesquels on mesurera le temps historique. Nous le voyons enfin comme le « Vieux de jours », l'Éternel, les cheveux blancs et silencieux, qui attend la fin de l'histoire depuis un trône lointain et nuageux. Ce livre devient une biographie d'un genre bien particulier du fait de sa détermination à décrire le milieu, ce qui sépare un début si vigoureux d'une fin si paisible.

Le début et la fin de la Bible hébraïque ne sont pas liés par un seul récit continu. Bien avant le mitan du texte, le récit s'interrompt. Suivent alors des discours, d'abord de Dieu, puis adressés à Dieu et, dans une certaine mesure, sur Dieu, avant qu'un long silence ne se fasse, prélude à une brève reprise de la narration précédant la coda. Au suspense narratif qui se prolonge du Livre de la Genèse au IIe Livre des Rois succède, passé ce point, une autre forme de suspense, plus proche de l'expérience des jurés dans un tribunal, lorsque les différents témoins sont appelés à la barre pour parler de la même personne. L'enchaînement des témoignages — qui ont chacun leur tonalité propre, un commencement et une fin — peut être tout aussi suggestif qu'un récit : la personne dont on parle ne s'arrête pas où s'arrêtent les paroles. C'est l'effet biographique sous une autre forme. Et même sous cette forme, l'effet peut conserver un certain dynamisme nourri d'une interrogation sans cesse répétée : « Et après ? »

Cependant, après que l'action cède à la parole, dans la Bible hébraïque, la parole cède à son tour au silence. Les derniers mots de Dieu sont ceux qu'il adresse à Job, l'être humain qui ose défier non pas sa puissance physique, mais son autorité morale. Dans le Livre de Job proprement dit, la réplique cinglante et sans appel de Dieu paraît réduire Job au silence. Mais si l'on poursuit la lecture après la fin du Livre de Job, on s'aperçoit que c'est Job qui, à sa façon, l'a fait taire. Dieu ne prend plus jamais la parole, et l'on parle de moins en moins de lui. Dans le Livre d'Esther — où, comme dans l'Exode, son peuple élu est menacé de génocide —, il n'est pas un seul instant question de lui. De fait, les Juifs surmontent l'épreuve sans son aide.

Quel est le sens du long crépuscule de la Bible hébraïque, de ses dix derniers livres de silence ? Nulles ténèbres ne suivent ce crépuscule : Dieu ne meurt pas. Mais jamais plus il n'intervient dans les affaires humaines et, comme par un effet de boule de neige, on n'attend plus qu'il intervienne. Revenu d'exil, son peuple élu le chérit plus que jamais alors que sa vie s'achève — assurément plus que le jour où il a vaincu le Pharaon « par sa main forte et son bras étendu » et l'a conduit à travers le désert jusqu'à la terre promise. Jusque-là, son peuple se montrait récalcitrant, et c'est un Dieu amer qui lui reprochait sa « nuque raidie ». Le voici désormais dévot, mais Dieu n'a plus rien à dire à lui ni sur lui : il n'a plus rien à dire à personne ni sur personne, plus rien à dire sur rien. Belle et émouvante réconciliation que celle de Dieu et de son peuple au moment où s'achève la Bible hébraïque, mais il paraît à peine blasphématoire de dire que sa vie est terminée.

Cet ample mouvement, de l'action à la parole, puis au silence, engendre un récit auquel on pourrait donner le nom de théographie, par opposition à la théologie ou à la biographie. « Dieu annule la successivité des hommes », écrivait un mystique du Moyen Âge, voulant dire par là que, si les êtres humains vivent leur vie jour après jour, le temps de leur vie, aux yeux de Dieu, est pareil à un portrait épinglé au mur : chaque instant lui est aussitôt visible. Mais les êtres humains ne se sont pas privés de lui rendre la pareille, annulant la successivité du protagoniste de la Bible pour lire chaque épisode comme s'il était contemporain de la totalité du texte : n'importe quel verset peut se lire comme le commentaire de n'importe quel autre verset, tout ce qui est vrai de Dieu en un point est censé l'être partout ailleurs.

« Jésus Christ est le même, hier et aujourd'hui ; il le sera pour l'éternité », lit-on dans le Nouveau Testament (Hébreux 13, 8). Mais ce verset tardif et contestable mis à part, il n'est quasiment rien, dans le Nouveau Testament, qui justifie l'idée d'un Dieu immuable[2], et les éléments en ce sens sont tout aussi rares dans la Bible hébraïque. Ce point de vue trouve vraisemblablement son origine dans la philosophie aristotélicienne, avec son Dieu conçu comme un moteur que rien ne meut, existant dans un instant unique et éternel. Certes, le Seigneur Dieu d'Israël est le créateur et le maître du temps, et les Psaumes se plaisent à répéter qu'il vit éternellement. Dans cette mesure, il est pareil au moteur immobile d'Aristote. Et pourtant, aussi contradictoire que cela doive paraître, il entre aussi dans le temps, et l'expérience le change. Si tel n'était pas le cas, jamais il ne serait surpris ; or il l'est sans cesse, et souvent désagréablement. Dieu est constant ; il n'est pas immuable.

Une lecture strictement séquentielle de la Bible hébraïque est une manière de recouvrer la successivité, l'évolution du personnage ou la théographie, que l'exégèse « aristotélicienne » a obscurcie. Ainsi, à la suite du Christ, les chrétiens adressent leur prière à « Notre père qui es aux cieux... » et imaginent que l'être qui dit « Que la lumière soit » (Genèse 1, 3) est un père, alors que Dieu ne se considère pas comme un père à ce stade. À peine quelques centaines de pages plus loin, en 2 Samuel 7, il le fait pour la première fois. Les juifs prient, « Béni sois-tu, ô Seigneur, notre Dieu, Roi de l'Univers », et imaginent que le Dieu de la Genèse est un roi, alors qu'il ne se présente en roi que plus tard, en Ésaïe 6. « Plus tard », dans ce contexte, ne veut pas dire plus tard dans le temps historique, mais plus tard au cours de l'exposé, au cours de la lecture linéaire du livre. Historiquement parlant, « l'instant » où Dieu dit « Que la lumière soit » est hors du temps ; mais du point de vue d'un lecteur qui commence au commencement du Livre de la Genèse et poursuit sa lecture, nous pouvons tout de même parler d'un « plus tard » et d'un « plus tôt ». Ce que nous ferons souvent dans ce livre.

Non qu'une lecture diachronique ou linéaire de la Bible hébraïque soit la seule approche possible de son protagoniste, c'est-à-dire du personnage de Dieu. Une lecture synchronique est également possible. Autrement dit, au lieu de procéder du commencement à la fin, dans un ordre quasi chronologique, un critique peut définir un ensemble de thèmes puis rassembler dans chaque rubrique la totalité des textes qui lui paraissent pertinents. Mais outre qu'elle est plus respectueuse de l'intégrité de la Bible en tant qu'œuvre littéraire, une approche à dessein linéaire et naïve n'est pas exempte, nous le verrons, d'une dimension étonnamment dramatique et pathétique.

Parce qu'il s'agit ici d'une étude littéraire, plutôt qu'historique, une autre forme de naïveté délibérée devient possible, voire nécessaire. Les historiens critiques d'une période ou d'un sujet quelconques prennent la peine de distinguer ce qui s'est réellement passé de ce qui n'est jamais arrivé. Quand bien même ils sont absolument certains d'avoir affaire à une invention littéraire, leur souci n'est pas de l'apprécier en tant qu'œuvre d'art, mais d'y trouver les traces de quelque histoire réelle, ne serait-ce que l'histoire intellectuelle de son auteur. Mythe, légende et histoire n'en finissent pas de se mêler dans la Bible, et les historiens de la Bible n'en finissent pas de faire le tri. En revanche, non seulement la critique littéraire peut les laisser mélangés, mais elle le doit. Le Livre de la Genèse rapporte que Dieu transforma la femme de Loth en une colonne de sel : de toute évidence, cet événement n'a aucune valeur historique mais, dans le dessein qui est ici le nôtre, c'est un moment dans la vie de Dieu et un indice, si mineur soit-il, de l'évolution de son personnage. Nous pouvons laisser les historiens nous dire ce qui s'est réellement passé. Nous pouvons laisser les théologiens nous dire si le vrai Dieu serait capable d'une chose pareille. Mais à des fins littéraires — et ce livre n'en a point d'autres —, le fait même que le protagoniste du livre accomplisse cette action dans ses pages justifie qu'on en tienne compte.

Naturellement, libre au lecteur sceptique de se demander si, même en des temps laïques, il n'est pas un tantinet biscornu de prétendre comprendre Dieu en des termes si proches de ceux que nous employons pour comprendre les êtres humains. Ainsi Robert Alter écrit-il dans cette veine :

> À mon sens, il n'y a pas grand-chose à gagner à considérer le Dieu de la Bible, suivant l'exemple de Harold Bloom, comme un personnage humain : susceptible, entêté, arbitraire, impulsif, que sais-je encore ? Les auteurs de la Bible ne se lassent jamais de répéter qu'on ne saurait comprendre Dieu avec des catégories humaines[3].

Mais Alter exagère. L'une des toutes premières déclarations d'un auteur biblique au sujet de Dieu est que l'humanité, mâle et femelle, est l'image de Dieu : indubitable invitation à penser Dieu avec nos catégories. Dieu dit rarement de lui qu'il est mystérieux ; plus d'une fois, il laisse entendre le contraire — ainsi quand, évoquant la difficulté à comprendre ses paroles, il déclare :

Oui, ce commandement que je te donne aujourd'hui n'est pas trop difficile pour toi, il n'est pas hors d'atteinte. Il n'est pas au ciel ; on dirait alors : « Qui va, pour nous, monter au ciel nous le chercher, et nous le faire entendre pour que nous le mettions en pratique ? » (Dt 30, 11-12)

Puis, à un moment précis de la Bible hébraïque, Dieu se met à parler de lui comme d'un être mystérieux. Mais rien ne nous empêche de demander pourquoi il le fait alors et pas plus tôt. Il n'est assurément rien dans la Bible qui invite à considérer Dieu comme un sujet sur lequel on doive s'en tenir à un silence respectueux.

Quant à savoir si Bloom a tort ou raison de prétendre que l'on puisse parler de Dieu comme d'un personnage humain, au moins pouvons-nous demander en quoi Dieu diffère de l'humaine créature avec laquelle, de son propre aveu, il accuse quelque ressemblance. Autrement dit, en admettant que Dieu et l'humanité ne sont pas identiques, en quoi sont-ils différents ? D'où vient la divinité de Dieu ? Qu'y a-t-il de si singulier dans son personnage ? Et surtout, pouvons-nous demander, sans sortir des confins de la Bible considérée comme une œuvre littéraire, quel est le lien, en termes d'évolution, entre ses premières actions et les suivantes ? Cette question ne perd pas nécessairement tout intérêt lors même que nous lisons les livres qui suivent le long récit d'ouverture. À ces divers stades ultérieurs, on peut écouter tel un biographe au cours d'une interview, ou un juré dans une salle d'audience — sans chercher à reconstituer les événements, mais en se contentant d'enregistrer la déposition du témoin. *En quoi vous a-t-il touché ? Vous a-t-il effrayé ? L'avez-vous aimé ? Qu'est-il devenu après ? A-t-il beaucoup changé du temps que vous l'avez connu ? Qu'est-ce qui vous a le plus marqué chez lui ?*

Autant de questions qui, avec d'autres de même nature, donnent à cette biographie son mouvement.

On peut découvrir, bien entendu, qu'il n'est point de véritable évolution, que Dieu est le même jusqu'à la monotonie, qu'il conserve son impénétrable mystère de la première à la dernière apparition. On ne saurait exclure aucune issue. La seule chose requise est une fidélité à la tactique humble et patiente par laquelle un personnage apprend à en connaître un autre. Le biographe doit se pencher avec sympathie et attention sur les apparents conflits entre une précédente déclaration de Dieu et une suivante, une action antérieure et une postérieure, une déclaration faite à un moment donné et une action accomplie au même instant, et ainsi de suite. Il faut résoudre les conflits, soit en les identifiant et en y reconnaissant une étape dans l'évolution du personnage, soit en expliquant pourquoi ces conflits sont plus apparents que réels, soit encore — à défaut d'une autre solution — en se contentant d'en prendre acte : la connaissance d'un conflit irrésolu chez un personnage peut être, de toutes les connaissances, la plus cruciale.

Dans la vraie vie, c'est la plus ordinaire et la plus nécessaire des activités interpersonnelles. À longueur de journée, nous portons une appréciation sur ceux avec qui nous vivons et travaillons. Qu'Untel fasse une chose qui sort de son personnage, et nous tâchons de trouver une manière d'expliquer l'action peu caractéristique — « Mon fils est malade », « Ma femme vient de perdre son travail » —, ou nous révisons provisoirement notre jugement : « Il a toujours eu l'air si bien intentionné, mais après ceci... » Ce talent, si central pour vivre sa vie, ne l'est pas moins pour apprécier la littérature, un art fait d'une réutilisation intense de la vie et du langage des hommes. La Bible est sans conteste une œuvre littéraire peu commune, et le Seigneur Dieu est un personnage des plus inhabituels. Mais l'une des deux prémisses clés de cette biographie est que ni l'œuvre ni le personnage ne sont à ce point inhumains qu'une évaluation interpersonnelle soit hors de question.

L'ORDRE DU CANON ET LE COURS DE LA VIE DE DIEU

La seconde prémisse de cette biographie est que l'ordre dans lequel apparaissent les livres de la Bible, l'ordre du canon, est une considération artistique essentielle. Au début de cet avant-propos, je parlais d'un « classique de la littérature universelle, à savoir la Bible hébraïque ou l'Ancien Testament », comme si les deux étaient interchangeables. Mais le sont-ils ?

Juifs et chrétiens les ont assurément considérés ainsi[4]. Certes, les deux groupes savent que la Bible chrétienne compte deux parties inégales : l'Ancien Testament et le Nouveau. Les juifs peuvent s'offusquer d'entendre leurs textes sacrés qualifiés d'« anciens » en comparaison de la conclusion de la Bible chrétienne. Mais les deux groupes, y compris les critiques littéraires raffinés des deux confessions, ont invariablement parlé de la Bible hébraïque et de l'Ancien Testament comme d'une même œuvre sous deux noms distincts.

Or il ne s'agit pas tout à fait de la même œuvre. Le mouvement ample et singulier de la Bible hébraïque — de l'action à la parole, puis au silence — n'a pas d'équivalent dans l'Ancien Testament, dont le rythme va, au contraire, de l'action au silence, puis à la parole. Dans les deux cas, le contenu est le même, c'est la disposition qui change. L'Ancien Testament déplace les grands recueils prophétiques — Ésaïe, Jérémie, Ézéchiel — et les douze petits prophètes du milieu à la fin, laissant au milieu ce que nous avons appelé plus tôt les livres du silence, y compris Job, les Lamentations, l'Ecclésiaste et Esther. Si l'on veut composer une biographie de Dieu, la différence d'arrangement est décisive.

Pourquoi un tel rappel est-il nécessaire ? demandera-t-on. L'ordre de présentation n'est-il pas de toute évidence capital dans toute entreprise littéraire ? Si juifs et chrétiens ont mêlé des matériaux traditionnels ou reçus de manières aussi nettement différentes, n'est-il pas immédiatement apparent qu'il en est résulté deux œuvres différentes ? Ce qui mérite d'être souligné, c'est à quel point la tradition occidentale, habituée à faire comme si tous les versets, tous les livres des Écritures saintes étaient simultanés, a aveuglé les critiques modernes sur l'importance des décisions artistiques par lesquelles, voici deux mille ans, deux éditeurs ou deux équipes d'éditeurs ont organisé le même recueil de textes suivant une table ou un canon différents.

L'histoire de cette divergence de la Bible hébraïque et de l'Ancien Testament compte, de manière assez improbable, un chapitre d'histoire des techniques. La tradition islamique a donné aux juifs comme aux chrétiens le nom de « peuples du Livre », honorant ainsi les écritures d'inspiration divine qui précédèrent la divine révélation du Coran à Mahomet. Au sens moderne du mot *livre*, cependant, il serait plus exact de parler des juifs comme du peuple du rouleau. Le peuple du livre tel que nous le connaissons, ce sont les chrétiens.

L'enjeu n'est ni un titre ni un privilège, mais juste la définition d'un terme. Ce que nous appelons aujourd'hui rouleau[5] est un système de stockage du texte que les premiers siècles de l'ère courante appelaient un livre. Ce que nous appelons livre — des pages coupées et cousues ensemble sur un côté — était alors appelé codex. Le codex, inventé au cours du Ier siècle de notre ère, était à l'époque clairement distingué d'un « vrai » livre — c'est-à-dire d'un rouleau. Dans l'Empire romain, l'élite littéraire païenne, les conservateurs de leur temps, portaient sur le codex un regard voisin de celui que certains portent aujourd'hui sur les publications électroniques. Attachés à l'ancien format, ils n'adoptèrent le plus récent qu'en rechignant. Les Juifs, qui employaient le rouleau depuis des siècles, furent à peine plus rapides à changer et, à des fins cérémonielles, ils ont conservé le rouleau jusqu'à aujourd'hui. Les chrétiens de l'Empire romain formaient un groupe issu des classes modestes et médiocrement cultivé, sans tradition littéraire profane à préserver. Adeptes d'une religion nouvelle, ils n'avaient guère non plus de traditions sacrées à protéger, et ils se rallièrent sur-le-champ et universellement au nouveau système. De fait, peut-être le codex est-il une de leurs inventions. Mais peu importe l'inventeur ! Son adoption enthousiaste par la chrétienté donna à la nouvelle religion un avantage technique qui a sans nul doute favorisé son essor.

Le nouveau médium était cependant porteur d'un message bien à lui. Les petits codices cédant peu à peu la place à de plus grands, la possibilité apparut pour la première fois de fourrer toutes les Écritures juives dans un seul « réceptacle » textuel. Parce que le rouleau classique de neuf mètres ne pouvait contenir un ouvrage plus long que le Livre d'Ésaïe, les diverses œuvres qui allaient devenir la Bible hébraïque avaient toujours été stockées séparément : de nombreux rouleaux dans une multitude de récipients. En gardant physiquement mobiles les diverses parties, l'ancien système de stockage des textes avait tendance à les garder aussi mentalement mobiles et à prévenir toute tentation de les éditer sous la forme d'une seule grande anthologie fermée.

Tout en étant également une anthologie, les Écritures chrétiennes ont eu une autre histoire, car elles sont nées au moment même où naissait le codex. Peut-être est-ce parce que le codex, au départ, n'était pas considéré comme un livre à part entière que les ouvrages composant le Nouveau Testament n'ont pas reçu, traditionnellement, le nom de livres. Il n'y a pas de « Livre de Matthieu », ni de « Livre de Paul ». (Certes il y a le Livre de la Révélation, c'est-à-dire l'Apocalypse, mais la Révélation est un exercice tardif, à dessein antiquaire, de la part d'un auteur qui, entre autres singularités, est passablement obsédé par l'objet matériel qu'est le rouleau.) En toute probabilité, les diverses composantes du Nouveau Testament apparurent comme l'équivalent fonctionnel des chapitres d'un même livre, et ce beaucoup plus tôt, dans leur histoire, que ce ne fut le cas pour les composantes de la Bible hébraïque.

Le moment décisif fut celui où le mode de stockage des chrétiens commença à s'étendre aux Écritures héritées des juifs. Les chrétiens, qui les avaient faites leurs, en prirent l'initiative ; les juifs en firent autant, mais plus tard. Les éditeurs des deux groupes comprenant que l'ordre serait dorénavant fixe et visible, ils ont dû naturellement s'interroger de manière inédite sur la portée esthétique ou polémique en puissance de cet ordre. Au bout du compte, les juifs tranchèrent dans un sens, les chrétiens dans un autre ; et c'est ainsi que la dernière phase de l'édition d'un chef-d'œuvre d'édition se trouva dédoublée. La Bible hébraïque et l'Ancien Testament ne sont pas tout à fait deux œuvres différentes : pour être plus précis, ce sont deux éditions très différentes du même recueil.

Qu'est-ce qui a poussé l'éditeur chrétien à rejeter les prophètes à la fin de sa nouvelle édition de l'Ancien Testament ? Vraisemblablement l'espoir que, à cette place, les prophètes annonceraient d'autant mieux leur lien avec les Évangiles qui, désormais, les suivaient. La chrétienté tient la vie du Christ pour l'accomplissement de la prophétie. Les Évangiles, qui ouvrent le Nouveau Testament, y insistent à maintes reprises. L'éditeur chrétien a édité la Bible hébraïque en partant de cette croyance chrétienne.

Au moins nous est-il permis de l'imaginer. Une école de pensée rivale prétend que deux canons juifs antiques ont été conservés : un canon palestinien, survivant dans la Bible hébraïque, et un canon juif alexandrin (ou de la Diaspora), survivant dans l'Ancien Testament[6]. À mon sens, l'idée que l'ordre de l'Ancien Testament des chrétiens reflète la révision consciente d'un éditeur chrétien est mieux étayée, mais je dois avouer qu'il est impossible de trancher.

Quelle que soit l'origine des deux éditions, la différence est de taille, suffisamment pour obliger un biographe de Dieu à choisir sur quelle version il va appuyer son récit. Pour des raisons qui ne seront entièrement claires qu'à l'extrême fin de ce livre, j'ai choisi de m'en remettre à la Bible hébraïque ou, pour employer le mot hébreu classique désignant le recueil, au Tanakh. Le mot *Tanakh* est un acronyme post-biblique dérivé des équivalents hébreux des lettres *t*, *n* et *k* (prononcée *kh* dans certaines conditions phonétiques), correspondant, respectivement, aux mots hébreux *torah*, « loi » ou « enseignement », *nebi'im*, « prophètes », *ketubim*, « écrits »[7]. Si l'on rebaptisait l'Ancien Testament d'un acronyme comparable, ce serait *Takhan*, car l'ordre est, *grosso modo*, le suivant : loi, écrits, prophètes. À compter de maintenant, *Tanakh* est donc le mot que j'emploierai d'ordinaire pour désigner le recueil. Ce qui est d'une importance décisive, bien entendu, ce n'est pas le nom, mais la nature même du recueil.

La nature de la Bible hébraïque/Ancien Testament est telle, pour commencer par le plus évident, qu'il y a plusieurs manières possibles de décomposer le recueil et de le recomposer. Il en va nécessairement de même pour le personnage de Dieu, son protagoniste. Un sceptique pourrait en conclure que, ainsi dépourvu d'intrigue ou de protagoniste ordinaires, le recueil ne se prête pas à une appréciation fondée sur les outils ordinaires de la critique littéraire. Une lecture attentive du texte laisse cependant penser que le Tanakh n'est que partiellement mis en intrigue, que son protagoniste n'est qu'en partie un personnage authentique ou « dessiné ». Bref, nous sommes en présence d'un genre de patchwork. En suivant les coutures, on peut en détacher certaines pièces pour les assembler différemment. Mais alors même que l'intention littéraire est contestable, l'effet littéraire est indéniable. De fait, la force persistante de la Bible hébraïque procède,

entre autres choses, de son caractère partiellement aléatoire ou anec-
dotique. Or le propre de l'art est précisément de ne rien laisser au
hasard. Dans la réalité, le hasard a au contraire une grande place.
Admettre ou même feindre le hasard ne fait donc que rehausser l'air
de réalité d'une œuvre d'art. Que ce soit ou non pour des raisons
artistiques conscientes, le hasard a donc bel et bien eu droit de cité
dans la Bible.

L'ordre dans lequel la vie du Seigneur Dieu est ici racontée est
donc l'ordre du Tanakh (voir Appendice, p. 428) ; et sauf indication
contraire, la traduction citée * est celle du Tanakh parue en 1985 sous
les auspices de la Jewish Publication Society (JPS)[8]. Je m'empresse
d'ajouter, toutefois, que même si mon propos est précisément de
mettre en évidence les différences entre le Tanakh et l'Ancien Testament, et bien qu'on puisse parler, je crois, de deux classiques plutôt
que d'un seul, les similitudes en ce qui concerne leur protagoniste
commun sont manifestement considérables. L'ordre des livres dans
les deux canons importe, mais, du coup, le fait que l'ordre soit identique pour les onze premiers livres de la formation signifie que, de la
prime jeunesse jusqu'à l'âge d'homme, le Seigneur Dieu est compris
pareillement dans le Tanakh et l'Ancien Testament. Seuls la maturité
et le grand âge sont compris différemment. Une interprétation
moderne en forme de biographie, fondée sur le travail d'un éditeur
antique, sera nécessairement différente d'une interprétation comparable fondée sur le travail de l'autre. Mais on ne saurait douter que
le sujet, Dieu en personne, soit le même dans les deux cas.

---

* *Note du traducteur* : En français, la traduction de Samuel Cahen, théologien
et directeur de l'École israélite au XIXe siècle, a été dernièrement rééditée aux éditions Les Belles Lettres, 1994, par les soins de Gilbert Werndorfer, avec une
introduction du rabbin et philosophe Marc-Alain Ouaknin. Des questions de transcription et un souci de plus grande lisibilité nous ont cependant conduit, pour la
version française, à utiliser de préférence la traduction œcuménique de la Bible
(TOB) coéditée par les Éditions du Cerf et la Société biblique française en 1988.
Concernant l'Ancien Testament, l'intérêt de cette version, suivant ses éditeurs, est
double : 1° « Pour les livres reçus comme canoniques par toutes les Églises chrétiennes, l'ordre suivi [...] est celui des Bibles hébraïques actuelles. » Dans un souci
comparatiste, les éditeurs ont été amenés « à présenter une double traduction du
livre d'Esther, l'une selon l'hébreu, l'autre selon le grec, innovation qui permettra
aux lecteurs de se rendre compte des différences importantes entre les deux textes »
(TOB, p. 9 ; sur l'ordre des livres dans les différentes éditions, voir aussi *ibid.*,
p. 31). 2° « L'Ancien Testament est traduit sur le texte massorétique, c'est-à-dire le
texte hébreu de la tradition juive. [...] Pour transcrire les noms propres, on a tenu
compte autant que possible de la prononciation actuelle de l'hébreu, sauf pour quelques personnages connus auxquels on a laissé leur orthographe ou leur consonance
traditionnelle » (TOB, p. 9-10).

ÉRUDITS CONTRE CRITIQUES DE LA BIBLE [9]

À l'instar de William Kerrigan, j'ai eu pour maîtres des érudits, plutôt que des critiques, et il me faut dire un mot du lien de cet ouvrage avec l'imposant corpus des recherches historiques sur le Tanakh. En tant que branche du savoir profane, cette science a pris pour objet la religion de l'antique Israël, plutôt que Dieu lui-même. Ce faisant, elle s'est rarement, voire jamais, définie contre la critique littéraire, comme une branche du savoir séculier peut se définir en opposition à une autre. Au contraire, son « autre » psychologique et sociologique a toujours été compris comme l'autorité religieuse établie. Quand elle pense à une autre approche que la sienne, elle pense à la théologie.

Malgré tout, cependant, ses résultats, lus avec attention, sont d'un grand intérêt littéraire. Pour commencer, même si c'est pour des raisons qui leur sont propres, les historiens sont généralement bien plus attentifs que le critique moyen de la littérature moderne aux détails « insignifiants » qui, somme toute, ne se révèlent pas si insignifiants [10]. Parmi ceux-ci, beaucoup portent sur le personnage même du Seigneur Dieu. Ensuite, les historiens ont beaucoup de choses valides et utiles à dire sur les auteurs des divers ouvrages qui composent le Tanakh. Même un critique souhaitant se focaliser sur l'effet que l'œuvre, dans son ensemble, produit sur un lecteur moderne gagnera à être informé aussi complètement que possible d'une chronologie dont il fait par ailleurs abstraction.

Le Dieu qu'adorait l'antique Israël est né de la fusion d'un certain nombre de dieux qu'une nation nomade avait rencontrés dans ses errances. Un lecteur qui voudrait retrouver les traces historiques de ce processus peut le faire en consultant diverses études techniques imposantes [11] : *Yahweh and the Gods of Canaan*, par William Foxwell Albright ; *Canaanite Myth and Hebrew Epic*, par Frank Moore Cross, un élève d'Albright, et *The Early History of God*, d'un élève de Cross, Mark S. Smith. Ce sont des œuvres d'imagination maîtrisée autant que d'érudition massive. Mais un lecteur plus littéraire sera tenté de poser la question : « Et que devient Dieu dans tout cela ? » Question absurde dans la méthodologie de la reconstitution historique, mais tout à fait ordinaire — en vérité indispensable — pour une appréciation littéraire. Si le spectateur n'est pas constamment attentif aux sentiments changeants de Hamlet, *Hamlet*, la pièce, lui est incompréhensible. Si l'on a continué à lire A.C. Bradley, c'est qu'en effet, une fois qu'il est à l'intérieur du théâtre — une fois qu'il est sous le charme d'un Hamlet rendu à la vie —, chaque spectateur croit, avec Bradley, que Hamlet ne finit pas avec les mots de Shakespeare.

Encore une fois, la question « Et que devient Dieu dans tout cela ? » n'est pas une question historique ; mais un lecteur du Tanakh qui se poserait cette question trouvera un ensemble de réponses ou un autre suivant qu'il a commencé, ou non, par se plonger dans les études historiques. Dans leur « généalogie » historique de Dieu, des savants comme Albright, Cross et Smith observent que diverses personnalités divines, venues de sources extra-bibliques, ont laissé des traces sur les pages de la Bible. Un critique littéraire connaissant leur travail peut retrouver cette multiplicité objective dans le personnage même du Seigneur Dieu, considéré comme un protagoniste littéraire et, par l'imagination, transformer leurs incohérences observées en conflit intérieur éprouvé par Dieu. De cette façon, l'émergence du monothéisme à partir du polythéisme peut être récupérée pour la littérature, comme l'histoire d'un seul Dieu aux prises avec lui-même.

Ce qu'en un sens le Tanakh a toujours été. Il n'y a rien à ajouter — ni pesantes spéculations psychologiques, ni révélations sensationnelles sur la foi des toutes dernières excavations archéologiques, ni lectures entre les lignes — pour accomplir cette lecture. Latentes tout au long du texte, les contradictions n'ont jamais manqué d'avoir un effet esthétique marqué sur le lecteur ou l'auditeur : de ce fait, le Seigneur Dieu a toujours été, par intermittence, déconcertant ou irritant, inconséquent ou arbitraire. La recherche historique aide simplement à mettre ces conflits en évidence, transformant les ombres grises et épaisses de la vie intérieure du Seigneur en nuances aisément reconnaissables. Voici El et son ciel bleu, voilà les tons de terre du « dieu de ton père », le rouge sang de Baal ou de Tiamat, ou la mémoire toujours verte d'Ashéra. Si la Bible est, finalement, une œuvre de littérature, il faut retrouver dans le Dieu unique — le *monos theos* fruit de leur fusion — ces personnalités qu'il est historiquement possible de distinguer, puis les en expulser. Bref, après avoir compris Dieu dans sa multiplicité, il faut l'imaginer à nouveau dans son unité éclatée et difficile.

C'est à ce prix seulement que la Bible s'impose comme une œuvre d'art, plutôt qu'un simple ouvrage historique laissant à désirer. Les historiens ont généralement reconnu la puissante originalité de la synthèse religieuse, quand bien même ils n'ont pas cru également, pour des raisons religieuses, que cette originalité était une révélation de Dieu en personne. Mais en ne voulant voir dans la Bible que la plus importante d'une multitude de sources pour leur histoire de la religion d'Israël, ils n'ont pas vu que la manière, propre à la Bible, de mêler diverses personnalités en un personnage complexe consiste à les mettre en intrigue dans une histoire dont le protagoniste est non pas Israël, mais Dieu. L'intrigue commence par le désir qu'a Dieu d'avoir une image de soi. Elle s'étoffe lorsque ladite image de Dieu se met à son tour à fabriquer des images d'elle-même, et que Dieu s'en offusque. De ce conflit initial, d'autres en découlent. La crise éclate lorsque Dieu essaie vainement de cacher le mobile de son origine à un seul exemplaire physiquement ravagé mais moralement éveillé de lui-même.

Le ressort méthodologique de cette relecture de la Bible hébraïque — et la raison pour laquelle on peut parler de biographie — est un recentrage, des acteurs humains vers l'acteur divin. Sans faire outrage à l'érudition historique ni la contredire, il faut laisser son personnage émerger à travers une autre série de questions critiques, mais plus subjectives. Pourquoi Dieu a-t-il créé le monde ? Pourquoi, sous des prétextes aussi futiles, l'a-t-il détruit si tôt après l'avoir créé ? Pourquoi, après s'être si longtemps désintéressé des guerres qui déchiraient l'humanité, est-il soudain devenu un guerrier ? Pourquoi, après s'être si peu soucié de moralité, s'est-il fait moraliste ? Alors que son pacte d'alliance avec Israël semblait aller à vau-l'eau, quelles conséquences se dessinaient pour lui ? Quel genre de vie l'attendait après cette rupture imminente ? Quelles leçons a-t-il tirées de son incapacité à tenir les promesses qu'il avait faites aux prophètes ? Comment a-t-il vécu le fait d'être sans parents, sans épouse ni enfants ? La science historique ne se pose pas des questions de ce genre ni ne se propose d'y répondre. La critique si. Mais, judicieusement employée, la science historique peut apprendre à la critique à reconnaître ce qu'elle cherche quand elle l'aperçoit.

L'UN ET LE MULTIPLE

Un éminent éditeur américain, à qui l'on demandait comment il avait choisi de faire une carrière dans l'édition, répondit : « Mon père était un lecteur, ma mère une bosseuse. » Sous-entendu : *Je suis ma mère et mon père, éditer me permet de vivre mes contradictions*. Dès l'instant de la conception, lorsque les vingt-trois chromosomes d'un mâle et les vingt-trois chromosomes d'une femelle forment la première cellule d'un nouvel être humain, nous sommes définis par notre division intérieure. Notre seule identité est notre manque d'identité. Nous n'avons rigoureusement rien en propre. Sur cette division initiale de l'identité viennent empiéter d'autres divisions — de race, de culture, de métier ou de tempérament. Dans *Eely Meely and a-Miley Mo* — une rengaine que chantent ma fille de neuf ans, Kathleen, et ses camarades de classe — figure le quatrain suivant, très américain :

My mother was a doctor,
My father was a spy,
And I'm the little pip-squeak
Who told the FBI.

Ma maman était docteur
Mon papa espion
Et moi j'suis le p'tit minus
Qu'a causé au FBI.

À quatorze ans, j'ai entendu cette version de Chicago d'un
refrain que Joyce a rendu célèbre :

Ma mère était un' juive,
Mon papa un oiseau,
Et moi j'suis le plus louf
Qu'a jamais pipé mot [12].

Génétiquement parlant, tout le monde est le fruit d'un mariage
mixte car, le clonage mis à part, il n'existe pas d'autre espèce de
mariage. Mais comme le suggèrent les ritournelles enfantines, la
génétique n'est que le commencement.

La raison la plus profonde de lire le Tanakh comme la biographie de Dieu est que, à la manière de bon nombre de biographies
humaines, celle-ci suit les divisions d'un personnage telles qu'elles
trouvent à s'exprimer dans l'œuvre d'une vie. Auparavant, il y a eu
un éditeur heureux, autrement dit un jeune homme aux inclinations
contradictoires. « Tâchant de trouver quelque chose à faire *de lui* »,
disons-nous, et la formule est parfaitement juste : il ne cherche pas
simplement quelque chose à faire, mais quelque chose à faire de lui.
Pas toujours, mais souvent, cette scène de division intérieure et de
quête aboutit au travail d'une vie, lequel permet aux personnalités
doubles ou multiples qui coexistent dans un personnage immature de
trouver une expression simultanée et, ainsi, de fusionner en une unité
mûre et dynamique. Pas toujours, mais souvent, le travail en question
est finalement miné par la tension intérieure même qui a initialement
permis sa réussite. Pour continuer avec l'exemple de l'édition, il peut
devenir impossible, à un certain niveau d'intensité, d'être à la fois
lecteur et bosseur. L'œuvre accomplie et l'identité risquent de se
briser. Ou, plus souvent, l'œuvre peut passer, modifiée, dans d'autres
mains, tandis que l'identité subsiste.

Le Seigneur Dieu n'a pas de mère ni de père, mais les contradictions autrement engendrées de son personnage trouvent bel et bien
une expression dans sa vie. Son personnage fusionne, explose et
— ici, le Tanakh s'écarte de manière très saisissante de l'Ancien
Testament — se désintègre sans disparaître. Fait intéressant, la Bible

hébraïque n'a pas de mot pour « histoire », et le Tanakh ne s'achève pas comme s'achèverait une histoire bien écrite. Mais en réalité, les vies ne finissent jamais ainsi. En l'occurrence, l'échec du Tanakh fait sa réussite. Pour beaucoup d'êtres humains, sinon pour la plupart, la mort survient comme une interruption. Les survivants ne pensent pas à l'histoire qui s'achève, mais à la personne disparue.

Il en va de même à la fin du Tanakh. Classique déroutant, œuvre de mains sans nombre au fil de longs siècles, il doit sa cohésion à son personnage central, beaucoup plus qu'à quelque structure rigide ou à quelque thème épique. Le Seigneur Dieu est en guerre contre lui-même, mais sa guerre est la nôtre, car, culturellement parlant, nous partageons sa vie depuis des siècles. Avant même de le rencontrer, tout le monde, sans exception aucune, a entendu parler de lui. De qui d'autre pourrait-on en dire autant ?

Alors qu'on lui demandait s'il croyait en Dieu, le psychologue Carl Gustav Jung répondit, d'un mot célèbre : « Je ne crois pas, je sais. » Dieu peut-il faire l'objet d'un savoir ? Peut-on le connaître ? Je laisse cette question en suspens. Ce que je prétends, c'est uniquement qu'on peut raconter la vie de Dieu telle qu'elle se trouve sur les pages de la Bible. L'objet de ce livre est précisément d'en faire le récit.

2

Génération

Il soliloque. Nul être humain n'a encore été créé pour l'entendre, et les autres êtres divins auxquels il s'adressera peu souvent, presque distraitement, paraissent à peine retenir son attention : au mieux des passants, pas des collaborateurs :

Lorsque Dieu commença la création du ciel et de la terre, la terre était déserte et vide, et la ténèbre à la surface de l'abîme ; le souffle de Dieu planait à la surface des eaux

et Dieu dit : « Que la lumière soit ! » Et la lumière fut. Dieu vit que la lumière était bonne. Dieu sépara la lumière de la ténèbre. Dieu appela la lumière « jour » et la ténèbre, il l'appela « nuit ». Il y eut un soir, il y eut un matin : premier jour.

Dieu dit : « Qu'il y ait un firmament au milieu des eaux et qu'il sépare les eaux d'avec les eaux ! » Dieu fit le firmament et il sépara les eaux inférieures au firmament d'avec les eaux supérieures. Il en fut ainsi. Dieu appela le firmament « ciel ». Il y eut un soir, il y eut un matin : deuxième jour.

Dieu dit : « Que les eaux inférieures au ciel s'amassent en un seul lieu et que le continent paraisse ! » Il en fut ainsi. Dieu appela « terre » le continent : il appela « mer » l'amas des eaux. Dieu vit que cela était bon.

Dieu dit : « Que la terre se couvre de verdure, d'herbe qui rend féconde sa semence, d'arbres fruitiers qui, selon leur espèce, portent sur terre des fruits ayant en eux-mêmes leur semence ! » Il en fut ainsi. La terre produisit de la verdure, de l'herbe qui rend féconde sa semence selon son espèce, des arbres qui portent des fruits ayant en eux-mêmes leur semence selon leur espèce. Dieu vit que cela était bon. Il y eut un soir, il y eut un matin : troisième jour.

Dieu dit : « Qu'il y ait des luminaires au firmament du ciel pour séparer le jour et la nuit, qu'ils servent de signes tant pour les fêtes que pour les jours et les années, et qu'ils servent de luminaires au firmament du ciel pour illuminer la terre. » Il en fut ainsi. Dieu fit les deux grands luminaires, le grand luminaire pour présider au jour, le petit pour présider à la nuit, et les étoiles. Dieu les établit dans le firmament du ciel pour illuminer la terre, pour présider au jour et à la nuit et séparer la lumière de la ténèbre. Dieu vit que cela était bon. Il y eut un soir, il y eut un matin : quatrième jour.

Dieu dit : « Que les eaux grouillent de bestioles vivantes et que l'oiseau vole au-dessus de la terre face au firmament du ciel. » Dieu créa les grands monstres marins, tous les êtres vivants et remuants selon leur espèce, dont grouillèrent les eaux, et tout oiseau ailé selon son espèce. Dieu vit que cela était bon. Dieu les bénit en disant : « Soyez féconds et prolifiques, remplissez les eaux dans les mers, et que l'oiseau prolifère sur la terre ! » Il y eut un soir, il y eut un matin : cinquième jour.

Dieu dit : « Que la terre produise des êtres vivants selon leur espèce : bestiaux, petites bêtes et bêtes sauvages selon leur espèce ! » Il en fut ainsi. Dieu fit les bêtes sauvages selon leur espèce, les bestiaux selon leur espèce et toutes les petites bêtes du sol selon leur espèce. Dieu vit que cela était bon. (1, 1-25)

Il soliloque, mais ce n'est pas de lui qu'il parle. Il ne dit mot de qui il est, ni de ses intentions. Il s'exprime sur un ton cassant, sans nulle intention de communiquer avec qui que ce soit, encore moins d'expliquer. Il décrète. Ses premiers mots sont abrupts à l'extrême. La phrase « Que la lumière soit ! », si imposante en français, ne traduit que deux mots rapides en hébreu : *yhi 'or.* « Lumière ! » serait une traduction justifiable, car, s'il s'agit bien d'un commandement, il n'est pas dit sur un ton comminatoire. On ne s'adresse pas des semonces à soi-même. On pense plutôt à un charpentier qui prononcerait marteau à voix haute tout en mettant la main sur son outil. L'obéissance à un tel « commandement » ne fait pas l'ombre d'un doute.

La scène n'a point de narrateur. Elle n'est pas présentée comme une vision octroyée à quelque prophète qui aurait eu le privilège de voir Dieu à l'œuvre. L'impression est pourtant celle d'un homme qui écoute aux portes ou épie. Nous tombons sur un chantier, et ce qui nous frappe, c'est que, même s'il soliloque, le maître d'œuvre ne trahit pas la moindre hésitation. Il ne rêvasse pas. Il a en tête quelque chose de bien précis, et chaque étape de son projet mène au prochain en droite ligne, sans hâte, avec une extrême économie. D'abord, la lumière. Puis le dôme du ciel, s'ouvrant telle une gigantesque bulle dans le chaos des eaux : de l'eau au-dessus, de l'eau au-dessous. Puis le partage des eaux inférieures en sorte que la terre ferme apparaisse. Puis la végétation sur la terre nouvellement découverte. Puis, le quatrième jour, le soleil, la lune et les étoiles, pour plus de lumière et pour suivre l'écoulement du temps ; le cinquième, les créatures vivantes de la mer et de l'air ; et le sixième, les bêtes de la terre.

CRÉATEUR

« Où es-tu ? »

GENÈSE 1-3

Puis, quand tout semble prêt, un chevrotement, un mot d'explication oblique de ce comparse qui semble au-dessus de toute explication :

> Dieu dit : « Faisons l'homme à notre image, selon notre ressemblance et qu'il soumette les poissons de la mer, les oiseaux du ciel, les bestiaux, toute la terre et toutes les petites bêtes qui remuent sur la terre ! »
> Dieu créa l'homme à son image, à l'image de Dieu il le créa ; mâle et femelle il les créa.
> Dieu les bénit et Dieu leur dit : « Soyez féconds et prolifiques, remplissez la terre et dominez-la. Soumettez les poissons de la mer, les oiseaux du ciel et toute bête qui remue sur la terre ! »
> Dieu dit : « Voici, je vous donne toute herbe qui porte sa semence sur toute la surface de la terre et tout arbre dont le fruit porte sa semence ; ce sera votre nourriture. A toute bête de la terre, à tout ce qui remue sur la terre et qui a souffle de vie, je donne pour nourriture toute herbe mûrissante. » Il en fut ainsi. Dieu vit tout ce qu'il avait fait. Voilà, c'était très bon. Il y eut un soir, il y eut un matin : sixième jour. (1, 26-31)

Le sens exact d'*image* est donné dans l'instruction qui suit au maître de la terre. Pourquoi donner à l'humanité cette version de la domination divine ? Parce que, ce faisant, l'humanité donne une meilleure image de « nous ». Et pourquoi la fécondité et la prolifération ? Parce que, lorsqu'ils se reproduisent, les êtres humains sont l'image de leur créateur en pleine création. La reproduction produit des reproductions, des images : les enfants ne ressemblent-ils pas à leurs parents ? Le mobile de tout ce qui précède la création de l'humanité, c'est, en définitive, de préparer le couronnement de l'entreprise, l'acte par lequel Dieu crée une autre espèce de créateur.

Reprenons : Dieu fait un monde, parce qu'il veut l'humanité, et il veut l'humanité parce qu'il veut une image. D'autres mobiles auraient pu jouer. Pour en choisir un dans le Proche-Orient ancien, il aurait pu vouloir un serviteur. Pour anticiper sur la suite de son histoire, il aurait pu vouloir un ami. Il aurait même pu vouloir un adorateur. Mais à ce stade — à en juger par ses dires — il n'est pas un Dieu qui veuille amour ou adoration, ni quoi que ce soit qu'on puisse aisément nommer. Il veut une image. Mais pourquoi diable en veut-il une ? Pour l'heure, nous en sommes réduits à des conjectures.

Dieu est circonspect, mais que cache-t-il ? Il est question de « nous » et de « notre » image, et nous voulons en savoir plus. Si « notre » image est mâle et femelle, ne sommes-« nous » pas également mâles et femelles ? Ce serait l'inférence immédiate la plus logique, mais rien de ce qui suit ne paraît l'étayer. Le texte parle de Dieu au masculin singulier. Et si ce Dieu a une vie privée, ou même, pourrions-nous dire, une vie mondaine parmi les autres dieux, il se garde bien de nous en faire l'aveu. Il semble complètement seul : non seulement sans épouse, mais aussi sans frère, ami, ni serviteur, sans même un animal mythique. Sa vie est sur le point d'être irrémédiablement compliquée par son image, déterminée à faire à son tour des images d'elle-même. Mais sans ces complications, à quoi ressemblerait la vie de Dieu ? Nous ne pouvons que le conjecturer. On ne devine nulle fatigue, nul effort, dans son activité. Les Six Jours de la création n'ont rien à voir avec les Douze Travaux d'Hercule, jouant de ses muscles tout en étant inondé de sueur. Sa marque distinctive est une souveraineté sans frein et sans effort. Reste que, au septième jour, « il arrêt[a] toute l'œuvre que lui-même avait créée ». Lui en a-t-il coûté plus que nous ne l'avons cru à l'époque ? Est-il plus faible qu'il ne le laisse paraître ?

Le bilan du sixième jour de création était entaché d'une certaine ambivalence. Au mâle et à la femelle qu'il vient de créer, il ordonne : « Soyez féconds et prolifiques, remplissez la terre et dominez-la » ; et le texte précise : « Il en fut ainsi. » Mais on n'en est pas encore là. Pour l'heure, le mâle et la femelle ne se sont pas montrés féconds, ils n'ont pas proliféré. Et Dieu ne dit pas d'eux directement ce qu'il dit de toutes ses autres créatures : « Dieu vit que cela était bon. » Le jugement final, formulé par le narrateur qui lit mystérieusement dans l'esprit de Dieu, ne porte que sur l'ensemble de la création : « Dieu vit tout ce qu'il avait fait. Voilà, c'était très bon. » « Très », pour la première et dernière fois ici, mais juste après une élision un peu troublante, où l'humanité est en cause. Et puis, soudain, cette chute dans une journée entière de repos. Dieu est déjà, au tout début de son histoire, un mélange de force et de faiblesse, de résolution et de regret.

Il est un second récit de la création, d'une source originellement indépendante, dont la Genèse 2, 4 est le point de départ. « Dieu », *'elohim*, est ici remplacé par « le SEIGNEUR Dieu », *yahweh 'elohim*[1]. La divinité est appelée par son nom propre, *yahweh*, tandis que le nom commun (plutôt que l'autre nom propre) *'elohim* est ajouté en guise de commentaire. L'expression française « le Seigneur », qui par convention traduit yahweh dans nombre de versions françaises de la Bible, est en fait la traduction du mot hébreu *'edonay* (Adonaï), qui signifie littéralement « mon Seigneur ». Ce mot, qui ne figure pas dans le texte, est celui qu'employaient jadis les juifs pieux, plutôt que de profaner le nom sacré de Dieu en le prononçant. Par la suite, au fil de sa longue histoire, Dieu sera parfois *'elohim*, bien plus souvent yahweh, et à l'occasion l'un de ses divers noms ou épithètes fréquemment usités[*]. À l'évidence, tous ces noms ne désignent qu'un seul et même être, mais cet être, nous le verrons, se conduit un peu différemment suivant qu'il est appelé d'un nom ou d'un autre dans le Livre de la Genèse.

Dans le second récit de la création — qui, dans une lecture continue, est bien entendu la suite, plutôt qu'une autre version —, le centre d'intérêt est plus restreint, tandis que la tension s'amplifie entre le créateur et son humaine créature. L'humanité n'est plus située sur « la terre », gigantesque paradis naturel où elle doit être féconde et prolifique, mais dans « un jardin en Éden, à l'orient », que Dieu a planté et donné à « l'homme », pour qu'il le cultive et le garde. Et la libre domination que devait exercer l'humanité à l'image de Dieu est aussi restreinte : « Tu pourras manger de tout arbre du jardin, mais tu ne mangeras pas de l'arbre de la connaissance de ce qui est bon ou mauvais car, du jour où tu en mangeras, tu devras mourir » (2, 16-17).

Dans le premier récit de la création, il est commandé quelque chose, mais rien n'est défendu. Pour la première fois, il y a maintenant un interdit. Il semble être imposé dans l'intérêt de l'homme,

---

* Voici la traduction des noms divins retenue par la TOB, et ici reprise :
YHWH : le SEIGNEUR
Élohim : Dieu
Adonaï : le Seigneur
Adonaï YHWH : Le Seigneur Dieu
YHWH Élohim : le SEIGNEUR DIEU
YHWH Sabaoth : le SEIGNEUR le tout-puissant
Shaddaï : le Puissant. *(N.d.T.)*

mais on s'interroge : si l'homme doit dominer la terre (suivant le premier récit de la création), pourquoi la connaissance du bien et du mal lui est-elle refusée ? La seule raison d'obéir donnée à l'homme est une raison qui ne rime à rien. Et, dans cette seconde version, le SEIGNEUR Dieu paraît nettement plus inquiet, face à sa créature, que Dieu ne le semblait dans la première.

Cette angoisse s'amplifie lorsque le SEIGNEUR Dieu crée la femme. Dans son contexte, cette seconde version des faits se lit comme un récit de ce qui s'est réellement produit le sixième jour. Elle explique pourquoi Dieu, dans le premier récit, n'a pas vu « qu'ils étaient bons ». À la différence de Dieu, le SEIGNEUR Dieu ne juge pas l'homme bon, fût-ce par inclusion. Non, quelque chose ne va pas chez l'homme, et de cette lacune, il ne trouve qu'une chose à dire : « Il n'est pas bon pour l'homme d'être seul. Je veux lui faire une aide qui lui soit accordée. » Mais tous les efforts du SEIGNEUR Dieu pour lui trouver une aide adéquate échouent. Il amène à l'homme « toute bête des champs et tout oiseau du ciel », en un extra-ordinaire défilé, tandis qu'il laisse à l'homme le privilège — gros de pouvoir — de les désigner, « mais l'homme ne trouva pas l'aide qui lui soit accordée ». Le sous-entendu est clair : l'homme rejette en totalité la peine que Dieu se donne pour créer d'autres créatures vivantes ; peut-être sont-elles « bonnes », mais elles ne lui conviennent pas. Le SEIGNEUR Dieu se remet alors au travail pour de bon, et, recourant à un expédient extrême, crée une femme à partir d'une côte de l'homme.

L'homme — ce seront les premiers mots prononcés par un être humain dans la Bible — l'accueille avec joie, mais sans témoigner la moindre gratitude ni aucune autre forme de reconnaissance au SEIGNEUR Dieu :

> Voici cette fois l'os de mes os et la chair de ma chair,
> celle-ci, on l'appellera femme car c'est de l'homme qu'elle a été prise[2]. (2, 23)

Dans le premier récit de la création, le mâle et la femelle ne répondent pas davantage au Dieu qui les a créés, mais Dieu, quant à lui, ne semble rien attendre. Sa seule espérance est qu'ils soient, fructueusement, eux-mêmes, qu'ils soumettent la terre et, ce faisant, lui servent d'image. La première version ne contient pas le moindre épisode de transgression.

Plus étoffée, la seconde est bien différente :

> Tous deux étaient nus, l'homme et sa femme, sans se faire mutuellement honte.
> Or le serpent était la plus astucieuse de toutes les bêtes des champs

que le SEIGNEUR Dieu avait faites. Il dit à la femme : « Vraiment ! Dieu vous a dit : "Vous ne mangerez pas de tout arbre du jardin..." » La femme répondit au serpent : « Nous pouvons manger du fruit des arbres du jardin, mais du fruit de l'arbre qui est au milieu du jardin, Dieu a dit : "Vous n'en mangerez pas et vous n'y toucherez pas afin de ne pas mourir." » Le serpent dit à la femme : « Non, vous ne mourrez pas, mais Dieu sait que le jour où vous en mangerez, vos yeux s'ouvriront et vous serez comme des dieux possédant la connaissance de ce qui est bon ou mauvais. »

La femme vit que l'arbre était bon à manger, séduisant à regarder, précieux pour agir avec clairvoyance. Elle en prit un fruit dont elle mangea, elle en donna aussi à son mari qui était avec elle et il en mangea. Leurs yeux à tous deux s'ouvrirent et ils surent qu'ils étaient nus. Ayant cousu des feuilles de figuier, ils s'en firent des pagnes. (2, 25-3, 7)

Lorsqu'il explique à la femme que, contrairement à ce qu'a dit le SEIGNEUR Dieu, elle ne mourra point si elle goûte au fruit de l'arbre de la connaissance du bien et du mal, le serpent dit vrai. Ils ne meurent pas de transgresser le commandement du SEIGNEUR Dieu ; assurément, ils ne meurent pas, comme le SEIGNEUR Dieu les en avait prévenus, « du jour où » ils en mangent. Cette capacité du serpent, prompt à déjouer le plan de Dieu, porte-t-elle atteinte à la puissance du SEIGNEUR Dieu ? Le serpent est-il son rival ? Ou tout cet épisode de la tentation n'est-il, comme nous dirions, qu'un coup monté ? Le serpent est-il l'agent secret ou inconscient du SEIGNEUR Dieu ?

On peut échapper à toutes ces difficultés, et conserver au serpent son rôle de fourbe, en prétendant que le couple est bel est bien mort sur-le-champ, mais d'une mort spirituelle plutôt que physique. Telle est l'interprétation théologique classique de la « chute », du « péché originel ». Cependant, comme nous aurons maintes occasions de le voir, le récit que nous lisons fait une portion congrue aux sens spiritualisés ou purement symboliques, alors qu'il abonde en épisodes de fourberies en tous genres. Plutôt que d'évacuer le conflit en spiritualisant la menace de mort, ou en rationalisant l'apparente duperie, nous pouvons faire remonter le conflit au SEIGNEUR Dieu, cause de bonheur et de malheur dans la vie de ses créatures, parce que le bien et le mal engendrent un conflit dans son propre personnage.

En Mésopotamie, la création était souvent présentée comme une victoire de la divinité créatrice sur le chaos, celui-ci étant représenté comme une divinité rivale, un redoutable dragon aquatique, un monstre fluvial. Imaginez un gigantesque serpent, dont les méandres d'un grand fleuve ne seraient autre que les contorsions ; imaginez que ce serpent puisse engloutir la terre dans ses replis aquatiques, ainsi que pouvaient le faire le Tigre et l'Euphrate, et vous avez la mise en scène mythologique. On trouve sans conteste un écho de cette mythique bataille dans le châtiment que le SEIGNEUR Dieu inflige au serpent pour avoir induit la femme en tentation ; mais c'est à peine plus qu'un écho, car l'édition monothéiste a apprivoisé le serpent au point d'en faire un adversaire à peine digne du SEIGNEUR Dieu. Les anciens matériaux mythiques ont été si systématiquement récrits que le serpent — le troisième larron absorbé dans la personnalité divine naissante — n'est plus un dieu rival, mais (*cf.* le premier récit de la création) juste une créature de Dieu parmi bien d'autres.

Du fait de cette révision, le créateur du serpent ne saurait nier sa responsabilité dans les agissements du serpent. Mais cette même révision a un second résultat rarement signalé : le SEIGNEUR Dieu va engager un véritable dialogue intérieur. Il va gourmander le serpent ; et quand il le fera, il va nécessairement se blâmer lui-même. Dans le polythéisme, le dieu laisserait libre cours à sa colère envers une divinité rivale ; mais dans le monothéisme — fût-ce un monothéisme qui s'exprime à l'occasion à la première personne du pluriel —, cette colère se transforme nécessairement en un regret que le SEIGNEUR Dieu rumine en son for intérieur. L'apparition du regret divin, la première d'une longue série, est la première apparition du dieu, non plus comme une forme mythique, voire une simple signification douée d'une voix allégorique, mais en vrai personnage littéraire. D'une certaine manière, la vie intérieure singulière et culturellement déterminée de l'homme occidental commence par la vie intérieure divisée du dieu, laquelle commence par un regret du créateur.

Le tournant survient après que le SEIGNEUR Dieu découvre que l'homme et sa femme lui ont désobéi :

> Or ils entendirent la voix du SEIGNEUR Dieu qui se promenait dans le jardin au souffle du jour. L'homme et la femme se cachèrent devant le SEIGNEUR Dieu au milieu des arbres du jardin. Le SEIGNEUR Dieu appela l'homme et lui dit : « Où es-tu ? » Il répondit : « J'ai entendu ta voix dans le jardin, j'ai pris peur car j'étais nu, et je me suis caché. » — « Qui t'a révélé, dit-il, que tu étais nu ? Est-ce que tu as mangé de l'arbre dont je t'avais prescrit de ne pas manger ? » L'homme répondit : « La femme que tu as mise auprès de moi, c'est elle qui m'a donné du fruit de l'arbre, et j'en ai mangé. »
>
> Le SEIGNEUR Dieu dit à la femme : « Qu'as-tu fait là ? » La femme répondit : « Le serpent m'a trompée et j'ai mangé. » (3, 8-13)

Le langage dans lequel le SEIGNEUR Dieu donne son unique commandement inexpliqué, puis converse avec l'homme et la femme après leur désobéissance, est celui que pourrait employer n'importe quel être humain s'adressant à un autre. Il ne possède ni la majestueuse simplicité, quasi abstraite, du langage de Dieu dans la Genèse 1, ni aucun autre rehaussement poétique ou rhétorique. Mais cela change lorsque le SEIGNEUR Dieu châtie le péché qu'il a découvert. Sa condamnation du serpent, de la femme et de l'homme — dans cet ordre — est une explosion de fureur mais aussi, en fait, le premier long poème de la Bible :

Le SEIGNEUR Dieu dit au serpent : « Parce que tu as fait cela, tu seras maudit entre tous les bestiaux et toutes les bêtes des champs ; tu marcheras sur ton ventre et tu mangeras de la poussière tous les jours de ta vie. Je mettrai l'hostilité entre toi et la femme, entre ta descendance et sa descendance. Celle-ci te meurtrira à la tête et toi, tu la meurtriras au talon. »

Il dit à la femme : « Je ferai qu'enceinte, tu sois dans de grandes souffrances ; c'est péniblement que tu enfanteras des fils. Ton désir te poussera vers ton homme et lui te dominera. »

Il dit à Adam : « Parce que tu as écouté la voix de ta femme et que tu as mangé de l'arbre dont je t'avais formellement prescrit de ne pas manger, le sol sera maudit à cause de toi. C'est dans la peine que tu t'en nourriras tous les jours de ta vie, il fera germer pour toi l'épine et le chardon et tu mangeras l'herbe des champs. À la sueur de ton visage tu mangeras du pain jusqu'à ce que tu retournes au sol car c'est de lui que tu as été pris. Oui, tu es poussière et à la poussière tu retourneras. » (3, 14-19)

Cette explosion rhétorique est trop soudaine et trop massive, elle est reçue avec trop peu de résistance de la part du serpent, qui cesse à jamais de parler ou d'agir, pour que la scène fonctionne comme une bataille mythique. Que le serpent ait dit la vérité sur l'arbre dont le SEIGNEUR Dieu a parlé faussement achève de repousser toute idée de conflit cosmique. Le serpent paraît être la dupe du SEIGNEUR Dieu, plutôt que son grand ennemi, et, en conséquence, le châtiment que le SEIGNEUR Dieu inflige au couple humain semble presque gratuit. En tant que Dieu, plutôt que SEIGNEUR Dieu, le créateur avait donné toute la création en partage à ses créatures humaines. Beaucoup moins généreux, le SEIGNEUR Dieu ne leur avait donné qu'un jardin à garder. Et voici que même ce don moins munificent leur a été retiré.

Dans le même temps sont révoqués, par implication, tous les arrangements faits précédemment en pensant à l'homme. Si celui-ci a manqué à ses engagements envers le SEIGNEUR Dieu, tout ce que Dieu avait mis en place dans l'intérêt de l'homme, ses six jours de travail sont aussi loin d'être une réussite totale. Mais l'ampleur du retournement est moins écrasante que sa soudaineté. Même si le SEIGNEUR Dieu a joué la comédie, même si, en vérité, il n'avait pas besoin de demander à l'homme et à la femme où ils étaient, ni de leur poser la question : « Qui t'a révélé que tu étais nu ? », la promptitude et la rigueur de sa réaction vindicative continuent de nous surprendre. Pourquoi le SEIGNEUR Dieu, qui avait patiemment fait défiler tous les animaux de la création devant l'homme avant de lui trouver une compagne, réagit-il avec tant de brutale impatience à la désobéissance de la femme et à la bévue apparemment innocente de l'homme ? Dans ces moments inauguraux d'une importance tout à fait critique, à quoi ressemblent les liens de l'humanité avec le SEIGNEUR Dieu ?

Dans le premier récit de la création, Dieu a créé l'homme à son image. Le second récit est différent. Ici, le SEIGNEUR Dieu crée l'homme à partir de la poussière, non par son verbe, et jamais il ne dit que sa créature est faite à son image. Par ailleurs, la nudité (ou quelque nom qu'on donne à son état) du premier couple, qui n'avait aucun intérêt dans le premier, se trouve soulignée, de même que le désir sexuel et la honte. Cependant, comme le second récit fait suite au premier, plutôt qu'il ne le corrige, la poussière, le désir, la honte apparaissent comme autant d'informations sur la divinité, l'original dont l'humanité continue à être l'image.

Et dans la longue tirade véhémente citée à l'instant, le SEIGNEUR Dieu se conduit bien comme l'original d'une créature humaine faite de poussière et de passion. Dans le premier récit de la création, la relation entre le créateur et sa créature n'est aucunement d'obéissance. Dieu est d'une si magistrale puissance, mais aussi d'une si splendide générosité, que l'inconduite humaine ne saurait en aucune façon troubler sa quiétude. Son « Soyez féconds et prolifiques » est plus une invitation magnanime qu'un commandement. À peine deux pages plus loin, le SEIGNEUR Dieu paraît non seulement moins puissant et moins généreux que Dieu, mais aussi beaucoup plus vindicatif. Pire, il est aussi gratuit dans son courroux que Dieu l'était dans sa munificence. Pour le SEIGNEUR Dieu, tout dépend de l'obéissance à son commandement mensonger.

En tant que personnage, le SEIGNEUR Dieu dérange, comme dérange quiconque jouit d'un pouvoir immense et donne l'impression de ne savoir qu'en faire. Si grand soit-il, le pouvoir du SEIGNEUR Dieu semble moindre que celui de Dieu. Mais tel qu'il est, il nous dérange. Les mobiles de son exercice sont en conflit, et la nature de ce conflit est à ce point intime qu'elle en devient gênante. Un personnage effrayant est d'autant plus effrayant qu'il se tient assez près pour vous toucher. Or le SEIGNEUR Dieu est beaucoup plus proche de ses humaines créatures que Dieu. À la différence de ce dernier, le SEIGNEUR Dieu les touche, physiquement. Et ce contact — en particulier après leur transgression — intensifie tout ce qui le concerne.

Dans la tentation d'Ève par le serpent, ai-je laissé entendre, on peut voir un incident où le reptile joue les agents involontaires du SEIGNEUR Dieu. Mais le texte est ambigu. À cette idée d'une froide manipulation des créatures, l'une contre l'autre, par le SEIGNEUR Dieu, il faut opposer l'appel du SEIGNEUR Dieu dans le jardin : « Où es-tu ? » (3, 9). Si, dans le premier récit de la création, Dieu a fait l'humanité parce qu'il voulait une image, le SEIGNEUR Dieu du second récit semble avoir fait des humains parce qu'il voulait une compagnie. Et l'innocence poignante de l'appel lancé en son jardin se transforme en quelque chose de plus profond en 3, 21 : « Le SEIGNEUR Dieu fit pour Adam et sa femme des tuniques de peau dont il les revêtit. » Comment entendre ces mots, sinon comme l'expression d'un regret de son regret ? Après avoir promis Ève aux douleurs de l'enfantement, et Adam au labeur des champs, pourquoi leur épargner maintenant la gêne de faire leurs vêtements ? Pourquoi, sinon parce que, pour parler très simplement, il a du remords ?

Au moment de les chasser du jardin, le SEIGNEUR Dieu aurait pu rendre à l'homme et à la femme divers autres services. Il aurait pu les nourrir, par exemple. Ou il aurait pu les instruire de ce qui les attendait. Bien que créés adultes, ils ne sont que nouveau-nés dans le monde, et impuissants. Il aurait certainement pu leur dire un mot, histoire d'atténuer les malédictions qui sonnaient encore à leurs oreilles. Surtout, il aurait pu leur expliquer pourquoi il ne pouvait se conduire autrement. Or il ne fait rien de tout cela. Son geste — son choix de couvrir leur nudité à l'heure de la séparation — n'en est pas moins touchant de tendresse naturelle.

Certains commentateurs — y compris certains commentateurs très modernes déterminés à avoir une Bible sexuellement éclairée — ont prétendu avec force que le péché d'Adam et Ève n'a rien à voir avec le sexe. Les mots « bon ou mauvais » — dans la longue formule « l'arbre de la connaissance de ce qui est bon ou mauvais » — signifieraient « les choses en général », et la connaissance qui s'ensuit n'est en aucune façon un savoir purement sexuel. Mais cette interprétation ne tient plus quand on voit ce qui arrive après que l'homme a goûté au fruit défendu : « Leurs yeux à tous deux s'ouvrirent et ils surent qu'ils étaient nus. Ayant cousu des feuilles de figuier, ils s'en firent des pagnes » (3, 7). Ce n'est pas le désir en soi, mais la connaissance de son désir qui engendre la honte. Les animaux désirent, mais ils ne savent pas qu'ils désirent, ni qu'ils sont des objets de désir, en sorte qu'ils ne connaissent point la honte. L'exultation de l'homme, la première fois qu'il voit la femme (2, 23), implique certainement qu'il l'a désirée aussitôt ; l'usage de l'expression « une seule chair » (2, 24) rend les choses plus claires encore. Mais il y avait une différence. Le fait que « tous deux étaient nus [...] sans se faire mutuellement honte » (2, 25) ne signifie certes pas que tous deux étaient pareils à de petits enfants, dans l'ignorance du désir, mais suggère qu'ils ne connaissaient pas leur désir. Plutôt que des petits enfants, nous devrions voir en eux des animaux heureux. Les animaux sont capables de copuler, et pourtant ils ne savent pas qu'ils sont nus. Ainsi pouvons-nous imaginer qu'il en allait de même pour le premier homme et la première femme, car, à l'évidence, ils n'auraient pu obéir à l'ordre divin de se reproduire s'ils avaient été totalement ignorants de la différence sexuelle.

La honte naît du désir *compris*, du besoin *admis*, et c'est cette vergogne — plutôt que la copulation en tant que telle — que le SEIGNEUR souhaite refuser ou épargner à ses créatures humaines. Pourquoi ? Quand le SEIGNEUR Dieu lance son « Où es-tu ? », admet-il son propre besoin ? Compromet-il sciemment la perfection de sa souveraineté ? Ou, plus simplement, lui manquent-ils ? Dans le désir désormais honteux qu'ils éprouvent l'un pour l'autre, les deux humains sont-ils une image d'autant plus parfaite de lui, qui les a suffisamment désirés pour les créer, mais n'a compris qu'après coup ce qu'il faisait ? Est-ce ceci — qu'ils lui renvoient l'image non pas d'un souverain maître, mais d'un Dieu travaillé par le besoin — qui le met en colère ? Et, celle-ci retombée, a-t-il honte de son propre désir ? Est-ce pour couvrir sa honte qu'il couvre la leur ?

On peut toujours faire parler davantage une action qu'une déclaration, mais cette action-ci requiert une explication. Sitôt passé le paroxysme même de sa rage, pourquoi le SEIGNEUR Dieu se montre-t-il si tendre, au point d'habiller, pour ainsi dire, la blessure qu'il vient d'infliger ? Observez que le SEIGNEUR Dieu ne se contente pas d'offrir des tuniques de peau à ses créatures mortifiées, châtiées et humiliées : il en revêt lui-même leurs corps nus. Dans sa soudaineté et son intimité, ce geste quasi parental, nous aurons d'autres occasions de le voir, est caractéristique du SEIGNEUR Dieu.

La tendresse est désarmante, mais elle ne fait que rendre l'inconséquence plus désarmante encore, car le même SEIGNEUR Dieu qui est tendre avec ses créatures s'exprime ainsi dans le verset qui suit aussitôt (3, 22) : « Voici que l'homme est devenu comme l'un de nous par la connaissance de ce qui est bon et mauvais. Maintenant qu'il ne tende pas la main pour prendre aussi de l'arbre de vie, en manger et vivre à jamais ! » Preuve est donnée une nouvelle fois que le serpent disait vrai quand il déclarait : « Non, vous ne mourrez pas, mais Dieu sait que le jour où vous en mangerez, vos yeux s'ouvriront et vous serez comme des dieux possédant la connaissance de ce qui est bon ou mauvais » (3, 4-5). De l'aveu même du SEIGNEUR Dieu, c'est précisément ce qui est arrivé. Mais pourquoi a-t-il cherché à dissimuler ce qui arriverait ? Et pourquoi le SEIGNEUR Dieu veut-il empêcher l'humanité de vivre à jamais ? Si, faisant l'homme, le seul mobile de Dieu était que l'humanité fût son image, et si Dieu lui-même vit à jamais, pourquoi l'humanité ne vivrait-elle elle aussi à jamais ? L'immortalité — si Dieu y consentait — ne faciliterait-elle pas l'obéissance aux seuls commandements positifs qu'il ait jamais adressés à l'humanité : « Soyez féconds et prolifiques, remplissez la terre et dominez-la » ?

Le souci qu'exprime le SEIGNEUR Dieu nous ramène à notre observation antérieure : les desseins présomptivement hostiles du serpent font sinistrement partie des siens. À demi conscient qu'il est, le SEIGNEUR Dieu paraît jouer double jeu. Ce n'est pas aux premiers humains qu'il adresse son explication, sa ferme résolution que l'humanité ne soit pas comme « l'un de nous ». Non, bien que ce soit de toute évidence le fond de l'affaire, il considère, anxieusement, que cette vérité n'est pas faite pour leurs oreilles. Altier, inébranlable et sincère dans ses actions créatrices, Dieu est devenu le SEIGNEUR Dieu intime, versatile, enclin à de noirs regrets, et à des équivoques plus noires encore. Le SEIGNEUR Dieu *est* Dieu. Il n'y a pas deux protagonistes dans ce texte, juste un. Mais cet unique protagoniste a deux personnalités étonnamment distinctes.

DESTRUCTEUR

« Je me repens de les avoir faits »

GENÈSE 4-11

Bien que le SEIGNEUR Dieu ait mis l'homme dans le jardin d'Éden « pour cultiver le sol et le garder », on devine quelque prévention contre l'agriculture dans la nature même du châtiment : le travail agricole, plutôt que pastoral ou autre. Cueilleurs et chasseurs étant les ancêtres des cultivateurs et des bergers, on perçoit des échos de la même tension dans le fait que la seule nourriture offerte par Dieu dans la Genèse (1, 29) soit végétale. Mais c'est dans l'histoire de Caïn et Abel que les historiens voient la présentation mythique la plus explicite du conflit séculaire :

> L'homme connut Ève sa femme. Elle devint enceinte, enfanta Caïn et dit : « J'ai procréé un homme, avec le SEIGNEUR. » Elle enfanta encore son frère Abel.
>
> Abel faisait paître les moutons, Caïn cultivait le sol. À la fin de la saison, Caïn apporta au SEIGNEUR une offrande de fruits de la terre ; Abel apporta aussi des prémices de ses bêtes et leur graisse. Le SEIGNEUR tourna son regard vers Abel et son offrande, mais il détourna son regard de Caïn et de son offrande.
>
> Caïn en fut très irrité et son visage fut abattu. Le SEIGNEUR dit à Caïn : « Pourquoi t'irrites-tu ? Et pourquoi ton visage est-il abattu ? Si tu agis bien, ne le relèveras-tu pas ? Si tu n'agis pas bien, le péché, tapi à ta porte, te désire. Mais toi, domine-le. »
>
> Caïn parla à son frère Abel et, lorsqu'ils furent aux champs, Caïn attaqua son frère Abel et le tua. Le SEIGNEUR dit à Caïn : « Où est ton frère Abel ? » — « Je ne sais, répondit-il. Suis-je le gardien de mon frère ? » — « Qu'as-tu fait ? reprit-il. La voix du sang de ton frère crie du sol vers moi. Tu es maintenant maudit du sol qui a ouvert la bouche pour recueillir de ta main le sang de ton frère. Quand tu cultiveras le sol, il ne te donnera plus de sa force. Tu seras errant et vagabond sur la terre. »
>
> Caïn dit au SEIGNEUR : « Ma faute est trop lourde à porter. Si tu

me chasses aujourd'hui de l'étendue de ce sol, je serai caché à ta face, je serai errant et vagabond sur la terre, et quiconque me trouvera me tuera. » Le SEIGNEUR lui dit : « Eh bien ! Si l'on tue Caïn, il sera vengé sept fois. » Le SEIGNEUR mit un signe sur Caïn pour que personne en le rencontrant ne le frappe. Caïn s'éloigna de la présence du SEIGNEUR et habita dans le pays de Nod à l'orient d'Éden. (4, 1-16)

Quoi que puisse nous apprendre ce bref épisode sur un affrontement préhistorique entre bergers et cultivateurs, ou sur les archétypes du bien et du mal, il dit aussi quelque chose d'essentiel sur le SEIGNEUR : il dit, en effet, que lorsque l'homme et la femme — maintenant appelés Adam et Ève — ont été chassés du jardin d'Éden, il est allé avec eux. Ce qui n'était guère prévisible au vu du dernier verset de la Genèse 1-3 : « Ayant chassé l'homme, il posta les chérubins à l'orient du jardin d'Éden avec la flamme de l'épée foudroyante pour garder le chemin de l'arbre de vie. » La Bible aurait bien pu s'achever sur ce verset, tant le verdict paraît sans appel. Redécouverte dans les temps modernes, la Genèse 1-3 serait alors venue grossir les trésors de l'archéologie : un texte de plus du Proche-Orient ancien, exhumé et déchiffré. Personne, si j'ose dire, n'en eût été plus sage.

Mais, en réalité, lorsque le SEIGNEUR Dieu revêtit l'homme et sa femme de peaux, ce n'est pas un cadeau d'adieu qu'il leur fit : c'était plutôt une manière de leur dire qu'il n'allait pas couper les ponts avec eux. Mais quelle forme va prendre leur relation ? À la suite de cette matinée cosmique, ils n'en savent rien, et nous non plus. De toute évidence, les commandements relatifs aux arbres du jardin d'Éden sont désormais discutables. Le commandement antérieur, « Soyez féconds et prolifiques », n'a pas été abrogé, mais que pourrait donc vouloir d'autre le SEIGNEUR Dieu ? Et que va-t-il faire ? Qu'attend de lui l'humanité après une si accablante volte-face ?

Entre Dieu et le SEIGNEUR Dieu, on est saisi par la différence d'attitude envers l'humanité — qu'elle soit créée à l'image divine ou autrement apparentée à la divinité. Dieu parlait de créer l'humanité « à notre image », ce que ne fit jamais le SEIGNEUR Dieu. En fait, celui-ci prend une position diamétralement opposée lorsqu'il avertit le « nous » céleste (3, 22) que l'homme pourrait devenir « comme l'un de nous » par la connaissance, presque comme s'il mettait en garde contre un homme fait à l'image de Dieu. Mais le SEIGNEUR Dieu est encore plus hostile à l'idée que l'homme puisse ressembler à Dieu en vivant à jamais, et, en conséquence, il réduit l'humanité à sa condition mortelle : « Tu es poussière et à la poussière tu retourne-

ras » (3, 19). Le commandement au mâle et à la femelle d'être
« féconds et prolifiques » était adressé de bonne grâce et sans réserve.
Le SEIGNEUR Dieu veut que l'humanité vive, mais pas à jamais ;
il veut qu'elle se multiplie, mais pas sans douleur.

Dans la Genèse 6, 1-4, ce sont les fils de Dieu, non les fils du
SEIGNEUR, qui sont attirés par les filles d'homme et couchent avec
elles, et c'est le SEIGNEUR qui trouve à redire à leurs accouplements. Ce qu'il réprouve, ce n'est pas le métissage, mais simplement
cette surabondance de fécondité qui résulte de durées de vie séculaires. Sa précédente malédiction n'ayant suffi à l'empêcher, il lui
ajoute une apostille. Devant le tour que prennent les événements,
c'est le SEIGNEUR — non pas Dieu — qui décide que les jours de
l'homme ne dépasseront pas cent vingt ans.

Bien que la divinité paraisse différente suivant qu'elle est le
SEIGNEUR ou Dieu, ce qui est dit d'elle sous l'un ou l'autre nom
est dit d'elle sous les deux noms. C'est un seul personnage qui, à ce
stade de sa vie, compte deux personnalités (ou deux fois deux, si l'on
compte son côté serpentin). Cette simple ambiguïté accroît le niveau
de tension émotionnelle dans l'épisode de Caïn et Abel.

Caïn et Abel — les deux premiers enfants d'Adam et Ève —
apportent chacun une offrande au SEIGNEUR (dans cet épisode, le
texte dit « le SEIGNEUR » plutôt que « le SEIGNEUR Dieu », puis
soit « le SEIGNEUR », soit Dieu). Pourquoi ? Le SEIGNEUR n'a
demandé aucune offrande. Celle d'Abel lui plaît, mais pas celle de
Caïn, qui en est fâché. Pourquoi ? Qu'attend Caïn. Comme dans la
Genèse 2-3, le SEIGNEUR s'adresse à Caïn comme un homme un
peu impétueux pourrait le faire à un camarade. Comme auparavant,
il prend essentiellement la parole pour condamner. Mais il est essentiel de bien voir que la condamnation ne vient pas de ce que Caïn
aurait enfreint quelque commandement du SEIGNEUR. Le
SEIGNEUR n'a jamais commandé de ne pas tuer. Après le meurtre,
quand il dit à Caïn : « Qu'as-tu fait ? [...] La voix du sang de ton frère
crie du sol vers moi », on a le sentiment qu'il découvre à l'instant que
le crime mérite un châtiment. De part et d'autre, cette relation garde
un caractère tâtonnant, expérimental. La métaphore — « La voix du
sang de ton frère crie du sol vers moi » — peut trahir l'agitation,
plutôt qu'une condamnation morale. Quelque chose ne va pas, mais
le SEIGNEUR sait-il déjà tout à fait ce que c'est ? Le SEIGNEUR
agit et, de ce qu'il a fait, il en infère ses intentions.

Le châtiment de Caïn alourdit celui d'Adam. « Le sol sera
maudit à cause de toi, avait dit le SEIGNEUR Dieu à Adam. C'est
dans la peine que tu t'en nourriras tous les jours de ta vie » (3, 17).
Pour prix de son forfait, Caïn travaillera la terre en vain : elle ne lui

donnera plus de ses forces et il deviendra un vagabond. Aux yeux de Caïn, son bannissement équivaut à une rupture de ses liens avec le SEIGNEUR : « Je serai caché à ta face. » Mais ce n'est qu'après l'avoir perdue qu'on découvre la valeur de cette relation, comme la valeur de la vie. Suivant la Genèse 4, 26, ce n'est qu'après la génération de Caïn et Abel qu'« on commença [...] à invoquer Dieu sous le nom de SEIGNEUR ». C'est en faisant leurs offrandes que Caïn et Abel découvrent que le SEIGNEUR est un être auquel on peut faire des offrandes. Et ce dernier ne découvre son rôle de régulateur des affaires humaines qu'à l'instant où il commence à les réguler. L'humanité découvre ce que sera sa vie après l'Éden, et le SEIGNEUR découvre, ou détermine, ce que sera sa relation avec son image lorsque son image se reproduit dans des circonstances très différentes de celles qu'il avait prévues. Le récit « élohiste » du premier acte d'engendrement humain (5, 1-3) diffère à maints égards du récit « yahviste » qui précède l'épisode de Caïn et Abel. Les lecteurs vigilants remarqueront que le récit « élohiste » fait de Seth, non de Caïn, le premier enfant. Mais observez aussi qu'il fait de la reproduction l'image de la créativité divine et, en conséquence, ne dit mot du rôle de la femme : « Le jour où Dieu créa l'homme, il le fit à la ressemblance de Dieu, mâle et femelle il les créa, il les bénit et les appela du nom d'homme au jour de leur création. Adam vécut cent trente ans, à sa ressemblance et selon son image il engendra un fils » (5, 1-3). La version « yahviste », en revanche, commence par des rapports sexuels — « l'homme connut Ève sa femme » (4, 1) — et omet toute allusion à la ressemblance entre l'homme et son Dieu.

Cependant, ces indices d'une ambivalence de Dieu envers la fécondité sexuelle de l'homme, partant envers son statut d'image du créateur divin, pâlissent en comparaison d'une action qui met en relief la plus profonde des lignes de faille du divin personnage. Dans le récit du déluge, le créateur — Dieu non moins que SEIGNEUR — se fait carrément destructeur. Pendant une brève mais terrifiante période, le serpent qui est en lui, l'ennemi de l'humanité, règne en maître.

L'histoire du déluge, comme celle de la création, est racontée deux fois ; mais, à la différence des deux récits de la création, les deux récits du déluge sont entremêlés, ce qui est d'autant plus facile que les deux versions sont structurellement identiques. Dans les deux, la divinité décide de détruire toute vie humaine et animale en la noyant sous une immense inondation. Dans les deux, Noé et les siens sont épargnés, avertis de préparer une arche qui leur permettra de voguer sur les flots. Dans les deux, après que les eaux se retirent, il y a un commencement divin-humain. Les inconséquences nichent dans les détails. Combien d'animaux Noé embarque-t-il sur l'arche ? La version « élohiste » indique deux de chaque espèce (6, 19) ; la version « yahviste » indique sept couples de tout animal pur, un couple de chaque animal impur (7, 2). Ces « doublets » étoffent et ralentissent le style singulièrement sec et rapide qui caractérise par ailleurs le Livre de la Genèse, sans pour autant obscurcir l'intrigue commune.

Autrement plus importante est la différence d'humeur frappante du SEIGNEUR et de Dieu d'un récit à l'autre. Le SEIGNEUR agit sous l'effet de ses sentiments, de son regret ; Dieu agit parce que le monde a besoin d'une destruction purificatrice. Ainsi, dans la Genèse 6, 5-8, le SEIGNEUR est amer, et c'est de cette amertume que vient la destruction : « J'effacerai de la surface du sol l'homme que j'ai créé, homme, bestiaux, petites bêtes et même les oiseaux du ciel, car je me repens de les avoir faits » (6, 7). Il fait une exception pour Noé, mais ce n'est pas dans l'intérêt de celui-ci — pour donner un nouveau départ à la création en faisant de lui le nouvel Adam — que la terre est détruite. La destruction n'est pas un moyen, mais une fin, un acte expressif, plutôt qu'instrumental. Certes le SEIGNEUR conclura un pacte avec Noé après le déluge, mais il ne prévoit aucune alliance de ce genre de prime abord. Dans la Genèse 6, 11-22 — le contraste est saisissant, Dieu agit sans colère, en sachant parfaitement ce qu'il est sur le point de faire. Il prévoit la nouvelle alliance, et les étapes intermédiaires entre sa décision de détruire la terre et sa proclamation d'une nouvelle alliance s'enchaînent, régulièrement, avec la même froide maîtrise de la situation dont il avait fait preuve au cours des sept jours de la création.

Par la suite, lorsque les eaux se furent retirées et que Noé et les siens eurent remis pied sur la terre ferme, Noé offrit des holocaustes au SEIGNEUR, les premiers dont la Bible fasse état, et « Le SEIGNEUR respira le parfum apaisant et se dit en lui-même : "Je ne maudirai plus jamais le sol à cause de l'homme. Certes, le cœur de l'homme est porté au mal dès sa jeunesse, mais plus jamais je ne frapperai tous les vivants comme je l'ai fait" » (8, 21). Le SEIGNEUR, qui n'a jamais dit que l'humanité était bonne, ne serait-ce que par son inclusion dans la bonté de la création, répète encore à cet instant que « le cœur de l'homme est porté au mal dès sa jeunesse » ; autrement dit, l'humanité est née mauvaise, incorrigible. Et n'était le parfum plaisant des holocaustes, que serait-il advenu ? Le SEIGNEUR n'a pas préparé à l'avance chaque étape du déluge. Son courroux, et la violence qui en a jailli, était une explosion de colère dirigée contre des personnes, une réaction morose, sans conscience bien claire de la nature du mal humain. Sa promesse de s'abstenir dorénavant de toute nouvelle violence catastrophique n'est aucunement préméditée ; on y chercherait encore en vain toute stipulation sur ses vœux concernant l'humanité : ce qu'il veut qu'elle fasse, ce dont elle doit s'abstenir.

Bref, le parfum apaisant de l'offrande de Noé a arraché le SEIGNEUR à la récurrence de son courroux. Dieu, en revanche, n'attend aucune offrande de Noé. Au contraire, c'est lui qui adresse un signe à Noé, l'arc-en-ciel, qu'« aucune chair ne sera plus exterminée par les eaux du Déluge » (9, 11). Et l'alliance n'est pas conclue avec le seul Noé, mais avec toute sa descendance — c'est-à-dire avec toute l'espèce humaine, puisque tous descendront désormais de lui — et, au-delà de l'espèce humaine, comme toujours quand Dieu parle, avec la réalité physique dans sa totalité. Le SEIGNEUR ne bénit pas plus qu'auparavant. Dieu bénit d'abondance, exhortant Noé et ses fils, et « votre descendance après vous », avec beaucoup plus de chaleur qu'il n'en a jamais laissé paraître lors de la première création : « Quant à vous, soyez féconds et prolifiques, pullulez sur la terre, et multipliez-vous sur elle » (9, 7).

Dieu ne parle sur un ton qui rappelle la passion du SEIGNEUR qu'à un seul moment, lorsqu'il impose son premier interdit à l'humanité, stipulant, en effet, ce qu'elle doit faire pour éviter une nouvelle destruction du monde. Avant le déluge, Dieu précisait que c'était la violence humaine (6, 11-13) qui nécessitait la destruction du monde. Après le déluge, dans ce qui est peut-être le vers le plus lapidaire de la Bible, il exprime la même idée sous la forme d'un commandement implacable. Le vers en question — *šopek dam ha'adam ba'adam damo yišapek* — joue sur la similitude, en hébreu, des mots *dam*, « sang », et *'adam*, « être humain ». Pour ma part, je le traduirais ainsi : « Verse le sang de l'homme, par l'homme ton sang sera versé » (9, 6).

Pourquoi l'effusion de sang a-t-elle tant d'importance pour Dieu ? La phrase complète paraît enfermer une explication : « Verse le sang de l'homme, par l'homme ton sang sera versé ; car à l'image de Dieu, Dieu a fait l'homme. » À la différence du SEIGNEUR, Dieu voit dans sa créature une image de lui. Mais on comprend mal pourquoi, de ce fait, toute violence entre hommes se trouve prohibée. Faut-il en inférer que les êtres humains doivent se révérer comme ils révèrent Dieu, puisque profaner l'image de Dieu, c'est profaner Dieu ? C'est l'explication qui vient le plus volontiers à l'esprit, mais elle est anachronique. À ce point de la Bible, Dieu n'a pas encore demandé à ses créatures humaines de le révérer, encore moins de l'adorer. Le SEIGNEUR Dieu, non plus. Les lecteurs débutants de la

Bible sont parfois charmés par cette divinité qui s'adresse d'un ton désinvolte, comme d'homme à homme, à l'humanité, surtout quand on lui donne du « SEIGNEUR ». Il semble n'attendre aucune espèce de révérence. Mais si nous voulons vraiment prendre cette affaire au sérieux, il faut se demander s'il sait déjà qu'il mérite le respect. Or, encore une fois, si aucun signe n'indique qu'il le sache, et il n'y en a véritablement aucun, force nous est de fonder son interdiction du meurtre sur autre chose qu'une exigence de vénération.

Il est saisissant de constater que ces mots — « Verse le sang de l'homme, par l'homme ton sang sera versé ; car à l'image de Dieu, Dieu a fait l'homme » —, qui feraient une conclusion si naturelle à l'épisode de Caïn et Abel, concluent en fait le récit du déluge. Cette interdiction de faire couler du sang humain survient juste après que le SEIGNEUR/Dieu l'a fait couler d'abondance ou, en tout cas, a prélevé un lourd tribut en vies humaines. De même que le seul commandement donné par le SEIGNEUR après que Dieu eut créé le monde était une restriction des facultés procréatrices de l'homme, le seul commandement donné après que le SEIGNEUR/Dieu a détruit le monde est une restriction des facultés destructrices de l'homme. La destruction est interdite, parce que Dieu est destructeur autant que créateur. Toute révérence mise à part, un être humain qui s'essaie à la destruction ou à la création devient ipso facto son rival.

Un destructeur autant qu'un créateur ? La critique historique a de longue date observé la similitude entre le récit biblique du déluge, tant dans sa structure générale que par un certain nombre de détails saillants, avec le mythe comparable de Babylonie. Dans l'un comme dans l'autre, dix générations s'écoulent entre la création du monde et sa destruction ; le courroux divin provoque un déluge ; le héros scelle l'embarcation avec de la poix ; puis la divinité respire le parfum d'un holocauste ; et ainsi de suite. Reste que, entre les mythes babylonien et biblique, la différence est double. En premier lieu, tout au moins sous sa forme synthétique, le mythe biblique offre à la divinité un prétexte éthique pour châtier l'humanité : son action n'est pas gratuite ; l'humanité la mérite. En second lieu, et c'est autrement plus important, le mythe babylonien oppose Marduk à Tiamat, le monstre aquatique du chaos. En d'autres termes, un dieu déclenche le déluge ; un autre dieu, après une bataille épique, y met fin. Bien que j'oppose à dessein le SEIGNEUR à Dieu, il n'y a pas deux dieux dans le Livre de la Genèse : il n'y en a qu'un, appelé tantôt le SEIGNEUR, tantôt Dieu. Mais dans chacun des deux récits bibliques du déluge édités comme s'ils ne formaient qu'une seule histoire — la version « yahviste » et la version « élohiste » — un destructeur serpentin, aquatique (ailleurs baptisé Rahav en hébreu), a été entièrement absorbé dans le SEIGNEUR/Dieu, le créateur[3].

Dans le second récit de la création, on l'a vu, le serpent n'avait qu'un rôle indépendant résiduel. Obscurément, les desseins du serpent étaient aussi les desseins du SEIGNEUR. Dans les deux récits du déluge, le destructeur n'a plus même le moindre résidu d'indépendance. Sa personnalité hostile (Tiamat/Rahav est une déesse) a été absorbée dans les personnalités du SEIGNEUR et de Dieu, sa réalité physique, aquatique, n'étant plus qu'un simple instrument entre ses mains. Le SEIGNEUR et Dieu diffèrent — comme créateurs et comme destructeurs —, mais l'équation qui nous donne le personnage de la divinité au moment où les eaux se retirent n'est pas *yahweh* + *'elohim*, mais (*yahweh* + Tiamat) + (*'elohim* + Tiamat).

Sous l'un ou l'autre de ses principaux noms, le créateur nous a prouvé ses capacités de destructeur. Chacune des deux versions (désormais entremêlées) de l'antique récit israélite du déluge est une appropriation monothéiste d'une histoire originellement polythéiste. Dans chacune, deux divinités rivales — l'une amie, l'autre ennemie de l'humanité — ont fusionné. Sans doute pourrait-on dire sans outrance que Tiamat prédomine dans les ruminations du SEIGNEUR vindicatif, tandis que Marduk l'emporte dans le Dieu calme et majestueux. Reste que le SEIGNEUR et Dieu paraissent tous deux trop pleinement ou fraîchement imaginés pour que nous en parlions comme de simples versions de la même « recette ». Chacun est le fruit d'une percée artistique et religieuse distincte.

Ni le SEIGNEUR, ni Dieu, ni la combinaison du SEIGNEUR et de Dieu n'incluent encore tout ce qui finira par entrer dans la composition du personnage divin, mais dès maintenant tous deux sont des personnalités quasi humaines cohérentes et originales, quand bien même chacun est parcouru par cette faille profonde entre créateur et destructeur. Et, à prendre la Bible au mot, chaque personnalité, ainsi dédoublée, appartient à un seul et même personnage.

Une fois encore, nous avons atteint, dans la Genèse 9, 17, un moment qui aurait aisément pu marquer la fin de la Bible. À la création ont succédé le péché, puis la violence et la catastrophe, puis une nouvelle création triomphante et une alliance éternelle contre la violence. Mais l'histoire n'est pas terminée et, tandis qu'elle continuera, persistera la mémoire dédoublée et quadruplée de Dieu dans ces chapitres introductifs essentiels.

Malgré l'arc-en-ciel, le SEIGNEUR Dieu ne saurait cesser désormais d'être un objet de peur autant que d'admiration. Bien qu'il ait juré de ne plus jamais détruire le monde, il menacera finalement de reprendre sa parole. Mais dès avant qu'il n'en brandisse véritablement la menace, il demeure une présence en permanence menaçante. Nous mesurons ce dont il est capable, et nous ne saurions l'oublier. Non content d'être imprévisible, il est dangereusement imprévisible.

CRÉATEUR/DESTRUCTEUR

« N'étends pas la main sur le jeune homme »

GENÈSE 12-25, 11

D'un point de vue éthique, il semblerait qu'il y ait une différence abyssale entre la parenté et le meurtre ; celui-ci est un crime, celle-là un simple fait inframoral. Psychologiquement, cependant, ils sont liés, comme la vie l'est à la mort. La fécondité est à la stérilité ce que la vie est à la mort. La maîtrise du terme positif de l'une ou l'autre paire implique la maîtrise du négatif. Ainsi, si Dieu donna la fécondité à l'humanité, et si l'humanité, suivant la Genèse 1, domine sa propre fécondité, elle domine également sa stérilité. Ce pouvoir, la faculté de décider qui naîtra, est du même ordre que le pouvoir de décider qui mourra.

Le SEIGNEUR, on l'a vu, ne savait pas qu'il souhaitait refuser à l'humanité le pouvoir de décider qui mourrait avant que ne fût commis le premier meurtre et que le sang ne criât du sol. De même, il ne sut qu'il souhaitait restreindre l'empire de l'humanité sur la vie que lorsqu'il la vit proliférer. Bien que la raison alléguée du déluge soit la corruption de l'homme, le bref épisode qui précède (Gn 6, 1-4), genre de prélude au récit de l'inondation, laisse entendre que la multiplication sans frein de l'humanité y est aussi pour quelque chose.

Dans la Genèse 12 et dans les chapitres restants de la Genèse, nous voyons la divinité — le SEIGNEUR aussi bien que Dieu — disputer inlassablement à l'humanité la maîtrise de la fécondité humaine. Tel est le sens des propos, subtilement agressifs, du SEIGNEUR à Abram en 12, 1-3, en ouverture du long cycle narratif :

> « Pars de ton pays, de ta famille et de la maison de ton père vers le pays que je te ferai voir.
> Je ferai de toi une grande nation et je te bénirai.
> Je rendrai grand ton nom.
> Sois en bénédiction.

Je bénirai ceux qui te béniront, qui te bafouera, je le maudirai ; en toi seront bénies toutes les familles de la terre. » (12, 1-3)

La promesse de faire d'Abram une grande nation, c'est-à-dire de le rendre fécond, est, pour le SEIGNEUR, une manière de reprendre un pouvoir qu'il semblait auparavant avoir confié à l'humanité sans nécessiter aucun autre concours divin. Cette reprise du pouvoir de donner la vie est parallèle à la reprise antérieure du pouvoir de l'ôter. Nulle promesse de fécondité à Abram ne devrait être nécessaire, puisque Dieu a déjà ordonné à toute l'humanité d'être féconde et de multiplier. Mais, d'une part, s'il faut que le SEIGNEUR promette spécifiquement à Abram de faire de lui une grande nation, c'est que ce dernier n'en est plus capable par lui-même ; d'autre part, si le SEIGNEUR n'a pas fait cette promesse à chaque nation, l'autonomie reproductive de l'humanité s'en trouve sensiblement réduite.

En d'autres termes, la prémisse du récit est qu'il en va dans la fécondité humaine comme dans un combat mortel : ce qui vous donne la vie me la reprend, et inversement. En 9, 6, l'apparente interdiction du meurtre transforme simplement la loi du talion en action divine par procuration : qui verse le sang verra son propre sang versé, et ce meurtre sera l'œuvre de l'homme, mais l'homme n'est que l'instrument de Dieu, qui revendique la paternité de l'action. Ce qui peut paraître une vengeance aux yeux des hommes est en fait l'exercice, par Dieu, de sa prérogative exclusive de reprendre la vie. On retrouve dans la Genèse 12, 1-3 la même énergie purement gratuite que dans les deux récits de la création. Et, comme la Bible aurait déjà pu finir par deux fois avant ce dernier point, elle aurait pu tout aussi bien commencer ici. De fait, on a ici un nouveau départ. À aucun moment, Abram ne laisse paraître qu'il a entendu parler d'Adam ou de Noé, ni même des faits et gestes antérieurs de Dieu. Abram ne connaît Dieu que par ce qu'il dit et par ce qu'il lui fait. Mais le lecteur peut faire des comparaisons qu'Abram ne saurait faire, et celles-ci mettent en évidence une différence saisissante entre ce commencement et les précédents.

Le SEIGNEUR ne dit pas à Abram : « Va au pays que je te montrerai, sois-y *fécond et prolifique*. » Non, c'est le SEIGNEUR qui donnera la fécondité ; c'est lui qui gouvernera la multiplication. La fécondité d'Abram deviendra légendaire au point que les autres se la souhaiteront en souhaitant lui ressembler (tel est le sens de « sois en bénédiction »). Sous-entendu : à défaut d'une assistance divine comparable, nul ne saurait se mesurer en fécondité à Abram. Dans ce contexte, le SEIGNEUR reprend à l'humanité une bonne mesure du don de vie. Mais en a-t-il bien conscience ? Ou faudra-t-il une action humaine pour qu'il prenne conscience de sa jalousie ?

Abram obtempère, mais en silence. Il va à Sichem, au pays de Canaan, un lieu dont l'importance ultime, dans l'histoire de la descendance d'Abram, n'aura d'égale que celle de Jérusalem. Le SEIGNEUR lui apparaît une deuxième fois, cette fois-ci pour lui promettre que ce pays, que gouvernent encore les Cananéens, sera donné aux enfants d'Abram. Abram se rend à un endroit situé entre Béthel et Aï, élève un autel pour le SEIGNEUR, et invoque son nom, mais c'est alors qu'il se met à résister.

Puis sévit une famine, et Abram s'en va en Égypte avec Saraï, sa femme. Prétextant que celle-ci est si belle que les Égyptiens le tueront pour la posséder, Abram lui demande de se faire passer pour sa sœur et de rejoindre la maison du Pharaon comme concubine. En réalité, il n'y a pas de danger évident. Le SEIGNEUR inflige de grands maux à la maison du Pharaon à cause de la présence de Saraï. Mais lorsque le Pharaon découvre ce qui s'est passé, il se contente d'une simple remontrance à Abram : « Pourquoi ne m'as-tu pas déclaré qu'elle était ta femme ? », et renvoie le mari et sa femme. En vérité, le conflit n'est pas entre le Pharaon et Abram, mais entre le SEIGNEUR et Abram, qui ne veut pas de la fécondité dans les conditions où elle lui est offerte et cherche à s'en défaire.

C'est pour bien signifier son mécontentement à l'égard du SEIGNEUR qu'il donne son épouse au Pharaon. Contre le vœu du SEIGNEUR, Abram donne sa progéniture au Pharaon en lui donnant Saraï. Le SEIGNEUR intervient pour reprendre les choses en main. Abram, qui n'a pas répondu au SEIGNEUR alors même qu'il lui a obéi, ne donne aucune explication non plus au Pharaon même si, là encore, s'inclinant devant la seule force supérieure, il obéit. Quand Abram est de retour à Béthel/Aï, le SEIGNEUR lui apparaît une troisième fois pour lui promettre de nouveau une nombreuse descendance et le pays de Canaan tout en lui ordonnant : « Lève-toi, parcours le pays en long et en large, car je te le donne. » De nouveau Abram obéit, de nouveau il ne dit mot.

Le silence d'Abram est encore plus frappant dans la Genèse 13. Loth, le neveu d'Abram qui vit à Sodome, est retenu captif par une alliance de quatre rois dans une guerre locale. Abram prend la tête d'un détachement pour le libérer et y réussit, mais sans invoquer le nom du SEIGNEUR. Après quoi, ayant défait les quatre rois, il accepte la bénédiction du prêtre Melkisédeq au nom de ce qui a tout l'air d'être un autre dieu. « Dieu Très-Haut » (*'el 'elyon* en hébreu). Abram refuse tout butin, expliquant qu'il en a fait le serment à ce dieu « qui crée ciel et terre » : « Pas un fil, pas même une courroie de sandale ! Je jure de ne rien prendre de ce qui est à toi » (14, 22-23). Le SEIGNEUR et ce créateur sont-ils le même être ? Abram a-t-il prêté le moindre serment avant de lancer sa campagne militaire, ou improvise-t-il simplement quelque chose de politique sous l'inspiration du moment ? Quoi qu'il en soit, le SEIGNEUR lui-même n'est guère plus qu'un passant dans cette séquence d'événements.

Sur cette toile de fond — le silence d'Abram et la non-participation du SEIGNEUR à sa bataille —, les mots de ce dernier, au début de la Genèse 15, ont un effet ironique :

> « Ne crains pas, Abram, c'est moi ton bouclier ; ta solde sera considérablement accrue. »

Ces paroles, qu'Abram entend dans une vision, auraient dû être prononcées avant, non après la bataille avec les quatre rois. Le SEIGNEUR paraît s'attribuer après coup le mérite de la victoire d'Abram, dont la réponse, les premiers mots que nous l'ayons jamais entendu lui adresser, profite du moment d'embarras potentiel du SEIGNEUR pour dire ce qu'il a sur le cœur : « SEIGNEUR Dieu, à quoi bon tes dons ? Je suis encore sans enfant, et un esclave né dans ma maison sera mon héritier » (c'est moi qui traduis). Suit la quatrième promesse du SEIGNEUR à Abram, et, pour la première fois, il nous est dit explicitement qu'Abram a cru le SEIGNEUR, et que celui-ci « le considéra comme juste ». Autrement dit, le SEIGNEUR a pensé qu'Abram avait bien fait de le prendre au mot concernant sa progéniture. Pour ce qui est de la terre, les premiers mots d'Abram sont de nouveau une expression de doute concernant une promesse : « SEIGNEUR Dieu, comment puis-je croire que je la posséderai un jour ? » (c'est moi qui traduis). Le SEIGNEUR renouvelle sa promesse, assortie d'une prédiction d'oppression en Égypte, mais, cette fois-ci, le texte ne précise pas si Abram l'a cru. Sans être assourdissant, le silence est nettement audible.

Loin d'inspirer la confiance, la promesse de fécondité, quatre fois répétée par le SEIGNEUR, est faite pour semer le doute dans l'esprit du lecteur. Suivant la science historique, ces histoires de promesse sont des versions conservées séparément de la même promesse, éditées sous une forme synthétique. Quoi qu'il en soit, l'effet de la répétition est indéniable. Une promesse qui était d'abord superflue est répétée, tant et si bien répétée que, n'étant pas tenue, elle suscite un malaise croissant. L'effet initial de la promesse était de compromettre un don antérieur, et il semble désormais que la promesse demeure sans suite. Le pouvoir de tenir sa promesse fait-il défaut au SEIGNEUR ? Ou est-ce la volonté qui lui manque ?

Dix ans passent, et aucun enfant ne naît. Saraï ne dit pas qu'elle est stérile mais plutôt, en ne perdant pas de vue que le SEIGNEUR s'est érigé en gardien et garant de sa fécondité : « Voici que le

SEIGNEUR m'a empêchée d'enfanter » (16, 2). Sous l'effet de la colère, pour défier le SEIGNEUR, elle envoie Abram auprès de sa servante égyptienne, Hagar, un peu comme Abram l'avait naguère envoyée auprès du Pharaon. Elle aussi cherche à transformer le don coercitif du SEIGNEUR, par contre-coercition, en progéniture pour les Égyptiens. Mais Saraï est partagée. Lorsque Hagar conçoit et fait la fière, elle la chasse dans le désert : en fait, elle la condamne à une mort probable. Ironiquement, « l'ange du SEIGNEUR » (l'expression désigne une « apparition du SEIGNEUR ») vient vers Hagar et lui promet qu'elle portera un fils, Ismaël, dont il se chargera de multiplier sa descendance, puis il la renvoie auprès de Saraï. C'est le moment choisi qui rend ironique la promesse de Dieu à Hagar. La femme est déjà enceinte. Le SEIGNEUR lui promet la fécondité *après* qu'elle a conçu, de même qu'il avait promis la sécurité à Abram après qu'il avait remporté la victoire. Dans les deux cas, le SEIGNEUR semble coopter, plutôt que causer. Qui plus est, il se soucie plus de déjouer les plans de Saraï que de protéger Hagar. Ou tout au moins, tel pourrait bien être le cas. Ses véritables intentions sont obscures.

Treize années passent. Abram a maintenant quatre-vingt-dix-neuf ans. Le SEIGNEUR lui apparaît (Gn 17) et répète sa promesse pour la cinquième fois. À chaque répétition, la promesse est plus élaborée : (1) discours bref, (2) discours un peu moins bref, (3) discours long, (4) discours plus long augmenté d'un rituel, et maintenant (5) discours beaucoup plus long suivi de la circoncision d'Abram et de tous les mâles de sa maison, et enfin attribution de nouveaux noms symboliques, Abraham et Sara, pour Abram et Saraï. À l'annonce de tout ceci, Abram se jette face contre terre et rit tout en se disant en lui-même (17, 17) : « Un enfant naîtrait-il à un homme de cent ans ? Ou Sara avec ses quatre-vingt-dix ans pourrait-elle enfanter ? » Abram s'est déjà jeté une fois face contre terre dans ce chapitre, en 17, 3, lorsque le SEIGNEUR a dit : « C'est moi le Dieu Puissant [*'el šaddaï*]. Marche en ma présence et sois intègre. Je veux te faire don de mon alliance entre toi et moi, je te ferai proliférer à l'extrême. » Le nom *'el šadday* est d'origine obscure. Le mot *šadday* peut désigner, ou suggérer, des montagnes. Mais l'usage traditionnel de ce nom et sa toute première traduction, « Dieu Tout-Puissant », indiquent clairement que, de tous les titres appliqués à Dieu en hébreu, c'est celui qui indique le mieux la puissance brute. La prostration initiale d'Abram peut passer pour un signe de terreur profonde face à cette puissance, mais la seconde, faite en riant, s'empresse de jeter le doute sur cette interprétation. Abram, ne l'oublions pas, ne connaît pas Dieu par la création ou le déluge, mais uniquement par ses paroles et ses gestes à son endroit. Sur cette seule base, que doit-il faire de Dieu ?

Toujours sans héritier né de sa femme, Abram n'avait plus eu de nouvelles du SEIGNEUR depuis vingt-trois ans. À cette occasion, dont il n'a sans doute plus maintenant qu'un vague souvenir — il avait soixante-seize ans —, Dieu lui avait promis, comme à chaque fois, une descendance. Mais aucun fils ne lui est né. Or voici que le divin prometteur lui apparaît une fois encore, en se parant cette fois du titre le plus auguste et le plus imposant qu'il puisse trouver, répétant pour la cinquième fois sa promesse non tenue, et exigeant qu'il offre au couteau son vieux pénis de quatre-vingt-dix-neuf printemps. Faut-il s'étonner qu'Abram s'esclaffe ?

En faire la remarque, ce n'est pas faire de l'humour à bon compte aux dépens du texte sacré. Car l'humour, non moins que le rire amer de l'antagoniste sacré, est bel et bien dans le texte. S'il est vrai que, dans les premiers chapitres de la Genèse, les durées de vie sont d'une longueur mythique, Abram n'en reste pas moins un très vieil homme, et le texte lui-même attire l'attention sur son âge. Pour que ce soit bien clair, nous pouvons réduire les chiffres sans réduire l'effet. Abram mourra à cent soixante-quinze ans (25, 7). Si nous fixons à cent ans la limite d'âge de l'époque, Abram avait cinquante-sept ans, mais aucun enfant, lorsque le SEIGNEUR lui a fait sa quatrième promesse. Il en a soixante-dix et n'a toujours pas d'enfants lorsque le SEIGNEUR, dont il n'a plus eu de nouvelles depuis treize ans (plutôt que vingt-trois), reparaît pour lui promettre la fécondité et exiger la circoncision. Maintenant proférée pour la cinquième fois, et avec des fleurs de rhétorique, à un homme qui l'a déjà entendue à quatre reprises, la promesse est grotesque. L'alliance elle-même n'est pas loin de paraître incongrue. Bien que le Dieu Puissant commence par inviter Abram à marcher en sa présence et à être intègre, les termes formels de l'alliance qui suit ne requièrent pas de lui une conduite intègre. La seule chose qui lui soit demandée, de manière humiliante, c'est son prépuce, le prépuce de tous les mâles de sa maison, et — ironie suprême — le prépuce de tous les mâles promis de sa future progéniture, alors qu'aucun fils légitime ne lui est encore né.

La réponse d'Abram au « Dieu Puissant » est sèche et sarcastique : « Puisse Ismaël vivre en ta présence ! » Ismaël ! Élever Ismaël, souhaiter longue vie à Ismaël, revient en fait à dire : « Je n'attends d'autre progéniture que le seul fils, illégitime, que j'ai aujourd'hui. » C'est accueillir avec un scepticisme insultant la toute dernière et grandiose promesse de Dieu. Vingt-trois ans plus tôt, Abram implorait le SEIGNEUR qu'Ismaël, le bâtard de l'esclave égyptienne, ne fût pas son seul héritier, et le SEIGNEUR, l'entraînant dehors pour montrer du doigt le ciel, lui avait dit : « Contemple donc le ciel, compte les étoiles si tu peux les compter. [...] Telle sera ta descendance » (15, 5). Cette fois-ci, Abram ne se laissera pas duper. Ismaël est son unique héritier. Il se refuse à en espérer d'autres.

Que le SEIGNEUR exige de lui un bout de son pénis est en parfait accord avec l'ambivalence qu'il a précédemment montrée envers la puissance humaine en général, et celle d'Abram en particulier. La circoncision n'est pas un signe d'alliance de manière arbitraire et purement extérieure, comme une tonsure ou une balafre rituelle. Le pénis d'Abram — et le pénis, la puissance sexuelle, de ses descendants — est l'objet même de l'alliance. Dieu exige d'Abram qu'il reconnaisse, symboliquement, qu'il ne saurait user de sa fécondité qu'avec l'aval divin. La réduction physique de la surabondance littérale du pénis d'Abram est un signe qui a une relation intrinsèque avec ce qu'il signifie. Abram, si l'on en juge à son rire amer et aux pensées sceptiques qui lui sont prêtées, ne croit pas aux promesses du SEIGNEUR. Il accepte la requête. Mais que pense-t-il ? Nous n'en savons rien. Il n'ajoute pas un mot à son « Puisse Ismaël vivre en ta présence ! » Il se contente d'agir comme un automate : il abandonne, comme ordonné, son prépuce, celui de son fils (Ismaël a maintenant treize ans), et ceux des mâles de sa maison. Le texte ne dissimule pas l'étrangeté du moment.

Suit alors, dans la Genèse 18-19, un épisode qui permet de comprendre pourquoi on peut parler de chef-d'œuvre d'édition à propos de la Bible. D'après les historiens, un rédacteur antique mêla en un seul récit des légendes écrites et orales, les unes de sources israélites diverses, les autres de sources étrangères. Ce récit, qui forme désormais le Livre de la Genèse, allait du commencement du monde à la veille de la naissance de la nation. En tant que recueil des réponses reçues aux questions sur ses origines, il aborde bien des interrogations. D'où est venu Israël ? est de loin celle qui domine toutes les autres. Mais en 11, 1-8, le rédacteur trouve une place pour une vieille légende qui répond à deux questions : Pourquoi les hommes sont-ils ainsi dispersés à travers le monde ? Pourquoi parlent-ils tant de langues différentes ? De même, en 18-19, le récit apporte des réponses à diverses questions israélites du genre : D'où viennent ces étranges formations salines le long de la mer Morte ? Comment le désert a-t-il progressé sur la côte est, où nous savons que s'élevaient jadis des cités ? Et pourquoi les Moabites et les Ammonites, qui vivent si près et qui paraissent nous être apparentés, nous répugnent-ils à ce point ? Mais l'histoire qui répond à ces questions arrive juste après que la confiance d'Abraham dans le SEIGNEUR s'est transformée en rire incrédule, et par sa place — brillante initiative du rédacteur — elle donne un tour extraordinaire à la lutte entre le SEIGNEUR et Abraham autour des pouvoirs sexuels de ce dernier.

L'histoire commence en Gn 18, lorsque le SEIGNEUR apparaît à Abraham sous la forme de trois hommes. Puisque Dieu, dans la théologie ultérieure, est toujours compris comme un être singulier, le commentaire a traditionnellement rationalisé cette apparition pour y voir le SEIGNEUR accompagné de deux assistants angéliques de sexe masculin. Mais si le SEIGNEUR peut apparaître sous les traits d'un seul homme, il peut aussi bien apparaître sous les traits de trois. Lorsque Abraham lève les yeux, il voit explicitement « trois hommes », signe aussi clair que tout autre signe de l'Ancien Testament que l'on peut parfois prendre à la lettre l'idée d'une humanité créée « à notre image ». En l'occurrence, le genre et le nombre ont leur importance. Le SEIGNEUR est une singularité, mais, pour ce qui est de son apparition, il peut ressembler soit à l'homme qui est apparu à Hagar soit, comme ici, à un groupe d'hommes. Tout au long de l'épisode, alternent les deux désignations, « le SEIGNEUR » et « les hommes », sans qu'aucune cohérence interne ne permette de les séparer.

Abraham commande qu'on prépare des vivres pour « les hommes », et, après avoir demandé « Où est Sara ta femme ? », l'un d'eux ajoute spontanément : « Je dois revenir au temps du renouveau et voici que Sara ta femme aura un fils » (18, 10). C'est la sixième promesse en l'air, et cette fois-ci, de l'intérieur de la tente où elle écoutait, hors de vue, c'est Sara qui s'esclaffe :

> Sara se mit à rire en elle-même et dit : « Tout usée comme je suis, pourrais-je encore jouir ? Et mon maître est si vieux ! » Le SEIGNEUR dit à Abraham : « Pourquoi ce rire de Sara ? Et cette question : "Pourrais-je vraiment enfanter, moi qui suis si vieille ?" Y a-t-il une chose trop prodigieuse pour le SEIGNEUR ? À la date où je reviendrai vers toi, au temps du renouveau, Sara aura un fils. » Sara nia en disant : « Je n'ai pas ri », car elle avait peur. « Si ! reprit-il, tu as bel et bien ri. » (18, 12-15)

Bien que Sara, selon le texte, ait peur du SEIGNEUR, celui-ci paraît froissé de n'être pas pris au sérieux. (Au passage, ce sont des échanges de ce style qui ont conduit certains critiques à imaginer que diverses portions des premiers livres de la Bible sont l'œuvre d'une femme.)

Suit une extraordinaire conversation (18, 16-33) au cours de laquelle les deux parties se montrent discrètement sarcastiques : le

SEIGNEUR commence par railler la vertu d'Abraham et la confiance même qu'il lui fait, et Abraham répond sur le même ton en se gaussant tout à la fois de sa puissance et de sa véracité. Alors que l'air bruit encore du rire d'Abraham et de Sara, le SEIGNEUR dit avec majesté, de manière presque collégiale :

> « Vais-je cacher à Abraham ce que je fais ? Abraham doit devenir une nation grande et puissante en qui seront bénies toutes les nations de la terre, car j'ai voulu le connaître afin qu'il prescrive à ses fils et à sa maison après lui d'observer la voie du SEIGNEUR en pratiquant la justice et le droit ; ainsi le SEIGNEUR réalisera pour Abraham ce qu'il a prédit de lui. » (18, 17-19)

Ni la droiture d'Abram/Abraham, ni celle de l'innombrable descendance qui lui a été promise ne sont mentionnées comme motif des précédentes promesses du SEIGNEUR. Tel qu'il est maintenant exposé, ce motif s'accompagne d'une menace tacite. Le SEIGNEUR explique à Abraham pourquoi la promesse de progéniture ne pouvait *pas* être tenue : Abraham ne pouvait être assez droit pour le mériter.

Abraham est-il assez droit ? Auparavant, quand il croyait à la promesse de descendance, le SEIGNEUR « le considéra comme juste » (15, 6). Et maintenant ? Pas plus que sa femme, Abraham ne paraît croire à la promesse du SEIGNEUR. A-t-il, ce faisant, démérité ? Alors qu'on attendrait du SEIGNEUR, magnanime, qu'il dise, « Vais-je cacher à Abraham ce que je fais... ? Non, *car il est droit*, et j'ai voulu le connaître », nous lisons seulement, « Non, car j'ai voulu le connaître ». Dans ce contexte, le SEIGNEUR joue cruellement avec Abraham en le mettant dans la confidence du jugement rendu sur l'iniquité de Sodome et de Gomorrhe.

Comment Abraham réagit-il à cette manipulation ? « Il s'approcha » : le récit est hardi, presque brutal dans son économie. À l'heure où le Dieu Puissant est sur le point de jouer les destructeurs, un mortel, un homme d'après la Chute, devrait tomber face contre terre, non approcher. Or, Abraham fait un pas en avant et s'adresse au SEIGNEUR, usant de flagornerie sur un ton agressif, sarcastique et lourd de sous-entendus, pour lui reprocher la détestable introduction de la droiture comme condition de sa virilité :

> « Vas-tu vraiment supprimer le juste avec le coupable ? Peut-être y a-t-il cinquante justes dans la ville ! Vas-tu vraiment supprimer cette cité, sans lui pardonner à cause des cinquante justes qui s'y trouvent ? Ce serait abominable que tu agisses ainsi ! Faire mourir le juste avec le coupable ? Il en serait du juste comme du coupable ? Quelle abomination ! Le juge de toute la terre n'appliquerait-il pas le droit ? » (18, 23-25)

Nul lien particulier de tendresse ou de loyauté n'attache Abraham à Sodome. Certes, son neveu Loth y vit, mais ils s'étaient séparés dans un climat tendu, et lors de cette séparation Abram avait renoncé à tout droit sur Sodome et les plaines adjacentes. Pour lui, Sodome est une cité étrangère, avec laquelle il a même explicitement décliné d'établir des relations (14, 22-24). Non, contrairement à ce qu'ont prétendu certains commentateurs, l'objet de la « négociation » d'Abraham avec le SEIGNEUR, dans ce passage, n'est pas de montrer la miséricorde de l'un ou de l'autre. Le propos du dialogue est de mettre en évidence la rancœur profonde qu'Abraham a conçue de cette promesse violée de fécondité, et le mépris que lui inspirent les efforts de dernière minute de Dieu pour abroger ladite promesse. En fait, Abraham dit au SEIGNEUR : « Tu dis que tu vas le faire, mais est-ce bien vrai ? Et pour te justifier de n'avoir rien fait, tu prétexteras, comme il se doit, quelque manquement de ma part ? »

Abraham fait montre d'une politesse à dessein excessive envers le Dieu dont sa femme et lui viennent de se moquer : « Ce serait abominable que tu agisses ainsi ! [...] Quelle abomination ! » Le SEIGNEUR, avec une magnanimité feinte, invite-t-il Abraham à participer collégialement à la justice du jugement divin sur Sodome ? Fort bien ! Abraham accepte, s'adressant à son divin collègue sur un ton de déférence hyperbolique, lui donnant du « juge de toute la terre », tout en laissant entendre que son jugement ne sera jamais suivi d'effet. Abraham oblige le SEIGNEUR à descendre de cinquante à quarante-cinq, puis à quarante, puis à trente, à vingt et enfin à dix. Il ne poursuit pas, mais c'est à cela, précisément, que tient la délicatesse de l'affront. « N'y en aurait-il qu'un seul ? » entend le lecteur, et le SEIGNEUR aussi — sans nul doute. « Aucun ? »

Abraham accompagne les « hommes » vers Sodome. Puis le SEIGNEUR — maintenant sous la forme de deux hommes — va voir Loth à Sodome, comme les trois avaient rendu visite à Abraham. Ils sont reçus avec la même hospitalité. Mais à la tombée de la nuit, les gens de la ville — « *le peuple entier sans exception* », allusion à la négociation d'Abraham — cernent la maison de Loth et l'appellent : « Où sont les hommes qui sont venus chez toi cette nuit ? Fais-les venir vers nous pour que nous les connaissions » (19, 5). Le verbe *connaître*, en hébreu, est un euphémisme pour désigner les relations sexuelles ; en l'occurrence, de toute évidence, des relations homosexuelles. Loth les sermonne : « De grâce, mes frères, ne faites pas le malheur. J'ai à votre disposition deux filles, qui n'ont pas connu d'homme, je puis les faire sortir vers vous et vous en ferez ce que bon vous semblera. Mais ne faites rien à ces hommes puisqu'ils sont venus à l'ombre de mon toit » (19, 7-8). Les Sodomites tentent alors de briser l'huis de sa demeure. Sur ce, les « hommes » les frappent de cécité, et détruisent la ville, les cités voisines et la région : « tout le District, tous les habitants des villes et la végétation du sol » (19, 25). La légèreté sarcastique du dialogue précédent entre Dieu et Abraham rend la sévérité du jugement d'autant plus horrible.

En fait, au cours de cet épisode, les hommes de la ville de Loth ont demandé accès aux parties génitales de Dieu tout comme, dans l'épisode de la circoncision, Dieu avait demandé accès aux génitoires d'Abraham. Sur le chapitre de l'homosexualité, on ne saurait conclure à la neutralité de la Bible qu'au prix d'une lecture politiquement correcte forcée, mais ce qui compte, dans cet épisode, ce n'est pas tant la différence entre hétérosexuel et homosexuel qu'entre humain et divin. Les « hommes » que veulent « connaître » les Sodomites ne sont autres que Dieu. Les vierges que Loth leur offre à la place sont humaines. L'autonomie sexuelle de l'homme, qui porte toujours — indirectement — atteinte à la maîtrise que Dieu exerce sur la vie, devient ici un affront direct : à la lettre, une agression sexuelle.

Bref, ce n'est pas la morale qui est en jeu, mais le pouvoir. Dans aucun de ses commerces avec l'humanité, dans aucune de ses alliances avec Adam, Noé et Abraham, Dieu n'a exigé ou interdit des relations sexuelles sous quelque forme que ce soit. (La fécondité implique des relations hétérosexuelles, mais la question n'est jamais abordée dans ces termes.) De même que le crime de violence n'a été reconnu qu'après le meurtre d'Abel par Caïn, il en va de même ici : le crime de relations sexuelles illicites n'est reconnu qu'après coup. Mais, dans les deux cas, ce n'est pas l'acte en soi qui est intrinsèquement pervers ; le mal vient de ce que l'acte empiète sur une prérogative divine découverte à l'instant. Pour dire les choses autrement, si Dieu, sous la forme des deux visiteurs mâles de Sodome, avait désiré « connaître » les Sodomites, il/ils aurai(en)t pu le faire, de même que Dieu aurait pu tuer Abel si tel avait été son bon plaisir. Et lorsque Dieu détruit les Sodomites, ce qu'il fait — avec une force spectaculaire — est encore analogue à ce qu'il a fait en bannissant Caïn : il récupère un pouvoir dont un ou des hommes ont voulu s'emparer, un pouvoir dont il ne revendique pleinement l'exclusivité qu'au moment de châtier la tentative d'usurpation.

Au petit matin, le lendemain de la destruction de Sodome, Abraham se précipite « au lieu où il s'était tenu devant le SEIGNEUR » (19, 27), c'est-à-dire à l'endroit où il s'était gaussé des promesses et des menaces du SEIGNEUR, pour regarder les ruines. Toute la région, qui était échue à Loth lorsque Abram et lui s'étaient partagé le pays, a été dévastée. Il s'en était fallu d'un rien que le partage se fît autrement ! Les concitoyens de Loth ont disputé on ne peut plus directement au SEIGNEUR la force de vie humaine et divine. Dans les versets qui suivent, les filles de Loth, comme pour se venger qu'il les ait promises à un viol collectif, vont l'entraîner dans l'inceste. Mais tandis qu'Abraham contemple ce spectacle, son membre n'a pas fini de cicatriser de la blessure infligée par la récente circoncision — signe de son abandon. Sa soumission génitale tranche clairement sur l'agression génitale de Sodome, et les conditions sont maintenant réunies pour qu'il scelle cette soumission en reconnaissant qu'elle est le prix de la terre et de la descendance promises. En détruisant Sodome, le SEIGNEUR lui a donné un avertissement en même temps qu'il a fait un étalage rassurant de sa force. Qui a le pouvoir de prendre tant de vies de façon si soudaine et violente a assurément celui de donner la vie.

Pourtant, Abraham tarde avant de faire le dernier pas. Non seulement il garde le silence, mais, dans le chapitre suivant (Gn 20), il tente de donner Sara à Abimélek, roi de Guérar, comme il avait essayé de la donner jadis au Pharaon, en prétendant, comme la première fois, qu'elle est sa sœur. Dieu (c'est un récit « élohiste ») intervient en révélant la vérité à Abimélek au cours d'un songe, mais, une fois de plus, Abraham a prouvé qu'il ne fait pas confiance au SEIGNEUR/Dieu pour le protéger, pas plus qu'il n'accepte son autorité sur ses propres capacités de reproduction. L'épisode est ce que les savants appellent un doublet, presque une réplique du précédent. Une forme d'édition faisant passer l'économie avant toute autre considération aurait choisi l'un des deux épisodes, et de nombreux critiques rechignent à assigner un sens à ce qui leur apparaît comme une inclusion presque accidentelle. Toujours est-il que, par la place qui lui est donnée, l'inconduite d'Abraham à Guérar apparaît comme un double défi, une double protestation contre les droits que revendique le SEIGNEUR sur son corps, et contre la destruction démonstrative de Sodome. Par son comportement à Guérar, Abraham indique assez clairement que, passé un certain point, il refuse de se laisser impressionner. Survenant après une démonstration de force divine si renversante, ce défi prend un autre sens qu'après le premier appel lancé par le SEIGNEUR à Abram.

La réponse de Dieu à l'intransigeance d'Abraham nous est contée dans l'une des fables les plus audacieuses et les plus profondes de la Bible. Abraham est dans sa centième année quand Sara lui donne un fils, Isaac ; mais le garçon était sevré depuis quelques années déjà lorsque Dieu mit Abraham à l'épreuve et lui dit :

« Abraham » ; il répondit : « Me voici ». Il reprit : « Prends ton fils, ton unique, Isaac, que tu aimes. Pars pour le pays de Moriyya et là, tu l'offriras en holocauste sur celle des montagnes que je t'indiquerai. » (22, 1-2)

Le « ligotage d'Isaac », ou ʿaqedah suivant le nom qu'on lui donne ordinairement dans la tradition juive, est à juste titre admiré comme un chef-d'œuvre d'économie, de psychologie et de subtilité artistique. Abraham n'accède jamais vraiment à la requête de Dieu. Il accomplit machinalement tous les préparatifs du sacrifice lorsque Dieu s'écrie : « N'étends pas la main sur le jeune homme », mais à aucun moment nous n'apprenons s'il serait vraiment allé jusqu'au bout.

À deux reprises, Abraham dissimule ce qu'il est de toute évidence sur le point d'accomplir, comme pour signifier qu'il sait que c'est mal. Il ment — mais est-ce vraiment un mensonge ? — aux jeunes gens qui l'accompagnent quand il leur demande de rester en arrière en disant : « Moi et le jeune homme, nous irons là-bas pour nous prosterner ; puis nous reviendrons vers vous » (22, 5). Isaac reviendra-t-il ? Nous ne savons pas non plus si Abraham simule lorsque le garçon demande : « Où est l'agneau pour l'holocauste ? » et qu'il répond : « Dieu saura voir l'agneau pour l'holocauste, mon fils » (22, 8). Le sacrifice d'Isaac, si Abraham l'avait accompli, aurait été « adoration ». Quant à la phrase « Dieu saura voir l'agneau », c'est précisément ce que Dieu finit par faire. Par-delà Isaac, est-ce à Dieu qu'elle s'adresse ? Est-ce une supplique ? Est-ce un défi ? La forme verbale traduite par « saura voir » peut être un futur aussi bien qu'un impératif : autrement dit, soit « Dieu verra », soit « que Dieu voie ». Alors même qu'il fait mine d'obéir, Abraham résiste. À la fin de l'épreuve comme au début, les seuls mots qu'il adresse à Dieu sont un « me voici » qui dit apparemment la soumission mais se révèle en définitive opaque. Ainsi, lorsque Dieu déclare qu'Abraham a réussi l'épreuve et que, pour la septième et dernière fois, il lui promet une abondante descendance, c'est autant Dieu qui s'avoue battu qu'Abraham.

Dieu dit, « maintenant je sais que tu crains Dieu, toi qui n'as pas épargné ton fils unique pour moi » (22, 12), et, un instant plus tard, « parce que tu as fait cela et n'as pas épargné ton fils unique, je m'engage à te bénir, et à faire proliférer ta descendance autant que les étoiles du ciel et le sable au bord de la mer » (22, 16-17). Mais, en réalité, l'action d'Abraham a été beaucoup plus ambiguë que Dieu ne veut bien le croire. Après tout, il n'a pas mis son fils à mort, et peut-être ne l'aurait-il jamais fait. Abraham va aussi loin que possible sans véritablement passer à l'acte, et Dieu choisit de s'en satisfaire. Au moment où commence l'épreuve, il n'y a plus de doute : Dieu sait quel genre de reconnaissance il attend d'Abraham. De toute évidence, Dieu a largement avancé dans la découverte de soi. Lorsqu'il met un terme à l'épreuve, cependant, Dieu sait quelle reconnaissance il peut ou non attendre d'Abraham. Cela fait aussi partie de son auto-découverte. Dans l'amour-propre d'Abraham qui, usant de bluff et de ruse, s'accroche à son pouvoir de créer, certes meurtri mais qui continue de le définir, Dieu peut bien voir une image de lui-même.

Dès lors, tandis que Dieu et Abraham sont liés non simplement par une alliance mais aussi, à un niveau plus profond, par une trêve, leur relation connaît un changement subtil, mais en profondeur, de même que l'atmosphère du récit. Sara meurt, Abraham la pleure puis se relève, et achète une caverne funéraire aux fils de Heth qui gouvernent la région. L'étiquette veut que le vendeur fasse présent à l'acheteur de ce qu'il cherche, mais non sans divulguer « accidentellement » la valeur de la propriété au cours de la conversation. Agissant en douceur comme un homme de ce monde, Abraham prononce les mots adéquats aux moments opportuns et conclut le marché. C'est la première parcelle de la terre divinement promise qui entre effectivement en sa possession. Puis, en faisant montre d'un sens pratique comparable, il s'occupe du mariage d'Isaac, chargeant son serviteur d'aller dans l'Aram-des-deux-fleuves, le pays natal d'Abraham, afin d'y trouver une fiancée pour son fils.

Le récit des démarches du serviteur est riche en détails pris sur le vif, mais d'un prosaïsme peu caractéristique. Il semble que nous ayons baissé d'un registre au-dessous du ton noble, solennel et intemporel des mythes de la création et du déluge, voire en deçà des légendes inaugurales du cycle d'Abraham. Dans celles-ci, Dieu et Abraham sont les personnages principaux — le protagoniste et l'antagoniste — dans une série d'interactions qui, on l'a vu, équivaut à une lutte cosmique. Dans le récit de l'achat de Rébecca, en revanche, les personnages principaux sont le serviteur d'Abraham (dont le nom n'est pas indiqué), Rébecca, son père et son frère, Betouël et Laban. Dieu n'apparaît pas dans cet épisode, que ce soit pour parler ou pour agir.

Il n'en est pas moins frappant de voir qu'Abraham, qui jusque-là n'a jamais éprouvé le besoin de caractériser Dieu ou la relation qu'il entretient avec lui, se décide finalement à le faire. Son serviteur s'inquiète : « Peut-être cette femme ne consentira-t-elle pas à me suivre dans ce pays-ci » (24, 5). Mais Abraham le rassure : « Le SEIGNEUR, Dieu du ciel, m'a pris de la maison de mon père et du pays de ma famille, il m'a parlé et m'a fait ce serment : "Je donnerai ce pays à ta descendance" ; et c'est lui qui enverra son ange devant toi » (24, 6-7). Jusque-là, Dieu a annoncé à Abraham ce qu'il va faire. C'est maintenant Abraham qui annonce à Dieu ce que Dieu lui-même va faire. Le verbe hébreu, on l'a vu, a deux formes — future et impérative —, qu'il est morphologiquement impossible de distinguer à la troisième personne du singulier. Si Dieu lui-même avait dit, « Mon ange ira devant toi », le contexte nous aurait indiqué, fût-ce en traduction française, que l'ange en question avait reçu un ordre. Quand c'est Abraham qui dit « Le SEIGNEUR, Dieu du ciel, [...] enverra », la traduction masque la possibilité, latente en hébreu, qu'il s'agisse d'un commandement plutôt que d'une prédiction : « Que Dieu envoie... », pour employer l'équivalent français le plus proche (mais qui demeure trop faible). En vérité, l'hébreu est ambivalent ; mais, pour dire les choses en termes crus, Abraham évoque ce que Dieu va faire avec une liberté de ton et, pour ainsi dire, une désinvolture aussi nouvelles que saisissantes. Jusque-là, Dieu a presque toujours agi sans mobiles, et donc de façon mystérieusement, sinistrement, imprévisible. Soudain, et c'est un signe de la victoire qu'Abraham a remportée sur Dieu en levant son couteau contre Isaac, Dieu commence à devenir une quantité connue, définie et contrainte par ses engagements passés.

Dans le récit de l'achat de Rébecca (Gn 24), un changement révélateur de nomenclature fait écho à cette métamorphose. Le texte de la Genèse, on l'a vu, fait souvent référence à *'elohim*, toujours traduit par « Dieu », et à *yaweh*, que certaines traductions se contentent de translittérer, mais que la plupart, y compris la version française du Tanakh, rendent par « le Seigneur ». Outre ces deux noms principaux, on trouve parfois le nom *'el*[4], « Dieu », toujours suivi d'une épithète, lorsque Abraham prie, accomplit un rituel ou offre un sacrifice. Ainsi, la circoncision rituelle est accomplie pour, et à la demande de *'el šadday*, le « Dieu Puissant » ; et juste avant de ligoter Isaac, Abraham plante un tamaris à Béer-Shéva et invoque *'el 'olam*, le « Dieu éternel » ou « Dieu d'éternité », suivant la TOB. Le nom sémitique *'el*, comme le D/dieu français, est un nom propre aussi bien qu'un nom commun. En tant que nom commun, c'était le terme le plus général et le plus largement employé pour désigner la divinité à travers l'antique Proche-Orient. En tant que nom propre, dans le panthéon cananéen, il désignait le dieu du ciel ou le « Très-Haut », celui dont l'autorité sur la nature et la société était la plus large, mais dont l'engagement dans la vie de chaque être humain était le plus réduit. Le *El* des Cananéens était, pour ainsi dire, le P-DG divin ; et beaucoup de savants pensent que le nom même de *yahweh*, qui est morphologiquement une forme verbale alors même qu'il est toujours traité, syntaxiquement, comme un nom, était à l'origine le prédicat d'un nom-phrase dont le sujet était 'el. Cette possibilité mise à part, lorsque, dans le passage précédent, Abraham décrit le SEIGNEUR comme « le Dieu du ciel » après l'avoir présenté, un peu plus tôt, comme « le Dieu du ciel et de la terre », il identifie fonctionnellement l'être qui lui a imposé sa migration à ce dieu qui est le plus haut de tous.

L'identification est naturelle dans la mesure où la formation et la destruction de peuples entiers, les terres données et reprises, l'édification et le maintien de l'ordre politique au sommet sont bien des responsabilités de « P-DG ». Ce qui surprend, c'est qu'à ce point du récit nous descendons de ce plan à un niveau plus privé et personnel. Le SEIGNEUR, le Dieu du ciel et de la terre, s'exprimait comme le El des Cananéens lorsqu'il faisait ses promesses à Abraham : « Ta descendance occupera la porte de ses ennemis ; c'est en elle que se béniront toutes les nations de la terre parce que tu as écouté ma voix » (22, 17-18) — pour citer la septième répétition de la promesse. C'est à ce niveau de décision que El se manifeste ordinairement. Or voici qu'Abraham dit à son serviteur que ce même dieu va envoyer son ange pour veiller au succès de sa mission. Pour forcer à peine le trait, c'est comme si un chef d'État chargeait le secrétaire général des Nations unies de faire ses emplettes !

Si c'est maintenant seulement, alors qu'approche le terme de sa longue vie, qu'Abraham prend possession, en connaissance de cause, de sa relation avec le SEIGNEUR Dieu, son serviteur est encore moins assuré de la nature de ce dieu et de ce qu'on peut attendre de lui. Dans la première authentique prière de la Bible, le serviteur, arrivé dans l'Aram-des-deux-fleuves, dit :

> « SEIGNEUR, Dieu de mon maître Abraham, permets que je fasse aujourd'hui une heureuse rencontre et montre ton amitié envers mon maître Abraham. Me voici debout près de la source, et les filles des gens de la ville sortent pour puiser de l'eau. Eh bien ! La jeune fille à qui je dirai : "Penche ta cruche que je boive" et qui répondra : "Bois, et j'abreuverai aussi tes chameaux", c'est elle que tu auras destinée à ton serviteur Isaac ; par là je saurai que tu as montré de l'amitié envers mon maître. » (24, 12-14)

Les instructions du serviteur au Dieu de son maître sont étonnamment détaillées. À ce stade de l'histoire du SEIGNEUR Dieu, personne n'a encore songé, fût-ce très vaguement, à lui donner des ordres. Le serviteur se montre courtois, mais il ne rougit pas de donner des instructions au SEIGNEUR. Comme s'il pensait avoir affaire à un être qui n'a plus rien à voir avec l'être auguste et impérieux que nous avons vu à l'action avec Abraham, celui qui brasse des territoires immenses et des éons de temps et qui, contrarié, envoie des cieux le feu et le soufre.

La religion mésopotamienne [5] avait une catégorie de dieu qui agissait couramment à ce niveau et de la sorte. C'était le dieu personnel, typiquement invoqué par le nom de son client : « le dieu de X », « le dieu de Y », et ainsi de suite. L'autorité du dieu personnel était réduite, mais son degré de responsabilité envers son client-adorateur était grand. Rien, dans la vie de son client et dévot, n'était trop petit, trop humble ou trop prosaïque pour être porté à l'attention du dieu, car celui-ci n'avait pas d'autres responsabilités. Le serviteur d'Abraham sait que son maître adore un dieu du nom de *yahweh*, « le SEIGNEUR », mais il croit bon de s'adresser à lui doublement : « SEIGNEUR [*yahweh*], *Dieu de mon maître Abraham* ». Ce deuxième membre de phrase, qui nous paraît seulement indiquer qui adore Abraham, indique en fait quelque chose d'autre dans l'esprit du serviteur : il identifie l'homme envers qui ce Dieu est avant tout responsable. Autrement dit, il nomme une limite que les héritiers contemporains de la tradition juive ou chrétienne n'entendent plus lorsqu'ils disent « Mon Dieu » ou « Notre Dieu ». Désormais, ces formules ne suggèrent aucunement que, fonctionnellement, le Dieu en question n'est divin que pour « moi » ou pour « nous ». Dans les religions polythéistes de Mésopotamie, avant l'émergence d'Israël, certains dieux étaient fonctionnellement divins pour tout le monde, d'autres non. Le monothéisme israélite semble être né d'une rupture avec cette division fonctionnelle, suivie d'une fusion des traits que le polythéisme avait attribués à plusieurs personnalités divines.

À la fin du XXᵉ siècle, très tardivement dans l'histoire du monothéisme, cette fusion est devenue si familière qu'il ne paraît plus étrange d'invoquer possessivement un être dont la puissance et le domaine proclamés transcendent la possession humaine. Le chapitre 24 de la Genèse nous montre l'un des tout premiers moments de cette fusion. Lorsque, ayant décrit fonctionnellement le SEIGNEUR comme le El cananéen, il lui donne l'ordre de prêter son concours (ou tout au moins prédit avec assurance qu'il le fera) pour s'acquitter d'obligations plus dignes du dieu personnel mésopotamien, Abraham fait une inférence capitale sur la base de son expérience religieuse. Il infère qu'en l'occurrence El agira comme un dieu personnel. Abraham crée ainsi quelque chose de religieusement nouveau. Qu'il le fasse par mélange délibéré ou par simple erreur d'identification, nous n'en savons rien. On peut tout à fait imaginer que des nomades émigrant de Mésopotamie au pays de Canaan aient à tort identifié le dieu personnel de la région qu'ils avaient quittée au dieu suprême de leur nouveau pays. La seule chose que puisse faire un historien, c'est noter, après coup, que, si le monothéisme naît en Israël, le Dieu d'Israël mêle des traits qui sont, au fond, empruntés au El des Cananéens et au dieu personnel des Mésopotamiens.

Dans cet épisode, c'est le serviteur d'Abraham, plutôt qu'Abraham lui-même, qui réalise ce mélange par sa prière : « SEIGNEUR, Dieu de mon maître Abraham » (TOB), ou « Ô SEIGNEUR, Dieu de mon maître Abraham » (autres traductions). Le « ô », qui marque l'adresse directe, comme dans « ô Seigneur », n'apparaît pas en tant que tel dans le texte hébreu. Ainsi, « Ô SEIGNEUR, Dieu de mon maître Abraham » traduit une phrase qu'on pourrait tout aussi bien traduire par « Ô SEIGNEUR, ô dieu de mon maître Abraham ». Cette dernière traduction est celle qui indique le mieux ce qui se passe : le serviteur s'adresse en même temps à deux divinités originellement distinctes, ce qui laisse entendre qu'on peut désormais les confondre. Au personnage divin tel que nous l'avons vu jusqu'ici — *yahweh*, *'elohim* et le destructeur serpentin en fusion — se juxtapose maintenant une quatrième personnalité. Le nouveau venu est un dieu personnel (j'emploie la minuscule à dessein), une divinité modeste et secourable assez proche d'un saint patron ou d'un ange gardien, que l'on peut charger d'une tâche aussi humble que de trouver une jeune femme convenable pour son fils.

Que ce soit le serviteur d'Abraham qui invoque le dieu personnel de son maître est doublement suggestif. D'un côté, l'assistance de ce personnage serviable est utilement recherchée pour une mission confiée à un serviteur. De l'autre, Abraham n'est plus (s'il l'a jamais été) la seule personne capable de parler du Dieu d'Abraham. Son serviteur y a également accès. C'est précisément par des glissements de ce genre — une personne parlant du dieu d'une autre — que la religion change. Certains changements sont délibérés, d'autres accidentels.

Lorsque le serviteur invoque Dieu par ces mots, « Ô SEIGNEUR, ô dieu de mon maître Abraham », il faut bien voir que le second nom en dit plus long sur la divinité que sur Abraham. Plutôt que de servir essentiellement à compter Abraham au nombre des adorateurs du dieu, l'appellation « dieu d'Abraham » sert avant tout à limiter l'allégeance et la responsabilité du dieu envers Abraham. Le propos de ce livre n'est pas de retracer le processus historique par lequel les quatre divinités mentionnées ont fusionné en une seule personnalité. Si intéressant que puisse être ce récit, ce n'est pas un préalable pour reconnaître que des éléments de ce genre se mêlent bel et bien dans le personnage du protagoniste du Livre de la Genèse. Le SEIGNEUR Dieu, à s'en tenir à ce qui est dit de lui, est à la fois le créateur du monde et, à tout moment et pour la raison qui lui plaît, son destructeur. Le destin des nations — Sodome en atteste — est entre ses mains, mais il peut aussi s'abaisser au point d'intervenir directement dans la vie privée d'un individu.

Au commencement du cycle d'Abraham, celui-ci appartenait au SEIGNEUR ; à la fin, c'est le SEIGNEUR qui appartient à Abraham ou, tout au moins, à certains moments il agit mystérieusement comme si tel était le cas. L'un d'eux est précisément l'instant où le serviteur, invoquant le SEIGNEUR, précise que c'est celui « d'Abraham ». Et, de fait, il est chargé d'une commission pour le compte d'Abraham. Après avoir voulu prendre le contrôle de la virilité d'Abraham, et y être parvenu jusqu'à un certain point, le SEIGNEUR Dieu est maintenant mis à contribution au service de cette même puissance sexuelle. Il n'est aucunement nécessaire d'avoir entendu parler du dieu personnel des Mésopotamiens pour percevoir un changement.

L'histoire d'Abraham se termine par un passage que les néophytes ou les lecteurs peu avertis de la Bible hébraïque ont tendance à trouver particulièrement opaque :

> Abraham prit encore une femme ; elle s'appelait Qetoura. Elle lui donna Zimrân, Yoqshân, Medân, Madiân, Yishbaq et Shouah. Yoqshân engendra Saba et Dedân. Dedân eut pour fils les Ashourites, les Letoushites et les Léoummites. Madiân eut pour fils Eifa, Efèr, Hanok, Avida et Eldaa. Ce sont là tous les fils de Qetoura.
>
> Abraham donna tous ses biens à Isaac. Aux fils de ses concubines, Abraham fit des donations. Mais, de son vivant, il les éloigna de son fils Isaac, vers le pays de Qèdèm.
>
> Voici le nombre des années d'Abraham : cent soixante-quinze ans. Puis Abraham expira ; il mourut dans une heureuse vieillesse, âgé et comblé. Il fut réuni aux siens. Ses fils Isaac et Ismaël l'ensevelirent dans la caverne de Makpéla, au champ d'Ephrôn fils de Çohar, le Hittite, en face de Mamré, au champ qu'Abraham avait acquis des fils de Heth. C'est là qu'on enterra Abraham et sa femme Sara. Après la mort d'Abraham, Dieu bénit son fils Isaac. Il habitait à côté du puits de Lahaï-Roï. (25, 1-11)

Tour de force littéraire ? Sûrement pas, mais il faut entendre le silence crucial de ce passage, dont la banalité même est porteuse d'un message. Le SEIGNEUR n'apparaît pas à Abraham pour lui promettre solennellement que Qetoura lui donnera un enfant, comme auparavant, du temps qu'Abraham était beaucoup plus jeune (mais tout de même chargé d'années !), il lui avait solennellement promis que Sara enfanterait. Pourtant, Qetoura ne lui donne pas un seul fils, mais six, dont deux, au moins, auront à leur tour des fils et des petits-fils. Les noms de Qetoura et de sa progéniture évoquent des toponymes ultérieurs. En termes étiologiques, le passage exprime le sentiment qu'auront plus tard les Israélites d'être apparentés, fût-ce de loin, aux tribus d'Arabie du Sud. Mais placé au terme de l'histoire d'une lutte entre le SEIGNEUR Dieu et Abraham autour des capacités reproductives de l'homme, il a un autre effet, celui de restaurer partiellement le *statu quo ante*, c'est-à-dire le don inconditionnel de la fécondité que Dieu avait fait à Adam et Ève, puis à Noé et à sa descendance. Tout au moins pour la famille d'Abraham, la reproduction est de nouveau, pour ainsi dire, une simple partie de la vie humaine.

Dans le reste du Livre de la Genèse, le SEIGNEUR Dieu sera à maintes reprises invoqué (à l'occasion il se présentera lui-même) comme le dieu « de » tel ou tel patriarche. Le SEIGNEUR, le dieu d'Abraham, deviendra le dieu d'Isaac, le dieu de Jacob ou « le dieu de ton père ». De ce fait, il apparaîtra assez souvent sous les traits d'un ami de la famille affairé, plutôt qu'en Juge de toute la terre, ainsi qu'Abraham l'avait appelé à Sodome. On recherchera son aide pour la conception ou pour assouvir d'autres besoins humains, mais, chose significative, l'initiative viendra toujours de l'homme. Il ne cherchera plus à reprendre en main la reproduction comme il l'avait fait avec Abraham. Il ne revendiquera que ce qu'Abraham a déjà concédé. Mais les modestes tourmentes et bonaces de la maison d'Abraham ne seront plus tout à fait son unique préoccupation. L'être impérieux, brusque et inscrutable que nous avons rencontré au début reviendra parfois, car les personnalités foncièrement imprévisibles du créateur et du destructeur — de *yahweh* et de *'elohim* — demeurent en lui, aux côtés de l'avocat loyal désormais appelé « dieu de ton père ». Toutes sont en lui, dans un mélange dont le potentiel explosif ne sera que peu à peu révélé.

AMI DE LA FAMILLE

« Yahweh lui fit trouver grâce aux yeux du geôlier chef »

GENÈSE 25, 12-50, 18

Quand l'histoire d'Abraham commence, répétons-le, Abraham appartient au SEIGNEUR ; quand elle s'achève, c'est le SEIGNEUR qui appartient à Abraham. L'effort du SEIGNEUR Dieu pour reprendre le contrôle de la fécondité humaine s'est soldé par la domestication de son être, jusqu'à un certain point, dans la maison d'Abraham. Ce processus se poursuit dans le reste du Livre de la Genèse. Les chapitres 25-50 racontent l'histoire de Jacob (25-36) et celle de Joseph (37-50). Jacob, nous le verrons, prend des libertés avec le SEIGNEUR, bien au-delà de ce qu'avait risqué son grand-père, malgré la défiance ironique d'Abraham. Quant à Joseph, le fils préféré de Jacob, il ignore pratiquement la divinité : jamais il ne lui adresse la parole, et rarement il parle d'elle. À la fin du Livre de la Genèse, les paroles mourantes de Jacob, qui invoque la bénédiction du SEIGNEUR sur Joseph et ses deux fils, ont un effet presque nostalgique, car au cours de l'histoire longue et émouvante de Joseph (un bon quart du livre), le SEIGNEUR Dieu a connu une brève éclipse.

L'un des premiers signes de la domestication progressive du SEIGNEUR Dieu est que les femmes se sentent désormais libres de l'aborder directement. Lorsque Rébecca conçut, « ses fils se heurtaient en son sein et elle s'écria : "S'il en est ainsi, à quoi suis-je bonne ?" Elle alla consulter le SEIGNEUR, qui lui répondit » (25, 22-23). À ce stade de la Bible, aucune femme n'a encore parlé à Dieu, sauf pour répondre à une question directe venant de lui. Après le péché d'Adam et Ève, ce n'est pas au couple que Dieu s'adresse, mais à Adam : « Le SEIGNEUR Dieu appela l'homme et lui dit : "Où es-tu ?" » (3, 9). Il attend qu'Adam se retourne contre Ève pour lui adresser la parole, et c'est alors seulement qu'elle lui parle. Il en va de même avec Sara. Des sept promesses de Dieu, aucune ne lui est adressée ; aucune ne s'adresse au couple ; toutes s'adressent à

Abraham. Même lorsque Dieu dit à Abraham que Sara va concevoir et que celle-ci rit, Dieu se tourne vers Abraham — « Pourquoi ce rire de Sara ? » (18, 13) — et il ne daigne s'adresser à elle que lorsqu'elle le contredit de l'intérieur de la tente. Par deux fois, Dieu parle, directement et avec compassion, à Hagar ; mais, même dans ces occasions, elle ne lui parle pas. Rébecca, en revanche, lui parle, et reçoit une réponse substantielle :

> « Deux nations sont dans ton sein, deux peuples se détacheront de tes entrailles.
> L'un sera plus fort que l'autre et le grand servira le petit. » (25, 23)

Les deux sont Esaü et Jacob, dont les descendants seront les Édomites et les Israélites.

Jacob aura deux femmes, Léa et Rachel ; et tandis qu'elles donnent naissance, finalement, à douze fils, l'assistance de Dieu est mentionnée à maintes reprises. Ainsi, « le SEIGNEUR vit que Léa n'était pas aimée, il la rendit féconde » (29, 31), et « Dieu se souvint de Rachel, Dieu l'exauça et la rendit féconde » (30, 22). Dieu, qui jadis ne s'adressait qu'aux hommes et qui ne voyait dans la fécondité que la base de la nation, est maintenant descendu au niveau des femmes et s'occupe de leurs grossesses, l'une après l'autre.

Ce n'est pas la seule liberté prise avec la puissance divine. Isaac approchant de la fin de sa vie, il appelle auprès de lui Esaü, son fils aîné, pour lui donner sa bénédiction (27). Le fait même qu'Isaac pense à donner sa bénédiction à Esaü est un changement. À l'approche de la fin, Abraham n'avait pas agi de la sorte avec Isaac. Au contraire, « après la mort d'Abraham, *Dieu* bénit son fils Isaac » (25, 11, c'est moi qui souligne). Mais si Isaac se grandit subtilement vis-à-vis de la prérogative divine, Jacob est dédaigneux. Isaac dit à Esaü : « Apporte-moi du gibier et prépare-moi un mets pour que j'en mange. Je te bénirai en présence du SEIGNEUR avant de mourir » (27, 7). Mais Rébecca préfère Jacob et lui ordonne de tuer deux chevreaux du troupeau de son père. Elle en fera un régal, et enverra Jacob déguisé en Esaü pour flouer ce dernier de la bénédiction :

> Il entra chez son père et dit : « Mon père ! » — « Me voici, répondit-il ; qui es-tu, mon fils ? » Jacob dit à son père : « Je suis Esaü ton aîné. J'ai fait ce que tu m'as dit. Lève-toi, je t'en prie, assieds-toi et mange de mon gibier pour me bénir toi-même. » Isaac répondit à son fils : « Comme tu as vite trouvé, mon fils ! » — « C'est que le SEIGNEUR ton Dieu m'a porté chance. » (27, 18-20)

« Le SEIGNEUR *ton* Dieu » ? Jacob implique grossièrement dans son mensonge le Dieu de son père, qu'il n'a pas encore fait sien. Le mensonge marche. La bénédiction — celle d'Isaac, à l'évidence, plutôt que celle du SEIGNEUR, alors même qu'elle promet les faveurs de celui-ci — va donc au rusé Jacob plutôt qu'à Esaü, sans malice. Pour parler crûment, le SEIGNEUR a été joué.

Afin de protéger Jacob de la vengeance d'Esaü, Rébecca développe une considération secondaire, le désir d'Isaac et le sien que leur fils cadet n'épouse pas une Cananéenne à l'instar de son frère jumeau. Aussi amène-t-elle Isaac à envoyer Jacob se chercher une épouse dans le pays de leurs ancêtres, le Paddân-Aram (= Aram-des-deux-fleuves). En privé, Rébecca promet à Jacob de l'envoyer chercher sitôt qu'Esaü se sera calmé. Jacob s'en va et, en route, le SEIGNEUR lui apparaît dans un rêve :

> Il eut un songe : voici qu'était dressée sur terre une échelle dont le sommet touchait le ciel ; des anges de Dieu y montaient et y descendaient.
>
> Voici que le SEIGNEUR se tenait près de lui et dit : « Je suis le SEIGNEUR, Dieu d'Abraham ton père et Dieu d'Isaac. La terre sur laquelle tu couches, je la donnerai à toi et à ta descendance. Ta descendance sera pareille à la poussière de la terre. Tu te répandras à l'ouest, à l'est, au nord et au sud ; en toi et en ta descendance seront bénies toutes les familles de la terre.
>
> Tu Vois ! Je suis avec toi et je te garderai partout où tu iras et je te ferai revenir vers cette terre car je ne t'abandonnerai pas jusqu'à ce que j'aie accompli tout ce que je t'ai dit. »
>
> Jacob se réveilla de son sommeil et s'écria : « Vraiment, c'est le SEIGNEUR qui est ici et je ne le savais pas ! » Il eut peur et s'écria : « Que ce lieu est redoutable ! Il n'est autre que la maison de Dieu, c'est la porte du ciel. » (28, 12-17)

Le SEIGNEUR est apparu en songe à Jacob, aussi redoutable que l'avait connu Abraham, et Jacob, à la différence de celui-là, a aussitôt reconnu explicitement la puissance du SEIGNEUR. Du moins le semble-t-il jusqu'à ce qu'il ajoute, un peu plus tard :

> « Si Dieu est avec moi et me garde dans le voyage que je poursuis, s'il me donne du pain à manger et des habits à revêtir, si je reviens sain et sauf à la maison de mon père — le SEIGNEUR deviendra mon Dieu — cette pierre que j'ai érigée en stèle sera une maison de Dieu et, de tout ce que tu me donneras, je te compterai la dîme. » (28, 20-22)

Dans ces mots, dont on ne trouve aucun parallèle dans tous les propos jamais tenus par Abraham, Jacob décline les conditions sans lesquelles il n'acceptera pas comme sien le Dieu de son grand-père et de son père. À la différence de la dispute d'Abraham avec le

SEIGNEUR avant la destruction de Sodome, ce n'est pas une parodie de négociation, mais un authentique marchandage. Et voyez comme Jacob est modeste dans ses exigences — des vivres, des vêtements, et la sécurité — et combien est modeste, à l'avenant, son offre d'une stèle comme « maison » et d'une dîme, d'une simple dîme, à l'être qui vient de promettre, magnanime : « Ta descendance sera pareille à la poussière de la terre. » (Notons au passage que, dans cet épisode, les noms de *yaweh* et de *'elohim*, « le SEIGNEUR » et « Dieu », alternent et commencent clairement à apparaître comme de simples synonymes.)

Si le SEIGNEUR — en tant qu'ami de la famille d'Abraham et d'Isaac — avait promis à Jacob des nécessités aussi modestes que des vivres, des habits et un voyage sans risques —, la promesse, en échange, d'une stèle et d'une dîme eût été adéquate. De même, la première réaction de Jacob, « Que ce lieu est redoutable ! », eût été adéquate et à la mesure de la promesse effective du SEIGNEUR. Mais, dans un deuxième temps, il semblerait que Jacob remette en question sa première réaction et, avec elle, la vision du SEIGNEUR. Face à cette noble vision, les préoccupations de Jacob paraissent aussi d'un pragmatisme agressif. Autrement dit, le SEIGNEUR s'exprime en tant que El, mais Jacob répond comme à un ami de la famille. À la longue, toutefois, cette incongruité deviendra un trait distinctif du protagoniste de la Bible.

Tandis que Jacob poursuit son voyage et se trouve embarqué dans diverses aventures en Paddân-Aram et en Canaan, une question n'en reste pas moins en suspens : les choses se passeront-elles assez bien pour que Jacob fasse du SEIGNEUR son dieu personnel. Les rudes négociations de cette espèce sont loin d'être inconnues des annales de l'ancienne religion sémitique. Dans cette histoire, ce n'en est pas moins un choc de voir ce Dieu qui avait commencé avec une maîtrise si laconique se montrer impatient dans ses promesses et, pour prix de ses peines, être mis à l'épreuve par les pareils de Jacob.

Dans les trois chapitres qui suivent (29-31), de surcroît, le SEIGNEUR paraît accepter les conditions de Jacob. Celui-ci consent à servir son oncle, Laban, en échange de quoi il reçoit ses cousines Léa et Rachel en mariage. Laban concocte de garder Jacob à son service, mais Jacob connaît un truc pour augmenter la fécondité de ses troupeaux et, sitôt qu'il est riche et assez fort pour regagner son pays, il explique à ses épouses que c'est Dieu qui lui a appris ce tour, et que c'est Dieu qui lui demande maintenant de rentrer au pays avec sa famille et sa fortune :

> Or, au temps où les bêtes s'accouplent, je levai les yeux et je vis en songe les boucs rayés, mouchetés et bigarrés qui couvraient les

bêtes. L'ange de Dieu me dit en songe : « Jacob » — « Me voici », ai-je répondu. Il reprit : « Lève les yeux et regarde tous ces boucs rayés, mouchetés et bigarrés qui couvrent les bêtes, car j'ai vu ce que Laban te fait. Je suis le Dieu pour lequel, à Béthel, tu as oint une stèle et tu m'y as fait un vœu. Maintenant, lève-toi, quitte ce pays et retourne au pays de ta famille. » (31, 10-13)

Peut-être Jacob ment-il à ses épouses au sujet de l'assistance de Dieu, de même que, naguère, il avait menti à son père, usant d'une histoire inventée pour triompher de leur réticence à le suivre. Mais si on le croit sincère dans le récit qu'il fait du songe, on voit Dieu s'activer au niveau le plus humble que nous ayons jamais vu, celui de conseiller en élevage. Pourquoi Dieu fait-il ceci ? Son allusion au vœu de Jacob, partant aux demandes qui lui étaient adressées, semble contenir la réponse.

Laban tente d'empêcher le départ de Jacob, mais finit par y consentir et prête un serment de paix au nom du dieu d'Abraham et du dieu de Nahor, Nahor étant le père de Laban et le grand-oncle de Jacob (le frère d'Abraham). Si Jacob devait lui rendre la politesse et prêter serment en invoquant les mêmes dieux, il reconnaîtrait par là même que la divinité de son grand-père (d'Abraham) est aussi la sienne. Mais, on l'a vu, Jacob y a mis plus de conditions que nous n'en avons encore rencontré. « Jacob jura par la Terreur d'Isaac, son père » (31, 53). Cette expression, *paḥad yiṣḥaq*, « la Terreur d'Isaac », a été communément interprétée comme une simple épithète de plus de El, au même titre que *'el šadday* et les autres. Mais, en réalité, elle est plus opaque, et cette opacité est voulue. Le rusé Jacob veut un serment unilatéral. Il veut que Laban jure par un dieu qui compte, tandis que lui-même jure par une formule creuse, qui ne l'oblige ni ne délivre prématurément Dieu de son temps de probation.

Avant de gagner l'allégeance de Jacob, il reste au SEIGNEUR à satisfaire la troisième des conditions initiales de Jacob en le soustrayant à la vengeance de sa première dupe, Esaü. Tandis qu'Esaü approche avec un détachement de quatre cents hommes, Jacob prie le dieu de son grand-père et de son père :

« Ô dieu de mon père Abraham[6], dieu de mon père Isaac, toi le SEIGNEUR qui m'as dit : "Retourne vers ton pays et ta famille et je te ferai du bien", je suis trop petit pour toutes les faveurs et toute la fidélité dont tu as usé envers ton serviteur ! Car je n'avais passé le Jourdain qu'avec mon seul bâton et maintenant je forme deux camps. De grâce, délivre-moi de la main de mon frère, de la main d'Esaü car j'ai peur de lui, j'ai peur qu'il ne vienne et ne nous frappe, moi, la mère avec les enfants. Toi, tu m'as dit : "Je veux te faire du bien et je multiplierai ta descendance comme le sable de la mer qu'on ne peut compter tant il y en a !" » (32, 10-13)

Dans l'invocation relativement longue du serviteur d'Abraham (24, 12-14), le dieu d'Abraham était prié de faire montre de bonté. Ici, la bonté est attribuée au dieu d'Abraham et d'Isaac, mais la bonté n'est pas une qualité que le SEIGNEUR Dieu ait jamais revendiquée. Ce n'est pas la bonté qui l'a poussé à promettre à Abraham une descendance et une terre. C'est son grand dessein qui l'y a conduit, plutôt qu'un quelconque désir d'aider les hommes dans leurs entreprises. On peut en déduire que la bonté est plus une qualité du dieu personnel, d'une divinité qui, en quelque sorte, reçoit des sollicitations et dispense ses faveurs. Mais, par le processus de fusion qui crée le protagoniste de la Bible, tout ce qui est attribué à une composante l'est par là même à la fusion.

Tout en conservant un dieu personnel — le « dieu d' » Abraham, d'Isaac et de Jacob — et en assignant ses fonctions à la déité qui résulte de la fusion, le monothéisme israélite, sous sa forme pleinement développée, niera la réalité de tous les autres dieux personnels, de même qu'il a nié celle de tous les grands dieux autres que le sien. Mais l'émergence du monothéisme à partir du polythéisme est une affaire d'inclusion sélective autant que d'exclusion générale. On aurait tort, absolument tort, d'imaginer que tout ce qui a jamais été attribué à une déité sémitique finit par l'être à la divinité d'Israël : l'unique survivant, si l'on peut dire. Mais il serait presque tout aussi erroné d'imaginer qu'il n'y a aucun chevauchement entre la déité d'Israël et ses anciennes rivales. En fait, la manière la plus cohérente d'imaginer le SEIGNEUR Dieu d'Israël est d'y voir l'inclusion en un seul personnage des personnalités de plusieurs dieux antiques.

Entre fusion et confusion, il y a donc plus qu'un lien verbal. La manière dont Jacob met le Dieu suprême à l'épreuve en lui demandant d'accomplir une tâche digne du dieu personnel trahit une confusion initiale en même temps qu'elle fait avancer la fusion. Historiquement parlant, les choses se sont-elles passées ainsi ? Impossible de le savoir. Le dieu personnel mésopotamien n'apparaît pas dans le Livre de la Genèse comme tel, en tant que divinité mésopotamienne, pas plus que le déluge n'y apparaît sous une forme personnalisée, comme Tiamat. Mais, abandonnant l'histoire de ce processus aux historiens, nous pouvons tout de même confirmer son résultat littéraire, à savoir un personnage avec une personnalité multiple.

Pour en revenir au récit, Jacob a subordonné sa promesse de faire du SEIGNEUR son Dieu à une autre condition : qu'il regagne sain et sauf son pays. Le SEIGNEUR peut-il remplir cette dernière condition ?

Jacob — avec ses deux femmes, ses deux servantes, ses onze enfants, ses serviteurs et ses troupeaux — descend dans le sud par une route située à l'est du Jourdain, lequel suit un axe nord-sud. Progressant vers le nord, Esaü vient à sa rencontre. Lorsque Jacob arrive au Yabboq, affluent qui vient de l'ouest, à travers une gorge profonde, se jeter dans le Jourdain, il dépêche d'immenses troupeaux par le gué du Yabboq pour apaiser Esaü. Pour finir, il fait passer le torrent à sa famille. Lui-même reste en arrière, le temps d'une nuit, sur la rive nord de la gorge majestueuse.

> Jacob resta seul. Un homme se roula avec lui dans la poussière jusqu'au lever de l'aurore. Il vit qu'il ne pouvait l'emporter sur lui, il heurta Jacob à la courbe du fémur qui se déboîta alors qu'il roulait avec lui dans la poussière. Il lui dit : « Laisse-moi car l'aurore s'est levée. » — « Je ne te laisserai pas, répondit-il, que tu ne m'aies béni. »
>
> Il lui dit : « Quel est ton nom ? » — « Jacob » répondit-il. Il reprit : « On ne t'appellera plus Jacob, mais Israël, car tu as lutté avec Dieu et avec les hommes et tu l'as emporté. » Jacob lui demanda : « De grâce, indique-moi ton nom. » — « Et pourquoi, dit-il, me demandes-tu mon nom ? » Là-même, il le bénit. (32, 25-30)

À l'instar des « hommes » qui visitèrent Sodome, l'« homme » de cet épisode est traditionnellement considéré comme une apparition de Dieu. La lutte de Jacob avec Dieu ou, suivant certaines traductions, avec un ange est une des scènes les plus célèbres des Écritures. Mais, au fond, toutes les interprétations ultérieures reposent sur celle de Jacob : « Jacob appela ce lieu Peniel », ce qui veut dire, « j'ai vu Dieu face à face et ma vie a été sauve » (32, 31). Mais l'interprétation de Jacob n'est pas nécessairement celle de l'auteur du texte, qui entend peut-être suggérer que Jacob a lutté avec un homme, et n'a parlé de lui comme de Dieu qu'après coup. Le texte laisse sarcastiquement ouverte la question de savoir si Jacob a réellement vu la face du lutteur. L'insistance du lutteur à s'en aller avant l'aurore peut signifier qu'il ne l'a pas vue.

Mais même si c'est un homme qui, à peine visible dans l'obscurité avant l'aube, dit, « tu as lutté avec Dieu et avec les *hommes* et tu l'as emporté », le fait est que Jacob a bel et bien triomphé de ceux-ci comme de celui-là. Son geste d'apaisement envers son frère réussit, et par cette réussite le SEIGNEUR remplit la troisième condition mise par Jacob. Après avoir traversé le Jourdain et poursuivi sa route jusqu'à Sichem, où Abraham était arrivé à son entrée dans le pays de Canaan et où il avait commencé par élever un autel et par invoquer le nom du SEIGNEUR, Jacob dresse un autel et l'appelle « El, le Dieu d'Israël », intégrant son propre nom — celui qu'il a reçu du lutteur dans l'obscurité — au nom de Dieu, ce qui est, finalement, une manière de revendiquer et de reconnaître comme sien le Dieu de son grand-père. Plus tard (35, 14), à Béthel, où s'était déroulée sa première théophanie, il accomplit son serment en élevant la stèle promise.

À ce stade de l'histoire de Jacob, nous pouvons fort bien dire que le SEIGNEUR Dieu a survécu à une autre génération. Jacob l'a reconnu, mais il n'aura pas échappé au lecteur que, à trois tournants, la victoire de Jacob a été à l'évidence le fruit de ses propres ressources, voire de sa ruse. On dirait presque que c'est Jacob, plutôt que Dieu, qui fait montre d'une certaine constance dans l'amour et de fidélité, attribuant à l'assistance divine d'heureux dénouements qu'il ne doit, à s'en tenir à la lettre du récit, qu'à ses seules énergies. Que ce soit pour duper son père, circonvenir son oncle, ou apaiser son frère hostile, Jacob agit en toute apparence de son propre chef. Le SEIGNEUR Dieu n'intervient pas, hormis pour assister les femmes de Jacob dans la conception, et encore cette aide n'est-elle nécessaire que par intermittence.

Bien entendu, il est purement gratuit de considérer que l'effort humain et l'assistance divine s'excluent mutuellement. Mais, dans ces épisodes, il y a chez Jacob quelque chose qui ressemble à du cynisme dans l'usage qu'il fait des croyances et des pratiques religieuses qu'il a reçues de ses ancêtres. Dans les trois cas, Jacob exploite le respect des autres pour ce qui est simple subterfuge. La première fois, Jacob ment à son père au sujet des chevreaux que sa mère a fait passer pour du gibier. La deuxième fois, il semble inventer, après coup, une vision divine pour impressionner ses femmes (31, 11-13). Quant au troisième tournant, on trouve en 33, 10 un calembour saisissant. Esaü fait mine de refuser les présents agressivement munificents de Jacob, qui insiste : « Non, je t'en prie ! Si j'ai pu trouver grâce à tes yeux, tu accepteras de ma main mon présent. En effet, [...] j'ai vu ta face comme on voit la face de Dieu et [...] tu m'as agréé. » Parlant de l'« homme » avec qui il a lutté toute la nuit, Jacob assimile sa face à celle de Dieu en disant : « J'ai vu Dieu face à face et ma vie a été sauve » (32, 31). Mais ici, il assimile la face d'Esaü à celle de Dieu. Le visiteur nocturne de Jacob était-il Esaü lui-même, venu tuer son frère ainsi que, des années plus tôt, il avait juré de le faire (27, 41) ? Après avoir combattu son assaillant sans en venir à bout, Jacob lui demanda contre toute attente sa bénédiction. Et de qui, plus que d'Esaü, Jacob a-t-il une raison d'arracher une bénédiction ? En recherchant la bénédiction d'Esaü, Jacob quêterait l'acquiescement de son frère, de longue date monté contre lui, à la perte de la bénédiction paternelle. Enfin, le lendemain, lorsqu'il salue Esaü, Jacob ne fait-il pas une allusion audacieuse à leur nuit de lutte — une allusion qu'Esaü peut entendre et reconnaître en silence ? La puissance primitive, physiquement intime, des deux hommes luttant dans les ténèbres revient en force lorsque Jacob s'adresse à son frère dans ce code.

La vraisemblance de l'audace avec laquelle Jacob parle de Dieu lors de sa rencontre avec Esaü rappelle ses allusions tout aussi risquées au SEIGNEUR dans ses tractations avec son père et avec ses épouses. Il ne lui est aucunement nécessaire de nier la réalité du SEIGNEUR Dieu pour le mettre à contribution. Que s'est-il vraiment passé cette nuit-là ? Luttant dans l'obscurité, Jacob et Esaü ne se sont pas révélé leur identité : Esaü a appelé Jacob Israël, prétendant que son frère l'avait emporté dans un combat avec Dieu, tandis que Jacob a parlé d'Esaü comme s'il était Dieu. Leurs propos ne relèvent pas nécessairement de la dérision. Mais lorsque, au point du jour, Jacob déclare à Esaü, « j'ai vu ta face comme on voit la face de Dieu », faisant allusion à leur nuit de combat à mort, son propos est ambivalent, sinon à dessein ironique. Mais, si ironique et manipulateur que Jacob soit apparu au début comme au milieu de son histoire, il paraît sincère à la fin — et le SEIGNEUR Dieu semble avoir retrouvé son moi redoutable :

> Dieu dit à Jacob : « Debout, monte à Béthel et arrête-toi là. Élèves-y un autel pour le Dieu qui t'est apparu lorsque tu fuyais devant ton frère Esaü. » Jacob dit à sa maison et à tous ceux qui l'accompagnaient : « Enlevez les dieux de l'étranger qui sont au milieu de vous. Purifiez-vous et changez vos vêtements. Debout ! Montons à Béthel et j'y élèverai un autel pour le Dieu qui m'a répondu au jour de ma détresse. Il a été avec moi sur la route où j'ai marché. » Ils livrèrent à Jacob les dieux de l'étranger qu'ils avaient en mains et les anneaux qu'ils portaient aux oreilles ; Jacob les enfouit sous le térébinthe près de Sichem. Ils quittèrent la place et Dieu sema la terreur dans les villes des environs ; nul ne poursuivit les fils de Jacob.
>
> Jacob arriva à Louz qui est au pays de Canaan — c'est-à-dire Béthel — lui et tous les gens qui l'accompagnaient. Il éleva là un autel et appela ce lieu « El-Béthel » car c'est là que la divinité s'était révélée à lui quand il fuyait devant son frère. (35, 1-7)

L'allusion finale évoque l'apparition au cours de laquelle, avons-nous soutenu, Jacob a stipulé les conditions auxquelles le SEIGNEUR devait satisfaire pour devenir le Dieu de Jacob. Voici que le SEIGNEUR Dieu a rempli toutes ces conditions. Le SEIGNEUR Dieu — si réel, à ce stade, que la terreur qu'il inspire peut paralyser tout le pays — réitère sa promesse et change officiellement le nom de Jacob en Israël. Et, ainsi qu'il l'avait promis en cette première occasion, Jacob dresse une stèle en l'honneur de Dieu.

Ici s'achève l'histoire de Jacob, tandis que celle de Joseph est sur le point de commencer. Mais qu'est-ce qui a été dit du SEIGNEUR Dieu ? L'usage astucieux que Jacob fait du SEIGNEUR Dieu signifie, au minimum, que la puissance de celui-ci, quelle qu'elle soit, n'empêche pas un tel usage. Tout se passe comme si, le SEIGNEUR Dieu ayant pris son parti, Jacob était libre de mentir à son propos, voire de l'insulter quand il est de son intérêt de le faire. Et le SEIGNEUR Dieu paraît disposé à le tolérer du moment que, à la fin, il accomplit ses desseins.

Cela ressort de manière saisissante d'un incident qui, peut-être du fait de l'heureuse inspiration de l'éditeur, survient entre la réconciliation de Jacob avec Esaü et son acceptation définitive du SEIGNEUR Dieu. Le récit ne passe pas directement de l'ironie nocturne d'Esaü considéré comme Dieu à la célébration liturgique finale de Béthel. Dans le chapitre 34 de la Genèse s'interpose, en effet, un épisode d'une violence qui semble blasphématoire.

À la fin de la Genèse 33, après avoir fait la paix avec Esaü à l'est du Jourdain, Jacob, on l'a vu, traverse le fleuve en direction de Sichem, et, pour la première fois, s'adresse au SEIGNEUR Dieu comme à son Dieu : « El, Dieu d'Israël » (33, 20). Dina, la fille de Jacob, rend visite aux filles de Sichem, qui est encore une ville hivvite, où elle se fait violer par Sichem, fils de Hamor. (Le jeune homme et la ville ont le même nom.) Sichem ne se contente pas de prendre son plaisir et d'abandonner Dina : « Il s'attacha de tout son être à Dina [...], il se prit d'amour pour la jeune fille et lui parla cœur à cœur » (34, 3). Hamor commence par demander à Jacob de la donner en mariage à son fils, puis il va plus loin : « Alliez-vous par mariage avec nous : vous nous donnerez vos filles et vous prendrez pour vous les nôtres. Vous habiterez avec nous, le pays vous sera ouvert : habitez-y, faites-y vos affaires et devenez-y propriétaires » (34, 9-10). Les fils de Jacob acceptent l'offre à condition que les mâles de Sichem consentent à la circoncision. S'ils le font, « nous vous donnerons nos filles, nous prendrons pour nous les vôtres, nous habiterons avec vous et nous formerons un seul peuple » (34, 16). Les Hivvites acceptent, et tous les mâles sont circoncis. Mais ce marché n'était qu'une ruse.

> Or, le troisième jour, alors que les hommes étaient souffrants, les deux fils de Jacob, Siméon et Lévi, frères de Dina, entrèrent l'épée à la main dans la ville à coup sûr et tuèrent tous les mâles. Ils passèrent

au tranchant de l'épée Hamor et son fils Sichem, ils reprirent Dina dans la maison de Sichem et en ressortirent.

Les fils de Jacob s'en prirent aux blessés et pillèrent la ville parce qu'on avait souillé leur sœur. Ils s'emparèrent de leur petit et de leur gros bétail, de leurs ânes, de ce qui était dans la ville et dans la campagne ; ils capturèrent toutes leurs richesses, tous leurs enfants, leurs femmes, et ils pillèrent tout ce qui était dans la maison. (34, 25-29)

Que Dina n'ait été qu'un prétexte à la razzia d'un clan de nomades sur une population sédentaire, ou qu'elle ait été réellement vengée par ses frères sincèrement chagrinés, il est frappant de voir que, dans cet épisode, la circoncision — le signe de l'alliance du SEIGNEUR avec Abraham — est dénaturée. Bien qu'il ne soit question d'Abraham ni du SEIGNEUR lorsque la circoncision est demandée aux Hivvites, le lecteur sait — et sait que les fils de Jacob savent — la signification de cette pratique. Et, en l'occurrence, les Hivvites eux-mêmes sont amenés à croire que c'est le signe de l'identité du clan : s'ils acceptent la circoncision, leur dit-on, ils formeront « un seul peuple » avec les fils de Jacob. Les fils de Jacob sont ici duplices et emploient un symbole sacré pour perpétrer un génocide, de même que, plus tôt, leur père avait trompeusement usé du nom de Dieu pour escroquer Esaü. Jacob regrette ce qu'ils ont fait, mais uniquement parce qu'il craint que les autres Cananéens (les Hivvites sont une tribu cananéenne) se retournent maintenant contre lui. Il ne croit pas que le SEIGNEUR Dieu soit offensé, et, à en juger par l'absence de ce dernier du chapitre, Jacob a raison. (Comme dans la guerre menée par Abraham — Gn 14 —, il n'est jamais question d'invoquer l'aide du SEIGNEUR Dieu contre cet ennemi potentiel, ni de le remercier d'une victoire.)

Lorsque Jacob a menti à Isaac au sujet du SEIGNEUR, nous avons dit que le SEIGNEUR avait été joué. Ici nous pourrions dire que l'on a joué du symbole sacré qu'est la circoncision, qu'on en a fait un usage blasphématoire à des fins qui n'avaient rien à voir avec ce que le SEIGNEUR avait à l'esprit en l'exigeant d'Abraham et de sa descendance. Mais le SEIGNEUR ne se plaint jamais à Jacob d'avoir été joué lors du génocide hivvite, pas plus qu'il ne déplore qu'on ait joué avec la circoncision. À ce stade de son histoire, le SEIGNEUR Dieu ne se soucie pas de ce que l'humanité — Jacob, ses fils, ou qui que ce soit — dit ou omet de dire (dit trompeusement ou cyniquement) de lui. Les hommes demeurent libres de leurs propos. Qu'on parle d'indifférence souveraine, de sérénité, d'absence de jalousie ou de tout ce qu'on voudra, la question n'est pas soulevée. Le SEIGNEUR Dieu, pourrions-nous dire en toute justice, n'a pas encore appris à se soucier de ce qu'on dit de lui. Il se soucie de certains agissements. En particulier, il est jaloux des capacités reproductives de l'humanité. Mais les propos des hommes l'intéressent fort peu.

S'il pourrait ne paraître audible que d'un interprète déterminé à l'entendre, le silence du SEIGNEUR Dieu face à ces provocations potentielles a une conséquence claire et nette : elle aplanit la voie de son absence de l'histoire de Joseph. Le SEIGNEUR Dieu s'active et se fait entendre dans ses relations avec Abraham ; c'est Abraham, non lui, qui se tait. Dans l'histoire de Joseph, en revanche, le SEIGNEUR Dieu ne s'active ni ne se fait entendre. Malgré une allusion de ci de là, il s'éclipse temporairement au point de devenir plus une hypothèse qu'un personnage. Si l'on passait directement d'Abraham à Joseph, cette éclipse serait un choc. Mais, en vérité, Jacob a déjà repris au SEIGNEUR Dieu une bonne partie de l'initiative. D'Abraham à Joseph, le chemin serait long ; de Jacob à Joseph, il est bien plus court.

Le SEIGNEUR que Joseph connaît n'a pas seulement un rôle plus modeste dans sa vie que dans celle de Jacob ; il a aussi un rôle différent. La promesse faite par le SEIGNEUR de terres et de descendance demeure constante, mais ce que Jacob a demandé au Dieu d'Abraham et d'Isaac, la première fois que Dieu lui est apparu à Louz (rebaptisée Béthel), c'étaient des vivres, des vêtements et l'assurance de retourner sain et sauf de Paddân-Aram au pays de Canaan. Ce que Joseph reçoit du même Dieu — sans jamais le demander —, c'est une belle carrière dans la bureaucratie égyptienne. Les frères de Joseph, tous fils de Jacob, supportent mal la tendresse de leur père envers ce dernier et les rêves dans lesquels Joseph prévoit sa propre grandeur. Ils le vendent comme esclave en Égypte, mais cette infortune est suivie d'une prodigieuse fortune :

> Le SEIGNEUR fut avec Joseph qui s'avéra un homme efficace.
> Il fut à demeure chez son maître l'Égyptien. Celui-ci vit que le SEIGNEUR était avec lui et qu'il faisait réussir entre ses mains tout ce qu'il entreprenait. Joseph trouva grâce aux yeux de son maître qui l'attacha à son service. Il le prit pour majordome et lui mit tous ses biens entre les mains.
> Or, dès qu'il l'eut préposé à sa maison et à tous ses biens, le SEIGNEUR bénit la maison de l'Égyptien à cause de Joseph ; la bénédiction du SEIGNEUR s'étendit à tous ses biens, dans sa maison comme dans ses champs. (39, 2-5)

Plus tard, faussement accusé par la femme de son maître, Joseph se retrouve en prison, mais le SEIGNEUR vient à son secours : « Le

SEIGNEUR fut avec lui. Il se pencha amicalement vers lui et lui accorda la faveur du commandant de la forteresse » (39, 21). Ou, suivant la traduction vivante et idiomatique de ce verset dans la version française de la Bible de Jérusalem, Yahweh « lui fit trouver grâce aux yeux du geôlier chef ». C'est là un nouveau rôle pour *yahweh*. Une fois de plus, nous voyons les fonctions du dieu personnel attribuées au SEIGNEUR Dieu.

Le grand échanson du Pharaon se souvient que, lors de son court séjour au cachot, il avait fait un rêve que Joseph avait su interpréter. À la suggestion de l'échanson, Joseph est prié d'interpréter les songes du Pharaon et, de nouveau, il s'en acquitte avec bonheur. Dans les deux occasions, Joseph s'en remet à Dieu — « N'est-ce pas à Dieu d'interpréter ? Faites-m'en le récit » (40, 8) ; « Dieu vient d'informer le Pharaon de ce qu'il va faire » (41, 25) — mais il ne le prie pas ni ne reçoit de message de lui. Impressionné par son talent, le Pharaon dit : « Trouverons-nous un homme en qui soit comme en celui-ci l'Esprit de Dieu ? [...] Puisque Dieu t'a instruit de tout cela, il n'y a personne qui puisse être aussi intelligent et aussi sage que toi. C'est toi qui seras mon majordome » (41, 38-39). Ainsi fut fait : Joseph devient le second personnage d'Égypte après le Pharaon et se réconcilie avec ses frères, qu'il sauve en même temps que son père de la famine qui sévit au pays de Canaan. Le SEIGNEUR a veillé à sa réussite ; et pour Joseph (qui n'évoque jamais le SEIGNEUR, mais uniquement Dieu), la divinité, quelle qu'en soit la nature, est une affaire de croyance, voire de connaissance, mais pas de rencontre personnelle comme avec Abraham, Isaac et Jacob.

Au cours de l'épisode de la réconciliation, Joseph dit à ses frères : « C'est votre Dieu, le Dieu de votre père, qui vous a mis un trésor dans vos sacs » (43, 23). En vérité, c'est Joseph qui, masquant sa tendresse, l'a fait ; mais, détail remarquable, c'est la seule allusion que fasse jamais Joseph à Dieu dans un langage comparable à celui d'Abraham, d'Isaac et de Jacob. Rebaptisé Israël, Jacob partait pour l'Égypte :

> Dans une vision nocturne, Dieu s'adressa à Israël : « Jacob, Jacob. »
> — « Me voici », répondit-il. Il dit alors : « Je suis El, le Dieu de ton
> père. Ne crains pas de descendre en Égypte, car je ferai là-bas de toi
> une grande nation. Moi, je descendrai avec toi en Égypte et c'est moi
> aussi qui t'en ferai remonter. Joseph te fermera les yeux. » (46, 2-4)

Le ton de ce passage est désormais familier, mais ce n'est pas à Joseph que Dieu parle. Comme si Dieu n'était pas un être du même genre pour Jacob et pour Joseph. À Jacob, il s'adresse directement, ou dans un rêve ou une vision si peu équivoque qu'elle ne requiert aucune interprétation. Jamais il ne parle ainsi à Joseph. L'« Esprit de Dieu », dont le Pharaon (non Joseph) dit qu'il est en Joseph, est un talent, un don de Dieu, mais il n'est pas de ceux qui ne marchent que si l'on est en communication avec Dieu.

De surcroît, bien que Joseph prospère indirectement en faisant montre de discernement et de sagesse avec l'aide du SEIGNEUR, son œuvre directe consiste à sauver tout un ordre social au sein duquel il reste un étranger. Les promesses et les interventions du SEIGNEUR dans la vie d'Abraham, d'Isaac et de Jacob ne les impliquaient qu'eux seuls et leurs familles. Ici, l'interprétation des songes avec le concours de Dieu sauve toute l'Égypte : c'est uniquement parce qu'il y a réussi et que son pouvoir personnel s'en est trouvé accru que Joseph peut sauver sa famille. Le SEIGNEUR n'annonce pas ses intentions concernant Joseph et sa descendance comme il l'avait fait pour Abraham, Isaac, Jacob et les leurs, et, en l'occurrence, Dieu n'a pas d'intentions non plus pour l'Égypte. Lorsqu'il déchiffre le songe du Pharaon et prévoit ainsi une famine prochaine, Joseph n'en infère aucun plan divin pour l'Égypte qu'il mettrait ensuite en œuvre. Ce n'est pas Dieu qui envoie la famine ; Dieu a simplement aidé Joseph à la prévoir. Le plan mis sur pied pour s'en prémunir est aussi de Joseph, non de Dieu. Bref, l'aide modeste et indirecte que celui-ci apporte à Joseph en temps opportun épuise, au fond, le répertoire divin. L'ordre naturel et l'ordre social sont tous deux donnés et tacitement immuables ; l'aide divine qu'il reçoit de son dieu personnel permet simplement à Joseph de réussir dans ce cadre-là.

L'histoire de Joseph et ses frères est touchante et accessible pour les lecteurs modernes : à cause de ses indéniables qualités littéraires, mais aussi de cette absence « moderne », dans ses pages, d'un Dieu puissant et intrus. Dans l'histoire de Joseph comme dans la société post-religieuse moderne, Dieu est lointain, mais son éloignement a peu d'importance, car on ne pense à lui que de manière flottante, dans des périodes de crise, lorsqu'on recherche son aide pour sortir d'un dilemme ou parer quelque catastrophe. N'attendant aucune surprise de Dieu, la modernité parle de lui posément, à l'instar de Joseph, et suppose que, quelle que soit sa puissance, ses intentions sont bienveillantes. Dieu est bon, comme Joseph est bon.

Joseph attribue son propre asservissement à la providence de Dieu :

> Joseph dit à ses frères : « Venez près de moi. » Ils s'approchèrent. « Je suis Joseph votre frère, dit-il, moi que vous avez vendu en Égypte. Mais ne vous affligez pas maintenant et ne soyez pas tourmentés de m'avoir vendu ici, car c'est Dieu qui m'y a envoyé avant vous pour vous conserver la vie. » (45, 4-5)

L'interprétation providentielle que fait Joseph de son infortune contredit, dans une certaine mesure, ce que nous venons de dire : Dieu n'avait aucun plan pour l'Égypte, ni pour sauver Joseph d'Égypte, moins encore pour le sauver de sa famille. Assurément, Dieu n'a pas eu de plan *annoncé*. Mais la force émotionnelle de cette scène ne tient pas au fait que Dieu a ou n'a pas de plan, mais au bon cœur et à l'indulgence de Joseph. S'il est permis d'y lire un propos sur Dieu, l'histoire de Joseph, dans les épisodes de ce genre, traite non pas de puissance mais de tempérament. Dieu ne favoriserait point Joseph — homme d'une bonté transparente, peut-être le seul saint authentique du Tanakh — si Dieu lui-même n'était pareil à Joseph.

Mais si, dans les derniers chapitres de la Genèse, Dieu est implicitement pareil à Joseph, force nous est d'observer que tel n'était pas le cas au début. Le SEIGNEUR qui n'a pas pardonné à Adam et à Ève leur seul acte de désobéissance ne ressemblait guère au Joseph indulgent. Le SEIGNEUR/Dieu ne lui ressemblait pas davantage lorsqu'il a envoyé un déluge « exterminer toute chair » en châtiment des crimes à peine nommés de la génération de Noé. Dans ces scènes, le SEIGNEUR Dieu est d'une puissance maximale, et d'une bonté minimale, alors que le Dieu réfléchi en Joseph est d'une bonté maximale et d'une puissance minimale. Nous avons déjà signalé que Joseph ne s'adresse jamais à Dieu et fait rarement référence à lui ; nous pourrions ajouter que pas une seule fois il ne fait référence au SEIGNEUR. Même dans l'interlude de 46, 1-4, une scène dont le protagoniste est Jacob, c'est Dieu, non le SEIGNEUR, qui lui parle. Le SEIGNEUR, qui est la forme la moins juste, la plus opiniâtre et la plus personnelle de la déité, est absent du dernier quart du Livre de la Genèse. Il reviendra, mais il a momentanément disparu.

Le Dieu qui se tient paisiblement à l'arrière-plan dans l'histoire de Joseph — un être en qui dominent le bienfaisant *'elohim* de la création et l'attentionné « dieu de... » — est presque, sinon tout à fait, aimant. Ce n'est pas l'amour qui a conduit Dieu à créer ou à détruire le monde, ou encore à choisir Abraham, Isaac et Jacob. Le Livre de la Genèse ne parle que rarement d'amour humain (*cf.* 29, 18 : « Jacob aimait Rachel »), et jamais d'amour divin. Mais on peut voir un genre de prélude à l'amour dans trois choix divins successifs : celui du jeune Isaac, plutôt que d'Ismaël, son aîné ; celui de Jacob de préférence à Esaü ; et enfin, le plus important, celui de Joseph plutôt que de ses dix frères aînés, en particulier Juda. L'usage, rappelé à maintes reprises dans le texte, dictait en effet que l'aîné fût l'héritier du père. Lorsque Dieu va contre la coutume, il exprime son affection dans la mesure, il est vrai limitée, où il choisit l'un, rejette l'autre,

pour des raisons subjectives qui ne sont pas indiquées. C'est particulièrement clair dans le choix de Joseph. Ce qui rend ce choix un peu
différent de celui d'Isaac ou de Jacob, c'est que l'on sait beaucoup
de choses sur le compte de Joseph à l'heure du choix. Le texte laisse
subtilement entendre que Dieu n'aurait pas aimé Joseph s'il n'était
point comme lui ; et puisqu'on a vu un Joseph aimant, peut-être Dieu
l'est-il aussi. Nous sommes dans le domaine, cela va sans dire, de
l'impression, non du raisonnement.

Ismaël était né d'une esclave. Esaü perdit son héritage lorsque
Jacob reçut la bénédiction d'Isaac à sa place. Dans les deux cas, la
préférence du SEIGNEUR pour le cadet plutôt que pour l'aîné avait
une raison extérieure ou formelle. Il n'y a aucune raison comparable
pour que Dieu préfère le jeune Joseph à Juda, la figure dominante
parmi les douze frères. Dieu préfère Joseph, suggère le texte, parce
que — et c'est là la nouveauté — Joseph est le meilleur. Par son
caractère comme par ses œuvres, il est supérieur. Que le texte le
laisse entendre est d'autant plus remarquable que la Bible hébraïque,
même si elle n'a pas été entièrement écrite par les descendants de
Juda, c'est-à-dire par les Juifs, n'en a pas moins été conservée par
eux. Or l'histoire de Joseph dénigre à trois reprises — pas moins —
le père éponyme des Juifs.

La première fois, c'est dans la Genèse 37, 26-27, lorsque Juda
propose à ses frères de vendre Joseph comme esclave. La loi ultérieure devait faire d'une telle action un crime capital. Mais, surtout,
c'était un acte cruel et violent des fils de Léa contre Jacob, leur père,
qui avait une tendresse particulière pour les fils de Rachel, Joseph et
Benjamin. L'auteur de l'histoire de Joseph (car, en l'occurrence, il
faut parler d'auteur, non de rédacteur) met délibérément en scène
Joseph et Juda au moment où le drame touche à son apogée. Juda,
qui ne reconnaît pas encore Joseph, évoque avec éloquence pour lui
l'angoisse de Jacob, qui n'en finit pas de pleurer Joseph et craint
maintenant de perdre Benjamin. L'apprenant, Joseph ne peut se
retenir plus longtemps : il éclate en sanglots et, dans les versets cités
plus haut, révèle son identité à ses frères. À l'heure du dénouement,
Juda se conduit de manière honorable, mais le pathétique même de
la scène est pour lui une défaite. De toute évidence, l'homme à qui
il a fait du tort de longues années plus tôt est son supérieur.

La deuxième considération désobligeante sur Juda apparaît dans
le chapitre 38, juste après la vente. Vivant désormais avec les Cananéens, Juda a pris pour femme une Cananéenne qui lui a donné trois
fils. Deux épousent l'un après l'autre la même femme, une Cananéenne du nom de Tamar, et meurent sans qu'elle ait conçu ; celle-
ci se déguise alors en prostituée sacrée, séduit Juda, et donne nais-

sance à des jumeaux. Le côté polémique de l'histoire n'est pas simplement que les Juifs sont les rejetons d'une union incestueuse, fût-ce celle d'un Israélite et d'une Cananéenne : ils sont nés d'une copulation sacrée dans la religion du pays de Canaan. Dans le Tanakh, être né d'un inceste, c'est être voué à un mépris souverain. Ainsi, lorsque les filles de Loth l'enivrent et couchent avec lui, elles donnent naissance aux Moabites et aux Ammonites, qui inspirent le mépris (19, 30-38). Avant le chapitre 38, le mariage mixte avec les Cananéens a été condamné par deux fois : Abraham charge son serviteur de trouver une femme pour Isaac à l'Aram-des-deux-fleuves, de crainte que son fils n'épouse une Cananéenne ; Isaac et Rébecca envoient Jacob dans la même direction de peur qu'il ne les afflige, à l'instar d'Esaü, en épousant une Cananéenne. Les rituels religieux des Cananéens n'ont pas encore été condamnés, mais le jour viendra où ils le seront, et cet épisode annonce cette condamnation. Qui plus est, ce passage est placé juste avant le moment (Gn 39) où Joseph refuse de céder aux avances adultères de la femme d'un dignitaire égyptien. Le rédacteur (cet épisode a été ajouté à l'histoire initiale) entend clairement mettre Joseph en valeur en lui opposant la grossièreté de Juda.

La troisième comparaison désobligeante entre Juda et Joseph[7] se trouve à la fin du Livre de la Genèse, lorsque Jacob adopte et bénit Éphraïm et Manassé, les fils que Joseph a eus de l'Égyptienne Asenath. Pèrèç et Zérah, les fils que Tamar enfanta à Juda, sont oubliés. Par la suite, lorsque Jacob, sur son lit de mort, se lance dans un long oracle sur ses douze fils, ses premiers mots sont un aparté à l'intention de Joseph : « Moi je te donne Sichem [« épaule », « épaulements de terrain »], une part de plus qu'à tes frères, que j'ai enlevée au pouvoir des Amorites par l'épée et par l'arc » (48, 22). Ainsi fait-il allusion à Sichem, la ville que Siméon et Lévi ont conquise et pillée (malgré les faibles remontrances de Jacob à l'époque), la ville qui fut le premier point de chute d'Abraham lorsqu'il entra en Canaan, et de Jacob quand il y retourna, et la ville où Joseph partit innocemment à la recherche de ses frères qui le vendirent alors en esclavage. Beaucoup plus tard, une monarchie israélite se scindera en un royaume du Nord, dominé par la maison de Joseph, avec Sichem pour capitale, et un royaume du Sud, dominé par la maison de Juda, avec Jérusalem pour capitale. L'oracle de Jacob, envisageant la perspective du royaume septentrional, ne contient une authentique bénédiction que pour Joseph ; tous les autres frères n'ont droit qu'à de simples prédictions, voire à des commentaires. L'oracle sur Juda reconnaît sa puissance en des termes d'une éloquence vibrante, mais il attribue son pouvoir à la seule violence :

Juda, c'est toi que tes frères célébreront.
Ta main pèsera sur la nuque de tes ennemis,
les fils de ton père se prosterneront devant toi.
Tu es un lionceau, ô Juda,
ô mon fils, tu es revenu du carnage !
Il a fléchi le genou et s'est couché tel un lion
et telle une lionne, qui le fera lever ?
Le sceptre ne s'écartera pas de Juda,
ni le bâton de commandement d'entre ses pieds
jusqu'à ce que vienne celui auquel il appartient
et à qui les peuples doivent obéissance.
Lui qui attache son âne à la vigne et au cep le petit de son ânesse,
il a foulé son vêtement dans le vin et sa tunique dans le sang des
[grappes.
Ses yeux sont plus sombres que le vin
et ses dents plus blanches que le lait. (49, 8-12)

Comme l'histoire de Joseph elle-même, l'oracle de Jacob trahit le point de vue de l'historien et apologiste anonyme du royaume septentrional, que la science a appelé l'Élohiste à cause de son usage exclusif du mot *'elohim* pour nommer Dieu. Le ton polémique à demi masqué et quelque peu embrouillé de l'oracle, comme les passages polémiques de l'histoire, a un intérêt littéraire certain, parce que c'est l'un des premiers moments où l'on voit Dieu — si obscurément que ce soit — réagir à des différences humaines. À ce stade de la Bible, le SEIGNEUR Dieu n'a jamais donné l'impression de réagir à des qualités humaines d'une espèce ou d'une autre. Les distinctions qu'il a pu faire entre les êtres humains étaient purement arbitraires. Pour autant que le texte nous l'indique, Abraham n'avait rien de particulier qui aurait pu conduire le SEIGNEUR à faire de lui le père d'une grande nation. Au moment où le SEIGNEUR bénit Isaac et lui répète la promesse faite à Abraham, Isaac n'a rien fait non plus de remarquable. Lorsque Jacob le bénit, en revanche, Joseph a derrière lui une carrière peu commune. Bien que la bénédiction ne soit pas explicitement accordée en reconnaissance de son mérite, toute l'histoire laisse tranquillement entendre, à demi-mot, que Joseph mérite la bénédiction finale. Alors que Jacob rend le dernier soupir et va « être réuni à son peuple », Dieu semble avoir choisi Joseph pour des raisons que l'histoire de celui-ci a mises en évidence. Ardent, beau, avisé, imposant et prodigieusement bon, Joseph est l'homme le plus séduisant que nous ayons rencontré jusqu'ici dans la Bible. Et, pour la première fois, Dieu paraît sensible à la séduction.

3

À quoi tient la divinité de Dieu ?

Dans l'Exode, le deuxième livre de la Bible, le SEIGNEUR reviendra avec une force soudaine et violente, pour en finir avec sa relative absence des derniers chapitres du Livre de la Genèse. Avant d'examiner en détail les traits qu'il prend à son retour, il serait bon de marquer un temps de pause pour voir à quoi tient jusqu'ici, en termes littéraires, la divinité de Dieu. Qu'est-ce qui le rend différent ?

Dieu — et dans ce bref interlude, le mot Dieu n'entend pas désigner *'elohim* mais le protagoniste du Tanakh dans toute la complexité sous laquelle il apparaît à la fin du Livre de la Genèse — est au sens premier du mot le protagoniste, le *protos agonistes* ou « premier acteur », de la Bible. Il ne fait pas son entrée sur la scène humaine. Il crée la scène humaine sur laquelle il fait ensuite son entrée. Il crée l'antagoniste humain avec lequel son commerce donnera forme à toute action ultérieure. Tel est son premier trait distinctif, et le plus évident.

Si l'antériorité de Dieu rend son antagoniste humain singulièrement dépendant de lui, il n'en est pas moins vrai que Dieu est singulièrement dépendant de son antagoniste humain, et que cette dépendance complique les efforts pour faire ce que nous faisons, à savoir lire la Bible comme l'histoire de Dieu. Car, bien que la dépendance de l'homme vis-à-vis de Dieu ne soit jamais niée dans la Bible, ce qu'on y voit les humains faire a, bien souvent, une autonomie « naturelle » qui n'a point d'équivalent dans ce qu'on voit Dieu y faire. Si toute l'action humaine rapportée dans la Bible n'associe aucunement l'humanité à Dieu, comme l'antagoniste au protagoniste, l'inverse n'est pas vrai. Dans l'action divine, telle que la rapporte la Bible, rien n'est sans lien avec les êtres humains ; en ce sens, rien n'est purement divin. Dieu n'accomplit aucune action qui n'ait l'homme pour objet. Il n'est point d'« aventures de Dieu ».

Tel est, jusqu'à un certain point, le résultat inévitable du monothéisme. Dans la mythologie polythéiste grecque, certaines histoires parlent de l'intervention de Zeus dans les affaires humaines, mais d'autres évoquent la vie de Zeus parmi ses congénères. Dans la Bible, Dieu, étant le seul dieu, ne saurait se présenter à travers de tels agissements. Mais là ne s'arrête pas la singularité de son personnage. On pourrait fort bien imaginer Dieu se livrant à une action démonstrative d'une espèce ou d'une autre au service de son autoportrait, et ce en dehors de tout commerce avec l'homme : manifestations miraculeuses, bouleversements cosmiques, création d'autres mondes. Or, en réalité, il s'abstient de toute activité de ce genre. Non seulement il ne fraie avec aucun autre dieu, mais il n'a même pas de vie privée, pour ainsi dire. Toute quête de sa part passe nécessairement par l'humanité.

Les paroles de Dieu possèdent le même caractère symbiotique que ses gestes. Fût-ce en l'absence de toute compagnie divine (pour commencer, il n'a pas de consort), pourquoi Dieu ne se parle-t-il jamais ? L'esprit divin pourrait assurément s'ouvrir sous la forme d'un soliloque discursif. Mais il n'en fait rien. Dans les scènes d'ouverture du Livre de la Genèse — la création et le déluge — ce qu'on entend est proche du soliloque. Mais à compter de cet instant, il n'est de parole de Dieu qui ne s'adresse à l'homme et, le plus souvent, sa parole est aussi directive. Dieu est pareil à un romancier, qui est littéralement incapable d'autobiographie ou de critique : il ne saurait raconter sa propre histoire qu'*à travers* ses personnages. Qui plus est, il est incapable de commerce créatif avec eux : il ne connaît d'autre tactique créative que la direction. Il leur dit que faire, afin qu'ils soient tel qu'il les souhaite. En eux-mêmes, ils ne l'intéressent pas. Il n'entretient pas non plus avec eux le moindre commerce analytique. Il est toujours directif, jamais sensible ni élogieux.

Quant à ce qu'il veut que l'humanité soit précisément, Dieu ne le découvre que chemin faisant. Ses façons de faire trahissent toujours une suprême assurance, mais il ne fait aucune annonce et ne semble pas même connaître tous ses plans en détail ou à l'avance. À maintes reprises, Dieu est mécontent de l'homme, mais bien souvent on a le sentiment qu'il ne découvre ce qui lui plaît que dans et à travers son courroux. Pour changer légèrement d'analogie, il est pareil à un metteur en scène dont les acteurs ne cessent de cafouiller et qui monte donc souvent sur ses grands chevaux, mais qui ne sait pas toujours lui-même à l'avance ce qui fera l'affaire. Quand les acteurs s'égarent, il fait lui aussi fausse route, jusqu'au moment où ils finissent par trouver plus ou moins le ton juste et où lui-même retrouve suffisamment son calme pour l'admettre. Dans la Bible, il ne s'agit pas seulement pour l'humanité d'observer la loi de Dieu (à ce stade de l'histoire, elle n'a pas encore été donnée), mais plutôt, et beaucoup plus largement, de devenir l'image de Dieu. Cette quête, née de l'unique mobile déclaré du protagoniste, est le moteur de la seule véritable intrigue que l'on puisse reconnaître dans la Bible. Mais cette intrigue, l'effort de Dieu pour façonner l'humanité à son image, serait beaucoup plus compréhensible si Dieu avait une vie subjective plus riche, plus clairement dissociée de l'objet humain de son façonnage, plus clairement antérieure.

Telle qu'elle est, l'intrigue de la Bible est difficile et insaisissable, ce qui est étroitement lié à la nature non moins difficile et insaisissable de son protagoniste, Dieu. L'expérience trempe le caractère, et le caractère détermine l'action. Un personnage sans expérience aucune, c'est-à-dire sans caractère, est presque une contradiction dans les termes. Si pareil personnage pouvait exister, nous ne saurions guère qu'attendre de lui, ni ce que voudrait dire être façonné à son image. Certes, la vie comme la littérature nous ont habitués à voir des innocents vivre des expériences nouvelles, et parfois douloureuses, à travers lesquelles ils se forgent un personnage. Mais cette innocence, cette inexpérience, est toujours relative. Le jeune campagnard qui découvre la grande ville a somme toute quelque dix-huit années d'histoire derrière lui. C'est cette histoire qui nous le rend compréhensible. Comment le comprendrions-nous si, chronologiquement, il avait bien dix-huit ans, mais avec le caractère d'un bébé sans parents ? Son caractère, son personnage, appartiendrait nécessairement à son futur, plutôt qu'à son passé. Il ne pourrait être que ce qu'il deviendrait, si bien que, au commencement, il ne saurait être qu'un point d'interrogation vivant.

Bien que nous soyons parvenu à dire pas mal de choses sur lui dans le Livre de la Genèse, Dieu est un point d'interrogation vivant de ce genre, un personnage entièrement prospectif. Il n'a ni histoire, ni généalogie, ni passé que, suivant les méthodes habituelles de la littérature, nous pourrions progressivement introduire dans son histoire afin d'expliquer sa conduite et d'induire une forme de catharsis chez le lecteur. On ne saurait imaginer de personnage humain à ce point dépourvu de passé et malgré tout humain, mais nous voyons bien que, en donnant à ce personnage non humain des propos à tenir dans le langage des hommes et des actes à accomplir en rapport avec les êtres humains, les auteurs de la Bible ont ouvert une voie nouvelle à la littérature. Dieu frustre nos attentes littéraires ordinaires, façonnées qu'elles sont par les attentes que nous concevons à l'égard des autres êtres humains lorsque nous les rencontrons. Nous comptons apprendre qui ils sont en apprenant comment leur passé les a conduits à leur présent. C'est presque par définition ce qui rend intéressant et cohérent un personnage humain.

Dieu n'est ni intéressant, ni cohérent de cette façon. Au fond, l'anthropomorphisme des dieux grecs tenait moins à leur corps, d'une humanité reconnaissable, qu'au fait même qu'ils eussent une généalogie et des désirs, un passé et un avenir. Dieu n'a rien de tout cela, et ce fait écrasant réduit à néant les vagues détails anthropomorphiques que l'on trouve çà et là dans le Livre de la Genèse. Il nous faut imaginer Dieu comme un nouveau-né, mais pas encore un bébé, dont les possibilités ne sont pas confinées dans les limites de l'expérience humaine mais qui, paradoxalement, ne sauraient se réaliser qu'en rapport avec les êtres humains. Dans le Livre de la Genèse, sa façon d'être est, grosso modo, celle d'un homme qui ne doute de rien, qui joue volontiers les intrus quand il ne se montre pas agressif, et dont l'éloquence est imprévisible. Mais c'est surtout un homme qui ne révèle rien de son passé, et presque rien de ses besoins ou de ses désirs. Quand l'adjectif divin renvoie implicitement à ce Dieu — l'auteur d'Adam et le partenaire d'Abraham — plutôt qu'au juvénile Apollon, bel et brillant, par exemple, il désigne un ensemble de qualités pareilles à celles évoquées à l'instant ; et si le type en question est familier en Occident, force nous est de présumer une influence biblique. Le plus marquant, dans ce type, c'est cet air de pouvoir — sans aucun des indices habituels quant à l'usage qui pourrait en être fait.

S'agissant des êtres humains, sans exception aucune, nous savons que même si un personnage ne révèle rien de son passé, il en a forcément un, et que ce passé est fait, entre autres choses, d'une mère, d'une naissance et d'une petite enfance entre vagissements et renvois. Pour ce qui est de son avenir, il peut bien dissimuler ses intentions, mais nous ne le croyons pas sans désirs. Sa puissance peut intimider, mais les adultes savent que la divinité reposant sur une négation du passé et de l'avenir ne saurait être davantage qu'une pose. Mais c'est précisément ici que se brise l'analogie : Dieu ne pose pas. Il n'est pas le Magicien d'Oz. Il est portraituré, avec une apparente sincérité et une indéfectible cohérence, comme un être réellement sans passé et, bien qu'il ne soit pas dénué d'intentions, comme un être réellement sans désirs, hormis celui que l'humanité soit son image. Par ailleurs, bien que ses intentions, d'abord rudimentaires, deviennent plus complexes, et bien qu'il soit surpris de leurs effets et enclin à les répudier, elles ne sont que très tardivement, dans son histoire, le produit du désir. Au départ, et ce pour un bon moment, Dieu compte sur l'homme pour exécuter ses propres intentions et, jusqu'à un certain point, il parasite presque le désir humain. Si l'homme ne voulait rien, on imagine mal comment Dieu découvrirait ce qu'il veut.

Sitôt que nous reconnaissons que Dieu est ainsi dépendant des êtres humains, nous comprenons pourquoi, de sa part, la quête d'une image de soi n'est pas complaisance futile et facultative, mais le seul et unique instrument qui lui permette de se comprendre. Si personne n'a peint votre portrait, l'être humain que vous êtes n'en sait pas moins qui il est. Quand bien même vous ne vous seriez jamais vu dans la glace, il en irait de même. La personne du portrait ou du miroir existe déjà, et vous la connaissez. Votre histoire vous a fait en même temps qu'elle a fait de vous un fait évident à vous-même. Au commencement de la Bible, Dieu n'a encore été fait par aucune histoire, et il est donc loin d'être évident à ses propres yeux. Bien qu'il soit un protagoniste qui donne vie à son antagoniste, il est aussi un protagoniste qui reçoit sa vie de son antagoniste. Dans un cas comme dans l'autre, il est unique.

L'histoire de la vie de Dieu se confond avec celle de son œuvre, la création de l'humanité à son image. Concrètement, cet acte de création s'accomplit à travers l'histoire humaine qui constitue l'intrigue de la Bible. Mais cette intrigue ne commence pas ni ne saurait commencer *in medias res* — en plein milieu —, parce que Dieu, qui la commence, est lui-même sans histoire. Si étrange que cela puisse paraître à dire, Dieu, au début de la Bible, se réduit à trop peu de chose pour que l'histoire commence ainsi. Mais alors comment commence-t-elle ? Lorsqu'il invite l'humanité à être « féconde et prolifique », Dieu fait de l'unique action qui définisse l'humanité — la seule action positive à laquelle il invite l'homme — une image de la seule action qui, au départ, définit Dieu lui-même. Mais la fécondité et la prolifération de l'humanité ne tardent pas à l'indisposer, au point que surgit un conflit qui crée une dynamique. Dieu découvre après coup que la fécondité débridée de l'humanité n'était pas tout à fait ce à quoi il pensait. Il noie la création sous un gigantesque déluge à seule fin de découvrir que la destruction n'était pas non plus tout à fait ce à quoi il pensait. Il jure aux seuls survivants, Noé et les siens, que jamais plus il ne détruira le monde, mais il est désormais si déchiré que son serment n'est pas tout à fait convaincant.

Alors quoi ? Historiquement parlant, on l'a vu au chapitre 2, *yahweh* et *'elohim* paraissent avoir absorbé séparément la personnalité d'un dieu destructeur proche de Tiamat, le dragon marin, dont la défaite par Marduk constitue le mythe babylonien de la création. En postulant une telle fusion de déités, les historiens peuvent expliquer l'origine de la contradiction, dans le Tanakh, du personnage de Dieu. Mais, quelle que soit l'explication, il faut affronter la contradiction comme une réalité littéraire. Comme si l'on disait : « Je comprends bien : ton papa était médecin, ta maman espion, mais maintenant il me reste à te connaître, toi. »

Après le déluge biblique, et malgré son serment rassurant de ne plus jamais détruire le monde, Dieu conserve une radicale et menaçante ambivalence créatrice/destructrice. Mais si la fusion, en Dieu, des personnalités de créateur et de destructeur a des conséquences pour son personnage, elle a aussi des conséquences pour l'intrigue de la Bible. Ce que le double rejet divin, d'un côté d'une fécondité humaine débridée, de l'autre d'une nouvelle destruction du monde, apporte à l'intrigue, c'est un compromis : une alliance reproductive avec une partie de l'humanité. La fécondité est toujours promise, mais elle n'est plus promise à l'humanité dans son ensemble. Au contraire, elle est promise exclusivement, ou, tout au moins, avant tout, à Abraham et à sa descendance, et encore cette fécondité restreinte n'est-elle pas la possession souveraine d'Abraham. Il s'agit désormais d'un pouvoir qui ne saurait s'exercer qu'en conjonction avec Dieu. Dans cet ordre nouveau, l'intervention de Dieu permet bien à Abraham et à Sara de concevoir et d'enfanter dans leur grand âge, mais le pénis d'Abraham ne lui appartient plus. Ainsi que le symbolise si bien la circoncision, l'organe et la puissance qui se cache derrière lui appartiennent désormais en partie à Dieu.

L'histoire du Dieu-créateur et de l'humanité-génitrice se déroule telle une aride invention musicale en deux parties qu'une série de répétitions et de variations contrapuntiques transforment en une fugue subtile et magnifique. L'obsession sexuelle du récit à ses débuts lui donne une force extraordinaire, primitive, presque animale. Et pourtant, cette étroitesse même, cette intensité gardent quelque chose d'abstrait. Tout au moins jusqu'à l'histoire de Joseph, le Livre de la Genèse est un récit d'une brutale constance. Stérilité, conception, naissance ; masturbation, séduction, viol ; uxoricide, fratricide, infanticide : voilà à quoi se résume l'action. Le récit se soucie de la reproduction et des menaces qui pèsent sur elle à l'exclusion de tout le reste, ou presque, de l'expérience humaine. Mais l'art narratif de la Bible ne réside pas seulement dans la force, souvent notée, de ces premières histoires bibliques mais aussi, et plus encore, dans sa manière de gérer l'émergence d'événements autrement plus complexes à partir de débuts aussi schématiques. À mesure qu'il se complexifie, le récit peut véhiculer des matériaux non narratifs progressivement plus élaborés : des portraits poétiques, légaux et prophétiques de Dieu en protagoniste, et de l'humanité en image de Dieu et en antagoniste.

Dans le Livre de l'Exode, auquel nous arrivons, la lutte entre l'humanité et Dieu autour des pouvoirs reproductifs de l'humanité entre dans une nouvelle phase décisive. Au début, l'alliance reproductive entre le SEIGNEUR et Abraham, qui a bridé le conflit créateur/destructeur dans le SEIGNEUR Dieu, a engendré une nouvelle provocation et mis à découvert un nouveau conflit. La cause en est peut-être la réussite même de l'alliance abrahamique. Abraham et son fils unique sont devenus Isaac et ses deux, puis Jacob et ses douze, puis les douze et leurs soixante-dix, et enfin, lorsque s'ouvre le Livre de l'Exode, une nation assez grande pour se mesurer à la puissante Égypte : « Les fils d'Israël fructifièrent, pullulèrent, se multiplièrent et devinrent de plus en plus forts : le pays en était rempli » (Ex 1, 7). Comme on l'a vu, la promesse de fécondité du SEIGNEUR à Abraham était une révocation implicite, mais claire, de sa promesse au reste de l'humanité. Mais, si prévisible que nous en paraisse la conséquence, il est patent que le SEIGNEUR ne l'a pas prévue. (Dans les termes du récit, bien entendu, toutes ces choses arrivent pour la première fois ; il n'est point de passé dans lequel tirer des leçons pour l'avenir, et il n'est point de prétention à l'omniscience.) Le SEIGNEUR est, pour ainsi dire, pris au dépourvu. Quand Israël commence à devenir une grande nation sur le territoire égyptien, et que les Égyptiens se défendent en asservissant les Israélites, il tarde à réagir. Mais la défense égyptienne est futile. Avec l'aide de Dieu, les Israélites continuent à croître tandis que leurs femmes enfantent presque sans douleur. Puis le maître de l'Égypte finit par donner un ordre qui contrevient directement aux désirs de Dieu : « Tout garçon nouveau-né, jetez-le au Fleuve ! » (1, 22).

Dieu a déjà affronté la désobéissance, mais jamais on ne l'a défié aussi carrément. Sa réponse fera pour la première fois de lui un guerrier. Mais avant d'examiner ce changement, il nous faut étudier le conflit que le Pharaon a mis en évidence dans le personnage même de Dieu. Le conflit extérieur entre Israélites et Égyptiens naît de ce conflit intérieur. Après tout, c'est Dieu qui, à la création, a promis également à tous les hommes la fécondité, et qui a recommencé après le déluge, à ceci près qu'il a alors promis — et octroyé — une plus grande fécondité à Abraham et à sa descendance. Dieu se trouve maintenant confronté aux résultats de son inconséquence : un puissant laissé-pour-compte de la fécondité se retourne contre le privilégié que Dieu a désigné. Comment le conflit peut-il être résolu ? N'oublions pas qu'à la création et après le déluge Dieu a également

dit aux Égyptiens, du moins par inclusion, d'être féconds et prolifiques.

Le polythéisme est l'une des solutions possibles. Mieux encore,
un tel conflit eût été inconcevable dans ce cadre-là. Autrement dit,
un dieu qui serait « d' »Abraham pourrait en toute logique lui promettre une fécondité supérieure ainsi que la possession de la terre
« des Kénites, des Kenizzites, des Kadmonites », et ainsi de suite.
D'autres dieux également personnels, c'est-à-dire qui seraient pareillement les dieux « des » chefs de ces autres groupes, pourraient en
toute logique promettre la même chose à leurs fidèles. Dès lors, la
querelle serait naturellement vidée sur le champ de bataille. Dans le
même temps, le Dieu du ciel, supérieur aux hommes comme à tous
les autres dieux, s'abstiendrait de promesses aussi étriquées. Et si les
humains en lice en venaient aux armes, il garderait sa juridiction
universelle en s'abstenant de prendre fait et cause pour l'un des
camps en présence.

Si maintenir Dieu au-dessus de la mêlée est une façon de
résoudre le conflit de la fécondité, une autre solution consiste à faire
du Dieu unique un guerrier divin. Le Dieu qui est le Dieu de tous
peut alors prendre parti comme s'il était un dieu « de », mais il doit
payer le prix de cette contradiction en consentant à un changement
de son personnage. Il doit jouer dans les affaires humaines un autre
rôle. Dans le chapitre 24 de la Genèse, nous avons vu une première
étape de la fusion du Dieu suprême, ou du Dieu du ciel, avec le
« dieu de » personnel quand Abraham invoque le dieu — « le
SEIGNEUR, Dieu du ciel » (24, 7) — qui doit aider son serviteur à
trouver une femme pour Isaac : une mission bien modeste. Le serviteur en question fait la même identification quand il prie :
« SEIGNEUR, Dieu de mon maître Abraham » (24, 12). Au début
du Livre de l'Exode, cependant, ce qui n'était jusque-là qu'une fusion
expérimentale et implicite devient explicite et confirmé. De « dieu
d'Abraham », le SEIGNEUR Dieu est devenu le « dieu de » la nation
désormais immense d'Israël, et ce lien est officialisé par une alliance
et étayé par l'action de *yahweh*, qui dès lors s'affirme comme une
divinité excessivement guerrière.

Bref, comme dans toute intrigue efficace, une action mène à
l'autre. La création de Dieu conduit à la reproduction de l'humanité,
laquelle conduit à la guerre, qui conduit Dieu à s'engager dans les
hostilités. Et, de même que dans toute grande œuvre littéraire, l'« action » plus profonde est intérieure, et consiste dans les changements
spirituels de fond que l'action opère dans les personnages, c'est à
cause de la fécondité d'Israël en Égypte que *yahweh*, le SEIGNEUR,
le dieu d'Abraham, d'Isaac et de Jacob, se laisse entraîner dans la

bataille pour la première fois de sa carrière. Alors qu'il guerroie, ses faits et gestes le changent. La guerre le transforme, et il devient, définitivement, un guerrier divin. Au prix d'une décisive et ultime métamorphose, dans le Tanakh, il augmente son personnage d'une autre personnalité divine : en l'occurrence, celle du féroce dieu cananéen de la guerre, Baal.

Entre l'intrigue de la Bible et le personnage de Dieu, dans le monothéisme, c'est-à-dire d'un dieu qui, historiquement, est un précipité de polythéisme sémitique, la relation est donc embrouillée mais cohérente. La contradiction créateur/destructeur au sein de cette divinité est d'abord résolue par une alliance relative à la fécondité entre Dieu et un seul homme. L'insistance sur les préoccupations privées de cet homme opère une nouvelle fusion entre, d'un côté, le créateur/destructeur encore cosmique et, de l'autre, le dieu personnel beaucoup plus humble et plus terrestre. Puis, comme Israël — excessivement fécond, grâce à l'alliance — menace de dominer l'Égypte, la tension inhérente dans la fusion dieu suprême/dieu personnel ne peut être apaisée que si le SEIGNEUR, en plus de tout le reste, devient et demeure un guerrier. D'où l'équation : créateur *(yahweh/ʾelohim)* + destructeur cosmique *(Tiamat)* + dieu personnel *(dieu de...)* + guerrier *(Baal)* = DIEU, le protagoniste composite du Tanakh.

Historiquement parlant, les divers éléments n'ont pas été combinés dans un ordre aussi simple. La mise en intrigue de ces éléments — leur présentation narrative dans les premiers livres du Tanakh — est l'œuvre littéraire d'un certain nombre d'auteurs au cours d'un processus dont l'érudition historique n'aura jamais fini d'explorer la complexité. Cette œuvre littéraire repose cependant sur une synthèse intellectuelle antérieure, un tour de force de créativité religieuse plutôt que littéraire. Seule la fusion de plusieurs dieux en une unité dynamique travaillée par des tensions irrésolues pouvait ouvrir la voie à l'écriture d'une histoire de Dieu rendant justice à toute la complexité d'un personnage aux personnalités multiples, et révélant de manière cohérente et progressive ses tensions internes.

Est-ce la narration qui a créé le Dieu, ou est-ce le Dieu, d'abord imaginé, qui a inspiré la narration ? En soulignant combien cet être sans histoire ni désir se pliait mal aux impératifs du récit, et le peu d'intérêt qu'il avait au regard des usages humains et littéraires ordinaires, j'ai déjà suggéré la réponse qui me paraît la plus plausible. On a besoin, pour commencer, d'une idée partagée de Dieu, même s'il est exclu qu'elle puisse s'être formée d'un seul coup. Seul un semblable partage peut expliquer qu'un nombre aussi important d'auteurs travaillant séparément sur une aussi longue période de temps aient pu produire une œuvre qui, nonobstant sa diversité, a une profonde unité sous-jacente. Ayant assigné différentes parties des différents livres de la Bible à des auteurs différents et, plus récemment, des rôles différents et considérablement élargis à différents rédacteurs ultérieurs, la critique historique a changé à jamais notre lecture de la Bible. Mais l'unité de la Bible n'est pas exclusivement le fruit d'un habile travail d'édition. Elle repose, en dernière instance, sur la singularité de son protagoniste, le Dieu unique, le *monos theos* du monothéisme. Ce Dieu est certes né d'une fusion, non pas de tous les dieux antérieurs, mais seulement de quelques-uns. Les contradictions intérieures résultant de cette fusion prirent de très bonne heure la forme d'un ensemble fini de contradictions antérieures. C'est parce qu'ils avaient une intelligence commune de cet ensemble — de celui-ci, non d'un autre — que les auteurs de la Bible ont pu, au fil des siècles, dessiner de conserve un seul personnage.

Littérairement parlant, la Bible est unique à plus d'un titre. À ce stade, trois points méritent d'être mentionnés. Le premier est qu'il s'agit d'un classique traduit. Seule une minorité de ceux qui l'ont reçue au fil des siècles comme un classique l'ont lue dans les langues dans lesquelles elle a été écrite. Le deuxième est que, de manière étrangement moderne, il s'agit d'un classique dont les enchaînements et les dénouements restent en partie à la discrétion du lecteur. À lui de choisir le Tanakh, c'est-à-dire la Bible hébraïque, ou la Bible des chrétiens, où les livres de l'Ancien Testament sont agencés différemment tandis que le Nouveau Testament offre un autre dénouement.

Plus important, le troisième point est aussi de formulation moins facile : l'unicité littéraire de la Bible tient en effet à la nature même de son récit central. Le long récit qui couvre les onze premiers livres de la Bible, depuis la création du monde jusqu'à la chute de Jérusalem, a parfois été comparé à une saga, ce qu'il n'est pas. Bien qu'on l'emploie souvent, de nos jours, pour désigner tout récit d'origine historique de quelque longueur, le mot *saga* renvoie de manière paradigmatique à diverses œuvres en islandais classique. Certes, comme la Bible, celles-ci racontent l'histoire des origines d'une nation et contiennent divers épisodes surnaturels ou miraculeux, mais elles n'ont pas pour protagoniste un être unique, comme Dieu est le protagoniste de la Bible. Le récit biblique ne ressemble pas non plus à une épopée classique. Bien que les dieux grecs jouent un grand rôle dans ces épopées, le récit biblique en diffère par sa conception du temps. Si vastes qu'elles paraissent, les épopées ne sont censées couvrir qu'une période immense dans un cadre temporel beaucoup plus long. Tous les dieux, comme tous les personnages humains, ont un passé, de vieilles rancunes, des serments à tenir, des comptes à régler, et une destinée à accomplir lorsque l'action commence. La densité des sentiments et la richesse de leur texture qui, dès ses premières lignes immortelles, marquent l'épopée classique contrastent avec le tissage ouvert, pour ainsi dire, l'aridité et la vacuité relatives de la Bible à ses débuts. Le récit biblique, dont chaque lecteur ou auditeur sent aussitôt et intuitivement la singularité, a l'effet qui est le sien parce que Dieu, le protagoniste qui en définit le caractère, est un personnage sans passé. Un protagoniste sans passé engendre un récit sans mémoire, un récit foncièrement tourné vers l'avenir et sans terme fixe parce que, étant donné son protagoniste, il n'a pas d'autre solution.

L'enchaînement des événements qui transforme *yahweh* en guerrier et catapulte presque le SEIGNEUR Dieu commence lorsque

> les fils d'Israël gémirent du fond de la servitude et crièrent. Leur appel monta vers Dieu du fond de la servitude. Dieu entendit leur plainte ; Dieu se souvint de son alliance avec Abraham, Isaac et Jacob. Dieu vit les fils d'Israël ; Dieu se rendit compte... (Ex 2, 23-25)

C'est à la suite de cette histoire que nous allons maintenant nous intéresser.

4

Gaieté de cœur

Israël est en Égypte, puissante multitude victime d'un génocide. Moïse, Israélite élevé en Égyptien après avoir été sauvé de l'infanticide décrété par le Pharaon, a tué un tyranneau égyptien avant de s'enfuir en terre de Madiân. Maintenant marié, il mène le troupeau de son beau-père à « la montagne de Dieu, à l'Horeb », lorsque le SEIGNEUR lui apparaît :

> L'ange du SEIGNEUR lui apparut dans une flamme de feu, du milieu du buisson. Il regarda : le buisson était en feu et le buisson n'était pas dévoré. Moïse dit : « Je vais faire un détour pour voir cette grande vision : pourquoi le buisson ne brûle-t-il pas ? » Le SEIGNEUR vit qu'il avait fait un détour pour voir, et Dieu l'appela du milieu du buisson : « Moïse ! Moïse ! » Il dit : « Me voici ! » Il dit : « N'approche pas d'ici ! Retire tes sandales de tes pieds, car le lieu où tu te tiens est une terre sainte. » Il dit : « Je suis le Dieu de ton père, Dieu d'Abraham, Dieu d'Isaac, Dieu de Jacob. » Moïse se voila la face, car il craignait de regarder Dieu. (Ex 3, 2-6)

Un peu plus loin, l'ange du SEIGNEUR, équivalent du SEIGNEUR *(yahweh)*, est appelé Dieu *('elohim)*. En une seule et même phrase, les deux noms sont employés de manière interchangeable : « Le SEIGNEUR vit qu'il avait fait un détour pour voir, et Dieu l'appela... » Les identités du SEIGNEUR et de Dieu fusionnent ici complètement. Entre eux deux et le ou les dieux personnels, intervient une nouvelle fusion lorsque Dieu se présente à Moïse comme le Dieu d'Abraham, le Dieu d'Isaac, le Dieu de Jacob et le Dieu du père de Moïse. Ainsi se trouve éliminé le vague sentiment résiduel que les dieux « de » ces hommes étaient différents — sentiment qui, nous l'avons vu, semble avoir été celui de Jacob lui-même au début de sa carrière (Gn 27, 20 et 28, 20-22). Jamais encore ces trois dieux

« de » n'avaient été évoqués de cette façon, c'est-à-dire en apposition. Par la suite (Ex 6, 20), le père israélite de Moïse apparaît nommément dans une généalogie, mais dans la décisive histoire de l'enfant « Moïse dans les joncs », une omission suggestive en fait simplement « un homme de la famille de Lévi ». La fille du Pharaon a sauvé le bel enfant trouvé de l'infanticide ordonné par son père, l'a élevé à la cour jusqu'à l'âge d'homme, puis l'a adopté et lui a donné le nom de Moïse (Ex 2, 1-10). Faut-il en conclure que Moïse était illégitime ? Que son père était égyptien ? Abstraction faite des spéculations de Sigmund Freud dans *Moïse et le monothéisme*, lorsque la voix qui s'élève du buisson ardent fusionne « le Dieu de ton père », avec « le Dieu d'Abraham, le Dieu d'Isaac et le Dieu de Jacob », elle fait simultanément et inéluctablement allusion au père israélite que Moïse n'a jamais connu et au patriarche égyptien de la maison au sein de laquelle il a été adopté. Homme pris entre deux cultures religieuses, Moïse a deux pères, et son Dieu comprend tous les dieux.

Toutefois, si significatifs qu'ils soient, ces changements ne font que consolider une identité certes complexe, mais ancienne, que nous avons déjà vue approcher de cette unité. Ce qui est inédit, dans cette apparition, c'est que le SEIGNEUR Dieu parle du sein d'une flamme et au sommet d'une montagne sacrée. Il ne l'avait encore jamais fait.

Mais un autre l'avait fait. La religion sémitique ancienne connaît en effet un dieu qui a pour signature une montagne et le feu : Baal, la divinité dominante en pays de Canaan, la région vers laquelle est allé Abraham quand il a quitté Our. Baal était tout à la fois un dieu de la guerre, un dieu de l'orage, un dieu de la fécondité, et un dieu des montagnes et des volcans. Comme le mot ʾel, que nous avons déjà vu, le mot ba'al peut être à la fois un nom commun et un nom propre. En tant que nom commun, en hébreu comme dans les autres langues du groupe sémitique du Nord-Ouest, auquel appartient l'hébreu, ba'al signifie « propriétaire, maître » ou « seigneur » au sens de châtelain. En tant que nom propre, le même mot désigne une divinité, Baal, qui est le maître de l'univers mais qui, fait remarquable, s'est imposé par la force des armes. En termes mythiques, c'est un jeune dieu, un dieu rebelle.

LIBÉRATEUR

« *Ta droite fracasse l'ennemi* »

EXODE 1, 1-15, 21

Si le cadre — les flammes, la montagne — dans lequel le SEIGNEUR Dieu s'adresse à Moïse est peu familier, l'action annoncée ne l'est pas moins :

> Le SEIGNEUR dit : « J'ai vu la misère de mon peuple en Égypte et je l'ai entendu crier sous les coups de ses chefs de corvée. Oui, je connais ses souffrances. Je suis descendu pour le délivrer de la main des Égyptiens et le faire monter de ce pays vers un bon et vaste pays, vers un pays ruisselant de lait et de miel, vers le lieu du Cananéen, du Hittite, de l'Amorite, du Perizzite, du Hivvite et du Jébusite. Et maintenant, puisque le cri des fils d'Israël est venu jusqu'à moi, puisque j'ai vu le poids que les Égyptiens font peser sur eux, va, maintenant ; je t'envoie vers le Pharaon, fais sortir d'Égypte mon peuple, les fils d'Israël. »
>
> Moïse dit à Dieu : « Qui suis-je pour aller vers le Pharaon et faire sortir d'Égypte les fils d'Israël ? » « Je SUIS avec toi, dit-il. Et voici le signe que c'est moi qui t'ai envoyé : quand tu auras fait sortir le peuple d'Égypte, vous servirez Dieu sur cette montagne. »
>
> Moïse dit à Dieu : « Voici ! Je vais aller vers les fils d'Israël et je leur dirai : Le Dieu de vos pères m'a envoyé vers vous. S'ils me disent : Quel est son nom ? — que leur dirai-je ? » Dieu dit à Moïse : « JE SUIS QUI JE SERAI. » Il dit : « Tu parleras ainsi aux fils d'Israël : « JE SUIS m'a envoyé vers vous. » Dieu dit encore à Moïse : « Tu parleras ainsi aux fils d'Israël : le SEIGNEUR, Dieu de vos pères, Dieu d'Abraham, Dieu d'Isaac, Dieu de Jacob, m'a envoyé vers vous. C'est là mon nom à jamais, c'est ainsi qu'on m'invoquera d'âge en âge. » (Ex 3, 7-15)

Lorsque Moïse demande à Dieu une réponse à sa question — Quel est Son nom ? —, Dieu dit quelque chose, mais est-ce bien son nom qu'il dit, ou donne-t-il une autre espèce de réponse ? Le Tanakh, dans sa version anglaise, translittère, plutôt qu'il ne traduit,

107

les mots de Dieu : *'ehyeh 'ašer 'ehyeh*. La traduction française mêle traduction et translittération : HEIE QUI (EST) HEIE. La traduction d'Osty propose : « Je suis qui Je suis. » Les trois mots en question sont des plus familiers en hébreu : *'ehyeh* (« je suis ») *'ašer* (« qui » ou « ce que ») *'ehyeh* (« je suis »). Le mot *'ehyeh* peut signifier « je serai » aussi bien que « je suis ». Le contexte détermine ordinairement quelle est la bonne traduction, mais Dieu ne donne point de contexte. Ainsi, plutôt que de répondre « Je suis qui je suis », Dieu pourrait dire, « Je suis ce que je serai », c'est-à-dire « Vous allez bien voir qui je suis ». Une intéressante complication vient de ce que, sous sa forme originelle, le texte hébreu indiquait les seules consonnes : *'hyh 'šr 'hyh*. Il suffit de changer une seule lettre pour faire du troisième mot de cette phrase une forme de la racine hébraïque archaïque *hwh*, d'où est dérivé le nom de *yahweh*. La différence entre *'hyh 'šr 'hyh* et *'hyh 'šr 'hwh*, est mince, même lorsqu'on emploie les lettres de notre alphabet. Dans l'alphabet hébreu, la différence graphique (écrite) entre y et w est presque microscopique. Que l'on ajoute des voyelles légèrement différentes, et l'on obtient : *'ehyeh 'ašer 'ahweh*. La similitude du dernier mot, *'ahweh*, avec *yahweh* saute aux yeux.

Que signifierait *'ehyeh 'ašer 'ahweh* ? La racine *hwh*, on l'a vu, est archaïque. Les hébraïsants ont dû spéculer quant à sa signification. Mais elle signifie très probablement « devenir », et dans sa conjugaison causative, celle à laquelle appartient le nom de *yahweh*, elle signifierait « faire devenir » ou « advenir », ou, tout simplement « agir ». Dès lors, *'ehyeh 'ašer 'ahweh* voudrait dire « Je suis ce que je fais ». Ainsi qu'on l'a déjà vu à maintes reprises, Dieu se définit bel et bien par ce qu'il fait — même pour lui. Ses actions précèdent ses intentions ou, tout au moins, elles précèdent la pleine conscience de ses intentions. Il n'est pas excessif (et il n'y a là aucune arrière-pensée polémique) de prétendre qu'il ne sait pas qui il est. Fût-ce pour lui-même, il est un mystère qui ne se révèle progressivement qu'à travers ses actions et leurs suites. Mais l'heure de son apparition à Moïse est de toute évidence un instant de conscience de soi relativement intense. L'auto-application simultanée de tant de noms est, de la part de Dieu, un acte de connaissance de soi cumulative. À un moment donné, il semble même parler avec cette connaissance de soi propre à la confession. Après avoir apparemment esquivé la question de Moïse en répondant : « Je suis ce que je fais », Dieu se reprend et donne à Moïse une réponse explicite à l'intention des Israélites. Dans la version de la TOB : « Tu parleras ainsi aux fils d'Israël : "JE SUIS *('ehyeh)* m'a envoyé vers vous." » Là encore, si on remplace *'ehyeh* par *'ahweh*, l'instruction de Dieu à Moïse change de sens : « Dis aux Israélites : "J'agirai" m'a envoyé. »

Si hautement spéculatives que soient, dans le détail, toutes ces considérations, il est fort probable, historiquement parlant, que l'énigmatique *'ehyeh 'ašer 'ehyeh* était, d'une certaine façon, lié à l'introduction du nom de *yahweh* ; autrement dit, telle qu'elle était comprise à l'origine, la vision du buisson ardent contenait probablement une étymologie populaire du nom *yahweh*. Cette lecture est peut-être fausse ; on ne saurait, assurément, démontrer qu'elle est juste. Mais elle est étayée par l'activisme débordant et peu coutumier du passage qui vient juste après :

> « Va, réunis les anciens d'Israël et dis-leur : Le SEIGNEUR, Dieu de vos pères, Dieu d'Abraham, d'Isaac et de Jacob, m'est apparu en disant : J'ai décidé d'intervenir en votre faveur, à cause de ce qu'on vous fait en Égypte et j'ai dit : Je vous ferai monter de la misère d'Égypte vers le pays du Cananéen, du Hittite, de l'Amorite, du Perizzite, du Hivvite et du Jébusite, vers le pays ruisselant de lait et de miel. — Ils entendront ta voix et tu entreras, toi et les anciens d'Israël, chez le roi d'Égypte ; vous lui direz : Le SEIGNEUR, Dieu des Hébreux, s'est présenté à nous ; et maintenant, il nous faut aller à trois jours de marche dans le désert pour sacrifier au SEIGNEUR, notre Dieu. — Mais je sais que le roi d'Égypte ne vous permettra pas de partir, sauf s'il est contraint par une main forte. J'étendrai donc ma main et je frapperai l'Égypte avec tous les miracles que je ferai au milieu d'elle. Après quoi, il vous laissera partir. J'accorderai à ce peuple la faveur des Égyptiens ; et alors, quand vous partirez, vous n'aurez pas les mains vides : chaque femme demandera à sa voisine et à l'hôtesse de sa maison des objets d'argent, des objets d'or et des manteaux ; vous les mettrez sur vos fils et sur vos filles. Ainsi, vous dépouillerez les Égyptiens. » (Ex 3, 16-22)

Dans toutes les promesses à l'humanité dans son ensemble, et à Israël en particulier, le SEIGNEUR n'avait encore jamais promis de tendre la main et de frapper l'Égypte ni aucune autre nation. C'est d'autant plus marquant qu'il *n'est pas vrai* que son peuple élu n'ait jamais dû guerroyer. Dans le chapitre 14 de la Genèse, Abram s'en va-t-en guerre contre une alliance de quatre rois, mais le SEIGNEUR n'est pas plus invoqué avant la bataille qu'il n'est remercié ensuite. À ce stade de l'histoire, il n'est tout simplement pas un guerrier : Abram n'attend pas cela de lui ; quant au SEIGNEUR il ne semble attendre ça de lui qu'ironiquement — tout au plus. Dans le chapitre 19 de la Genèse, le SEIGNEUR détruit Sodome, mais cette destruction n'est aucunement une intervention de Dieu dans une guerre humaine : elle est plutôt une riposte à l'affront sexuel direct dont les citoyens de la ville se sont rendus coupables envers le SEIGNEUR lui-même venu les visiter sous la forme de deux hommes. Et si la menace d'une violence divine est une surprise, la promesse du tribut égyptien l'est tout autant. Le désir de Dieu ne se limite pas à arracher son peuple à la servitude : il entend également obtenir des Égyptiens un tribut grossièrement matériel. Rien de ce que le SEIGNEUR Dieu avait jamais revendiqué ou promis à Israël ne devait prendre cette forme — bijoux, argent, or, etc. — ni leur échoir au titre de dépouilles.

Moïse craint que le peuple ne le croie pas ; Dieu lui donne le pouvoir d'accomplir des prodiges pour le convaincre. Moïse craint de manquer de l'éloquence nécessaire ; fâché, Dieu lui promet son frère Aaron comme porte-parole. Moïse et sa femme, Cippora, partent alors pour l'Égypte avec leurs fils. En route, cependant, Dieu se révèle à eux sous des dehors plus paradoxaux que jamais :

> Le SEIGNEUR dit à Moïse : « Sur la route du retour, vois ! Tous les prodiges dont je t'ai donné le pouvoir, tu les feras devant le Pharaon. Mais moi, j'endurcirai son cœur et il ne laissera pas partir le peuple. Tu diras au Pharaon : Ainsi parle le SEIGNEUR : Mon fils premier-né, c'est Israël ; je te dis : Laisse partir mon fils pour qu'il me serve — et tu refuses de le laisser partir ! Eh bien, je vais tuer ton fils premier-né. »
>
> Or, en chemin, à la halte, le SEIGNEUR l'aborda et chercha à le faire mourir. Cippora prit un silex, coupa le prépuce de son fils et lui en toucha les pieds [comprendre : les parties génitales de Moïse] en disant : « Tu es pour moi un époux de sang. » Et il le laissa. Elle disait alors « époux de sang » à propos de la circoncision. (Ex 4, 21-26)

Le SEIGNEUR, qui depuis Abraham s'est engagé dans une création sélective, commence maintenant à se livrer à une destruction sélective. La demande du SEIGNEUR ne s'arrête pas aux dépouilles dont les Israélites doivent soulager l'Égypte. Il entend aussi que les Égyptiens voient bien que la victoire d'Israël est la victoire du SEIGNEUR, et, à cette fin, un simple consentement ne suffira pas : il faut une victoire et des vies perdues. Pour veiller à cette issue, le SEIGNEUR endurcira le cœur du Pharaon. Quant à son attitude envers Moïse, lorsque Cippora met en contact le prépuce de son fils Guershôm avec celui de son mari manifestement incirconcis, elle circoncit symboliquement Moïse et le sauve d'une mort par la main de Dieu. Son acte nous rappelle que l'alternative était entre l'alliance, dont la circoncision est le signe, et la réédition de la destruction infligée à la génération de Noé. Le prépuce saignant du petit Guershôm, mis en contact avec les parties de Moïse, est le signe non seulement de la vie promise, mais aussi de la mort évitée par la soumission ; à savoir, par l'abandon de toute autonomie en matière de génération.

Israël est, en effet, le « fils premier-né » du SEIGNEUR, mais l'expression n'est employée qu'à l'adresse du Pharaon. Le SEIGNEUR n'a encore jamais dit à Israël, ni à aucun Israélite, « Tu es mon fils », et des siècles passeront avant qu'il ne s'essaie, timidement, à se présenter comme le père d'Israël. Ce qu'il affirme, c'est plutôt que le fruit des capacités de reproduction d'Israël lui appartient. Lorsque, comme prédit, il frappera le premier-né d'Égypte, l'acte sera comparé à la pratique israélite suivant laquelle, homme ou animal, tous les premiers-nés mâles sont donnés au SEIGNEUR. Les rituels de cette consécration, comme la circoncision, sont apotropaïques : autrement dit, ils conjurent la colère de Dieu en l'apaisant. Parce que, à ce moment précis, le SEIGNEUR est sur le point de devenir un dieu de mort, tel qu'il ne l'avait plus été depuis le déluge, et parce que tous ceux qui ne sont pas visiblement avec lui seront comptés contre lui, cet étrange épisode des pères et des fils, et du meurtre évité par la circoncision n'est pas cette intrusion indéchiffrable et déplacée qu'elle paraît être au premier abord. Dès le début, la circoncision a eu pour objet de déjouer le meurtre divin. Et le risque est aussi grand pour les femmes d'Israël que pour les hommes. Les femmes sont des épouses de sang — des épouses en danger de mort par la main de Dieu —, de même que leurs maris sont des époux de sang.

La première tentative de Moïse et d'Aaron pour amener le Pharaon à libérer les Israélites est la ruse des trois jours de marche dans le désert. Le roi ne se laisse pas abuser et ne fait qu'opprimer davantage les Israélites. Ils se plaignent à Moïse, qui se plaint au Seigneur et reçoit cette réponse :

> C'est pourquoi, dis aux fils d'Israël :
> C'est moi le SEIGNEUR.
> Je vous ferai sortir des corvées d'Égypte,
> Je vous délivrerai de leur servitude
> Je vous revendiquerai avec puissance et autorité,
> Je vous prendrai comme mon peuple à moi, et pour vous, je serai Dieu.
> Vous connaîtrez que c'est moi, le SEIGNEUR, qui suis votre Dieu : celui qui vous fait sortir des corvées d'Égypte.
> Je vous ferai entrer dans le pays que, la main levée, j'ai donné à Abraham, à Isaac et à Jacob.
> Je vous le donnerai en possession.
> C'est moi le SEIGNEUR. »
> Moïse parla ainsi aux fils d'Israël, mais ils n'écoutèrent pas Moïse, tant leur dure servitude les décourageait. (Ex 6, 6-9)

Jamais encore, quand il voulait parler, le SEIGNEUR n'avait pris un intermédiaire comme Moïse. Jamais il ne s'était offert d'agir pour répondre au scepticisme d'un homme.

Si Dieu est plus lointain, d'une certaine façon, il est aussi plus interventionniste. Jamais encore il n'avait exercé quelque empire que ce soit sur l'esprit ou le cœur de l'homme. Ainsi, par exemple, Adam et Ève avaient reçu l'ordre de ne pas goûter au fruit de l'arbre de la connaissance du bien et du mal, mais Dieu n'a pas tenté de manipuler leur esprit ni leur appétit afin de s'assurer leur obéissance. Ici, tout en infligeant les « dix fléaux », ainsi qu'on les appelle traditionnellement, le SEIGNEUR intervient à maintes reprises dans l'esprit même du Pharaon pour l'empêcher d'agir au mieux des intérêts de l'Égypte. Et il ne dissimule pas ses mobiles. Avant d'envoyer les sauterelles, il dit à Moïse :

> « Entre chez le Pharaon, car c'est moi qui ai voulu son obstination et celle de ses serviteurs, afin de mettre au milieu d'eux les signes de ma présence et afin que tu racontes à ton fils et au fils de ton fils comment je me suis joué des Égyptiens et comment j'ai mis chez eux mes signes. Et vous connaîtrez que c'est moi le SEIGNEUR. » (Ex 10, 1-2)

Les Israélites doivent se réjouir de la catastrophe qui s'abat sur l'Égypte, et cette exultation même sera une reconnaissance de la puissance du SEIGNEUR. Dans un passage singulièrement glaçant, les derniers mots féroces de Moïse au Pharaon, l'émissaire du SEIGNEUR explique clairement pourquoi l'Égypte doit souffrir :

> Moïse dit : « Ainsi parle le SEIGNEUR : Vers minuit, je sortirai au milieu de l'Égypte. Tout premier-né mourra dans le pays d'Égypte, du premier-né du Pharaon, qui doit s'asseoir sur son trône, au premier-né de la servante qui est à la meule et à tout premier-né du bétail. Il y aura un grand cri dans tout le pays d'Égypte, tel qu'il n'y en eut jamais et qu'il n'y en aura jamais plus. Mais chez tous les fils d'Israël, pas un chien ne grognera contre homme ou bête, afin que vous connaissiez que le SEIGNEUR fait une distinction entre l'Égypte et Israël. Alors tous tes serviteurs que voici descendront vers moi et se prosterneront devant moi en disant : Sors, toi et tout le peuple qui te suit. Et après cela, je sortirai. » Et Moïse, enflammé de colère, sortit de chez le Pharaon. (Ex 11, 4-8)

Les Israélites ne sont pas une petite minorité opprimée qui voudrait s'arracher à la servitude. Si le Pharaon refuse de les laisser partir, c'est, entre autres raisons, parce qu'ils sont déjà plus nombreux que les habitants d'origine du pays (Ex 5, 5). Le recensement du chapitre 2 des Nombres décompte 603 500 adultes mâles, non compris ceux de la tribu de Lévi. En ajoutant les femmes, les enfants et les serviteurs, il faudrait peut-être multiplier par sept les effectifs. Bref, les Israélites forment une majorité que le Pharaon, dieu à part entière suivant les croyances égyptiennes, essayait de dominer. Mais, malgré l'usage qu'en ont fait par la suite les mouvements de libération, leur départ d'Égypte n'est pas une victoire de la justice. Ce n'est qu'une victoire, une démonstration de force du SEIGNEUR pour préserver la fécondité de son peuple élu, et ruiner celle de son ennemi, preuve que « le SEIGNEUR fait une distinction » quand il choisit. Tel est aussi le sens de « la Pâque du SEIGNEUR » (Ex 12, 11). Enjoignant aux Israélites de répandre sur les montants de porte et les linteaux de leurs maisons le sang d'un agneau sacrifié suivant le rite, Moïse donne la raison du SEIGNEUR : « Je verrai le sang. Je *passerai par-dessus** vous et le fléau destructeur ne vous atteindra pas quand je frapperai le pays d'Égypte » (12, 13). C'est ceci, plutôt qu'une bienveillance plus traditionnelle, que Moïse demande aux Israélites de célébrer dans les générations à venir (12, 14-27). Le SEIGNEUR aurait pu également frapper les premiers-nés israélites, qui lui appartiennent également : tel est le sens de l'obligation légale, insérée à ce point du récit, de consacrer tout premier-né au SEIGNEUR.

Aucun historien digne de ce nom ne croit qu'à l'époque de l'Exode les Israélites aient été réellement supérieurs en nombre aux Égyptiens, ni qu'une troupe de 4 à 5 millions de gens ait traversé le désert pour aller au pays de Canaan. Malgré l'absence de tout document historique, en dehors de la Bible, la plupart des historiens ne croient pas que l'histoire de l'Exode soit une invention pure et simple. Mais l'événement aurait-il eu l'ampleur que lui prête la Bible, il est peu vraisemblable qu'il n'aurait laissé aucune autre trace. Pour que le Livre de l'Exode ait l'effet littéraire que recherchaient les auteurs, cependant, il est essentiel que les lecteurs imaginent les nombres que rapporte le texte, de préférence à ceux que les historiens, consultant d'autres sources, ont de bonnes raisons de croire. Les historiens de l'Angleterre ont de bonnes raisons de croire que Richard III n'a pas été le monstre que Shakespeare a fait de lui dans la pièce qui porte son nom. Néanmoins, pour que la pièce ait l'impact voulu par Shakespeare, il faut bien faire du vilain un vilain. Avec la formidable cohue qui traverse la mer, *Les Dix Commandements* de Cecil B. De Mille sont peut-être plus fidèles à l'effet littéraire que recherchaient les auteurs du Livre de l'Exode que la reconstruction

---

* Pâque se dit *pésah* en hébreu, mot traditionnellement rattaché au verbe *pasah*, passer par-dessus, c'est-à-dire épargner. *(N.d.T.)*

scientifique d'une bande de petites tribus se faufilant à travers les marais.

Quoi qu'il en soit, lorsque le SEIGNEUR de la Pâque rappelle avec force que c'est à lui qu'appartient le pouvoir de donner — ou de détruire — la vie quand et où bon lui semble, son attitude est, à l'évidence, en parfait accord avec tout ce que nous avons vu de son comportement passé. Ce qui est nouveau, ce n'est pas cette attitude foncière, mais uniquement le fait qu'elle ait pour cadre une guerre entre des nations entières et qu'il n'hésite pas à manipuler les esprits (l'endurcissement du Pharaon) pour parvenir à ses fins. En tant que tactique hostile, cette façon de s'adresser directement au cœur humain est sans lendemain dans la Bible ; mais, sous des formes plus bienveillantes, elle prendra progressivement de l'importance : le Dieu qui sonde, qui connaît et qui remue le cœur de l'homme, le suzerain à qui ses vassaux doivent une dévotion intérieure sans faille et un strict respect des usages extérieurs. Ironiquement, les premières interventions de Dieu, en matière de comportements, visent le Pharaon et les Égyptiens, et se traduisent par l'obstination du Pharaon, qui ne consent pas à laisser partir les Israélites (malgré les hauts cris de ses conseillers : « l'Égypte dépérit » [10, 7]), ainsi que par les présents que les Égyptiens abusés font pleuvoir sur les Israélites à la veille de leur départ :

> Les fils d'Israël avaient agi selon la parole de Moïse ; ils avaient demandé aux Égyptiens des objets d'argent, des objets d'or et des manteaux. Le SEIGNEUR avait accordé au peuple la faveur des Égyptiens qui avaient cédé à leur demande. Ainsi dépouillèrent-ils les Égyptiens ! (Ex 12, 35-36)

Les bonnes dispositions des Égyptiens ressemblent presque à de l'affection, mais cette affection est l'équivalent d'un nouveau fléau. Dieu a troublé leur esprit comme il avait endurci le Pharaon, dans le dessein, cynique, d'humilier l'Égypte.

À ce moment, comme en d'autres analogues, le texte souligne avec force que le SEIGNEUR en est le protagoniste. Il ne faut pas blâmer les Israélites de ce pillage. C'est Dieu qui en a eu l'idée. Pareillement, leur fuite de la servitude n'est pas à mettre au crédit de leur vaillance ou de leur amour de la liberté. Après avoir frappé les premiers-nés, le SEIGNEUR durcit encore le cœur du Pharaon et dépêche son armée à leurs trousses. Mais cette poursuite est déjà condamnée. Les armées se rapprochant, les Israélites disent à Moïse :

> « L'Égypte manquait-elle de tombeaux que tu nous aies emmenés mourir au désert ? Que nous as-tu fait là, en nous faisant sortir d'Égypte ? Ne te l'avions-nous pas dit en Égypte : "Laisse-nous servir

les Égyptiens ! Mieux vaut pour nous servir les Égyptiens que mourir au désert." » (Ex 14, 11-12)

Tantôt, le Tanakh parle une langue si étrange qu'on le croirait tombé de la lune ; tantôt on y trouve une phrase qu'on aurait pu entendre la veille : « L'Égypte manquait-elle de tombeaux... » est de ce genre. S'il y a un noyau de vérité historique dans le récit de l'Exode, tel est bien le genre de propos qui ont pu être tenus. On ne peut jamais savoir. Le but de la phrase, à ce moment précis, est cependant de dépouiller les Israélites de toute vertu autonome, tout comme Dieu avait besoin d'endurcir le cœur du Pharaon pour le dépouiller de tout vice autonome. L'Exode n'est ni une victoire israélite, ni une défaite égyptienne. Du début à la fin, des femmes israélites qui enfantent avant que n'arrive la sage-femme aux chars égyptiens qu'engloutit la mer Rouge, l'Exode est un acte de Dieu.

Lorsque Moïse et les Israélites voient les Égyptiens morts sur la côte et savent leur fuite assurée, ils entonnent l'un des plus grands chants de victoire exultants de toute la littérature, et sur un ton que l'on entend ici pour la première fois, mais qui ne désertera jamais totalement la Bible. Assourdi, transposé, c'est le même ton qui reste audible jusqu'à la dernière page du Nouveau Testament. S'il nous fallait dire d'un mot qui est Dieu, et d'un autre de quoi parle la Bible, la réponse devrait être : Dieu est un *guerrier*, et la Bible parle d'une *victoire*. Le sens de la victoire changera, sans qu'on trouve jamais de substitut au langage de la victoire :

> Je veux chanter le SEIGNEUR,
> il a fait un coup d'éclat.
> Cheval et cavalier,
> en mer il les jeta.
>
> Ma force et mon chant, c'est le SEIGNEUR.
> Il a été pour moi le salut.
> C'est lui mon Dieu, je le louerai ;
> le Dieu de mon père, je l'exalterai.
>
> Le SEIGNEUR est un guerrier.
> Le SEIGNEUR, c'est son nom.
> Chars et forces du Pharaon,
> à la mer il les lança.
> La fleur de ses écuyers
> sombra dans la mer des Joncs.
> Les abîmes les recouvrent,
> ils descendirent au gouffre comme une pierre.
>
> Ta droite, SEIGNEUR,
> éclatante de puissance,
> ta droite, SEIGNEUR,

> fracasse l'ennemi.
> Superbe de grandeur,
> tu abats tes adversaires.
> Tu brûles d'une fureur
> qui les dévore comme le chaume.
>
> Au souffle de tes narines,
> les eaux s'amoncelèrent,
> les flots se dressèrent comme une digue,
> les abîmes se figèrent au cœur de la mer.
> L'ennemi se disait :
> je poursuis, je rattrape,
> je partage le butin,
> ma gorge s'en gave.
> Je dégaine mon épée,
> ma main les dépossède !
> Tu fis souffler ton vent,
> la mer les recouvrit.
> Ils s'engouffrèrent comme du plomb
> dans les eaux formidables. (Ex 15, 1-10)

Dans cette première moitié du chant qui se poursuit jusqu'en 15, 18, nous voyons, dans un genre de fusion extatique, le même mélange d'éléments que nous avons vu quand Moïse se tenait devant le buisson ardent. Le Dieu qui est loué est un dieu personnel : il est « *ma* force et *mon* chant... il a été pour *moi* le salut ». Il est également « le Dieu de *mon* père », mais aussi, tout à la fois « Dieu » et « le SEIGNEUR ». Mais Dieu, SEIGNEUR ou « dieu de », il s'agit d'une divinité qui ne s'est encore jamais montrée sous des dehors guerriers. Et voici que soudain, contre toute attente, il s'est présenté en guerrier invincible, écrasant la plus formidable puissance militaire que connussent les Israélites. Que cet être fût de leur côté, ils le savaient déjà. Ils savaient aussi l'immensité de son pouvoir : pouvoir sur la nature, pouvoir de vie et de mort. Mais qu'il pût le mettre à leur service sur le terrain militaire, c'est une grande surprise, et la source de leur exultation.

La langue même du chant fait allusion à une victoire cosmique pour évoquer cette victoire militaire : la victoire de l'ordre sur le chaos, du mésopotamien Marduk sur Tiamat, ou (mythe similaire) du Baal cananéen sur Yam. Le verset suivant,

> Au souffle de tes narines,
> les eaux s'amoncelèrent,
> les flots se dressèrent comme une digue,
> les abîmes se figèrent au cœur de la mer

peut être rapproché de la Genèse 1, 9 : « Que les eaux inférieures au ciel s'amassent en un seul lieu et que le continent paraisse ! » Le pouvoir plus grand que la force de l'océan est, à l'évidence, une force à laquelle nul ne peut résister ; et aucun Israélite ne doutait que la divinité d'Israël, qu'on l'appelât Dieu ou le SEIGNEUR, eût ce pouvoir. Mais aux abords de la mer Rouge, ce pouvoir trouve une application militaire que nul n'aurait jamais imaginée. Quoi d'impossible à pareil pouvoir ? Quel sera son prochain objectif ?

> Qui est comme toi parmi les dieux, SEIGNEUR ?
> Qui est comme toi, éclatant de sainteté ?
> Redoutable en ses exploits ?
> Opérant des merveilles ?
> Tu étendis ta droite,
> la terre les avale.
> Tu conduisis par ta fidélité
> le peuple que tu as revendiqué.
> Tu le guidas par ta force
> vers ta sainte demeure.
> Les peuples ont entendu :
> ils frémissent.
> Un frisson a saisi
> les habitants de Philistie.
> Alors furent effrayés
> les chefs d'Édom.
> Un tremblement saisit
> les princes de Moab.
> Tous les habitants de Canaan sont ébranlés.
> Tombent sur eux
> la terreur et l'effroi.
> Sous la grandeur de ton bras
> ils se taisent, pétrifiés,
> tant que passe ton peuple, SEIGNEUR,
> tant que passe le peuple que tu as acquis.
> Tu les fais entrer et tu les plantes
> sur la montagne, ton patrimoine.
> Tu as préparé, SEIGNEUR,
> un lieu pour y habiter.
> Tes mains ont fondé,
> ô Seigneur, un sanctuaire
> Le SEIGNEUR règne à tout jamais ! (Ex 15, 11-18)

Philistie, Édom et Moab sont les nations dont Israël doit traverser le territoire pour rejoindre le pays de Canaan — Canaan étant tout à la fois le nom d'une région et d'un groupe de nations dont Dieu a promis à maintes reprises la terre à Israël. Aucun des quatre peuples nommés n'a asservi ni maltraité de quelque autre manière les Israélites, mais la guerre qui les opposera à Israël résultera de la même fécondité divinement encouragée qui a provoqué la guerre entre Israël et l'Égypte ; et comme l'Égypte a été battue, ils le seront. Bonnes ou mauvaises, qu'importe leurs intentions !

À ce stade, le chant annonce ce que Dieu paraît avoir déjà promis, et rien d'autre. Mais lorsque les chanteurs imaginent que le SEIGNEUR les a conduits par sa « fidélité » jusqu'à sa demeure, qu'il « les plante[ra] sur [sa] montagne », ils s'aventurent au-delà de ce que Dieu leur a jamais dit. Sur la foi de preuves internes, il semble clair que ce chant, tout au moins sous sa forme définitive, est postérieur à l'événement qu'il célèbre, et les références à la demeure de Dieu se comprennent assez facilement comme une allusion au temple de Jérusalem. La construction du temple sur le mont Sion, à Jérusalem, sera l'occasion d'appliquer au SEIGNEUR une imagerie — en particulier celle d'une demeure noble et paisible dans les montagnes — empruntée au culte du Baal cananéen. Mais ces allusions sont précisément faites pour suggérer que, dans leur allègre imagination, les Israélites ont déjà accompli leur voyage, déjà conquis Canaan, déjà construit le temple.

De la place centrale que la tradition juive assigne à l'Exode, on peut raisonnablement inférer qu'Israël a gagné sa libération, a remporté une sorte de victoire sur l'Égypte, et que sa confiance en son Dieu a crû en conséquence. Mais si nous écoutons ce chant tel que le SEIGNEUR a pu l'entendre, on constate qu'il lui est prêté plus d'attachement à Israël qu'il n'en a jamais exprimé. Dieu n'a jamais promis de conduire Abraham, Isaac ou Jacob, et encore moins leur descendance, jusqu'à sa demeure, sur sa sainte montagne. Même à Joseph, à tant d'égards exceptionnel, il n'a jamais promis pareille intimité. Il est dit qu'il a profité de la « bonté » de Dieu (« amour constant », serait une autre traduction acceptable), mais cela vaut pour lui seul et pour aucun autre, pas même pour Abraham.

De toute évidence, un changement est intervenu. Dieu a désormais entre les mains tout un peuple campé en plein désert, des suites directes de son intervention militaire. Dépendant de lui comme il ne l'a jamais été, ce peuple vit avec lui dans une nouvelle intimité. S'il doit être, collectivement, son image, il doit changer ; mais lui aussi, compte tenu de la relation particulière qui existe, dans ce récit, entre le protagoniste divin et l'antagoniste humain.

LÉGISLATEUR

« *Tables de pierre, écrites du doigt de Dieu* »

EXODE 15, 22-40, 38

On fait communément du monothéisme éthique l'insigne contribution de l'antique Israël à la civilisation occidentale. Dans un âge d'incroyance, cependant, on ne voit pas bien, de prime abord, en quoi le monothéisme serait un progrès sur le polythéisme. Si le Dieu unique n'est pas moins une fiction que les dieux multiples, où est le gain ? Et si l'acquis culturel décisif est plus précisément le monothéisme éthique, n'est-ce point vantardise ethnocentrique ? L'hindouisme est aujourd'hui encore polythéiste. Les hindous sont-ils moins éthiques que les monothéistes juifs et chrétiens lecteurs de la Bible ?

Un modeste essai de réponse à cette question peut aider à fonder le genre de critique un peu inhabituel qui suit. L'émergence du monothéisme éthique en Israël mérite l'honneur qu'on lui a fait, en tant qu'étape décisive dans l'histoire culturelle de l'Occident, mais il est d'autres voies, qui aboutissent à un résultat équivalent. Ce qui compte c'est que, d'une manière ou d'une autre, la valeur morale prime sur toutes les autres valeurs que les êtres humains reconnaissent raisonnablement : pouvoir, richesse, plaisir, beauté, savoir... La liste est longue. Tous ces bienfaits de la vie humaine, il faut tant bien que mal les rassembler et les classer dans une même perspective pour donner la priorité à la bonté morale.

Le monothéisme parvient à ce résultat en niant la réalité de tous les dieux, sauf un, puis en prêtant à ce dieu unique un souci suprême de la morale. Le polythéisme arrive typiquement au même résultat en n'accordant d'importance suprême à aucun des dieux, si nombreux qu'ils puissent être, et en l'assignant plutôt à un genre de nécessité impersonnelle, dont la marche favorise et impose la morale, affectant les dieux aussi bien que les hommes. C'est l'*anankè* des Grecs, le *karma* hindou et bouddhique. D'une apparente infortune, le chrétien fervent peut dire « telle était la volonté de Dieu », personnalisant ce que plus d'une vision polythéiste du monde se garderait de personnaliser, ou « il ne nous appartient pas de juger », réservant au divin juge le soin d'apporter un correctif qui, pour le polythéisme, relèverait d'un processus plutôt que d'un verdict.

Parmi les dilemmes de la modernité, il est celui de l'homme ou de la femme moderne qui entend vivre une vie morale, mais croit que la morale n'est en aucune façon garantie : pas plus par un juge qui récompenserait les bons et punirait les méchants que par un processus où, le temps passant, la justice finirait tant bien que mal par triompher. Il est des moments, même dans la Bible — le Livre de Job, l'Ecclésiaste, peut-être quelques-uns des propos les plus sombres de Jésus — où ce dilemme « moderne » trouve une expression antique. Et il n'y a rien à opposer à ceux qui prétendent pouvoir dormir la nuit, quoi qu'ils fassent dans la journée, qui ne voient aucune raison, en vérité, de ne pas poursuivre quelque autre bien aux dépens du bien moral.

En gros, cependant, on a honoré dans l'élévation de la morale au-dessus des autres biens de la vie humaine, indépendamment des moyens employés pour y parvenir, une manière de tempérer les appétits humains, autrement insatiables, de pouvoir, de richesse, de plaisir, etc. À cet égard, la morale a été le prix de la paix et la base de la civilisation, et l'émergence du monothéisme éthique en Israël a eu un impact déterminant sur la morale dominante en Occident. Je dis bien *émergence*, car les historiens de la religion ne pensent pas que le monothéisme éthique se soit imposé d'un seul coup dans l'antique Israël. Bien que l'on puisse désigner des moments décisifs et des personnalités clés, son évolution fut progressive. En conséquence, lorsque nous lisons la Bible comme une œuvre littéraire dont le protagoniste est Dieu, elle devient l'histoire de la manière dont il est devenu, peu à peu, plus unitaire et plus éthique. C'est à la première étape cruciale de cette partie de l'histoire de Dieu que nous en arrivons.

Jusqu'à la fin de l'Exode, Dieu ne porte guère d'intérêt soutenu à l'éthique. Son unique commandement à Adam et Ève, qu'ils ne goûtent pas au fruit de l'arbre de la connaissance du bien et du mal, n'est pas tant un impératif éthique que la condition d'un paradis où l'éthique n'est d'aucune nécessité. Son interdiction de verser le sang, après que Caïn a tué Abel, est un authentique impératif éthique, et, après le déluge, il répète et étend légèrement cet interdit. Mais d'une manière générale, Dieu, tout au long du Livre de la Genèse, se soucie de reproduction, non de morale. De la morale, il en va comme de la guerre : il traite comme une chose purement pratique et humaine une affaire qui finira par l'intéresser au premier chef.

Non que le sujet ne fasse aucune apparition. À partir des récits des patriarches, en effet, on peut brosser un tableau d'au moins quelques-unes des coutumes qui gouvernent la société nomade à laquelle Abraham, Isaac et Jacob appartiennent, des coutumes régissant le prix de la mariée, par exemple, et les relations entre le mari et les servantes de sa femme. À la manière des nomades, les patriarches sont plus ou moins avertis des lois et des usages des peuples sédentaires parmi lesquels ils évoluent et s'y plient. Abraham prend pour argent comptant les coutumes des fils de Heth lorsqu'il achète sa tombe.

La question n'est pas l'absence de lois ou de coutumes, mais leur observance n'est pas essentielle dans les relations des patriarches avec Dieu. Abraham souhaite qu'Isaac n'épouse pas une Cananéenne, mais une femme de son pays natal. Dieu, pour sa part, n'a pas d'opinion sur ce chapitre. Lorsque Esaü épouse deux femmes hittites, Isaac et Rébecca sont désolés et ne veulent pas que Jacob fasse de même. Mais ils ne prétendent pas que Dieu a interdit à celui-ci de le faire. Lorsque Dieu fait ses diverses apparitions aux trois patriarches et répète ses promesses de terre et de progéniture, pas une seule fois il ne subordonne sa promesse à des lois existantes, *a fortiori* à des lois nouvelles. Le postulat est que les dispositifs existants font l'affaire, en l'état, et qu'il n'est nul besoin de les étoffer.

Tout cela change du jour où les Israélites quittent l'Égypte. Les longs passages de loi interpolés dans le Livre de l'Exode brisent indéniablement l'élan de la fuite et de la marche vers la Terre promise. Mais cet effet n'est aucunement le seul qu'il faille nommer. Car il en est un autrement plus puissant : le comportement féroce, terrifiant et souvent d'apparence anarchique du Dieu guerrier alterne avec la langue prudente, sévère, mais mesurée, et parfois relativement douce du Dieu législateur, formant un contraste saisissant, au point même qu'on peut légitimement parler de choc. Les deux rôles, on l'a dit, sont inédits. Les Israélites ne sont préparés à aucun des deux. Et s'ils sont impréparés, nous, lecteurs ou auditeurs de la Bible, le sommes tout autant.

La suite du livre, Exode 15, 22-40, 38, commence par une transition (15, 22-18, 27) qui couvre les premiers jours de traversée du désert. Le SEIGNEUR procure des vivres et de l'eau aux Israélites qui ne cessent de geindre et les défend contre les attaques d'Amaleq. Sur les conseils de son beau-père, Moïse crée un système administratif d'une grande simplicité. C'est alors que commence vraiment l'action.

1. Le SEIGNEUR se révèle à Israël dans un spectaculaire et terrifiant déploiement d'effets volcaniques et météorologiques (19, 1-25).

2. Après s'être présenté sous les dehors les plus effroyables possible, il délivre l'immortel Décalogue (les Dix Commandements), ainsi qu'un autre ensemble de règles communément appelées le « Code de l'alliance » (20, 1-23, 33), suivi par une promesse de victoire en Canaan et des instructions sur le sort à réserver aux vaincus (23, 20-33). Puis le peuple subit un sanglant rituel de soumission aux lois du SEIGNEUR (24, 1-14).

3. Moïse regagne la montagne pour quarante jours et quarante nuits, disparaissant dans la fumée et le feu, et là, le SEIGNEUR lui donne des instructions détaillées pour la construction d'une demeure, ou *miskan*, et la confection de vêtements et d'ustensiles pour ses prêtres. Le SEIGNEUR, qui allait et venait dans la vie quotidienne des patriarches, fait savoir, dans toute sa terrible majesté, qu'il est venu pour rester (24, 15-28, 43 et 30, 1-31, 18). Au milieu de ces instructions, le SEIGNEUR prescrit, pour la consécration de ses prêtres, un rituel plus sanglant que jamais (29, 1-46).

4. Moïse redescend de sa montagne et découvre que le peuple s'est vautré dans l'idolâtrie. Enflammé de colère, il brise les tables de la loi puis, prenant la tête des Lévites, conduit des représailles sanglantes et délibérément aveugles contre les Israélites. Ils meurent par milliers, tandis que Dieu, pour couronner le tout, frappe la nation d'un fléau (32, 1-35). En se retournant contre le peuple qu'il a élu, Dieu prouve qu'il peut être et sera aussi violent et dangereux qu'il l'a laissé entrevoir lors de sa première et terrifiante apparition.

5. Dieu redonne les lois, mais cette fois le peuple n'est pas invité à s'y soumettre. La révélation a un caractère plus privé : elle est donnée au seul Moïse, qui la reçoit avec plus d'intensité. Au nom de Moïse, Dieu, qui était sur le point de « retirer sa présence » d'Israël, s'en abstient. Comme la première fois qu'il a donné la loi, les dernières instructions ont trait à la victoire promise au pays de Canaan (34, 11-26).

6. Redescendu de la montagne, Moïse dirige la préparation du mobilier rituel et ordonne Aaron et les autres prêtres au cours d'une cérémonie beaucoup plus simple. Alors que la troisième étape consistait, pour l'essentiel, en instructions sur le travail à accomplir, on a ici une description des travaux effectués (34, 27-40, 38). Pour finir, Moïse monte personnellement la tente sous laquelle le SEIGNEUR demeurera.

La critique historique a bien vu que deux compositions, à l'origine séparées, sont ici mêlées en une seule avec divers ajouts — d'où un texte avec des doublons. Les chapitres 25-31 et 35-40, par exemple, contiennent divers passages qui sont des équivalents mot pour mot. Reste que la mise en intrigue commune des deux versions a permis un quadruple crescendo singulièrement puissant lorsqu'il affecte le personnage naissant de Dieu lui-même.

Le premier crescendo est celui des souffrances des Israélites : gémissant en Égypte, exultant brièvement à leur libération, se plaignant après coup, reculant d'un air timoré puis se soumettant humblement au SEIGNEUR au Sinaï, pour, finalement, sombrer dans l'idolâtrie et souffrir un horrifique châtiment entre les mains du même Dieu qui les a sauvés. Le deuxième crescendo est celui du militantisme divin : menant d'abord la guerre contre l'Égypte, puis mettant Israël en garde, puis le terrifiant par une débauche de violences imprévisibles avant de s'attaquer bel et bien à lui. Le troisième crescendo, dont le ton forme un contraste si saisissant avec celui du deuxième, est celui de la justice divine : du sinistre avertissement de 15, 26 (garde mes décrets, ou je t'infligerai les maladies que j'ai infligées à l'Égypte) à l'auguste miséricorde devant laquelle Moïse se prosterne en adoration : « Le SEIGNEUR, le SEIGNEUR, Dieu miséricordieux et bienveillant, lent à la colère, plein de fidélité et de loyauté » (34, 6). Le quatrième crescendo est celui de l'intensification des relations de Moïse avec Dieu. Moïse, le berger effarouché qui a « la bouche lourde et la langue lourde » (4, 10), finit par parler à Dieu « face à face, comme on se parle d'homme à homme » (33, 11) et, de surcroît, sollicite avec succès le privilège de contempler la gloire du SEIGNEUR (33, 18-23).

Puisque c'est Dieu qui nous intéresse, plutôt qu'Israël, nous pouvons laisser de côté le premier crescendo pour commencer par le deuxième. Plus d'un homme, s'en revenant de guerre, paraît totalement changé par l'expérience. D'aucuns sont balafrés ; d'autres, ceux qui aiment à se faire appeler à vie « colonel » ou « général », conservent en temps de paix leur identité de guerre. Ce *sont* des guerriers. Telle est leur nouvelle manière de se définir. L'impulsion initiale a bien pu venir de l'extérieur, mais le changement qu'elle a occasionné se perpétue de l'intérieur. De même, le changement d'identité de Dieu amorcé lorsque les Israélites opprimés l'implorent semble vite échapper aux circonstances pour donner naissance à une personnalité entièrement nouvelle. Dans la guerre, plus d'un homme découvre quelque chose qu'il « ne savait pas qu'il avait en lui ». Dieu ne parle jamais d'une telle découverte, mais le lecteur peut observer que, peu en importe la source, une personnalité orageuse, volcanique, fait une entrée en scène fracassante dans le sillage de l'Exode. Historiquement, on l'a vu, les nouveaux éléments de la personnalité de Dieu font pendant à ceux du Baal cananéen, dieu de l'orage et des volcans aussi bien que de la guerre. Chez le SEIGNEUR Dieu, cependant, ces éléments n'en chassent pas d'autres dont la source est ailleurs, et trouvent effectivement place dans le récit à la faveur de la fusion qui s'opère en réponse aux atrocités égyptiennes.

La construction est habile. À quelques détails près, on pourrait même la dire plausible. Reste que, pour qui ne connaît que le SEIGNEUR Dieu du Livre de la Genèse, première apparition effective du SEIGNEUR à son peuple, le choc est profond, et inévitable :

> Or, le troisième jour quand vint le matin, il y eut des voix, des éclairs, une nuée pesant sur la montagne et la voix d'un cor très puissant ; dans le camp, tout le peuple trembla. Moïse fit sortir le peuple à la rencontre de Dieu hors du camp, et ils se tinrent tout en bas de la montagne. Le mont Sinaï n'était que fumée, parce que le SEIGNEUR y était descendu dans le feu ; sa fumée monta, comme la fumée d'une fournaise, et toute la montagne trembla violemment. La voix du cor s'amplifia : Moïse parlait et Dieu lui répondait par la voix du tonnerre.
>
> Le SEIGNEUR descendit sur le mont Sinaï, au sommet de la montagne, et le SEIGNEUR appela Moïse au sommet de la montagne. Moïse monta. Le SEIGNEUR dit à Moïse : « Descends et avertis le peuple de ne pas se précipiter vers le SEIGNEUR pour voir ; il en tomberait beaucoup. Et que même les prêtres qui s'approchent du SEIGNEUR se sanctifient de peur que le SEIGNEUR ne les frappe. » Moïse dit au SEIGNEUR : « Le peuple ne peut pas monter sur le mont Sinaï, puisque toi, tu nous as avertis en disant : Délimite la montagne et tiens-la pour sacrée ! » Le SEIGNEUR lui dit : « Redescends, puis tu monteras avec Aaron. Quant aux prêtres et au peuple, qu'ils ne se précipitent pas pour monter vers le SEIGNEUR, de peur qu'il ne les frappe ! » (Ex 19, 16-24)

Jamais encore on n'avait vu ni entendu dans la Bible un être ressemblant, fût-ce de loin, à cet être sauvage et tonitruant. Et quel étrange prélude que ce passage explosif pour le grand code moral qui suit aussitôt. D'aucuns ont prétendu que la force littéraire de la Bible réside en partie dans les incongruités et les transitions chaotiques qui obligent le lecteur ou l'auditeur à donner au texte un sens personnel. Ce passage est précisément de ceux-là.

L'iconographie du Baal cananéen est dérivée de l'orage et de la montagne volcanique : foudre et éclairs, nuages, fumée, tremblement de terre et feu inextinguible (voir 24, 17, et son anticipation en 3, 2). On retrouve ici la quasi-totalité de ces phénomènes. Mais le Baal cananéen n'était pas un législateur comme l'est le SEIGNEUR Dieu. Que le cadre soit explosif est une chose, que le protagoniste lui-même paraisse prêt à exploser et à frapper est une tout autre affaire. Est-ce l'image d'un législateur et d'un juge ? Le SEIGNEUR paraît suprêmement amoral, impersonnel et physiquement anarchique — une force de la nature sur le point d'échapper à tout contrôle, un danger mortel de tous les instants pour ceux qu'il vient de sauver du Pharaon —, et tout ceci alors même qu'il est sur le point de donner ses lois au peuple. Terrifié, celui-ci dit à Moïse : « Parle-nous toi-même et nous entendrons ; mais que Dieu ne nous parle pas, ce serait notre mort ! » À quoi Moïse répond : « Ne craignez pas ! Car c'est pour vous éprouver que Dieu est venu, pour que sa crainte soit sur vous et que vous ne péchiez pas » (20, 19-20). Mais nous croyons plus à la peur du peuple qu'aux propos rassurants de Moïse. Certes, Dieu a programmé cette apparition. À l'évidence, il *entendait* en faire une démonstration, mais celle-ci semble avoir échappé à tout contrôle, y compris au sien.

Certes, la description de ce que le SEIGNEUR réserve aux Cananéens trouve place en conclusion de la promulgation des lois, mais son atmosphère est en parfait accord avec le bruit et la fureur du Sinaï. Après avoir donné à Moïse le Décalogue et le Code de l'alliance, le SEIGNEUR explique précisément ce qu'il va faire pour débarrasser Canaan de ses autochtones :

> « J'enverrai devant toi ma terreur, je bousculerai tout peuple chez qui tu entreras, je te ferai voir tous tes ennemis de dos. J'enverrai le frelon devant toi, qui chassera devant toi le Hivvite, le Cananéen et le Hittite. Je ne les chasserai pas devant toi en une seule année, de peur que le pays ne devienne une terre désolée et que les animaux sauvages ne se multiplient à tes dépens. C'est peu à peu que je les chasserai devant toi, jusqu'à ce que, ayant fructifié, tu puisses recevoir le pays comme patrimoine. J'établirai ton territoire de la mer des Joncs à la mer des Philistins et du désert au Fleuve.
>
> Quand j'aurai livré entre vos mains les habitants du pays et que tu les auras chassés de devant toi, tu ne concluras pas d'alliance avec eux et leurs dieux, ils n'habiteront pas dans ton pays, de peur qu'ils ne te fassent pécher contre moi : tu servirais leurs dieux et cela deviendrait pour toi un piège. » (23, 27-33)

Plus tôt, dans ce même passage, le SEIGNEUR a dit : « Si vous servez le SEIGNEUR, votre Dieu, alors il bénira ton pain et tes eaux et j'écarterai de toi la maladie ; et il n'y aura pas dans ton pays de femme qui avorte ou soit stérile ; je te donnerai tout ton compte de jours [autrement dit, personne ne mourra jeune]. » (23, 25-26)

Les termes de l'engagement à venir au pays de Canaan seront très proches de ceux qu'on vient de voir en Égypte. Forts de leur fécondité favorisée par Dieu, les Israélites vont proliférer plus que les Cananéens au point de les écraser sous leur nombre comme, naguère, les Égyptiens. Dieu va infliger la peste et la terreur aux Cananéens comme il l'a fait avec les Égyptiens. La différence, et elle est de taille, est que la séparation physique entre ceux qui font partie de l'alliance et ceux qui en sont rejetés — distinction qu'avait imposée, en Égypte, le départ des Israélites — se réalisera en Canaan par l'expulsion des Cananéens. Alors qu'il annonce ses projets de nettoyage ethnique de Canaan, le SEIGNEUR, répétons-le, ne semble pas fâché contre les Cananéens ; mais l'effet est tout de même celui d'un génocide, et il n'y a pas moyen d'y échapper. À la différence des Égyptiens, qui ont provoqué le SEIGNEUR en asservissant les Israélites et en condamnant à mort tous leurs nouveau-nés mâles, le seul crime des Cananéens est d'adorer leurs dieux et de vivre sur une terre pour laquelle le SEIGNEUR a d'autres projets. Peu importe : ils sont condamnés. Il ne leur sera pas proposé de se convertir au culte du SEIGNEUR, encore moins de coexister avec Israël et de s'en tenir à leurs usages : « Tu ne concluras pas d'alliance avec eux et leurs dieux. »

Si le recul est net, par rapport au niveau de violence que le SEIGNEUR était prêt à infliger à l'Égypte, on est à des années-lumière de l'attitude qu'il avait envers les nations parmi lesquelles vivaient les patriarches. Le métissage va de soi dans le Livre de la Genèse ; et alors même que la terre des tribus cananéennes est promise à Abraham et à sa famille, l'hypothèse, en l'absence de toute indication en sens contraire, est qu'ils la recevront telle qu'ils la connaissent, c'est-à-dire avec ses habitants. Sous ses nouveaux dehors plus martiaux, Dieu nous détrompe. Le génocide ordonné par le Pharaon — que périssent tous les bébés mâles des Israélites — a conduit le SEIGNEUR, maintenant qu'il a défait les Égyptiens, à perpétrer à son tour un génocide : contre ceux qui occupent la terre sur laquelle il veut installer Israël, mais aussi contre tous les ennemis de ce dernier. Après une bataille avec Amaleq en plein désert, bien loin de Canaan,

> le SEIGNEUR dit à Moïse : « Écris cela en mémorial sur le livre et transmets-le aux oreilles de Josué :
> J'effacerai la mémoire d'Amaleq,
> Je l'effacerai de sous le ciel ! »
> Moïse bâtit un autel, lui donna le nom de « Le SEIGNEUR, mon étendard », et dit :
> « Puisqu'une main s'est levée contre le trône du SEIGNEUR, c'est la guerre entre le SEIGNEUR et Amaleq d'âge en âge ! » (17, 14-16)

Par cet effacement de la mémoire, il faut comprendre rien de moins que l'extermination.

Si, dans les pages d'ouverture du Livre de la Genèse, le SEIGNEUR Dieu donne une impression de force tranquille, l'humeur qu'il projette ici n'est pas seulement violente : le SEIGNEUR s'acharne, persiste et signe. À un certain niveau, Dieu *s'inquiète* des nations non israélites et de leur attitude envers lui, pas simplement de la menace qu'elles représentent pour Israël. Tout comme la nouvelle théophanie spectaculaire du Sinaï, cette nouvelle attitude implacable envers les non-Israélites trahit un changement profond. Dieu est un guerrier, mystérieusement porteur d'un ordre du jour militaire sur lequel l'Égypte, en apparence, n'était que la première entrée.

La profondeur du changement se signale d'une autre façon, lorsque le SEIGNEUR prescrit à Moïse le genre de sacrifice d'animaux qu'il entend qu'on lui fasse. Les sacrifices des patriarches, quand ils en offrent, sont d'une extrême simplicité, même si tous ne sont pas aussi simples que dans la Genèse 22, 13 : « Abraham leva les yeux, il regarda, et voici qu'un bélier était pris par les cornes dans un fourré. Il alla le prendre pour l'offrir en holocauste à la place de son fils. » Mais aucun n'est vraiment très élaboré, et le sang, en soi, n'y joue aucun rôle.

En revanche, dans les sacrifices que réclame le SEIGNEUR Dieu, le Conquérant de l'Égypte, le sang est partout. À la ratification de l'alliance, au chapitre 24 de l'Exode, douze taureaux sont saignés — un pour chacune des tribus d'Israël — et leur sang est recueilli dans des coupes. D'une moitié, Moïse asperge l'autel, de l'autre le peuple en disant : « Voici le sang de l'alliance que le SEIGNEUR a conclue avec vous, sur la base de toutes ces paroles » (Exode 24, 8). De même, l'ordination rituelle à laquelle le SEIGNEUR demande à Moïse de soumettre Aaron et ses fils, les futurs prêtres de Dieu, est étonnamment sanglante. Un taureau est égorgé à l'entrée de la tente de la rencontre ; les cornes de l'autel sont barbouillées de sang, puis le reste est répandu à la base de l'autel. C'est ensuite un bélier qui est égorgé et dont le sang est répandu sur l'autel. Un second bélier est sacrifié : son sang servira à barbouiller certaines parties du corps des hommes puis, mêlé à de l'huile d'onction, à asperger leurs vêtements. À l'apogée de la cérémonie, les ordinands élèvent « les deux rognons et la graisse qui y adhère » ainsi que d'autres parties du bélier avec diverses offrandes rituelles. On nage carrément dans le sang (29, 10-28).

Je ne m'attarde pas sur ces détails pour les condamner ou reculer d'horreur, comme pourrait le faire un défenseur des droits de l'animal. Les sacrifices d'animaux ont été pratiqués dans un nombre immense de sociétés, et c'est une affaire extrêmement sanglante. En même temps, il faut observer que ce n'est pas un universel culturel.

Dans l'histoire d'Israël, ils ont joué un petit rôle, puis un grand, avant de disparaître. Dès lors, on peut légitimement se poser cette question : Que nous apprend sur Dieu le fait qu'il en réclame ? Quel genre de personnalité divine y trouverait son agrément ? La réponse est claire : précisément le genre de dieu violent et explosif que nous avons vu soudain tonner depuis le mont Sinaï ; celui que nous avons vu maximiser, plutôt que minimiser, les pertes humaines en Égypte et préparer sinistrement l'anéantissement des Cananéens ; et enfin, précisément celui qui consentirait à soumettre son propre peuple au règne de la terreur.

Lorsqu'il redescendit du Sinaï et trouva les Israélites qui avaient succombé à l'idolâtrie sous la houlette d'Aaron,

> Moïse se tint à la porte du camp et il dit : « Les partisans du SEIGNEUR, à moi ! » Tous les fils de Lévi s'assemblèrent autour de lui. Il leur dit : « Ainsi parle le SEIGNEUR, Dieu d'Israël : Mettez chacun l'épée au côté, passez et repassez de porte en porte dans le camp et tuez qui son frère, qui son ami, qui son proche ! » Les fils de Lévi exécutèrent la parole de Moïse et, dans le peuple, il tomba environ trois mille hommes. Moïse dit : « Recevez aujourd'hui l'investiture de par le SEIGNEUR, chacun au prix même de son fils et de son frère, et qu'il vous accorde aujourd'hui bénédiction. » (Ex 32, 26-29)

Autrement dit, le caractère sanglant de l'ordination rituelle n'était pas sans rapport, loin de là, avec l'homicide sanglant. Ce qui recommandait les Lévites à Moïse, ce n'était pas qu'ils eussent identifié les meneurs de l'idolâtrie, mais, précisément, qu'ils fussent prêts à occire « qui son frère, qui son ami, qui son proche ». Cela ne ressemble à rien tant qu'à une démonstration de violence de la part des membres d'un gang, voulant prouver qu'ils sont capables de tuer et qu'ils sont disposés à faire passer la loyauté envers leur chef avant toute autre valeur. En fait, les Lévites accomplissent ce qu'Abraham n'était peut-être pas disposé à faire pour Dieu, à savoir tuer les siens pour prouver sa loyauté. Et le Seigneur indique clairement qu'il ne désapprouve pas : le lendemain, lorsque Moïse prie le SEIGNEUR d'accorder son pardon, il refuse et frappe à nouveau pour achever d'affliger le camp jonché de cadavres (32, 35).

Au temps pour le guerrier divin du Livre de l'Exode. Mais qu'en est-il du législateur divin ? De ce que nous avons appelé, au début de ce chapitre, le troisième crescendo ? Il commence par un exposé préliminaire de l'alliance mosaïque juste avant la théophanie du mont Sinaï :

> Le SEIGNEUR appela [Moïse] de la montagne en disant : « Tu diras ceci à la maison de Jacob et tu transmettras cet enseignement

aux fils d'Israël : "Vous avez vu vous-mêmes ce que j'ai fait à l'Égypte, comment je vous ai portés sur des ailes d'aigle et vous ai fait arriver jusqu'à moi. Et maintenant, si vous entendez ma voix et gardez mon alliance, vous serez ma part personnelle parmi tous les peuples — puisque c'est à moi qu'appartient toute la terre — et vous serez pour moi un royaume de prêtres et une nation sainte." Telles sont les paroles que tu diras aux fils d'Israël. » Moïse vint ; il appela les anciens du peuple et leur exposa toutes ces paroles, ce que le SEIGNEUR lui avait ordonné. Tout le peuple répondit, unanime : « Tout ce que le SEIGNEUR a dit, nous le mettrons en pratique. » (Ex 19, 3-7)

Après cet exposé de la bonne volonté de chaque partenaire de l'alliance, et après la théophanie déjà décrite, vient le Décalogue, ou Dix Commandements, suivi d'un code de règles plus spécifiques que les savants ont appelé le Code de l'alliance. Plus long, il régit la vie dans une société agraire sédentaire, avec des vignes, du cheptel et divers types de propriété à entretenir.

Par son extraordinaire économie et sa force lapidaire, le Décalogue s'est avéré être le code moral le moins culturellement déterminé jamais écrit. Mais le Code de l'alliance est une tout autre affaire. Les historiens observent justement que les règles de ce livre reflètent une époque ultérieure : beaucoup seraient simplement inapplicables à une nation migrant à travers une étendue désertique. Tout anachronisme mis à part, les moralistes et autres qui ne répugnent pas à porter des jugements de valeur trouveront barbares diverses parties de ce code. Par exemple, le code est libéral à l'extrême dans son recours à la peine de mort. Ainsi, « qui insulte son père ou sa mère sera mis à mort ». De même, il est choquant dans sa tolérance de l'esclavage, mais aussi de ses débordements : « Et quand un homme frappera avec un gourdin son serviteur ou sa servante [lire ses esclaves] et qu'ils mourront sous sa main, il devra subir vengeance. Mais s'ils se maintiennent un jour ou deux, ils ne seront pas vengés, car ils étaient son argent » (21, 20). Nombre de règles supposent que la violence entre personnes fait partie de la vie et tâchent simplement de la codifier, non de la proscrire. Ainsi, dans ce passage qui contient l'un des versets les plus cités de la Bible :

> Et quand des hommes s'empoigneront et heurteront une femme enceinte, et que l'enfant naîtra sans que malheur arrive, il faudra indemniser comme l'imposera le mari de la femme et payer par arbitrage. Mais si malheur arrive, tu paieras vie pour vie, œil pour œil, dent pour dent, main pour main, pied pour pied, brûlure pour brûlure, blessure pour blessure, meurtrissure pour meurtrissure. (Ex 21, 22-25)

L'objet de cette *lex talionis*, ou « loi du même », est qu'on ne rend pas deux yeux pour un œil, ni un œil pour une brûlure. Dans cette mesure, ce code a pu être, en son temps, un pas de géant dans la bonne direction, c'est-à-dire loin de l'esprit de vengeance et de revanche. Mais la plupart des lecteurs modernes verraient sans doute plus volontiers le chemin qui reste à parcourir.

En tant que déclaration sur le SEIGNEUR, qui a imposé ces règles *via* Moïse — « Voici les règles que tu leur exposeras » (21, 1) — le Code de l'alliance, pour dire les choses autrement, est loin d'être la meilleure recommandation possible. Mais le pas qu'il accomplit dans la bonne direction est, pour lui, un premier pas fatidique ; et ceci, parce que le législateur n'est pas moins affecté par les lois qu'il donne que leur destinataire. Au cours de la Bible, Dieu n'acceptera jamais aussi explicitement les obligations que prétend lui imposer l'humanité. Mais il s'imposera des obligations en fonction de celles qu'il impose à l'humanité, et, ce faisant, il s'arrachera au domaine du pur arbitraire pour entrer dans celui du licite et du limité.

Dans le double exposé qui distingue le Livre de l'Exode, Moïse reçoit les lois une fois, brise les tables sur lesquelles elles sont écrites, puis gravit de nouveau le mont Sinaï pour les recevoir une seconde fois. En cette seconde occasion, la remise de la loi n'est pas précédée par le bruit et la fureur de la première fois. Les seules manifestations physiques sont la nuée qui enveloppe le SEIGNEUR quand il vient donner la loi à Moïse, et la lumière aveuglante qui rayonne de la face de Moïse lorsqu'il descend de la montagne après avoir reçu « les deux tables de la charte, tables de pierre, écrites du doigt de Dieu » (31, 18). Juste avant de recevoir la loi, Moïse est debout, portant les tables de pierre encore vierges sur lesquelles Dieu va écrire la loi. Le SEIGNEUR passe alors devant lui, afin que Moïse voie sa gloire, et offre une glorieuse formulation de son identité : « Le SEIGNEUR, le SEIGNEUR, Dieu miséricordieux et bienveillant, lent à la colère, plein de fidélité et de loyauté, qui reste fidèle à des milliers de générations, qui supporte la faute, la révolte et le péché, mais sans rien laisser passer, qui poursuit la faute des pères chez les fils et les petits-fils sur trois et quatre générations » (34, 6-7).

L'érudition historique rattache le mot *ḥesed*, traduit plus haut par « fidélité et loyauté », à la diplomatie antique, plutôt qu'au champ des relations personnelles. Dans le traité entre un suzerain et un vassal, le *ḥesed* était la promesse mutuelle de loyauté. « Fidélité à l'alliance » traduit-on aussi parfois. Au niveau le plus élémentaire, le *ḥesed* est la vertu de celui dont la parole est digne de foi. Dans le contexte de son alliance avec Israël, le SEIGNEUR a du *ḥesed* : bien qu'il soit libre (il y insiste sans cesse) de briser l'alliance, il n'en fera rien.

Toutefois, ce majestueux portrait que le SEIGNEUR donne de lui, « plein de fidélité et de loyauté », n'est pas exempt d'une certaine tension. Comme nous le verrons, sa relation d'alliance avec Israël et sa relation presque plus personnelle avec Moïse sont délibérément confondues vers la fin du Livre de l'Exode. Mais laissons un instant de côté cette question. L'autoportrait que brosse le SEIGNEUR, « qui supporte la faute, la révolte et le péché, mais sans rien laisser passer, qui poursuit la faute des pères chez les fils et les petits-fils sur trois et quatre générations », paraît franchement contradictoire. Qu'est-il ? Est-il clément ou rancunier ?

Si étrange et rébarbative que soit, à l'oreille moderne, l'idée de « poursui[vre] la faute des pères chez les fils », elle est tout autant un bond éthique en avant que toutes les règles pratiques du Code de l'alliance. Avant toute chose, il faut observer que le SEIGNEUR étend sa bonté à « des milliers de générations », et ne poursuit l'iniquité que jusqu'à la troisième ou la quatrième. Mais revenons à la discussion qui a ouvert ce chapitre : la règle du châtiment qui se transmet de génération en génération est, au niveau le plus élémentaire, la version du karma propre à la société israélite antique. Dans une vision du monde sans au-delà de récompenses ni de châtiments, le seul châtiment qui pouvait être infligé à un criminel mort impuni passait par ses enfants. Aujourd'hui encore, dans certaines sociétés traditionnelles, savoir que ses enfants pourraient faire les frais d'une vengeance si l'on commet un crime est fortement dissuasif. En mettant le poids de son pouvoir et de son autorité derrière cette arme dissuasive en Israël, Dieu rassure ses partenaires de l'alliance : au nom de l'amour indéfectible qu'il leur porte, il fera ce qu'il appartient à un suzerain de faire, il fera régner la justice.

Et, quels que soient les impératifs particuliers de la justice ou les modalités particulières de son application, il est d'une importance permanente et fondamentale que, au moment précis où son pouvoir est moins que jamais en question, Dieu choisisse de se définir par sa justice plutôt que par quelque autre bien. Sous-entendu, si le but de Dieu est encore de faire l'humanité à son image, l'inclination humaine à subordonner la morale au pouvoir (les règles ne s'appliquant qu'à ceux qui ne sont pas assez forts pour les briser) essuie ici un défi implicite. Si la morale est fondamentale pour Dieu, elle doit l'être aussi pour l'homme. Il ne saurait y avoir de niveau de pouvoir ou de sagesse humaine auquel la justice cesserait d'être l'objectif final et le critère suprême. Jusque-là, Dieu n'avait encore joué un rôle un tant soit peu comparable à celui qui est ici le sien qu'une seule fois, au moment de juger et de châtier Caïn. Et il le fait, parce qu'autrement les lois qu'il est sur le point d'écrire sur les tables de Moïse resteraient inappliquées et donc dénuées de sens.

Dans une culture comme la nôtre, où le sens de l'individu est extrêmement fort et le sens de la famille plus faible que jamais, l'idée de « poursui[vre] la faute des pères chez les fils » pour faire appliquer la justice est rebutante. Dans le même ordre d'idées, la promesse de faire proliférer la descendance « autant que les étoiles du ciel » est un peu déroutante. « Autant que les étoiles du ciel ? demande le lecteur moderne. La belle affaire ! » Loin de moi l'idée de faire paraître grossier le lecteur moderne : mon seul dessein est de montrer que les premiers livres de la Bible ne pensent pas en termes de transmission de génération en génération que dans le domaine de la justice. De toute évidence, pour les patriarches, un homme qui mourait avec une descendance jouissait de la seule forme d'immortalité qu'il était possible d'espérer. Qui avait une nombreuse progéniture, aussi nombreuse que les étoiles du ciel, avait non seulement l'immortalité, mais aussi l'équivalent d'une grande renommée : les enfants étaient la seule exaltation du moi qui fût à la portée de chacun.

Dans la société moderne, les enfants ne sont pas de simples prolongements de leurs parents. Mais imaginez une société convaincue du contraire : Et si tout le monde ne voyait dans les enfants que la vraie continuation de leurs parents ? En ce cas, il serait aussi raisonnable que les enfants héritent des châtiments qu'il l'est dans la nôtre de leur léguer nos biens. Dans l'Exode, 34, 6-7, tel est le point de vue qui prévaut. Au bout du compte, Dieu brisera résolument avec cette anthropologie morale inter-générationnelle, si l'on peut dire ; mais, même dans ce passage, ce qu'il entend révéler à Moïse, c'est le contraire même d'une cruauté gratuite. Il entend révéler, avec autant d'éloquence que possible, qu'il est un Dieu qui attache une importance suprême à la justice et qui la poursuivra inlassablement.

Le quatrième crescendo, dans la seconde moitié du Livre de l'Exode, est une intensification des relations personnelles de Moïse avec Dieu. Ce qui fait la singularité du personnage de Dieu, on l'a vu à maintes reprises, c'est ce mariage des personnalités altières et relativement impersonnelles de créateur et de destructeur du monde avec la personnalité plus humble et plus intime de l'avocat personnel. Lorsqu'il se fait guerrier et législateur, Dieu ne renonce à aucune de ces personnalités antérieures. En demeurant un dieu personnel, il personnalise plutôt son activité même de législateur et de guerrier. En termes concrets, il les insère dans sa relation avec Moïse.

« Fidélité et loyauté » : l'expression peut généralement indiquer la fiabilité du partenaire de l'alliance, mais, à ce stade de la Bible, on l'a déjà trouvée une fois, pour caractériser la relation de Dieu avec un individu. L'homme en question était Joseph. Fait significatif, lorsqu'il quitte l'Égypte pour l'Exode, Moïse emporte avec lui les ossements de Joseph et les confie à son lieutenant Josué. Tout comme Joseph, Moïse a échappé de justesse à une mort prématurée et a passé de longues années en compagnie des Égyptiens. Avec son nom égyptien, et ses liens culturels, sinon également physiques, embrouillés avec l'Égypte, Moïse est l'héritier spirituel de Joseph.

Les liens singuliers de Dieu avec Moïse passent au premier plan après l'idolâtrie des Israélites, au cours d'une longue période où Moïse se retrouve seul au sommet de la montagne avec le SEIGNEUR. Celui-ci annonce qu'il ne demeurera plus auprès d'Israël. Il enverra un ange pour chasser ses ennemis, mais, dit-il, « je ne peux pas [aller] avec toi, car tu es un peuple à la nuque raide et je t'exterminerais en chemin » (33, 3). Moïse presse le SEIGNEUR de se raviser : « Et à quoi donc reconnaîtra-t-on que, moi et ton peuple, nous avons trouvé grâce à tes yeux ? N'est-ce pas quand tu marcheras avec nous et que nous serons différents, moi et ton peuple, de tout peuple qui est sur la surface de la terre ? » (33, 16). La possibilité que le SEIGNEUR ne réside plus auprès d'Israël a un effet paradoxal, mais certainement volontaire, celui d'attirer l'attention sur le fait qu'il y avait d'abord élu domicile. Le SEIGNEUR visitait les patriarches, souvent nuitamment ou en songe ; il ne voyageait pas avec eux, ni n'avait la moindre demeure symbolique dans leurs campements. Après l'Exode, le SEIGNEUR a déclaré son intention d'occuper un pavillon méticuleusement désigné parmi les tentes d'Israël. Alors qu'il reconsidère maintenant ce projet, l'attention est automatiquement braquée sur lui.

Le SEIGNEUR fléchit : tout compte fait, il « montera » en Canaan avec Israël. Mais il fléchit en inscrivant sa relation avec Israël, qui a valeur de loi, dans une relation personnelle plus profonde avec Moïse, une relation qui équivaut à une version plus intense, grandement élargie, du « dieu des » théophanies qu'Abraham, Isaac et Jacob ont connues :

> Le SEIGNEUR dit à Moïse : « Ce que tu viens de dire, je le ferai aussi, car tu as trouvé grâce à mes yeux et je te connais par ton nom. » [...]
>
> « Je ferai passer sur toi tous mes bienfaits et je proclamerai devant toi le nom de "SEIGNEUR" ; j'accorde ma bienveillance à qui je l'accorde, je fais miséricorde à qui je fais miséricorde. » Il dit : « Tu ne peux pas voir ma face, car l'homme ne saurait me voir et vivre. » Le SEIGNEUR dit : « Voici un lieu près de moi. Tu te tiendras sur le

rocher. Alors, quand passera ma gloire, je te mettrai dans le creux du rocher et, de ma main, je t'abriterai tant que je passerai. Puis, j'écarterai ma main et tu me verras de dos, mais ma face, on ne peut la voir. » (Ex 33, 17, 19-23)

Le discours de Dieu est déchiré par une contradiction émotionnelle, sinon tout à fait logique. Au moment même où il déclare quelque chose qui ressemble à de l'amour pour Moïse (« tu as trouvé grâce à mes yeux et je te connais par ton nom ») et qu'il enveloppe celui-ci d'une intimité physique soigneusement protégée, Dieu rappelle avec force son souverain droit de ne pas faire ce qu'il fait. Les mots « j'accorde ma bienveillance à qui je l'accorde » sont, en fait, à ce moment précis une vantardise aussi malveillante que gratuite. Mais l'action parle plus fort que ces mots. Un instant plus tôt, nous avons lu que « le SEIGNEUR parlait à Moïse face à face, comme on se parle d'homme à homme » (33, 11), et, par son atmosphère, l'intimité de la scène qui suit n'a d'égale, peut-être, que celle de Jacob luttant avec son visiteur nocturne. Que le SEIGNEUR ne consente à être vu que de dos laisse penser qu'il cache à Moïse ses parties génitales. Le mot *kabod* peut avoir un sens spirituel — on le traduit couramment par « gloire » — mais aussi un sens viscéral : c'est le mot classique pour « foie ». Selon l'éminent linguiste et bibliste Marvin H. Pope, *kabod* fait probablement allusion aux organes génitaux mâles dans Job 29, 20, où « gloire » reste la bonne traduction, alors même qu'il faut entendre « parties génitales ». Ici, le mot *kabod* pourrait bien avoir le même double sens. Cette possibilité mise à part, cependant, la scène confirme avec on ne peut plus de force combien Moïse est physiquement proche du SEIGNEUR.

Et ainsi, dans un quatrième exemple, le double exposé du Livre de l'Exode a permis une chose qu'un exposé unique eût exclu. À la première remise de la loi, l'alliance est entre le SEIGNEUR et Israël, et la loi est simplement transmise par Moïse. Après que les Israélites ont cédé à l'idolâtrie, cependant, la loi est véritablement donnée à Moïse. Les Israélites ne sont pas invités à donner leur consentement. Comme si, posant les yeux sur Israël, le SEIGNEUR ne voyait plus que Moïse.

La personnalisation — ou, il semblerait presque, la re-personnalisation — de l'activité de Dieu dans sa relation avec Moïse est la note sur laquelle s'achève le Livre de l'Exode. Comme on l'a vu, de nombreuses parties de 25, 1 à 31, 18, traitant du tabernacle ou de la tente de Dieu[1] et des prêtres qui l'y serviront, sont répétées mot pour mot de 35, 1 à 40, 38. Bien souvent, les instructions données dans la première section sont exécutées dans la suivante. Il est cependant un passage qui ne se trouve que dans la deuxième section, en 40, 16-33, près de la fin du livre : c'est Moïse, plutôt que les artisans Beçalel et Oholiav, qui monte personnellement le tabernacle de Dieu.

La tâche accomplie, il prend les tables de la loi, ou « la charte » comme dit simplement le texte, la place dans l'armoire, « l'arche », et installe le couvercle, ou « propitiatoire », par-dessus, à l'intérieur du tabernacle. Le SEIGNEUR a interdit aux Israélites de faire une image de lui, mais il les a autorisés à lui faire un trône et à l'orner de ces créatures ailées, ou « chérubins », qui le servent au ciel.

À la fin du Livre de l'Exode, après que Moïse a personnellement veillé à tous ces arrangements, le SEIGNEUR Dieu s'assied enfin sur son trône :

> Moïse acheva ainsi tous les travaux.
>
> La nuée couvrit la tente de la rencontre et la gloire du SEIGNEUR remplit la demeure. Moïse ne pouvait pas entrer dans la tente de la rencontre, car la nuée y demeurait et la gloire du SEIGNEUR remplissait la demeure. Quand la nuée s'élevait au-dessus de la demeure, les fils d'Israël prenaient le départ pour chacune de leurs étapes. Mais si la nuée ne s'élevait pas, ils ne partaient pas avant le jour où elle s'élevait de nouveau. Car la nuée du SEIGNEUR était sur la demeure pendant le jour mais, pendant la nuit, il y avait en elle du feu, aux yeux de toute la maison d'Israël, à toutes leurs étapes. (Ex 40, 33-38)

Dans la nature, il n'est rien, en dehors d'un volcan, qui ressemble à la nuée de jour, et au feu la nuit. L'extraordinaire image d'un volcan sous une tente donne une bonne idée de la profondeur de la puissance irrésistible, mais contradictoire, du SEIGNEUR Dieu. Le pointillisme liturgique des derniers éditeurs, dits sacerdotaux, du Livre de l'Exode finit par rehausser ce même contraste. La puissance d'un être qui, en toute logique personnelle et caractérologique, devrait balayer toute loi comme l'irrésistible force de la nature qu'il est a été tant bien que mal harnachée pour mettre en œuvre la loi. Et c'est une relation personnelle avec un homme qui y a abouti. Le volcan a pris vie sous la tente, parce que c'est l'ami du volcan qui l'a montée.

SUZERAIN

« Le prépuce de ton cœur »

LÉVITIQUE, NOMBRES, DEUTÉRONOME

Pour un critique composant une biographie littéraire de Dieu, il n'est pas grand-chose qui présente un intérêt comparable aux portions de son histoire que nous avons examinées jusqu'ici, car, comme dans toute vie ordinaire, le commencement est crucial. En un sens, les livres de la Genèse et de l'Exode sont l'enfance de Dieu. C'est en eux que s'est formée son identité de base. Les changements qui interviennent à un rythme aussi soutenu dans ces deux livres sont, comme les changements de l'enfance, amples et spectaculaires. Ils méritent un examen attentif. Dans les livres bibliques qui les suivent, Dieu change moins et le biographe littéraire est moins tenu d'en parler.

Les cinq premiers livres de la Bible forment ce que, dans la tradition juive, on appelle la Tora, d'un mot hébreu qui signifie, *grosso modo*, « doctrine » ; dans la tradition laïque, on parle plutôt de Pentateuque, d'un mot grec qui veut dire « livre des cinq ». La Genèse, le premier livre du Pentateuque, commence lorsque Dieu crée le monde. L'Exode, le deuxième livre du Pentateuque, s'achève un an et un jour après la sortie d'Égypte. Ce jour-là, Dieu entre dans le tabernacle ou la demeure que lui a préparé Moïse. « La nuée couvrit la tente de la rencontre, lisons-nous, et la gloire du SEIGNEUR remplit la demeure. Moïse ne pouvait pas entrer dans la tente de la rencontre, car la nuée y demeurait et la gloire du SEIGNEUR remplissait la demeure » (Ex 40, 34-35).

Le reste de ce que le Pentateuque a à dire sur les Israélites dans le désert est relaté dans les Nombres, le quatrième livre du Pentateuque. Nous y apprenons que, un mois après avoir élu domicile dans le tabernacle, le SEIGNEUR ordonne un recensement (d'où le titre, les Nombres) des Israélites qui campent avec lui au Sinaï. Après le recensement, au vingtième jour du deuxième mois de la deuxième année, « la nuée s'éleva au-dessus de la demeure de la charte. Les fils d'Israël partirent du désert du Sinaï chacun à son tour » (10, 11-12). La suite du Livre des Nombres raconte les errances d'Israël dans le désert, les premières sorties au pays de Canaan (correspondant, en gros, à l'actuel Israël) depuis le Sud, la décision ultérieure d'envahir Canaan par l'est, en traversant le Jourdain, et — en route pour cette invasion — les victoires sur Heshbôn et Bashân, deux petits royaumes amorites sur la rive est du Jourdain (sur le territoire de l'actuelle Jordanie). Le récit s'achève lorsque Israël installe son campement dans le territoire qu'il vient de conquérir et s'apprête à envahir le cœur du pays de Canaan.

Encadrant ce récit, les troisième et cinquième livres du Pentateuque, le Lévitique et le Deutéronome, ont la forme d'un discours de la longueur d'un livre, soit que le SEIGNEUR s'adresse à Moïse (Lévitique), soit que Moïse parle aux Israélites (Deutéronome). Le premier est donné au Sinaï, juste avant que les Israélites ne commencent leur longue marche vers Canaan ; le second — les dernières paroles de Moïse avant sa mort — est donné sur les plaines de Moab, sur la rive est du Jourdain, face à Jéricho.

Le Lévitique

Comme la section bien plus brève du « Code de l'alliance », dans le Livre de l'Exode, le Lévitique réfléchit les coutumes d'une époque ultérieure, couchées par écrit encore plus tardivement. En 587 avant Jésus-Christ, quelque six cents ans après la conquête de Canaan, Jérusalem tomba entre les mains de Nabuchodonosor, roi de Babylone, et les Israélites furent emmenés en captivité. C'est à Babylone que les prêtres de Jérusalem, seuls chefs israélites véritables restant après la conquête, s'efforcèrent de codifier la vie que la nation avait menée dans sa patrie perdue. Les résultats, dans une présentation hautement structurée et parfois quasi abstraite, insistent lourdement, ce qui n'est pas pour étonner, sur ce pan de la vie nationale qui était le domaine d'élection des prêtres, à savoir, le rituel religieux. (Tous les prêtres étaient de la maison de Lévi, d'où le titre.)

Les rituels religieux décrits concernent la purification et la disculpation, c'est-à-dire deux aspects d'une même préoccupation : qu'Israël, en tant que nation, comme chaque Israélite en particulier restent en alliance avec le SEIGNEUR. Une comparaison du Lévitique 19, version augmentée du Décalogue, avec l'Exode 20, qui en avait été le premier exposé, fait ressortir cette insistance singulière du Lévitique. Dans l'Exode, au mont Sinaï, prévaut un sentiment clair, à vrai dire irrésistible, de l'« altérité », de l'étrangeté surnaturelle du SEIGNEUR. Les Israélites ne sont pas moins exclus de l'altérité que ne l'est le reste de l'humanité — en un sens, le reste de la réalité. Dans le Lévitique, la liste des commandements commence par : « Soyez saints, car je suis saint, moi, le SEIGNEUR, votre Dieu » (19, 2).

La laïcité, je veux parler de la tradition née avec les Lumières, est, bien entendu, inconnue de la Bible ; et pourtant, dans différents livres, à des moments divers, le degré auquel les relations humaines sont prises dans les relations entre l'homme et Dieu est sujet à des variations. Pour les patriarches, par exemple, la guerre était une entreprise relativement séculière. Dans le Lévitique, en revanche, tout ce qui met visiblement Israël à part des autres nations — et beaucoup de choses sont précisément conçues à cette fin — concerne Dieu, qui a lui-même commencé par distinguer Israël. De même, tout ce qui pourrait éloigner un Israélite d'un autre trouble la perfection de l'alliance entre Israël et Dieu, et, en conséquence, une fois encore, concerne Dieu. Toutes les actions de la vie ordinaire se trouvent sacralisées du simple fait qu'elles impliquent Dieu, mais toutes les mesures cruciales prescrites sont prévisibles et efficaces, et toutes sont en définitive bienveillantes. Si répétitifs que soient les nombreux rituels, si fastidieuse qu'en soit la lecture, pour un moderne, ils présentent, au total, un tableau singulièrement serein et idéalisé de la vie nationale. Il n'est rien que le rituel approprié ne saurait redresser ; et puisqu'il n'est nulle part question de quelqu'un qui aurait décliné d'accomplir le rituel, on est subtilement invité à en conclure que nul ne l'a jamais fait.

Le postulat des historiens est le suivant : les prêtres qui rédigèrent le Pentateuque en mêlant et en complétant largement des textes antérieurs firent du Lévitique un long discours prononcé par le SEIGNEUR au Sinaï, histoire de revendiquer pour leurs pratiques rituelles la plus haute autorité. Cela tiendra lieu d'explication historique ; mais sitôt que le texte est ainsi placé, qu'il sort de la bouche de Dieu, il devient un propos sur lui autant que de lui. Tout discours, inévitablement, caractérise celui qui le tient. Venant juste après les tempêtes du Livre de l'Exode, le Lévitique fait figure d'accalmie. Le Dieu que présentait l'Exode était un Dieu effrayant. Sa présence parmi les tentes d'Israël — nuée le jour, feu la nuit — était potentiellement menaçante. Mais si le consentement même du SEIGNEUR à faire du tabernacle sa demeure était une domestication littérale, le Lévitique suggère une domestication autrement plus élaborée et symbolique. Tout en craignant le SEIGNEUR au tournant, et en exploitant cette peur chez les autres, les prêtres ont contenu l'objet de leur peur dans un ensemble complexe de rituels censés garantir la pureté, l'immunité et la sécurité d'Israël. Comme bien souvent avec la liturgie, l'ennui même apaise. On ne saurait être tout à la fois lassé et terrifié. Ou, pour être un peu moins tranchant, on ne saurait être simultanément paralysé de crainte et pointilleux dans l'observance des rubriques.

Dans l'histoire de Dieu, le Lévitique apparaît ainsi comme un « temps de repos ». Le ton de la voix du SEIGNEUR est à plusieurs registres en deçà du ton qui était le sien au Sinaï. Et, le ton mis à part, la teneur de ses propos, l'impatience avec laquelle il attend la vie que mènera son peuple dans le pays qu'il va lui donner sont bien la preuve qu'il ne sera pas toujours aussi effrayant qu'il l'a été les derniers temps. Tout au long des six chapitres introductifs sur les rites sacrificiels, il fait certes souvent référence à lui, mais il le fait toujours à la troisième personne. Dans la longue section sur le pur et l'impur (chapitres 11-16), même les références à la troisième personne font défaut. Il ne subsiste plus que la formule d'ouverture : « Le SEIGNEUR adressa la parole à Moïse... et dit. » Pour la critique historique, l'absence de Dieu du corps de ces discours est la preuve évidente que ce texte ne fut pas écrit, à l'origine, comme un discours divin. Mais maintenant qu'il a été récrit sous cette forme, il ne saurait manquer de casser l'élan de la subjectivité envahissante qui a rendu le SEIGNEUR si terrifiant au Sinaï. « Quant aux prêtres et au peuple, qu'ils ne se précipitent pas pour monter vers le SEIGNEUR, de peur qu'il ne les frappe ! », lisions-nous dans le Livre de l'Exode en 19, 24, et « J'accorde ma bienveillance à qui je l'accorde, je fais miséricorde à qui je fais miséricorde », en 33, 19. Dans le Lévitique, grâce à des procédures fiables, le SEIGNEUR ne menace plus de « frapper », d'exercer sa miséricorde (ou de laisser libre cours à son courroux) de manière inattendue. Si, à la fin du Livre de l'Exode, le SEIGNEUR n'est pas à son aise en Israël (c'est-à-dire parmi les Israélites), dans le Lévitique Israël est à l'aise « dans » une version très largement objectivée et dépersonnalisée du SEIGNEUR.

Le Lévitique, le livre le moins dramatique et le moins engageant de la Bible, est aussi, de ce fait, l'un des plus doux. Il n'y est guère question de châtiments à infliger si Israël hésite à suivre le SEIGNEUR. Bien qu'elle vienne des Nombres 6, 24-26, la bénédiction familière,

> « Que le SEIGNEUR te bénisse et te garde !
> Que le SEIGNEUR fasse rayonner sur toi son regard et t'accorde sa grâce !
> Que le SEIGNEUR porte sur toi son regard et te donne la paix ! »

ne fait qu'un avec le matériau sacerdotal qui la précède immédiatement dans le Lévitique. Bien qu'il y ait une section de malédictions dans le Lévitique (26, 14-45), trait classique dans la promulgation des traités anciens sur lesquels, formellement, est calquée l'alliance de Dieu avec Israël, le Lévitique est dominé par le postulat qu'Israël ne mérite et ne recevra que des bénédictions. L'hypothèse tacite est que la nation est chez elle et en paix, adorant son propre Dieu, et, dans sa sécurité et sa prospérité, bien disposée envers les Israélites démunis mais aussi, dans les limites de la raison, envers les résidents étrangers. Ainsi,

> « Quand vous moissonnerez vos terres, tu ne moissonneras pas ton champ jusqu'au bord ; et tu ne ramasseras pas la glanure de ta moisson ; tu ne grappilleras pas non plus ta vigne et tu n'y ramasseras pas les fruits tombés ; tu les abandonneras au pauvre et à l'émigré. C'est moi, le SEIGNEUR, votre Dieu.
>
> Ne commettez pas de rapt, ne mentez pas, n'agissez pas avec fausseté, au détriment d'un compatriote. Ne prononcez pas de faux serment sous le couvert de mon nom : tu profanerais le nom de ton Dieu. C'est moi, le SEIGNEUR.
>
> N'exploite pas ton prochain et ne le vole pas ; la paye d'un salarié ne doit pas rester entre tes mains jusqu'au lendemain ; n'insulte pas un sourd, et ne mets pas d'obstacle devant un aveugle ; c'est ainsi que tu auras la crainte de ton Dieu. C'est moi, le SEIGNEUR. [...]
>
> Quand un émigré viendra s'installer chez toi, dans votre pays, vous ne l'exploiterez pas ; cet émigré installé chez vous, vous le traiterez comme un indigène, comme l'un de vous ; tu l'aimeras comme toi-même ; car vous-mêmes avez été des émigrés dans le pays d'Égypte. C'est moi, le SEIGNEUR, votre Dieu. » (19, 9-14, 33-34)

Ce dernier motif — « car vous-mêmes avez été des émigrés dans le pays d'Égypte » —, on l'a déjà entendu dans le Livre de l'Exode, sans qu'il en soit fait, comme ici, une raison pour les Israélites « d'aimer l'étranger comme eux-mêmes ». Le Lévitique ne demande pas, ici ni ailleurs, aux hommes et aux femmes d'aimer tous les autres avec la force de leur amour. Comme l'indiquent clairement les phrases adjacentes, la consigne est simplement de traiter l'étranger comme un Israélite, ce qui est déjà beaucoup.

Il devrait aller sans dire, bien entendu, qu'il n'est nullement envisagé d'accorder la liberté religieuse au résident étranger. Obsédé qu'il est par une sainteté et une pureté qui commencent, très littéralement, par la terre, le Lévitique n'entend pas les laisser souiller par le culte de dieux étrangers. Qui plus est, le texte est inconséquent à l'endroit des étrangers. Ailleurs, il leur est clairement refusé un traitement égal au regard de la loi. Ainsi est-il permis de capturer et d'asservir les étrangers non résidents qui vivent au voisinage de la frontière ; de même est-il permis d'acheter les fils des résidents étrangers pour en faire des esclaves, mais pas des Israélites ni leurs enfants (25, 44-46).

Il est clair, cependant, que l'étranger n'est plus considéré comme une menace, et certainement pas comme une menace spirituelle grave. Dans cette vision, Israël a son Dieu et sa façon à lui, bien établie, de gérer ses relations avec ce Dieu-là. S'agissant des résidents étrangers, la seule question pertinente est de savoir dans quelle mesure on peut ou il faut leur permettre de participer à la vie et au culte d'Israël.

S'attarder sur le sort réservé aux étrangers, ce n'est pas isoler un champ de relations sociales, parmi les multiples domaines où les postulats du VIIe siècle avant notre ère pouvaient différer de ceux qui sont les nôtres au XXe siècle. Comme nous le verrons en étudiant les Nombres, ce champ particulier de relations sociales est central en raison de la relation unique, inverse, qu'il entretient avec la notion d'alliance (ou de « pacte », suivant certaines traductions). Il est impossible — et il a été dès le début impossible — de penser aux relations particulières de Dieu avec Israël sans s'interroger sur l'absence de quelque relation de cette nature entre lui et les autres nations.

Cela étant dit, dans le Lévitique, le Dieu qui a été à peine moins féroce avec Israël qu'avec les autres nations dans le Livre de l'Exode, et qui sous peu se montrera plus féroce encore envers tous, paraît juste un peu moins clément envers le résident étranger qu'envers l'Israélite. Si le SEIGNEUR est encore un volcan, il est, pour l'heure, un volcan assoupi tandis qu'il attend avec impatience de mener une vie heureuse avec son peuple.

Les Nombres

Quelle est l'humeur de la Bible ? Elle varie, naturellement. Mais comment ne pas être frappé par la fréquence des phases d'irritabilité, de dénonciation et de récriminations ? « À quoi tient la divinité de Dieu ? », demandions-nous dans le chapitre 3, pour centrer notre réponse sur le fait qu'au début de la Bible Dieu n'a ni histoire, ni vie privée. Répondant à la même question non pas sur le protagoniste de la Bible, mais sur le référent du nom commun ou du nom propre *dieu/Dieu* dans la culture occidentale, nous pourrions commencer une longue liste d'adjectifs sur laquelle *serein, noble, grave, solennel* figureraient en bonne place, mais probablement *geignard* n'est pas de ceux qui viendraient à l'esprit. La culture occidentale tire son image de la divinité de la Bible, avant toute chose, mais aussi de l'Antiquité gréco-romaine. Les dieux de la Grèce et de Rome ont bien des défauts, mais l'irascibilité propre au SEIGNEUR Dieu leur était inconnue, et sans doute est-ce l'influence classique qui a mis cette qualité en sourdine dans la notion populaire de Dieu. Quoi qu'il en soit, la profonde originalité du pacte humano-divin, où les deux parties se plaignent sans cesse l'une de l'autre, n'a été que trop rarement reconnue en tant que telle. Si l'humanité est faite à l'image de Dieu, si le mobile de Dieu, en soutenant la création, est de faire de l'humanité une image plus complète et plus parfaite de lui, se peut-il que cette irritabilité mutuelle, entre toutes les réciprocités possibles, soit un pas en avant ?

La réponse est, pour ainsi dire, un *oui !* sonore et maussade. Dieu n'est pas stoïque. Il n'enseigne pas le stoïcisme, pas plus qu'il n'honore ou n'encourage la résignation ou l'acceptation ; et, en gros, il n'est jamais content. À tous égards, Israël est fait à son image. Non que Dieu reconnaisse jamais en Israël un éclat du vieux bloc dénonciateur. Rien de tel : il se plaint sans cesse de leur plainte. Et pourtant, de l'extérieur, on peut voir une certaine symétrie, qui n'est jamais plus claire que dans les Nombres, où Israël se plaint de Moïse, Moïse d'Israël, Dieu d'Israël, Israël de Dieu, Dieu de Moïse et Moïse de Dieu. Qu'un pareil récit ait été conservé et élevé au rang de texte sacré et de classique national est un acte d'une originalité morale et littéraire des plus profondes.

Littérairement, l'originalité réside dans la manière dont les auteurs et les éditeurs de ce texte, par leur dénigrement incessant d'un Israël geignard, « entêté » et « à la nuque raide », poussent le SEIGNEUR Dieu (également geignard) au premier plan, au point de faire de lui le protagoniste du récit, lequel lui doit son propre caractère sans précédent. Moralement, l'originalité des mêmes auteurs et éditeurs antiques vient de leur refus d'« ennoblir » Dieu ou Israël en transformant leurs perpétuelles récriminations en une simple histoire de dispute et de réconciliation. Structurellement, une simplification de cet ordre eût été facile à opérer. Ce qui aurait changé, c'est moins la ligne directrice que le ton émotionnel singulier : en un mot, l'esprit. En préservant l'esprit de la plainte — plainte contre l'homme au nom de Dieu, et contre Dieu en son propre nom — lors de sa première apparition en pleine fleur, les éditeurs antiques ont mis en branle quelque chose de solennel. Ce faisant, ils semèrent les graines de la prophétie dans la Bible et, plus généralement, les germes de la réforme morale, appelée à devenir une possibilité toujours ouverte dans l'histoire sociale de l'Occident.

Historiquement parlant, il est tout à fait possible que, même s'ils ont été asservis en Égypte, les Israélites n'aient pas été forcés de travailler jusqu'à épuisement, encore moins menacés d'un massacre (assurément mythique) de tous leurs nouveau-nés de sexe masculin. Leur statut de résidents étrangers en Égypte a bien pu ressembler, à peu de chose près, à celui des étrangers, plus tard, en Israël : un assujettissement, certes, mais pas nécessairement une oppression insupportable. Il est aussi possible — et, de fait, on trouve une allusion en ce sens dans le Livre de l'Exode — qu'après leur long séjour en Égypte les Israélites aient largement oublié le Dieu de leurs pères au nom duquel Moïse avait ordonné leur émigration. Compte tenu de cet ensemble de circonstances, ils auraient pu facilement regretter leur décision de suivre Moïse dans la meurtrière rudesse du désert du Sinaï. Quant à Moïse, il aurait pu lui aussi éprouver le sentiment d'avoir été perdu du fait même qu'il avait réussi à conduire toute une nation captive vers une liberté si fatidiquement compromise.

La véritable histoire est impossible à reconstituer ; mais si jamais nous pouvions la connaître, elle donnerait le contexte des plaintes étonnamment « juives » qu'on entend de tous côtés dans les Nombres. « Tu es en train de me tuer, gémit Moïse à l'adresse du SEIGNEUR, alors pourquoi ne m'as-tu point tué ? » De même, les Israélites : « Tu es en train de nous tuer, alors pourquoi ne nous avoir pas exterminés ? » Et Dieu : « Continue sur ce ton, et je te tue. » Moïse au SEIGNEUR :

> « Pourquoi [...] veux-tu du mal à ton serviteur ? Pourquoi suis-je en disgrâce devant toi au point que tu m'imposes le fardeau de tout ce peuple ? Est-ce moi qui ai conçu tout ce peuple ? moi qui l'ai mis au monde ? pour que tu me dises : "Porte-le sur ton cœur comme une nourrice porte un petit enfant", et cela jusqu'au pays que tu as promis à ses pères ? Où trouverais-je de la viande pour en donner à tout ce peuple qui me poursuit de ses pleurs et me dit : "Donne-nous de la viande à manger" ? Je ne puis plus, à moi seul, porter tout ce peuple ; il est trop lourd pour moi. Si c'est ainsi que tu me traites, fais-moi plutôt mourir — si du moins j'ai trouvé grâce à tes yeux ! Que je n'aie plus à subir mon triste sort ! » (11, 11-15)

Les Israélites (après que les premiers éclaireurs ont rapporté que Canaan est un pays fortifié et peuplé de géants) se plaignant à Moïse et à Aaron, et se lamentant :

> « Ah ! si nous étions morts dans le pays d'Égypte ! Ou si du moins nous étions morts dans ce désert ! Pourquoi le SEIGNEUR nous mène-t-il dans ce pays où nous tomberons sous l'épée ? Nos femmes et nos enfants seront capturés. Ne ferions-nous pas mieux de retourner en Égypte ? » (14, 2-3)

Le SEIGNEUR à Moïse :

« Jusqu'à quand ce peuple me méprisera-t-il ? Jusqu'à quand refusera-t-il de croire en moi, en dépit de tous les signes que j'ai opérés au milieu d'eux ? Je vais le frapper de la peste et le priver de son héritage ; et de toi je ferai un peuple plus grand et plus puissant que lui. » Moïse dit au SEIGNEUR : « Les Égyptiens ont appris que c'est ta puissance qui a fait monter ce peuple de chez eux, et ils l'ont dit aux habitants de ce pays ; ceux-ci ont appris que toi, le SEIGNEUR, tu es au milieu de ce peuple ; que c'est toi, le SEIGNEUR, qui te montres à eux les yeux dans les yeux ; ta nuée se tient au-dessus d'eux ; toi-même, tu les précèdes le jour dans une colonne de nuée, la nuit dans une colonne de feu. Et tu ferais mourir ce peuple comme un seul homme ! Alors les peuples qui ont appris ta renommée diraient : "Le SEIGNEUR n'était pas capable de faire entrer ce peuple dans le pays qu'il leur avait promis ; voilà pourquoi il les a massacrés dans le désert." Dès lors, que la puissance de mon Seigneur se déploie ! Puisque tu as parlé en ces termes : "Je suis le SEIGNEUR, lent à la colère..." » (14, 11-18)

Le SEIGNEUR se radoucit. À maintes reprises, le Livre de l'Exode a signalé combien le souci d'impressionner les Égyptiens était puissant chez lui, et Moïse en joue habilement. Le SEIGNEUR rancunier massacre tout de même tous les éclaireurs, sauf les deux qui avaient vu juste, et, avec plus de rancune encore, il jure que pas un Israélite de la génération présente, pas même Moïse, ne mettra les pieds dans la terre promise. Ce sont leurs enfants qui bénéficieront de la fidélité du SEIGNEUR à l'alliance. Eux, non.

Peu de temps après cet échange, deux cent cinquante Israélites se rebellent à nouveau contre Moïse et Aaron : « En voilà assez ! leur disent-ils. Tous les membres de la communauté sont saints et le SEIGNEUR est au milieu d'eux ; de quel droit vous élevez-vous au-dessus de l'assemblée du SEIGNEUR ? » (16, 3). Cette fois le SEIGNEUR n'est pas retenu et inflige aux rebelles un châtiment spectaculaire : la terre les engloutit vivants. Le lendemain, les Israélites, dont ces morts ont excité la colère, se révoltent de plus belle. Cette fois, le SEIGNEUR en massacre quatorze mille sept cents avant de se laisser amadouer par un rituel d'expiation.

On pourrait attendre qu'Israël en soit intimidé. Assez vite, cependant, d'autres Israélites déplorent théâtralement, à voix haute, d'avoir été épargnés :

Il n'y avait pas d'eau pour la communauté, qui s'ameuta contre Moïse et Aaron. Le peuple chercha querelle à Moïse ; ils disaient : « Ah ! si seulement nous avions expiré quand nos frères ont expiré devant le SEIGNEUR ! Pourquoi avez-vous mené l'assemblée du SEIGNEUR dans ce désert ? pour que nous y mourions, nous et nos troupeaux ! » (20, 2-4)

Dans le Deutéronome, les plaintes répétées d'Israël seront considérées comme une espèce de preuve tacite, cumulative, de la fidélité du SEIGNEUR. Mais si elles peuvent supporter cette interprétation, elles caractérisent aussi le SEIGNEUR Dieu. Quoi qu'il puisse inspirer par ailleurs, il paraît incapable de forcer l'enthousiasme d'Israël. La nation n'est rien, sinon une maussade complice du projet qu'il a pour elle. L'expression *à la nuque raide* dissimule une métaphore, celle des bœufs sous le joug. Pour que celui-ci soit bien fixé au point de rencontre du cou et des omoplates, le bœuf doit détendre son cou et baisser légèrement la tête. Mais Israël a la nuque raide et refuse à maintes reprises de s'incliner ainsi devant le SEIGNEUR. Le Deutéronome y voit un propos sur Israël, mais c'est inévitablement aussi un propos sur Dieu. Le SEIGNEUR, pour parler crûment, est un dur, et, vu les émotions qu'il nous inspire, comment s'étonner qu'Israël rechigne à se soumettre ?

Si le SEIGNEUR paraît devoir s'imposer à Israël par la force brute, du moins est-il vrai, également, que rien ne résiste à sa force au service d'Israël. Les Israélites capturent Heshbôn et en chassent les habitants ; ils capturent Bashân et en exterminent les habitants (21). Balaq, roi de Moab, tente vainement de mobiliser la puissance divine contre les Israélites en recourant aux services du prophète Balaam (22-24). Dieu transforme les malédictions de Balaam en bénédictions. Mais ces victoires ont une suite scandaleuse, car les Israélites se livrent massivement à la débauche avec les femmes moabites et madianites dans le culte orgiastique du Baal de Péor. Comme l'épisode du veau d'or, qui survient juste après la théophanie du Sinaï, cette apostasie a un effet de choc que renforce sa position dans le récit.

Et comme l'apostasie du veau d'or, celle-ci est suivie de massives représailles divines. Après l'épisode du veau d'or, les Lévites, sur les instances de Moïse, massacrèrent trois mille Israélites, et le SEIGNEUR, méprisant les appels à la clémence de Moïse, en frappa d'innombrables autres. Cette fois-ci, le SEIGNEUR envoie un fléau qui fait vingt-quatre mille victimes avant que Pinhas ne l'apaise en empalant d'un coup de lance un Israélite en train de copuler avec une Madianite (25, 7-9). Après quoi Moïse envoie une expédition punitive contre Madiân. Victorieux, les Israélites exterminent les hommes, mais rapportent les femmes et le reste du butin à Moïse, qui est furieux :

> « Quoi ! leur dit-il, vous avez laissé la vie à toutes les femmes !
> Pourtant ce sont bien elles qui — lors de l'affaire de Balaam — ont
> incité les fils d'Israël à être infidèles au SEIGNEUR, à l'occasion de

l'affaire de Péor, si bien qu'un fléau s'abattit sur la communauté du SEIGNEUR. Eh bien, maintenant, tuez tous les garçons et tuez toutes les femmes qui ont connu un homme dans l'étreinte conjugale. Mais toutes les fillettes qui n'ont pas connu l'étreinte conjugale, gardez-les en vie pour vous. » (31, 15-18)

Moïse enrage que les Israélites n'aient pas été suffisamment implacables avec les Madianites, et il réduit leur butin en conséquence. Il ne les autorise à conserver que les jeunes vierges. Les autres, qui eussent été autrement leur bien, et les garçons, qu'ils avaient espéré asservir, ils doivent maintenant les massacrer. Suit un carnage dont le nombre de victimes ne nous est pas connu, mais dont le nombre de vierges qui survivent — trente-deux mille — permet de se faire une idée.

Telle est la dernière grande action militaire avant la traversée du Jourdain et la principale offensive contre Canaan. Le SEIGNEUR distribue d'avance la terre aux tribus qui vont l'occuper, mais avec le souvenir encore vif du massacre de Madiân, l'allocation contient un avertissement : « Mais si vous ne chassez pas devant vous les habitants du pays, ceux d'entre eux que vous aurez laissés seront comme des piquants dans vos yeux et des épines dans vos flancs. Ils vous harcèleront dans le pays même où vous habiterez, et ce que j'avais pensé leur faire, c'est à vous que je le ferai » (33, 55-56). Pourquoi le Baal de Péor est-il si menaçant pour le SEIGNEUR Dieu ? Sur le plan historique, Baal, au cours des six siècles où Israël occupera et, à des degrés divers, gouvernera Canaan, sera le « dieu étranger » qui séduit surtout la populace et épouvante les chefs. L'attrait vient de ce que, en se faisant guerrier, tempétueux et pareil à Baal au moment de l'Exode et après, le SEIGNEUR a réduit la distance qui le sépare de lui, parmi tous ses rivaux. Quant aux chefs israélites, ils vivent à jamais dans l'épouvante parce que, bien que Baal soit, comme le SEIGNEUR, un dieu de la guerre dont les manifestations ont toutes les apparences de la tempête et du volcan, il est aussi un dieu de la fécondité, dont le culte implique une copulation rituelle. Certes, le SEIGNEUR est aussi un dieu de la fécondité en son genre. Comme nous l'avons vu en suivant son histoire depuis la création jusqu'à l'alliance avec Abraham et à ses conséquences en Égypte, c'est un dieu obsédé de reproduction ; et dans le Lévitique, bien que nous n'ayons pas encore examiné les passages concernés, c'est aussi un dieu qu'obsède les manifestations physiques de la fécondité liée à la reproduction : pollutions nocturnes, menstruation, sans oublier les diverses formes d'accouplements sexuels autorisées et interdites. Il serait, pour ainsi dire, logique que pareil dieu soit lui-même porté sur le sexe, et qu'il ait des relations sexuelles avec d'autres dieux aussi bien qu'avec des êtres humains. À cet égard, Baal est ce que, en toute logique, le SEIGNEUR devrait être ; et pour cette raison, mais aussi à cause de l'attrait même de la licence sexuelle, le culte de Baal sera une tentation pérenne en Israël.

Le culte de Baal est la forme de syncrétisme religieux à laquelle les chefs israélites se montrèrent le plus implacablement hostiles parce que, on l'a dit au chapitre 3, c'est précisément l'absence d'histoire qui fait du SEIGNEUR Dieu ce qu'il est ; or cette anhistoricité, cette différence décisive, n'est tenable qu'à une condition : que Dieu reste sexuellement inactif, si masculine que soit sa conduite. Un dieu qui engendre des enfants est un dieu qui aura, auparavant, été lui-même un enfant et qui, ce faisant, s'intègre aux processus naturels de la vie. C'est de tous ces processus que les auteurs bibliques entendent isoler Dieu.

Bien que les auteurs du Pentateuque connussent le calendrier (lunaire) et fussent capables de compter les années en siècles, leur sens profond du temps était plus biologique qu'astronomique. Dans certaines traductions (RSV), la Genèse 10-11, qui compte le temps écoulé de Noé à Abraham, commence ainsi : « Voici les générations des fils de Noé... » Certaines versions plus récentes de ces mots hébreux, *we'eleh toledot bney noaḥ*, traduisent habituellement *toledot* par « descendants » ou « lignes », mais la traduction plus littérale a l'avantage de suggérer un sens biologique du temps. Compte tenu de cette approche du temps, Dieu ne saurait se tenir à l'écart du temps à moins de se tenir à l'écart de la génération biologique : il n'engendre pas plus qu'il n'est engendré. Mais précisément parce que notre propre expérience du temps, mais aussi de l'amour, nous vient dans la succession et la chaîne des générations (et que c'était d'autant plus intensément le cas dans l'Antiquité), Dieu, en étant écarté du temps et de l'engendrement, se trouve tant bien que mal exclu de l'amour. Et bien qu'il soit difficile de dire comment au juste, ce fait est certainement lié à l'irritabilité mutuelle qui règne entre lui et Israël : irritabilité unique dans les annales de la littérature.

Des étrangers absolus ne se plaignent pas l'un de l'autre comme le font le SEIGNEUR et Israël. L'autre relation qu'il proposait dans les Nombres 14, 11-18 — non pas avec une autre nation, mais avec Moïse à la place d'Israël — donne une idée de la manière dont le SEIGNEUR personnalise cette relation. Cette suggestion nous rappelle que, même s'il est désormais un dieu de la guerre volcanique, il reste encore un dieu personnel. La nouveauté est ailleurs : lorsque ce dieu personnel est contrarié, les morts peuvent se compter en milliers.

Le Deutéronome

Les titres donnés aux livres du Tanakh, dans les traductions anglaises aussi bien que françaises, viennent des titres assignés dans la première traduction intégrale jamais réalisée : la traduction grecque du IIe siècle avant notre ère, la Septante. *Deutéronome* dérive du grec *deuteronomion,* ou « Seconde Loi », ainsi nommée parce que presque tout, dans ce dernier livre du Pentateuque, a déjà été relaté ou prescrit dans les quatre premiers livres.

Prenant la forme d'un long discours de Moïse en trois parties, ses dernières paroles avant sa mort, le Deutéronome est la première grande envolée lyrique de la Bible. Les deux premières sections du discours, notamment, supportent très honnêtement la comparaison avec les grands discours de l'Antiquité grecque. À l'évidence, on a entendu de nombreux dialogues dans les quatre premiers livres de la Bible, pour certains vifs et passionnés. Et dans le Lévitique, on l'a vu, le SEIGNEUR récite un code de lois détaillé. Avant le Deutéronome, cependant, nul n'a parlé aux Israélites aussi longuement ni dans un style aussi personnel et rhétorique, d'eux, de leur Dieu et de leur destinée.

Dans l'histoire de l'écriture de la Bible, par opposition à l'histoire qu'elle relate, le Deutéronome, rédigé au VIIe siècle avant notre ère, a eu un impact considérable. Rien de comparable n'avait encore jamais été écrit. Rien de ce qui fut écrit par la suite n'échappa à l'influence profonde de ses cadences riches et ondoyantes, ni à son atmosphère faite d'un orgueil national en plein essor équilibré par une humilité d'inspiration religieuse. Cependant, le deutéronomiste a créé non seulement une voix et une perspective, mais aussi un personnage tout vibrant d'émotions pour Moïse. Il lui a donné le caractère d'un homme qui a beaucoup souffert entre les mains de la nation qu'il a conduite, mais qui, désormais, voit ses souffrances et les leurs baignées dans le rayonnement d'une noble vocation.

Puisque la voix qu'on entend dans le Deutéronome est celle de Moïse plutôt que de Dieu, sa façon de caractériser Dieu est aussi celle de Moïse. Autrement dit, le Deutéronome offre une interprétation qui tranche sur le divin autoportrait en parole et par action. Suivant en gros la ligne d'un traité, le discours de Moïse commence par passer en revue l'histoire partagée des deux parties prenantes du traité, puis il en évoque les termes et finit sur les bénédictions et les malédictions qui le sanctionnent. Ce n'est pas, en soi, une évocation de Dieu. À chaque étape, cependant, Moïse donne une expression singulièrement claire et forte à un aspect ou à un autre de la personnalité de Dieu. Tout au long de la Genèse, de l'Exode, du Lévitique et des Nombres, nous en avons vu apparaître divers aspects. Moïse les met tous en harmonie, comme jamais ils ne l'avaient été.

À la fin de son premier discours (1, 1-4, 40), après avoir survolé l'histoire israélite du début jusqu'à la fin, Moïse réunit en une seule et même vision exultante le personnage de Dieu et la destinée d'Israël :

> Interroge donc les jours du début, ceux d'avant toi, depuis le jour où Dieu créa l'humanité sur la terre, interroge d'un bout à l'autre du monde : Est-il rien arrivé d'aussi grand ? A-t-on rien entendu de pareil ? Est-il arrivé à un peuple d'entendre comme toi la voix d'un dieu parlant du milieu du feu, et de rester en vie ? Ou bien est-ce qu'un dieu a tenté de venir prendre pour lui une nation au milieu d'une autre par des épreuves, des signes et des prodiges, par des combats, par sa main forte et son bras étendu, par de grandes terreurs, à la manière de tout ce que le SEIGNEUR votre Dieu a fait pour vous en Égypte sous tes yeux ?
>
> À toi, il t'a été donné de voir, pour que tu saches que c'est le SEIGNEUR qui est Dieu : il n'y en a pas d'autre que lui. Du ciel, il t'a fait entendre sa voix pour faire ton éducation ; sur la terre, il t'a fait voir son grand feu, et du milieu du feu tu as entendu ses paroles. Parce qu'il aimait tes pères, il a choisi leur descendance après eux et il t'a fait sortir d'Égypte devant lui par sa grande force, pour déposséder devant toi des nations plus grandes et plus puissantes que toi, pour te faire entrer dans leur pays et te le donner comme patrimoine, ce qui arrive aujourd'hui.
>
> Reconnais-le aujourd'hui, et réfléchis : c'est le SEIGNEUR qui est Dieu, en haut dans le ciel et en bas sur la terre ; il n'y en a pas d'autre. Garde ses lois et ses commandements que je te donne aujourd'hui pour ton bonheur et celui de tes fils après toi, afin que tu prolonges tes jours sur la terre que le SEIGNEUR ton Dieu te donne, tous les jours. (4, 32-40)

Le « SEIGNEUR ton Dieu » est le créateur du monde. Il n'est donc pas simplement le dieu national d'Israël dans quelque panthéon mondial de dieux nationaux de cette espèce, mais le Dieu « en haut dans le ciel et en bas sur la terre ». Cependant — et c'est précisément là le prodige — il a choisi Israël « pour lui-même ». Ce créateur est aussi un destructeur, un dieu du feu meurtrier, auquel Israël n'a pas moins miraculeusement survécu. Il est le dieu qui a « aim[é] tes pères [et] a choisi leur descendance après eux » — un dieu qui entretient donc une relation personnelle avec les pères, personnellement renouvelée avec les fils comme à chaque génération suivante. Il est un guerrier, conquérant de l'Égypte et d'autres puissantes nations. Enfin, c'est un législateur dont les lois, les statuts et les commandements, pour peu qu'Israël les observe, lui garantiront une longue vie et la prospérité.

Si le Dieu défini comme le mélange de ces éléments précis, et d'aucun autre, paraît familier, c'est, dans une bonne mesure, au deutéronomiste qu'il faut rendre grâces. C'est à son don pour rassembler les matériaux antérieurs dont nous avons souligné le caractère disparate et pour les faire paraître, mêlés jusqu'à donner l'expression « le SEIGNEUR notre Dieu » ou « le SEIGNEUR ton Dieu », non seulement plausibles mais inévitables, et non seulement inévitables mais poignants. Si les divers auteurs de la Bible étaient des compositeurs, le deutéronomiste serait un Bach en majesté parfaitement sûr de lui. De toute évidence, ce mélange n'est pas inévitable. Plutôt que le dieu du ciel et de la terre, Dieu aurait pu être le dieu de la mer. Plutôt que le dieu de la loi, il aurait pu être celui du chant. Plutôt qu'un dieu qui a choisi nos aïeux, il aurait pu *être* notre aïeul, le lointain ancêtre mythique d'un roi légendaire, d'un couple divin, d'une déesse. Comme le prouvent les apostasies d'Israël au Sinaï et à Péor, les Israélites n'ont pas toujours trouvé leur Dieu inévitable pour eux. Or le deutéronomiste essaie de faire *paraître* Dieu inévitable ; et ses efforts, d'une lecture étonnamment persuasive, ont eu un impact décisif sur la manière dont Dieu est imaginé. Le Dieu du Deutéronome est resté Dieu pour les juifs et les chrétiens jusqu'aux temps modernes. En Occident, même l'athéisme et l'agnosticisme ont eu tendance à en faire au moins leur référent imaginatif. Lorsque l'athée occidental déclare ne pas croire en Dieu, c'est, au niveau imaginatif, le Dieu du Deutéronome qu'il rejette.

Bien que le Deutéronome trahisse des signes d'édition, son unité intérieure dépasse de beaucoup celle des quatre premiers livres du Pentateuque auxquels on donne parfois le nom de Tétrateuque. Toute la différence est entre l'édition et la réécriture. Le Tétrateuque est le mélange édité et complété d'écrits antérieurs. Le Deutéronome est une appropriation et une reformulation singulières, plus personnelles, de thèmes antérieurs, une condensation de récits qui, du seul fait d'être narrés autrement, prennent la finalité esthétique de l'art. Le personnage sans histoire et foncièrement prospectif du SEIGNEUR Dieu, en tant que protagoniste du Tétrateuque, et le caractère incertain et singulièrement angoissé qu'il donne au Tétrateuque (jamais plus clair que dans les Nombres) font place, dans le Deutéronome, à la clarté et à la sérénité d'une vision rétrospective. Aux yeux du deutéronomiste, la traversée du désert elle-même fait figure de marche triomphale.

Telle une oraison de l'Antiquité gréco-romaine, Moïse prononce son dernier discours devant les troupes rassemblées pour la bataille. La génération qui a quitté l'Égypte, la génération à laquelle Moïse lui-même appartient, ne franchira pas le Jourdain, pas plus qu'elle ne goûtera aux fruits de la terre promise. Qu'importe ! Moïse exhorte les jeunes hommes, invoquant pour eux la noblesse de l'histoire qu'ils doivent continuer. Son intervention se situe peu après la grande apostasie de Péor (c'est à Péor qu'il la prononce) et peu avant, en fait, la grande victoire de Jéricho. Moïse amène ainsi l'histoire d'Israël et sa propre vie à un point culminant en une seule et unique exhortation transcendante, et ladite exhortation accomplit tout ce qu'elle était destinée à accomplir.

Dans l'histoire de ces oraisons de veille de bataille, l'amour est un motif aussi fréquent que la bravoure, et la famille une image aussi puissante que la fraternité d'armes. À sa manière à lui, bien distincte, Moïse emploie cette image dans une portion de son discours qui est demeurée le texte le plus sacré du judaïsme :

> ÉCOUTE, Israël ! Le SEIGNEUR notre Dieu est le SEIGNEUR UN. Tu aimeras le SEIGNEUR ton Dieu de tout ton cœur, tout ton être, de toute ta force. Les paroles des commandements que je te donne aujourd'hui seront présentes à ton cœur ; tu les répéteras à tes fils ; tu les leur diras quand tu resteras chez toi et quand tu marcheras sur la route, quand tu seras couché et quand tu seras debout ; tu en feras un signe attaché à ta main, une marque placée entre tes yeux ; tu les inscriras sur les montants de porte de ta maison et à l'entrée de ta ville. (6, 4-9.)

Ce passage est aussi, manifestement, du plus haut intérêt pour l'histoire ultérieure du judaïsme considéré comme une religion fondée sur les Saintes Écritures. Mais ce qui nous intéresse, c'est ce que demande Dieu par ce que Moïse appelle *amour*.

Qu'il ne demande pas l'amour, au sens que nous pourrions d'ordinaire attacher à ce mot, cela ressort clairement du passage qui précède tout juste celui qu'on vient de citer. Dans ce passage, le verbe *craindre* — parfois traduit par *révérer* (JPS) — a très exactement la même fonction que le mot *amour* dans celui qu'on vient de citer :

> Voici le commandement, les lois et les coutumes que le SEIGNEUR votre Dieu a ordonné de vous apprendre à mettre en pratique dans le pays où vous allez passer pour en prendre possession, afin que tu craignes le SEIGNEUR ton Dieu, toi, ton fils et ton petit-fils, en gardant tous les jours de ta vie toutes ses lois et ses commandements que je te donne, pour que tes jours se prolongent. Tu écouteras, Israël, et tu veilleras à les mettre en pratique : ainsi tu seras heureux, et vous deviendrez très nombreux, comme te l'a promis le SEIGNEUR, le Dieu de tes pères, dans un pays ruisselant de lait et de miel. (6, 1-3)

Que demande donc le SEIGNEUR, l'amour ou la crainte ? Une réponse facile est qu'il demande les deux, mais en réalité il s'agit de deux mots pour désigner la même attitude. L'érudition historique et critique l'a bien montré en soulignant que l'amour en question n'est pas une émotion partagée et spontanée, mais un amour d'alliance. Aimer le SEIGNEUR ton Dieu « de tout ton cœur, tout ton être, de toute ta force » signifie simplement qu'il faut bander ses efforts pour demeurer fidèle aux termes de l'alliance, et, entre s'efforcer de la maintenir et redouter de la briser, la différence est légère. À quel point le *ḥesed*, l'« amour » au sens où ce mot est employé dans les anciens textes israélites, est éloigné de l'amour au sens moderne et habituel du mot apparaît clairement dans la suite du Tanakh, dans les Juges en 1, 24. Là, les guetteurs israélites qui s'apprêtent à attaquer Béthel voient un homme sortir de la ville et lui disent : « Fais-nous donc voir par où entrer dans la ville et nous ferons preuve de loyauté envers toi », ou dans la traduction littérale du Tanakh, « nous te ferons du bien *(ḥesed)* ». Le message ne va guère au-delà de « reste avec nous, nous resterons avec toi ». Acculé, l'homme coopère, et lorsqu'ils prennent la ville, ils le laissent aller.

Mais laissons de côté la différence, s'il en est une, entre les efforts pour maintenir une alliance et la peur d'en briser une. Israël a-t-il fait l'une ou l'autre chose ? Clairement non : de la traversée de la mer Rouge au franchissement imminent du Jourdain, son attitude n'a été faite que de plainte obstinée, de scepticisme, de rancœur « à la nuque raide » à l'égard des chefs désignés par Dieu, et, à deux reprises, de désertion au profit d'un autre dieu. Dans ce contexte, et à supposer même que la jeune génération soit différente de la vieille, Moïse a raison de prôner un changement. Il le fait en recourant à une remarquable métaphore :

> Et maintenant, Israël, qu'est-ce que le SEIGNEUR ton Dieu attend de toi ? Il attend seulement que tu craignes le SEIGNEUR ton Dieu en suivant tous ses chemins, en aimant et en servant le SEIGNEUR ton Dieu de tout ton cœur, de tout ton être, en gardant les commandements du SEIGNEUR et les lois que je te donne aujourd'hui, pour ton bonheur.
>
> Oui, au SEIGNEUR ton Dieu appartiennent les cieux et les cieux des cieux, la terre et tout ce qui s'y trouve. Or, c'est à tes pères seulement que le SEIGNEUR s'est attaché pour les aimer ; et après eux, c'est leur descendance, c'est-à-dire vous, qu'il a choisis entre tous les peuples comme on le constate aujourd'hui. Vous circoncirez donc votre cœur[2], vous ne raidirez plus votre nuque. (10, 12-16)

Vous circoncirez votre cœur ! La métaphore est plus forte encore, dans son éclat barbare, que la circoncision du pénis. La Bible ne parle jamais du cerveau. Dans le Tanakh, lorsqu'il est fait allusion au cœur — *lebab* —, il faut entendre l'esprit et l'imagination. Ainsi que nous l'avons vu dans le Livre de la Genèse, lorsque Abraham abandonna à Dieu un bout de son pénis et, symboliquement, son autonomie reproductive, il le fit en silence. Il s'y soumit, sans plus. Et, vis-à-vis des demandes ultérieures du SEIGNEUR Dieu qui, au Sinaï et après, les a littéralement obligés à s'allier avec lui, les Israélites ne sont jamais allés au-delà de la soumission. Or la simple soumission, déclare Moïse, ne suffira pas. Le SEIGNEUR veut de l'ardeur. Il faut exciser, au sens figuré, une partie de l'esprit — « le prépuce de votre cœur » — pour signifier le renoncement à l'autonomie mentale, de même que la circoncision d'une partie du pénis, le prépuce, signifiait l'abandon de l'autonomie en matière de reproduction.

Et si l'on ne cède pas le « prépuce du cœur » ? La conséquence est nommée tout au long du discours de Moïse, mais surtout vers la fin, où les bénédictions et malédictions formellement annoncées complètent et spécifient la fusion amour/crainte déjà évoquée. Les bénédictions prennent avant toute chose la forme du pillage. Dès les versets qui suivent « ÉCOUTE, Israël ! », Moïse a dit :

> Quand le SEIGNEUR ton Dieu t'aura fait entrer dans le pays qu'il a juré à tes pères Abraham, Isaac et Jacob, de te donner — pays de villes grandes et bonnes que tu n'as pas bâties, de maisons remplies de toute sorte de bonnes choses que tu n'y as pas mises, de citernes toutes prêtes que tu n'as pas creusées, de vignes et d'oliviers que tu n'as pas plantés — alors, quand tu auras mangé à satiété, garde-toi bien d'oublier le SEIGNEUR qui t'a fait sortir du pays d'Égypte, de la maison de servitude. (6, 10-12)

Le passage parle de lui-même. De toute évidence, ce n'est pas simplement la terre qui a été promise mais, avec elle, les fruits du labeur de ceux qui seront exterminés, asservis, ou chassés. Le Code deutéronomique proprement dit entrera davantage encore dans les détails :

> Quand tu t'approcheras d'une ville pour la combattre, tu lui feras des propositions de paix. Si elle te répond : « Faisons la paix ! », et si elle t'ouvre ses portes, tout le peuple qui s'y trouve sera astreint à la corvée pour toi et te servira. Mais si elle ne fait pas la paix avec toi, et qu'elle engage le combat, tu l'assiégeras ; le SEIGNEUR ton Dieu la livrera entre tes mains, et tu frapperas tous ses hommes au tranchant de l'épée. Tu garderas seulement comme butin les femmes, les enfants, le bétail et tout ce qu'il y a dans la ville, toutes ses dépouilles ; tu te nourriras des dépouilles de tes ennemis, de ce que le SEIGNEUR ton Dieu t'a donné. C'est ainsi que tu agiras à l'égard de toutes les villes qui sont très éloignées de toi, celles qui ne sont pas parmi les villes de ces nations-ci.

Mais les villes de ces peuples-ci, que le SEIGNEUR ton Dieu te donne comme patrimoine, sont les seules où tu ne laisseras subsister aucun être vivant. En effet, tu voueras totalement à l'interdit le Hittite, l'Amorite, le Cananéen, le Perizzite, le Hivvite et le Jébusite, comme le SEIGNEUR ton Dieu te l'a ordonné, afin qu'ils ne vous apprennent pas à imiter toutes les actions abominables qu'ils font pour leurs dieux : vous commettriez un péché contre le SEIGNEUR votre Dieu. (Dt 20, 10-18)

Et l'ultime étape de la bénédiction est simplement une longue vie, la prospérité et la sécurité dont Israël, militairement dominant, jouira à jamais. C'est ce qui est évoqué dans la liste formelle des bénédictions au début du chapitre 28.

Si lugubre que puisse paraître le destin des victimes d'Israël, plus sinistre encore est la description glaçante que fait Moïse du sort qui attend Israël s'il n'observe pas les lois de Dieu. La section des fléaux, dans le chapitre 28, est quatre fois plus longue que celle des promesses de bonheur, et elle atteint une éloquence dans la peinture des horreurs qui n'a pas été égalée jusqu'à Dante. Dans la seconde moitié de la section des malédictions, Moïse imagine, avec un luxe de détails effroyables, un Israël infidèle assiégé par un ennemi implacable :

Parce que tu n'auras pas servi le SEIGNEUR ton Dieu dans la joie et l'allégresse de ton cœur quand tu avais de tout en abondance, tu serviras les ennemis que le SEIGNEUR t'enverra, dans la faim, la soif, la nudité et la privation de toute chose. Il te mettra un joug de fer sur le cou, jusqu'à ce qu'il t'extermine. Le SEIGNEUR lancera contre toi une nation venue de loin, du bout du monde, volant comme un aigle, une nation dont tu n'entendras pas le langage, une nation au visage dur, qui ne respecte pas le vieillard et qui n'a pas de pitié pour l'enfant. Elle mangera du fruit de tes bêtes et de ton sol jusqu'à ce que tu sois exterminé ; elle ne te laissera rien de ton blé, de ton vin nouveau et de ton huile, de tes vaches pleines et de tes brebis mères, jusqu'à ce qu'elle te fasse disparaître. Elle t'assiégera dans toutes tes villes, jusqu'à ce que s'écroulent dans tout ton pays tes hauts remparts fortifiés, dans lesquels tu mets ta confiance, elle t'assiégera dans toutes tes villes, dans tout ton pays, celui que le SEIGNEUR ton Dieu te donne.

Et tu mangeras le fruit de ton sein, la chair de tes fils et de tes filles, que le SEIGNEUR ton Dieu t'a donnés — pendant le siège, dans la misère où t'auront mis tes ennemis. L'homme le plus délicat et le plus raffiné de chez toi jettera un regard mauvais sur tes frères, sur la femme qu'il a serrée contre son cœur, et sur ceux de ses fils qu'il aura conservés, de peur d'avoir à donner à l'un d'eux une part de la chair de ses fils qu'il mangera sans en laisser rien du tout

— pendant le siège, dans la misère où t'auront mis tes ennemis, dans toutes tes villes. La femme la plus délicate et la plus raffinée de chez toi, celle qui ne songe même pas à poser par terre la plante du pied tant elle est raffinée et délicate, jettera un regard mauvais sur l'homme qu'elle a serré contre son cœur, sur son fils et sa fille, sur son rejeton qui est sorti d'entre ses jambes, sur les enfants qu'elle a mis au monde ; car, dans la privation de toute chose, elle les mangera en cachette — pendant le siège, dans la misère où t'auront mis tes ennemis, dans tes villes. (28, 47-57)

On a peine à croire que ce tableau ne s'appuie pas sur quelque description de première main d'une cité antique assiégée par ses ennemis. Le siège et le sac babyloniens de Jérusalem, en 587 avant notre ère, est le candidat le plus plausible. L'image révoltante d'une femme qui se dispute avec son mari et ses enfants pour savoir qui mangera le « rejeton qui est sorti d'entre ses jambes » est précisément le genre de détail inimaginable que seule une expérience concrète peut donner à un écrivain.

La section des malédictions se poursuit, au point d'imaginer la révocation de la promesse de Dieu à Abraham dans les termes mêmes de la promesse : « Il ne restera de vous qu'un petit nombre de gens, vous qui avez été aussi nombreux que les étoiles du ciel, puisque tu n'auras pas écouté la voix du SEIGNEUR ton dieu » (28, 62). Il conclut en évoquant le désespoir d'un exil. Dieu ne reconduira pas Israël dans son propre pays, mais, très clairement, vers l'Égypte :

Le matin, tu diras : « Quand donc viendra le soir ? », et le soir, tu diras : « Quand donc viendra le matin ? », tellement ton cœur tremblera à force de regarder ce que tu auras sous les yeux.

Et le SEIGNEUR te fera retourner sur des bateaux en Égypte, vers ce pays dont je t'avais dit : « Tu ne le reverras plus jamais ! » Et là, vous vous mettrez vous-mêmes en vente pour être les serviteurs et les servantes de tes ennemis, mais il n'y aura pas d'acheteur ! (28, 67-68)

Pas même assez bon pour l'esclavage ! On est glacé d'effroi devant l'éclat noir de cette conclusion. Et remarquez bien les mots qui introduisent l'accusation : « Parce que tu n'auras pas servi le SEIGNEUR ton Dieu dans la joie et l'allégresse... » En d'autres termes, parce que tu n'as pas cédé le prépuce de ton cœur, parce que tu as manqué d'ardeur, parce que tu t'es simplement soumis. Mais, avertissement à Israël, le chapitre 28 du Deutéronome est aussi une terrifiante révélation du caractère du SEIGNEUR, Dieu d'Israël. Dans la sauvagerie de son détail, cette vision l'emporte de beaucoup sur le déluge. Le SEIGNEUR est-il vraiment capable de tout ceci ? Il l'est bel et bien.

Dès lors, il est clair que l'amour dont parle Moïse dans le Livre du Deutéronome n'est pas une émotion tendre, ce n'est pas de l'amour au sens que nous donnons à ce mot. Pourtant, malgré l'impression écrasante de contrainte que ne saurait manquer de laisser toute lecture objective de l'éloquence de Moïse, l'usage du mot *amour* n'est pas purement abusif. « Tu te montreras loyal envers le SEIGNEUR ton Dieu de tout ton cœur », et ainsi de suite, serait une traduction fautive du passage crucial. À la base de cette relation, il y a plus que de la loyauté. Car l'amour de l'alliance a été précédé par l'amour gratuit, plus mystérieux, qui a établi le pacte en premier lieu[3]. À partir du passage sur la circoncision du cœur déjà cité : « Oui, au SEIGNEUR ton Dieu appartiennent les cieux et les cieux des cieux, la terre et tout ce qui s'y trouve. Or, c'est à tes pères seulement que le SEIGNEUR s'est attaché pour les aimer... » Pourquoi a-t-il fait cela ? Ou qui *est*-il pour faire cela ? Son personnage a un côté effréné, furieux. Qu'est-ce qui le retient ? Qu'est-ce qui le pousse à faire le bien qu'il fait ?

Moïse accepte avec reconnaissance le mystère de la miséricorde divine, sans vraiment essayer de le résoudre. Il prescrit cependant sa célébration rituelle, et le rituel en question contient une sorte d'indice. Dans le chapitre 27, il dit aux Israélites que, à leur entrée en terre promise, ils doivent se rendre à Sichem, écrire la loi sur des tables de pierre enduites de chaux, offrir un sacrifice sur un autel de pierre non dégrossie, puis se partager en deux, chaque groupe gravissant l'un des deux monts adjacents, Ébal et Garizim. Il s'agit très clairement d'un rituel de ratification de l'alliance, mais l'endroit, Sichem, confère au rituel un sens profond et allusif. C'est à Sichem qu'Abraham s'est tout d'abord rendu lorsque le SEIGNEUR l'a fait venir d'Our, à Sichem qu'il a offert son premier sacrifice au SEIGNEUR. C'est près de Sichem que ses frères ont capturé Joseph, le favori de Dieu, et l'ont vendu comme esclave. Moïse a rapporté avec lui les ossements de Joseph, et c'est à Sichem que Josué les inhumera. Par deux fois sur le point de révoquer son pacte avec Israël, Dieu l'a renouvelé au nom de Moïse. Et voici maintenant que Moïse ordonne que l'alliance soit officiellement consacrée à Sichem.

Le seul mobile déclaré de Dieu, on l'a vu, est la création de l'humanité à son image. Mais le pouvoir quasi divin grâce auquel les hommes et les femmes créent d'autres hommes et d'autres femmes est la reproduction sexuelle. C'est de cette façon que, si l'on définit Dieu comme le créateur, l'humanité est le plus clairement à son image. Mais encore une fois, on l'a vu, Dieu s'est laissé surprendre par le résultat du commandement donné à l'humanité : « Soyez féconds et prolifiques. » La prolifération de l'humanité sur terre l'a offensé, et il a réagi, d'abord en détruisant la création, puis en concluant un pacte garantissant la fécondité et la croissance non pas à tous mais, cette fois, uniquement à Abraham et à sa descendance. Et il y a mis un prix : qu'ils abdiquent leur autonomie reproductive. Le mobile de Dieu n'était point de réagir à quelque attirance qu'il éprouvait pour Abraham, une réponse à quelque bonté innée qu'il aurait reconnue en ce dernier. Moïse a raison de dire : « Reconnais que ce n'est pas parce que tu es juste que le SEIGNEUR ton Dieu te donne ce bon pays en possession » (9, 6).

Mais si Dieu s'est laissé surprendre par les conséquences de son acte créateur initial, puis par celles de son alliance avec Abraham, l'entraînant à se lancer dans une action militaire contre l'Égypte, puis à descendre du ciel pour séjourner sous une tente dans le camp d'Israël, sans doute a-t-il été aussi surpris de voir son « amour inébranlable » s'attacher personnellement à Joseph, surpris de se retrouver à parler à Moïse comme à un ami et d'accéder à sa requête hardie — qu'il dévoile sa « gloire » au regard de Moïse —, surpris enfin, à ce stade de sa propre histoire, d'entendre Moïse demander à tout Israël « joie et allégresse » envers Dieu. Si Israël est tenu de faire montre de joie et d'allégresse de cœur envers Dieu, Dieu y est-il obligé à son tour envers Israël ? À la fin de sa vie, Moïse demande au nom de Dieu une chose que Dieu lui-même n'avait encore jamais demandée à quiconque. Moïse la demande-t-il aussi à Dieu ?

Les tout derniers mots de Moïse sont pour bénir les douze tribus d'Israël, en écho à la bénédiction qu'Israël lui-même — Jacob, l'ancêtre de Moïse, qui, à sa façon, avait fait montre de tant d'audace avec Dieu — a prononcée à la fin de sa vie. La plus longue et, de loin, la plus sentie des bénédictions de Moïse va à Joseph, qui était lui aussi le préféré de Jacob. Dans cette bénédiction, peut-être quelques heures seulement avant sa mort, Moïse fait publiquement allusion, pour la première et unique fois, à l'heure la plus intime et la plus sacrée de sa vie, celle où « J'agirai » l'a appelé depuis le buisson ardent :

> Pour Joseph, il dit :
> Son pays soit béni du SEIGNEUR
> Que le meilleur don du ciel, la rosée
> et l'abîme qui gît en bas,
> le meilleur de ce que produit le soleil
> et le meilleur de ce qui pousse à chaque lune,
> les dons excellents des montagnes antiques
> et le meilleur des collines de toujours,
> la meilleure part de tout ce qui remplit le pays
> et la faveur de Celui qui demeure dans le buisson :

que tout cela couronne la tête de Joseph,
le front de celui qui est consacré parmi ses frères.
Il est son taureau premier-né, honneur à lui !
Ses cornes sont des cornes de buffle,
il en frappe les peuples,
toutes les extrémités de la terre à la fois.
Voilà les myriades d'Éphraïm, voilà les milliers de Manassé.
(33, 13-17)

La bénédiction de Moïse à la tribu de Joseph (Éphraïm et Manassé sont les fils de Joseph) est en parfait accord avec tout ce qu'il a dit dans son immortelle exhortation à Israël, mais Moïse lui-même ne saurait être tout à fait contenu par son propre discours. À Israël, Moïse a demandé le prépuce du cœur pour Dieu. De Dieu, à l'heure de sa mort, Moïse peut sans un mot solliciter un abandon comparable.

5

Tribulation

L'offre que fait le SEIGNEUR à Abraham d'une alliance reproductive, on l'a vu, était contraignante envers Abraham et agressive envers le reste de l'humanité, si bienveillant que le SEIGNEUR ait pu paraître lorsque, entraînant Abram dehors, il « lui dit : "Contemple donc le ciel, compte les étoiles si tu peux les compter" » (Gn 15, 5). Cette scène — une nuit étoilée, un homme sans enfant seul avec son Dieu — n'a rien de franchement contraignant. Mais si nous avions pu entrevoir les malédictions du Deutéronome 28, nous aurions sans doute eu plus de facilité à comprendre pourquoi Abram/Abraham devait résister à l'offre de Dieu et pourquoi Jacob, appelé Israël, petit-fils d'Abraham, devait le faire également. Si la promesse divine d'une fécondité, pour ainsi dire, astronomique était liée à une divine menace de dégradation pire encore que n'importe quelle mort, pourquoi ne pas se contenter de l'espérance humaine ordinaire en termes de descendance ?

Au bout du compte, Abraham et Israël ont renoncé à résister, ils se sont prêtés à la circoncision et ont accepté la promesse de Dieu. Celui-ci a désormais tenu la première partie de sa promesse : Israël est devenu une puissante multitude. La seconde partie, la promesse de terre, est sur le point d'être tenue. Mais Israël va-t-il satisfaire aux conditions que Dieu a rétroactivement imposées ?

Telle est l'ombre en travers du long récit narratif qui court depuis la conquête de Canaan, au début du Livre de Josué, jusqu'à la chute de Jérusalem aux mains des Babyloniens à la fin du IIe Livre des Rois. Et tout au long de ce récit, le personnage du SEIGNEUR reste très largement défini comme suzerain pour ses vassaux israélites. Au départ, ce sont généralement de fidèles vassaux, qui s'en tiennent aux termes de son accord avec eux, de même que lui tient ses engagements en leur donnant la victoire dans la bataille. À la fin, ils ont abandonné leur accord avec lui ; comme prédit, il les abandonne à leurs ennemis, et ils essuient une défaite catastrophique. Les événements eux-mêmes sont tumultueux, mais, de Josué jusqu'au IIe Livre des Rois, le personnage du SEIGNEUR Dieu reste stable en comparaison de ce que nous avons vu de la Genèse jusqu'au Deutéronome. La synthèse réalisée dans le Deutéronome ne se défait que sous l'impact d'événements ultérieurs.

Au sein de cette identité largement stable, il est cependant des éléments d'autodécouverte divine, auxquels nous attachons trois termes : (1) conquérant, développement du libérateur d'antan ; (2) père, développement de l'ami de la famille d'autrefois ; et (3) arbitre, développement du législateur antérieur.

1. *Conquérant.* Dans le Livre de Josué, le SEIGNEUR ne fait rien de plus aux Cananéens que ce qu'il a déjà promis de faire dans l'Exode 23, 27 : « J'enverrai devant toi ma terreur, je bousculerai tout peuple chez qui tu entreras, je te ferai voir tous tes ennemis de dos. » Faire des promesses, c'est déjà être à ses propres yeux un personnage en accord avec la promesse faite. Lorsque Dieu promet la conquête, il entend bien que, pour ce qui est de son personnage, il est déjà un conquérant. Dans cette mesure, le Livre de Josué n'apporte jamais qu'un prolongement à son personnage. Le SEIGNEUR voit plus complètement, en mettant ses paroles en action, ce qu'impliquait sa promesse originale, bien moins consciente, à Abram.

Lorsque Dieu a promis à Abram une fécondité surhumaine, il ne semblait pas prévoir que la promesse l'obligerait à devenir un dieu de la guerre, partant, à libérer d'Égypte la progéniture d'Abram. Cependant, après s'être ensanglanté dans cette première guerre, il ne paraît pas avoir compris tout de suite qu'une deuxième guerre serait nécessaire. Rien n'oblige les Israélites à se languir d'une patrie depuis le désert ; Il anticipe leur besoin ; il estime que pour tenir sa promesse antérieure de terre, il doit devenir un conquérant et arracher la terre promise aux autochtones. En tant qu'élément de son identité, le conquérant est donc étroitement lié au libérateur, mais il y a une différence.

Le Pharaon opprimait les Israélites, et son humiliation est présentée comme plus ou moins méritée. De surcroît, le SEIGNEUR prend la peine de s'assurer que le Pharaon comprend par qui il a été défait. En revanche, tels qu'ils nous sont présentés, les Cananéens ne sont coupables d'aucune offense active contre Israël. Leur offense est passive et involontaire. Ils sont une tentation pour Israël, croit le SEIGNEUR, du simple fait qu'ils pratiquent leurs religions non israélites. Et lorsqu'ils sont chassés ou exterminés, peu lui chaut qu'ils mesurent, à l'instar du Pharaon, que leur destin est un exercice de sa volonté. En tant qu'alliés dans la conquête de Canaan, Dieu et Israël sont donc fidèles l'un à l'autre, mais autrement brutaux. Ce climat de brutalité s'épaissit peu à peu et, à la fin du Livre des Juges, affecte jusqu'aux relations entre les douze tribus d'Israël.

2. *Père*. Dès lors, il est frappant que dans les premiers chapitres de I Samuel, juste après les actes de sauvagerie entre Israélites qui concluent le Livre des Juges, survienne un incident d'une grande tendresse qui se termine par une touchante prière. Certes Dieu y est toujours invoqué sous le nom de « Seigneur des armées », mais il est aussi exalté, pour la première fois, comme l'ami des opprimés contre la puissance de ceux qui disposent de la force militaire. En tant que conquérant de Canaan, le SEIGNEUR n'est guère différent du vainqueur de l'Égypte. La composante militaire de son identité demeure dominante, mais un thème subalterne — la préoccupation sociale — commence à compliquer cette identité. Que la supplique qui lui est adressée vienne d'une femme et que son domaine de préoccupation soit la reproduction nous ramène aux soucis plus humbles, plus amicaux du SEIGNEUR comme « dieu de » du Livre de la Genèse. Mais dans ces occasions antérieures, il n'était pas simultanément un dieu de guerre. Et jamais personne, dans ces circonstances, n'avait encore parlé de lui, de façon générale, comme de l'ami des pauvres ou des faibles. Il n'était alors, pour ainsi dire, que l'ami désarmé d'une famille élargie ; ici, il est l'ami lourdement armé de tous les opprimés — tout au moins par implication.

Un nouveau pas dans la même direction se produit lorsque, après la relation évasivement personnelle de Dieu avec Joseph et son amitié avec Moïse, Dieu, assez timidement, parle pour la première fois de lui comme d'un père. Sensible à la fervente dévotion que lui porte David, Dieu annonce qu'il va adopter le fils de David, Salomon, pour en faire son propre fils (2 Samuel). À la base, Dieu garde avec Israël une relation de suzerain à vassal, mais, dans le cadre de cette relation, apparaît une relation nouvelle tandis que se développe un aspect du personnage de Dieu. Touchante mais fugace dans sa première narration, cette scène — étoffée et noblement embellie — aboutira dans le Livre des Chroniques, lors de sa seconde narration, à une canonisation de la paternité considérée comme la vérité la plus profonde sur Dieu. Dans 2 Samuel, cependant, Dieu n'est pas encore père de tout son cœur. Il commence tout juste à se reconnaître dans ce rôle.

3. *Arbitre*. Lorsqu'il a sauvé Israël de l'Égypte, Dieu n'a pas vu, semble-t-il, qu'il révisait l'ordre international. À la fin du

IIe Livre des Rois, il s'est mis à prendre sciemment possession de lui, comme suzerain d'Israël, mais aussi arbitre des relations entre les nations. Ce rôle de justicier mondial n'est pas inclus dans son identité de législateur d'Israël, mais vient se greffer sur elle.

De Josué à 2 Rois, l'intrigue du Tanakh commence par l'invasion et la conquête pour s'achever par la défaite et l'exil. En termes deutéronomiques, c'est l'histoire de la fidélité et des bénédictions, suivies par une apostasie et des malédictions. Dans nombre des événements qui forment la trame de ces six livres, Dieu n'est pas le personnage central. La stabilisation même de son personnage, acquise dans le Deutéronome, lui permet de devenir jusqu'à un certain point un élément du décor, plutôt que l'une des *dramatis personae*. Les changements qui se produisent dans son personnage sont décisifs : non pas en raison de leur effet immédiat, car ils n'en ont guère, mais parce qu'ils sont des points de départ pour le redressement que Dieu, non moins qu'Israël, doit tenter après qu'il a accablé Israël d'une effroyable pluie de fléaux.

CONQUÉRANT

« Ils ne laissèrent rien de ce qui avait souffle de vie »

JOSUÉ, JUGES

Les critiques historiques croient, non sans bonnes raisons, à l'existence d'une « Histoire deutéronomique », ouvrage composite qui commence par le Livre de Josué et se termine par le IIe Livre des Rois, le Deutéronome lui-même tenant lieu de long prologue. Qu'on le lise comme l'histoire de Dieu ou celle de l'humanité, ce Livre est tout à la fois une fin et un commencement. S'il n'existait pas, le récit passerait directement de la mort de Moïse (qui interviendrait à la fin du Livre des Nombres plutôt que, comme aujourd'hui, à la fin du Deutéronome) à la conquête de Canaan. Cela donnerait un exposé plus rapide, mais Dieu serait infiniment moins vivant dans notre esprit qu'il ne l'est dans le Tanakh tel que nous le lisons aujourd'hui. Dans le Deutéronome, Dieu se rassemble, l'apogée de son autoportrait se situant juste avant que Josué ne traverse le Jourdain. Certes, c'est Moïse que nous entendons parler et s'exprimer avec cet aplomb irrésistible du grand orateur, mais c'est le « SEIGNEUR notre Dieu » qui, en fin de compte, fait l'impression la plus forte sur notre imagination par la clarté de son dessein, sa vitalité confondante, et son mélange unique de dureté et de chaleur.

Alors que commence l'action qui emplira Josué, les Juges, les deux Livres de Samuel et les deux Livres des Rois — les « prophètes premiers », comme on les appelle dans la tradition juive —, la question qui hante l'esprit des lecteurs ou des auditeurs ne saurait être plus claire qu'elle ne l'est : Israël va-t-il ou non maintenir l'alliance ? Si oui, tout ira bien pour lui. Sinon, tout ira au plus mal.

Au début, tout va bien. Sous Josué, le lieutenant de Moïse devenu son successeur, les Israélites infligent un massacre aux proportions de génocide à trente et une cités cananéennes, n'en sauvant qu'une, à cause d'une promesse inconsidérée de Josué, et se contentent d'asservir les habitants d'un ensemble de villes voisines

163

(Josué 9). La diversité des expressions met en relief le caractère systématique de l'extermination. Ainsi, le carnage de Maqqéda concerne « toutes les personnes qui s'y trouvaient ; il ne lui laissa pas de survivant » (10, 30). La destruction de Haçor se poursuit « jusqu'à [l'] extermination ; ils ne laissèrent aucun être animé » ; la Bible d'Osty, plus littérale ici et plus proche de la vigueur de l'hébreu, conclut : « Ils ne laissèrent rien de ce qui avait souffle de vie. » Les femmes sont massacrées aussi bien que les hommes ; seuls échappent à la dévastation le bétail et les dépouilles (8, 26-27). La destruction de Aï, pour ne donner qu'un exemple détaillé, commence lorsque les Israélites incendient la ville. Les habitants se réfugient dans la campagne, où les Israélites les traquent et les abattent, puis les conquérants retournent en ville et en tuent les derniers habitants, gardant le roi pour la fin :

> Or, quand Israël eut achevé de tuer tous les habitants de Aï dans la campagne, dans le désert où ils les avaient poursuivis, et que tous furent tombés sous le tranchant de l'épée jusqu'à leur extermination, tout Israël revint vers Aï et la passa au tranchant de l'épée. Le total de ceux qui tombèrent ce jour-là, hommes et femmes, fut de douze mille, tous gens de Aï. Josué ne ramena pas la main qui tendait le javelot jusqu'à ce qu'il eût voué à l'interdit tous les habitants de Aï. Cependant Israël prit comme butin pour lui le bétail et les dépouilles de cette ville selon la parole que le SEIGNEUR avait prescrite à Josué. Josué brûla Aï et la transforma pour toujours en une ruine, en un lieu désert qui existe encore aujourd'hui. Quant au roi de Aï, il le pendit à un arbre jusqu'au soir et, lorsque le soleil se coucha, Josué commanda de descendre le cadavre de l'arbre : on le jeta à l'entrée de la porte de la ville et on éleva au-dessus de lui un grand monceau de pierres qui existe encore aujourd'hui. (Jos 8, 24-29)

Israël est tout à la fois unifié et — hormis un petit écart de conduite vite corrigé — zélé sous le commandement de Josué, et le SEIGNEUR accorde les victoires qu'il a promises.

Le récit de la conquête commence et s'achève à Sichem, la ville historique qui a été le premier point de chute d'Abraham quand le SEIGNEUR l'a conduit jusqu'à cette terre. Le premier lopin de terre que, Jacob, Israël en personne, a acheté se trouvait à Sichem. La première approximation d'un génocide sacré par les Israélites, préfiguration de la conquête ultérieure, s'est produite à Sichem après le viol de Dina. Quand Joseph a été kidnappé et vendu comme esclave en Égypte, il se rendait à Sichem. Moïse donna des instructions pour une lecture rituelle des bénédictions et des malédictions à Sichem — instructions que Josué se fait un devoir de suivre sitôt entré sur cette terre et avant de lancer ses attaques contre la population locale.

Et à la fin de la vie de Josué, une fois la conquête spectaculairement accomplie, le conquérant prononce à Sichem un dernier discours mémorable, auquel les Israélites répondent comme un seul homme, avec un enthousiasme d'une intensité encore jamais atteinte :

> Le peuple répondit : « Quelle abomination ce serait pour nous d'abandonner le SEIGNEUR pour servir d'autres dieux ! Car c'est le SEIGNEUR qui est notre Dieu, lui qui nous a fait monter, nous et nos pères, du pays d'Égypte, de la maison de servitude. Il a accompli sous nos yeux les grands signes que voici : il nous a gardés tout au long de la route que nous avons parcourue et parmi tous les peuples au milieu desquels nous sommes passés. Le SEIGNEUR a chassé devant nous tous les peuples, en particulier les Amorites qui habitent le pays. Nous aussi, nous servirons le SEIGNEUR car c'est lui qui est notre Dieu. » (Jos 24, 16-18)

Josué prévient les siens que le SEIGNEUR ne pardonnera pas leurs transgressions s'ils le délaissent. Mais ils sont inflexibles : « Non, ils serviront le SEIGNEUR. »

> Josué dit au peuple : « Vous êtes témoins contre vous-mêmes que c'est vous qui avez choisi le SEIGNEUR pour le servir. » Ils répondirent : « Nous en sommes témoins.
> Maintenant donc, écartez les dieux étrangers qui sont au milieu de vous et inclinez votre cœur vers le SEIGNEUR, Dieu d'Israël. » Le peuple répondit à Josué : « Nous servirons le SEIGNEUR notre Dieu, et nous écouterons sa voix. » (Jos 24, 22-24)

Josué meurt et il est inhumé peu après dans le pays ondoyant d'Éphraïm, et les ossements de Joseph, que Moïse et Josué ont rapportés d'Égypte, sont de nouveau ensevelis à Sichem, qui se trouve également dans le territoire d'Éphraïm. Éphraïm et son frère Manassé, les fils de Joseph, constituent Israël par excellence, la tribu élue au sein du peuple élu. Joseph est enfin chez lui, tandis que le plan du SEIGNEUR semble parfaitement consommé.

Hélas ! Les paroles hardies des Israélites trouvent bientôt un écho dans le jugement porté sur leurs actes d'une hardiesse bien moindre. Au tout début du Livre des Juges, nous lisons, à côté de la liste des douze tribus, un inventaire des Cananéens et autres autochtones que les tribus respectives ont négligé de déposséder. Juste après, le SEIGNEUR apparaît sous les dehors d'un ange pour rendre son jugement fatidique :

> J'avais dit : « Jamais je ne romprai mon alliance avec vous, et vous, vous ne conclurez pas d'alliance avec les habitants de ce pays ; vous renverserez leurs autels. » Mais vous n'avez pas écouté ma voix. Qu'avez-vous fait là ! Alors je dis : « Je ne les chasserai pas devant

vous ; ils seront pour vous un traquenard et leurs dieux seront pour vous un piège. » (Jg 2, 1-4)

Les deux conséquences qu'annonce le SEIGNEUR se produisent. Pour commencer, les habitants du pays deviennent les adversaires d'Israël, et Israël n'est plus invincible quand il les combat. L'armée de Josué se scinde en bandes de guerriers locales sous la houlette de divers chefs (les « juges »). S'ensuit une chaîne de combats apparemment sans fin. En second lieu, inaugurant ce qui sera au bout du compte une longue série de défections au profit des dieux de Canaan, le soi-disant premier roi d'Israël, le renégat Abimélek, monte un coup de force à Sichem. L'apostasie, qui a été une tentation dès le premier instant de l'alliance d'Israël avec le SEIGNEUR, est alors toujours plus fréquente. Peu à peu, la nation change de religion.

L'accumulation d'apostasies locales récurrentes finit par aboutir à une apostasie en masse. À ce point, Israël sera voué à la catastrophe. Mais il n'y arrive que graduellement. Les chefs charismatiques locaux, divers prophètes et une poignée de rois exceptionnellement pieux la diffèrent en se dressant pour appeler la nation à se réformer et la conduisent de nouveau, pour un temps, à la victoire. Mais le peuple s'est inexorablement engagé sur une pente glissante, qui mène à la réalisation de la malédiction finale du Deutéronome 28 : siège, conquête et exil. À la fin du IIe Livre des Rois, le dernier roi israélite est aveuglé, après avoir assisté à l'exécution de ses deux fils, et ce qui reste de la nation assiégée est déporté à Babylone en captivité. L'histoire deutéronomique est ainsi encadrée par deux génocides : le génocide qu'Israël inflige au départ à ses ennemis, et celui que ses ennemis lui font subir à la fin. Tous deux sont la volonté et l'œuvre du SEIGNEUR.

La dégringolade commence avec un coup de force destiné à transformer en monarchie la ligue des tribus que Moïse et Josué avaient formée. Abimélek massacre les autres héritiers de leur père, le chef Gédéon, dans une campagne plus ou moins liée au culte d'un dieu local qui, de manière intrigante, est aussi bien appelé Baal-Berith (« Baal de l'alliance ») et El-Berith (« El de l'alliance »). Cependant, la principale résistance à Abimélek n'est pas le fait des Israélites fidèles, mais des indigènes sichémites, des descendants de Sichem, fils du Hamor (que la résistance invoque nommément) que les fils de Jacob ont tué. Abimélek écrase la résistance et rase Sichem. Lorsque, peu après, Abimélek est à son tour occis, c'en est fini de la première monarchie d'Israël en même temps que de l'ascendant politico-religieux de Sichem. La prochaine fois que nous en entendrons parler, l'arche d'alliance, sur laquelle trône le SEIGNEUR, sera désormais à Silo.

Le rasement de Sichem est un moment profondément choquant, mais les derniers chapitres du Livre des Juges rapportent une autre forme de violence, plus choquante encore. Certes, dans le Livre de Josué, les villes cananéennes conquises endurent également d'abominables violences, mais la relation qui en est faite reste concise et schématique. À quelques exceptions près, les exploits guerriers et les hauts faits individuels pour ou contre Israël sont passés sous silence. Dans le Livre des Juges, cependant, l'armée d'invasion, jadis soudée et disciplinée, a dégénéré en bandes de guérilla ou, au mieux, en milices. Bien que les chefs successifs qui contrôlent les milices règnent en principe sur tout Israël, ils sont issus de tribus différentes, et les actions rapportées à leur sujet sont invariablement localisées. Aucun des chefs ne parle pour le SEIGNEUR comme Moïse ou Josué l'ont fait. Tous sont zélés, si l'on veut, mais pas inspirés, et leur zèle ne vient qu'en partie du SEIGNEUR. Ainsi, dans le chapitre 18 des Juges, près de la fin du livre, le seul but de la tribu de Dan est très clairement d'agrandir son territoire ; ainsi quand elle quitta la zone qui lui avait été attribuée pour attaquer Laïsh, à l'extrême nord, et « sa population tranquille et confiante qu'ils passèrent au tranchant de l'épée. Quant à la ville, ils l'incendièrent. Il n'y eut personne pour venir la délivrer, car elle était loin de Sidon et ne dépendait de personne » (Jg 18, 27). C'est pour des raisons purement stratégiques que les Danites jettent leur dévolu sur Laïsh.

Mais l'épisode de loin le plus brutal que rapporte le Livre des Juges figure dans le chapitre 19 et met les Israélites aux prises les uns avec les autres. Au cours de cet incident, un lévite (dignitaire religieux) de la tribu et du territoire d'Éphraïm, traversant le territoire adjacent de la tribu de Benjamin avec sa concubine, est accueilli dans la maison d'un Éphraïmite qui vit dans la région. Cette nuit-là, les Benjaminites, répétant l'offense de Sodome, exigent de connaître le visiteur : « Fais sortir cet homme qui est entré chez toi afin que nous le connaissions. » Comme la fois précédente, le maître de céans propose aux agresseurs sa fille. Les Benjaminites refusent. C'est alors le visiteur qui leur offre sa concubine, et les Benjaminites passent la nuit à abuser d'elle, en fait à la violer à mort :

> Ils la connurent et la malmenèrent toute la nuit jusqu'au matin, et au lever de l'aurore ils l'abandonnèrent.
> À l'approche du matin, la femme vint tomber à l'entrée de la maison de l'homme chez qui était son mari, gisant là jusqu'à ce qu'il

fît jour. Son mari se leva de bon matin, ouvrit la porte de la maison et sortit pour reprendre sa route, et voilà que sa concubine gisait à l'entrée de la maison, les mains sur le seuil. « Lève-toi, lui dit-il, et partons ! » Pas de réponse. (Jg 19, 25-28)

Brillante idée, de la part du narrateur, que de placer la phrase la plus brutale de l'épisode dans la bouche du maître de la femme, plutôt que de l'un de ses assaillants. Mais si le lévite est sans pitié, il n'est pas au-dessus de la colère. Il découpe le corps de sa concubine, membre après membre, et en envoie un morceau à chacune des tribus d'Israël, celle de Benjamin exceptée. Les tribus se rassemblent et marchent contre Benjamin, massacrant les hommes, les femmes, les enfants et les animaux de la tribu, tous sans exception, et livrant aux flammes toutes les villes. Les seuls survivants benjaminites sont un quarteron de soldats. Après coup, les autres Israélites comprennent avec regret que leur serment — à titre de représailles contre Benjamin — de ne point permettre à leurs filles d'épouser des Benjaminites condamne cette tribu à l'extinction à moins qu'ils ne trouvent une solution. Ce qu'ils font : ils remarquent qu'une ville israélite, Yavesh, n'a pas participé à l'action commune contre Benjamin, et ils dépêchent une armée pour en tuer tous les habitants, femmes et garçons compris, n'épargnant que les jeunes vierges. Puis ils conduisent les jeunes filles au sanctuaire de Silo et expliquent aux survivants benjaminites qu'à la faveur des réjouissances, au cours de la fête religieuse toute proche, ils peuvent s'emparer des filles et les violer en toute impunité. Ainsi leur tribu est-elle préservée au nombre des douze.

PÈRE

« Absalom, mon fils, mon fils ! »

1 ET 2 LIVRES DE SAMUEL

Le Livre des Juges s'achevant sur une description d'Israël vautré dans la brutalité, le cynisme religieux et l'avilissement sexuel, le Iᵉʳ Livre de Samuel s'ouvre dans une atmosphère de dignité et de sérénité prodigieuses. Un certain temps a passé (beaucoup, peut-être), et nous sommes de nouveau à Silo, la ville même où les Benjaminites ont été autorisés à violer en toute impunité. Entre-temps, la ville a remplacé Sichem comme centre cultuel de l'alliance des douze tribus, et l'action commence avec un Éphraïmite très différent de celui qui a dépecé le corps de sa concubine.

Elqana a deux femmes : Peninna, qui a des enfants, et Anne, qu'il aime mais qui n'en a pas. Peninna supporte mal la faveur dont sa rivale jouit auprès d'Elqana et se moque de sa stérilité :

> Ainsi agissait Elqana tous les ans, chaque fois qu'elle montait à la Maison du SEIGNEUR ; ainsi Peninna lui faisait-elle affront. Anne se mit à pleurer et refusa de manger. Son mari Elqana lui dit : « Anne, pourquoi pleures-tu ? Pourquoi as-tu le cœur triste ? Est-ce que je ne vaux pas mieux pour toi que dix fils ? » (1 S 1, 7-8)

« Est-ce que je ne vaux pas mieux pour toi que dix fils ? » Dans son contexte — un contexte qui remonte jusqu'à Abraham et Sara, mais qui est aussi jalonné de « hauts faits » comme les viols de Silo évoqués à l'instant et le viol meurtrier suivi du démembrement de la concubine —, cette question est saisissante de délicatesse et de douceur. Mais il y a plus stupéfiant encore que ce premier mot doux jamais adressé par un Israélite à une Israélite : je veux parler de la première soustraction attestée à la tyrannie de la fécondité. Certes, elle est bien timide. Dans une société polygame, une femme stérile peut tenir lieu de maîtresse. Pour les bébés, Elqana a Peninna. Tout de même, ses paroles comptent ; car dans le récit biblique, jusqu'ici, Dieu comme l'humanité se sont montrés obsédés par la reproduction.

169

Bien que l'amour et la préférence affective ne soient pas totalement inconnus (Rébecca pour Jacob, Jacob pour Rachel, Jacob pour Joseph), il est hors de doute que l'amour conjugal passe après la fécondité maternelle. « Est-ce que je ne vaux pas mieux pour toi que dix fils ? »

Mais quoi qu'en dise Elqana, Anne désire être mère. Dans les versets qui suivent les paroles réconfortantes de celui-là, nous lisons :

> Anne se leva après qu'on eut mangé et bu à Silo. Le prêtre Éli était assis sur son siège à l'entrée du Temple du SEIGNEUR. Pleine d'amertume, elle adressa une prière au SEIGNEUR en pleurant à chaudes larmes. Elle fit le vœu que voici : « SEIGNEUR tout-puissant, si tu daignes regarder la misère de ta servante, te souvenir de moi, ne pas oublier ta servante et donner à ta servante un garçon, je le donnerai au SEIGNEUR pour tous les jours de sa vie et le rasoir ne passera pas sur sa tête. » (1 S 1, 9-11)

En jurant que son fils deviendra ce que le Tanakh nomme un « nazir », une espèce de moine ou de ministre du sanctuaire, Anne a clairement le sentiment qu'elle a le droit de faire part au SEIGNEUR de ce qui la tracasse.

Mais qui est le SEIGNEUR à qui elle fait part de son tourment ? Il est, dans sa prière, le « SEIGNEUR tout-puissant », le « SEIGNEUR des armées ». Elle prie un dieu de la guerre, non pas un dieu de la fécondité. Son nom hébreu est *yahweh ṣeba'ot**, expression qui, morphologiquement, se compose d'un verbe, *yahweh,* et d'un nom, *ṣeba'ot,* bien que, sur un plan syntaxique, elle fonctionne comme deux noms, puisque l'élément verbal qu'elle contient est de longue date employé comme un nom. Certains spécialistes pensent que la forme originelle, complète, du nom *yahweh ṣeba'ot,* « Seigneur des armées », a pu être un nom en forme de phrase nominale, *'el yahweh ṣeba'ot,* « El lève les armées ». Le nom complet du dieu qu'Anne a prié aurait pu être aussi *ba¤al yahweh ṣeba'ot,* « Baal lève les armées ». L'abréviation, comme c'est souvent le cas, a fait perdre le sujet de la phrase, mais le seul objet permet de dire que le dieu désigné par ce nom est un guerrier.

Mais un guerrier ordinaire entendrait-il une prière comme celle d'Anne ? Le SEIGNEUR, le Dieu d'Israël, est une fusion de personnalités divines. Pour l'une d'elles, le « dieu de », l'ami de la famille, sa prière serait une requête humble et appropriée. Léa et Rachel ont formulé des prières analogues en leur temps. Pour une autre, El, elle conviendrait également, bien qu'il ne s'abaisse pas tout à fait, d'ordi-

---

* YHWH Sabaoth, rendu par « le SEIGNEUR le tout-puissant » dans la TOB. *(N.d.T.)*

naire, à ce genre de considération. Pour une troisième, précisément celle à laquelle cette prière s'adresse, elle est déplacée, dans la mesure où le « SEIGNEUR des armées » est en charge de la guerre plutôt que de la fécondité. Mais c'est précisément à cette heure, où jamais la piété israélite n'a été aussi pure, que nous voyons poindre une nouvelle espèce de difficulté.

Le Baal cananéen, on l'a déjà dit, était un dieu de la guerre furieux en même temps qu'un dieu orgiastique de la fécondité. D'innombrables signes nous donnent à entendre qu'Anne est bien la dernière Israélite qui embrasserait le culte de Baal. Mais lorsqu'elle demande un enfant au SEIGNEUR, suzerain d'Israël et commandant en chef, elle l'aborde comme une divinité si proche de Baal, par ses fonctions, que si elle avait dû le confondre avec lui, sa méprise, pouvons-nous imaginer, eût sans doute été innocente. Plus tôt, dans l'histoire israélite, de semblables confusions, non reconnues, ont joué un rôle dans l'émergence du SEIGNEUR Dieu en tant que personnage doué de plusieurs personnalités mélangées.

Passé le Livre du Deutéronome, les nouvelles confusions ou fusions sont interdites. Mais l'interdit est largement bafoué : à chaque instant, par la suite, une partie du peuple — et, par moments, presque tout le peuple — perpétue ce syncrétisme religieux. Dire les choses ainsi, bien entendu, en employant le mot de *syncrétisme*, c'est parler la langue neutre de l'historien. Dans ce syncrétisme, l'historien deutéronomique voit un abandon par Israël de son alliance avec le SEIGNEUR. Dans une perspective historique moderne et neutre, Israël se montre officiellement moins tolérant envers les autres dieux tandis que ses dirigeants sont davantage conscients de l'unicité de la religion israélite. Dans la perspective du Tanakh proprement dit, le même changement est, en effet, un changement qui affecte le SEIGNEUR Dieu lui-même. Indifférent à l'égard des autres dieux à l'époque de ses tractations avec Adam, Noé, Abraham, Jacob et Joseph, le SEIGNEUR devient subitement « jaloux » avec Moïse. Son attitude est à l'opposé même de l'indifférence. Le récit qui court de Josué jusqu'au IIe livre des Rois ne cesse d'illustrer ce conflit central entre le Dieu nouvellement jaloux et ce peuple accoutumé à s'offrir au tout-venant.

Pour en revenir à l'histoire du Ier Livre de Samuel, le SEIGNEUR entend la prière d'Anne, et elle donne naissance à un fils, Samuel, qui en tant que prêtre et prophète va présider au sanctuaire de Silo et, pour finir, recevra la couronne de premier roi d'Israël. Tout ceci est encore à venir quand Anne adresse une prière de gratitude dans laquelle, extatique, elle loue tout à la fois dans le SEIGNEUR le créateur, le guerrier, l'ami des oubliés et des nécessiteux, le gardien de la vie (fécondité) comme de la mort (les enfers), ainsi que le juge et arbitre international. Mais voici le tiers central de son cantique :

> L'arc des preux est brisé,
> ceux qui chancellent ont la force pour ceinture.
> Les repus s'embauchent pour du pain,
> et les affamés se reposent.
> Ainsi la stérile enfante sept fois,
> et la mère féconde se flétrit.
> Le SEIGNEUR fait mourir et fait vivre,
> descendre aux enfers et remonter.
> Le SEIGNEUR appauvrit et enrichit,
> il abaisse, il élève aussi.
> Il relève le faible de la poussière
> et tire le pauvre du tas d'ordures,
> pour les faire asseoir avec les princes
> et leur attribuer la place d'honneur.
> Car au SEIGNEUR sont les colonnes de la terre,
> sur elles il a posé le monde. (1 S 2, 4-8)

La fusion des traits du personnage divin mis à part, ce qui est particulièrement intéressant, dans la prière d'Anne, c'est la toute première mention de la sollicitude du SEIGNEUR pour les pauvres, les faibles, et les nécessiteux aussi bien que les stériles. L'humilité (pour résumer) n'a jamais donné jusqu'ici le moindre droit sur le SEIGNEUR. Lorsque les Israélites gémissaient dans la servitude en Égypte, Dieu a surtout remarqué leurs plaintes parce qu'ils étaient les partenaires de son alliance, plutôt qu'à cause de leur asservissement. Et lorsque Anne parle des pauvres et des indigents, nous devons entendre les Israélites démunis et nécessiteux. Le changement d'accent n'en est pas moins net ici ; et quand Dieu accepte les remerciements d'Anne, il accepte aussi, tacitement, la manière qu'elle a de le caractériser.

Tout au long de l'histoire deutéronomique, Dieu reste un personnage du drame, avec des tirades à dire et des actions à accomplir, mais des scènes entières se déroulent où il est loin des yeux et, temporairement, loin du cœur. C'est vrai, en particulier, du récit exceptionnellement dramatique qui va de 1 Samuel 8 à 2 Samuel 1. Ces chapitres relatent la lutte pour le pouvoir que se livrent Saül et David, respectivement premier et deuxième roi d'Israël, et où Jonathan, fils de Saül et ami cher de David, joue un rôle crucial. La faveur du SEIGNEUR, retirée à Saül et octroyée à David, les deux fois par l'intermédiaire de Samuel, détermine finalement l'issue ; mais jusqu'à David se lamentant sur la mort de Saül et de Jonathan en 2 Samuel 1, une bonne partie de l'action et même du commentaire courant concerne les acteurs humains. À rigoureusement parler, il n'y a pas de tragédie dans la Bible, ni d'infortune qui procède inévitablement, mais innocemment, de l'imperfection humaine et du cours inintentionnellement cruel des événements, plutôt que de quelque intervention divine courroucée. Autrement dit, il n'est rien qui « arrive comme ça » dans la Bible. Mais l'histoire de Saül n'en est pas loin.

La chute de Saül survient quand il néglige d'exécuter le décret du SEIGNEUR. Dans l'Exode, en 17, 14, bien des années avant la naissance de Saül, le SEIGNEUR dit à Moïse, dans un passage que nous avons déjà cité : « Écris cela en mémorial sur le livre et transmets-le aux oreilles de Josué : J'effacerai la mémoire d'Amaleq, je l'effacerai de sous le ciel ! » Effacer la mémoire, nous l'avons vu la première fois que nous avons évoqué l'incident, signifie exterminer. Or, en I Samuel 15, il échoit, tardivement, à Saül d'accomplir la sanglante vengeance du SEIGNEUR. Celui-ci l'avertit de ne pas montrer la moindre miséricorde :

> Je vais demander compte à Amaleq de ce qu'il a fait à Israël, en lui barrant la route quand il montait d'Égypte. Maintenant donc, va frapper Amaleq. Vous devrez vouer à l'interdit tout ce qui lui appartient. Tu ne l'épargneras point. Tu mettras tout à mort, hommes et femmes, enfants et nourrissons, bœufs et moutons, chameaux et ânes. » (15, 2-3)

Mais quand sonne l'heure, Saül invite les Qénites, un clan qui partage la vie des Amalécites, à fuir : « Partez, écartez-vous, quittez les rangs d'Amaleq, de peur que je ne te traite comme lui, alors que toi, tu as agi avec fidélité envers tous les fils d'Israël quand ils montaient d'Égypte » (15, 6). Ce qui est assez exact : la femme de Moïse et son beau-père étaient qénites, et la tribu a bel et bien secouru les Israélites. Mais la miséricorde envers les nourrissons ne comptait point parmi les instructions du SEIGNEUR à Saül. Pire, au lieu de l'occire, Saül emmène le roi amalécite en captivité, et, pour couronner le tout, il prélève le meilleur du petit et du gros bétail en guise de dépouilles au lieu de tout massacrer. Pour ces actions, et au grand chagrin de Samuel, le SEIGNEUR se retourne contre Saül. Saül n'est donc pas innocent, mais la disproportion entre son péché et sa souffrance est si extrême qu'il partage un peu le pathétique d'un héros de tragédie grecque, et que sa chute produit chez le lecteur ou l'auditeur un phénomène comparable à la catharsis de la tragédie grecque. Par la même occasion, la puissance destructrice de Dieu, dont le lien avec des considérations éthiques est si ténu, approche la nature aveugle et autonome de l'*anankè* — la nécessité absolue — des Grecs.

Dans la Bible, on l'a dit, Dieu n'accomplit d'action qui n'ait l'humanité pour référent, mais la réciproque n'est pas vraie. Dieu n'est pas le référent constant des actions humaines. L'incomparable lamentation de David pleurant Saül et Jonathan en est l'une des plus belles illustrations, avec cette chute :

> Ils sont tombés en plein combat, les héros !
> Jonathan gisant sur tes collines !
> Que de peine j'ai pour toi, Jonathan, mon frère !
> Je t'aimais tant !
> Ton amitié était pour moi une merveille
> Plus belle que l'amour des femmes.
> Ils sont tombés, les héros !
> Elles ont péri, les armes de la guerre ! (2 S 1, 25-27)

Sans doute Saül est-il tombé parce que Dieu s'est retourné contre lui, mais ce n'est pas de la plainte de David qu'on le tient. En une douzaine de vers, il ne mentionne pas Dieu une seule fois.

Sans doute David a-t-il de bonnes raisons, bien entendu, des raisons qui tiennent de la délicatesse et de l'art autant que de la religion, de ne pas impliquer Dieu dans sa lamentation. Lorsqu'il apprend la mort de Saül et de Jonathan, c'est *contre* Dieu, après tout, qu'il se bat en combattant pour les Philistins contre Israël. Des années durant, David a été le chef d'une bande de vauriens fidèles au Philistin Akish, roi de Gath, que réjouissait la sauvagerie des razzias de David contre les siens (David avait pris pour habitude d'exterminer tous les habitants des villes qu'il mettait à sac). Akish était assuré de la loyauté de David parce qu'il doutait qu'un pareil traître pût revenir vers son peuple quand bien même il le voudrait. Akish se trompait, mais le récit de l'ascension de David fourmille d'incidents qui confirment la règle : il n'est point d'honneur chez les larrons ! Dans la narration de ces incidents, le SEIGNEUR a bel et bien un rôle, mais il n'est jamais que consultatif. David qui, quels que soient ses défauts, semble avoir été profondément yahviste, insensible aux séductions du baalisme, recourt à la divination et aux offices d'un prêtre de Yahweh avant chacune de ses actions d'importance. Mais ce rôle de conseil est le plus modeste que le SEIGNEUR ait joué et jouera par la suite dans les Livres de Samuel et des Rois.

Le récit de l'histoire deutéronomique se situe, pour ainsi dire, à mi-chemin entre le mythe et la légende du Livre de la Genèse, d'un côté, où la domination de Dieu est sans partage, et les récits hébreux plus tardifs comme le Livre d'Esdras et le Livre d'Esther. De ces deux derniers, seul Esdras relève de l'histoire, mais dans les deux livres Dieu est plus un objet de croyance qu'un sujet réfléchi. La singularité de l'histoire de la conquête jusqu'à l'exil, en revanche, y compris de l'histoire de Saül et de David, tient à sa manière relativement prosaïque d'introduire Dieu dans un récit mêlant l'histoire authentique au mythe et à la légende. Dans l'histoire deutéronomique, Dieu devient un personnage historique, et, inversement, l'histoire acquiert le statut du mythe. En cours de route, les légendes populaires qui ont été prises dans ce brassage, ces pures fictions manifestement créées pour le divertissement qu'elles procurent, prennent une gravité mythique et historique mélangée. Il importe peu de savoir si ce récit tient en réalité de l'histoire, du mythe ou de la fiction. En réalité, il s'agit d'un mélange des trois. Telle est précisément la singularité de cette forme de littérature.

Les mobiles des auteurs de cette forme mixte n'étaient pas ceux d'un historien, d'un romancier ou d'un prédicateur modernes. Mais nous pouvons les approcher aux confins des divisions modernes consacrées ; c'est-à-dire au point où le travail de l'historien « se lit comme un roman », où le romancier s'est plongé dans l'histoire de la Seconde Guerre mondiale, par exemple, pour « y mettre de l'ordre », où le prédicateur raconte du haut de sa chaire des histoires qui, peu importe leur morale, tiennent ses ouailles en haleine. Les divisions de genre sont profondément enracinées dans la culture de notre époque. Nous sommes facilement agacés par le curé par trop soucieux de divertir, ou par le romancier qui semble vouloir sauver le monde. Mais la force unique de ce récit hébraïque classique est de faire précisément à dessein ce qui a tendance à nous exaspérer. À prendre le Tanakh à la lettre, tout ce qu'il rapporte est véritablement arrivé (histoire), son issue est lourde de conséquences personnelles pour chaque lecteur ou auditeur (religion), et, page après page, parfois ligne après ligne, il a l'assurance et le panache artistique, reconnaissables entre tous, d'une littérature vivante (fiction). Il est exclu de revenir sur l'évolution de l'esprit moderne. Jamais plus nous ne retrouverons cette unité. Nul historien, nul prédicateur, nul romancier ne pourra jamais la recréer, c'est-à-dire être de nouveau les trois à la fois. En revanche, par un effort de l'imagination, nous pouvons éprouver l'unité telle qu'elle prévalait alors dans ce texte central de notre héritage littéraire.

Les plus belles pages de la Bible se trouvent, pour une bonne part, dans ces six livres. Mon propos serait-il de donner une introduction littéraire générale à la Bible, plutôt que de brosser un simple portrait littéraire de son protagoniste, bien des éléments exigeraient une étude fouillée. Mais c'est lui qui nous intéresse ; après ces digressions, il nous faut donc aborder le deuxième changement de son personnage qui, a-t-on suggéré précédemment, permet à son engagement auprès d'Israël de continuer sur une nouvelle base. Ce changement se produit en 2 Samuel 7, un peu avant le mitan du récit, en rapport avec un processus à peine prévu avant qu'il ne se produise, à savoir la transformation des tribus d'Israël en monarchie.

Dans le Livre du Deutéronome, Moïse ne s'était point départi d'une prudente neutralité quant à la monarchie : « Quand tu seras entré dans le pays que le SEIGNEUR ton Dieu te donne, que tu en auras pris possession et que tu y habiteras, et quand tu diras : "Je voudrais établir à ma tête un roi, comme toutes les nations qui m'entourent", celui que tu établiras à ta tête devra absolument être un roi choisi par le SEIGNEUR ton Dieu » (Dt 17, 14-15). Suivent diverses restrictions, mais qui au fond se résument à une seule : le roi est soumis à l'alliance au même titre que tout le monde en Israël.

> Et quand il sera monté sur son trône royal, il écrira pour lui-même dans un livre une copie de cette Loi, que lui transmettront les prêtres lévites. Elle restera auprès de lui, et il la lira tous les jours de sa vie, pour apprendre à craindre le SEIGNEUR son Dieu en gardant, pour les mettre en pratique, toutes les paroles de cette Loi, et toutes ses prescriptions, sans devenir orgueilleux devant ses frères ni s'écarter à droite ou à gauche du commandement, afin de prolonger, pour lui et ses fils, les jours de sa royauté au milieu d'Israël. (Dt 17, 18-20)

De toute évidence, le passage à la monarchie, s'il se produit, ne changera pas les liens d'Israël avec le SEIGNEUR. Pour lui, gouvernant et gouvernés sont pareillement des Israélites tenus d'observer la Loi.

De surcroît, alors que commence l'histoire deutéronomique, Dieu ne s'est jamais défini, ni n'a jamais été défini par quiconque, comme un roi[1]. C'est vrai même dans les moments où l'on attendrait tout naturellement le mot dans la bouche de celui qui parle. Ainsi lisons-nous en Dt 4, 39 : « C'est le SEIGNEUR qui est Dieu, en haut dans le ciel et en bas sur la terre. » « Roi du ciel, en haut, et de la terre, en bas », serait apparemment un petit pas, sans conséquence en matière rhétorique, mais jamais personne ne le fait. Quand Israël s'apprête à désigner son premier roi, Samuel évoque le temps où « le SEIGNEUR, votre Dieu [était] votre roi » (1 S 12, 12). Mais son intention n'est pas tant de dire que le SEIGNEUR était un roi, que de rappeler qu'avec un tel SEIGNEUR, Israël n'avait point besoin de roi, comme s'il disait : « Le SEIGNEUR était le seul roi dont tu avais besoin. » D'autres nations avaient des rois, à commencer par le « pharaon, roi d'Égypte » et les Transjordaniens Sihôn, roi de Heshbôn, et Og, roi du Bashân, jusqu'à la longue liste des rois cananéens donnée dans le chapitre 12 de Josué ; mais tous ont été défaits par Israël, sans roi, et son Dieu si peu royal. Pour les Israélites, au tout début de leur vie nationale, la monarchie était une institution étrangère, mais aussi une catégorie étrangère à leur pensée comme à leur imagination. À la suite et à cause de l'instauration de la monarchie israélite, tout ceci devait changer ; mais jusqu'à la fin du IIe livre des Rois, le SEIGNEUR Dieu n'est jamais évoqué comme un roi.

C'est lorsque le SEIGNEUR parle de lui non comme d'un roi, mais comme d'un père, que s'amorce un changement décisif dans la compréhension qu'il a de lui. Il le fait pour la première et, dans ce récit, dernière fois, juste après un moment de forte émotion teintée d'érotisme. L'arche d'alliance, sur laquelle trône le SEIGNEUR, a été transportée à Jérusalem, la ville de David, nouvellement conquise, couronnant ainsi une série triomphale de victoires militaires israélites. Le jeune souverain, exultant, exécute une danse endiablée devant l'arche, avec pour tout vêtement un *ephod* de lin, tout au plus un pagne peut-être à peine plus grand qu'un cache-sexe, un genre de feuille de figuier. Quand il a terminé, Mikal, l'une de ses femmes, le réprimande :

> « Il s'est fait honneur aujourd'hui, le roi d'Israël, en se dénudant devant les servantes de ses esclaves comme le ferait un homme de rien ! » David dit à Mikal : « C'est devant le SEIGNEUR, qui m'a choisi et préféré à ton père et à toute sa maison pour m'instituer comme chef sur le peuple du SEIGNEUR, sur Israël, c'est devant le SEIGNEUR que je m'ébattrai. Je m'abaisserai encore plus et je m'humilierai à mes propres yeux, mais, près des servantes dont tu parles, auprès d'elles, je serai honoré. » (2 S 6, 20-22)

Pour quoi au juste attend-il des servantes qu'elles l'honorent ? Enjouement ou effronterie, David ne fait rien pour dissiper l'ambiguïté dans l'esprit de Mikal. Mais nul doute qu'il danse vraiment pour le SEIGNEUR, et qu'on ne trouve personne dans la Bible, avant ni après lui, dont on puisse attendre un acte d'une telle exubérance et d'une telle audace.

Mais quel en est l'impact sur Dieu ?

Cette nuit-là, dans la quiétude qui suit les ébats, David traverse un soudain moment de honte, mais d'une autre espèce que celle qu'imaginait Mikal. Il dit au prophète Natan :

> « Tu vois, je suis installé dans une maison de cèdre, tandis que l'arche de Dieu est installée au milieu d'une tente de toile. » Natan

177

dit au roi : « Tout ce que tu as l'intention de faire, va le faire, car le SEIGNEUR est avec toi. » Or, cette nuit-là, la parole de Dieu fut adressée à Natan, en ces termes : « Va dire à mon serviteur David : Ainsi parle le SEIGNEUR : Est-ce toi qui me bâtiras une Maison pour que je m'y installe ? Car je ne me suis pas installé dans une maison depuis le jour où j'ai fait monter d'Égypte les fils d'Israël et jusqu'à ce jour : je cheminais sous une tente et à l'abri d'une demeure. Pendant tout le temps où j'ai cheminé avec tous les fils d'Israël, ai-je adressé un seul mot à une des tribus d'Israël que j'avais établies en paissant Israël mon peuple, pour dire : "Pourquoi ne m'avez-vous pas bâti une Maison de cèdre." Maintenant donc, tu parleras ainsi à mon serviteur David : Ainsi parle le SEIGNEUR, le tout-puissant : c'est moi qui t'ai pris au pâturage, derrière le troupeau, pour que tu deviennes le chef d'Israël, mon peuple. J'ai été avec toi partout où tu es allé : j'ai abattu tous tes ennemis devant toi. Je t'ai fait un nom aussi grand que le nom des grands de la terre. Je fixerai un lieu à Israël, mon peuple, je l'implanterai et il demeurera à sa place. Il ne tremblera plus et des criminels ne recommenceront plus à l'opprimer comme jadis et comme depuis le jour où j'ai établi des juges sur Israël, mon peuple. Je t'ai accordé le repos face à tous tes ennemis. Et le SEIGNEUR t'annonce que le SEIGNEUR te fera une maison. Lorsque tes jours seront accomplis et que tu seras couché avec tes pères, j'élèverai ta descendance après toi, celui qui sera issu de toi-même, et j'établirai fermement sa royauté. C'est lui qui bâtira une Maison pour mon Nom et j'établirai à jamais son trône royal. *Je serai pour lui un père et il sera pour moi un fils. S'il commet une faute, je le corrigerai en me servant d'hommes pour bâton et d'humains pour le frapper. Mais ma fidélité ne s'écartera point de lui, comme je l'ai écartée de Saül, que j'ai écarté devant toi. Devant toi, ta maison et ta royauté seront à jamais stables, ton trône à jamais affermi.* » C'est selon toutes ces paroles et selon toute cette vision que parla Natan à David. (2 S 7, 2-17, c'est moi qui souligne)

Pour la critique historique, ce passage appartient à l'« histoire de cour » de la dynastie davidique. Le dessein plus général de ce passage, lu dans cette optique, est d'assurer la propagande de la dynastie. Plus modestement, il est d'expliquer pourquoi ce n'est pas David, mais Salomon, son fils, qui a bâti le temple de Jérusalem. Et les historiens ont également postulé que cette alliance inconditionnelle avec la dynastie davidique était un ajout éditorial à l'histoire deutéronomique, intervenu après la chute de Jérusalem, pour donner aux exilés juifs une justification théologique de leur espoir de regagner un jour leur pays.

En soi, tout ceci est exact, ou tout au moins vraisemblable. Mais si, de la communauté juive, nous tournons notre attention vers le SEIGNEUR, l'annonce d'une alliance inconditionnelle importe un peu moins que ce fait : pour la première fois, le SEIGNEUR a parlé de lui comme d'un père, même si c'est le père d'un grand roi, et il l'a fait juste après la danse endiablée de David et son bienséant accès d'humilité. Le passage, soit dit entre parenthèses, contient un calembour. Le mot hébreu *bayit* signifie généralement « maison », mais il peut désigner également la « dynastie » ou le « temple ». Ainsi, David dit qu'il bâtira un *bayit* pour le SEIGNEUR, et celui-ci répond que, non, c'est lui qui bâtira un *bayit* pour David. L'échange égaie un moment solennel d'un soupçon d'affectueuse badinerie. En un mot, David s'est fait aimer du SEIGNEUR.

La paternité est un état absolu, non un état conditionnel. Par la nature des choses, le père d'un fils ne saurait cesser de l'être. Si le père déshérite le fils, il reste le père d'un fils déshérité. S'il le tue, il est le père d'un fils occis. S'il le renie, il est le père d'un fils renié. Même s'il provoque l'avortement, il est le père d'un avorton. Fonctionnellement, c'est cette qualité de la paternité qui a dicté l'image au SEIGNEUR comme à l'auteur biblique. Mais sitôt dans la bouche du SEIGNEUR, sitôt sur la page, la paternité, l'un des symboles naturels de loin les plus riches de l'expérience humaine, commence inévitablement à prendre une vie propre. L'inconditionnalité n'est que l'une de ses innombrables personnalités.

Entre le Dieu de nos pères et Dieu notre Père, il est une différence considérable. Jusqu'à ce point du récit et, en fait, pour un bon moment encore, Dieu est le Dieu de nos pères, *non pas* Dieu notre Père. Le SEIGNEUR Dieu — sans épouse — a créé le monde, mais il n'en a pas été le père. Il l'a fait naître de son verbe, et c'est à juste raison qu'on a vu dans cette forme de création une répudiation délibérée des modalités sexuelles par ailleurs si communes dans la mythologie universelle. Bien entendu, on peut toujours dire, par métaphore ou par image, qu'il en est le père. Mais parler ainsi, c'est mettre en évidence un autre changement, peut-être tout aussi capital, à savoir un passage du registre littéral au langage figuré.

Les auteurs bibliques comprennent certainement dès le tout début la différence entre les deux. Lorsque Moïse chante : « Le rocher, son action est parfaite » (Dt 32, 4), il ne veut pas dire que Dieu est littéralement un rocher : nous savons — et savons qu'il le sait. Mais si les auteurs bibliques comprennent ce que parler de Dieu au sens figuré veut dire, ils ne le font pas souvent, ou du moins ils ne s'expriment pas ainsi dans les nombreux moments où un religieux contemporain le ferait. Pour eux, la création et la destruction du monde sont à comprendre à la lettre, de même que le partage de la mer Rouge, la manne du désert, le tonnerre et le tremblement de terre au mont Sinaï. Par-dessus tout, l'alliance entre le SEIGNEUR et Abraham est un accord au sens littéral, plutôt que figuré. Si Israël suit à la lettre les instructions de Dieu en matière de génocide et, en outre, ne flirte jamais avec des dieux étrangers, il recevra une terre « littérale » (même si le ruissellement de miel et de lait n'est qu'une image). Si Israël s'écarte de ces instructions militaires ou folâtre avec Baal, Kemosh ou Dagôn, le génocide que subira Israël entre les mains de Dieu sera bien une réalité, non une image.

Dans ce contexte, lorsque Dieu promet à David d'être un père pour Salomon, tandis que Salomon sera pour lui un fils, il n'emploie pas simplement un trope littéraire pour son effet momentané comme dans « Le rocher, son action est parfaite ». Il annonce un vrai changement dans sa relation avec cette famille humaine bien réelle, celle de David, et ne fait qu'exprimer ce changement métaphoriquement, c'est-à-dire en filant la comparaison avec autre chose. Lorsque, dans le Livre de la Genèse, Dieu dit que l'humanité est son image, le mot *image*, dans son esprit, n'est aucunement une métaphore de la vraie relation qu'il entretient avec l'humanité. La relation d'original à copie *est* bien leur véritable relation : une relation aussi réelle, quoique différente, que la relation de père à fils que pourraient avoir deux êtres humains. Dans la conversation ordinaire, nous disons parfois, en employant une métaphore, qu'un fils est le portrait craché — l'image — de son père. Père/fils nomme la véritable relation ; original/copie nomme la relation métaphorique. En 2 Samuel 7, ces deux paires sont inversées. Dieu dit, employant une métaphore, qu'une copie (Salomon) deviendra le fils de son original (le SEIGNEUR Dieu). Salomon, qui, comme tous les autres hommes, est réellement l'image de son original, sera dorénavant, métaphoriquement, le fils de son original.

Dans l'analyse, cela paraît plus complexe que ce ne l'est dans les faits. En tout état de cause, la métaphore est un essai pour élargir le langage. Quand aucune des « bonnes » manières de dire une chose ne fait l'affaire, nous en choisissons une « mauvaise » afin d'accéder à la justesse plus profonde que nous désirons. La mort, pour le Hamlet de Shakespeare, est cette « contrée inconnue d'où nul voyageur ne revient ». La mort n'est pas vraiment une terre inconnue, bien sûr, et elle n'est certes pas une contrée. Mais en parler ainsi permet à Hamlet d'exprimer sa crainte comme il ne pourrait le faire autrement, et de s'interroger face à la mort. La métaphore de la paternité étend le langage de Dieu sur lui-même et lui permet d'échapper au dilemme dans lequel l'a placé son alliance avec Israël. Il ne saurait faire autrement que d'infliger les châtiments qu'il a juré d'infliger. Mais alors ? La paternité est un commencement de réponse à cette question. Dieu ne saurait changer l'alliance, mais il peut se changer lui-même.

La première fois que le SEIGNEUR s'essaie à parler de ses liens avec la famille de David comme d'une relation paternelle, il dit : « S'il [Salomon] commet une faute, je le corrigerai en me servant d'hommes pour bâton et d'humains pour le frapper. Mais ma fidélité ne s'écartera point de lui... » (2 S 7, 14-15). Or, tant qu'il persiste à concevoir sa relation avec Israël exclusivement comme un pacte, Dieu n'a d'autre choix qu'un divorce définitif : la rupture de l'alliance. Mais voici que, soudain, il déclare qu'il n'en fera rien pour la descendance de Salomon et de David : il ne jouera pas le rôle du partenaire blessé de la divine alliance, pour se contenter d'un rôle très différent, quasi humain — celui d'un père sévère. Si strict qu'il soit, un père sait que son fils ne saurait cesser d'être son fils. Les accords se révoquent, mais il n'y a pas de révocation possible de la paternité. L'irrévocabilité est précisément, pour commencer, l'aspect de la paternité que le SEIGNEUR réclame.

Mais, en vérité, l'irrévocabilité n'est que le commencement. Parlant de lui-même aux « prophètes derniers », vers lesquels nous allons nous tourner dans les prochains chapitres, le SEIGNEUR découvrira en lui une mère métaphorique à côté du père qu'il découvre ici. Ce que nous voyons ici, ce n'est pas une porte grande ouverte, mais à peine entrebâillée sous l'impulsion d'une force qui a pour nom David. Ainsi, intrigue et personnage s'influencent mutuellement dans la Bible. David n'est pas uniquement un tueur implacable et un chef visionnaire ; il est aussi un amant passionné, un fervent et fidèle ami, un poète et un musicien d'une touchante tendresse qui cède volontiers au lyrisme. Pourquoi Dieu ne tomberait-il pas amoureux de David ? Tout le monde l'est ! Mais alors pourquoi Dieu n'adopte-t-il pas David plutôt que Salomon ? Peut-être parce que le don fait au fils est une sorte de victoire sur la mort même du père. Lorsque Natan donne à David l'oracle du SEIGNEUR, David se lève nuitamment, pénètre dans la tente du SEIGNEUR et lui parle en secret :

> « Qui suis-je, Seigneur DIEU, et quelle est ma maison, pour que tu m'aies fait parvenir où je suis ? Or c'était encore trop peu à tes yeux, Seigneur DIEU : tu as parlé aussi pour la maison de ton serviteur, longtemps à l'avance. Telle est la loi de l'homme, Seigneur DIEU. Et qu'est-ce que David pourrait te dire encore, alors que toi tu connais ton serviteur, Seigneur DIEU ? C'est à cause de ta parole et selon ton cœur que tu as accompli toute cette grande œuvre, en la faisant connaître à ton serviteur. » (2 S 7, 18-21)

David sait comment toucher Dieu, mais Dieu sait également comment toucher David.

Parlant de lui-même comme d'un père, Dieu parle métaphoriquement de lui pour la première et dernière fois dans l'histoire deutéronomique. Mais si nous considérons que ce passage introduit en Dieu, outre l'inconditionnalité de la paternité, un élément de tendresse parentale, nous pouvons lui associer un ou deux autres épisodes de ces six livres. Le plus directement pertinent, en tant qu'il mêle l'émotivité et le caractère inconditionnel de la paternité, est 2 Samuel 18-19, lorsque David apprend que son fils Absalom est mort. Abasalom a conduit une révolte contre son père. Joab, le commandant de David et, à maintes reprises, son homme de main, a tué le prince alors qu'il n'aurait eu aucun mal à le capturer. Il envoie un messager étranger, un Nubien, porter à David l'affreuse nouvelle :

> Alors le Nubien arriva. Le Nubien dit : « Que mon seigneur le roi apprenne la bonne nouvelle : le SEIGNEUR t'a rendu justice aujourd'hui en te tirant des mains de tous tes adversaires. » Le roi dit au Nubien : « Tout va-t-il bien pour le jeune Absalom ? » Le Nubien répondit : « Qu'ils aient le sort de ce jeune homme, les ennemis de mon seigneur le roi et tous les adversaires qui veulent ton malheur ! »
>
> Alors le roi frémit. Il monta dans la chambre au-dessus de la porte et se mit à pleurer. Il disait en marchant : « Mon fils Absalom, mon fils, mon fils Absalom, que ne suis-je mort moi-même à ta place ! Absalom, mon fils, mon fils ! » On prévint Joab : « Voici, lui dit-on, que le roi pleure et se lamente sur Absalom. » La victoire, ce jour-là, se changea en deuil pour tout le peuple, car le peuple avait entendu dire, en ce jour-là : « Le roi est très affecté à cause de son fils. » Le peuple, ce jour-là, rentra furtivement dans la ville, comme le ferait un peuple honteux d'avoir fui au combat. Le roi, lui, s'était voilé le visage. Le roi criait à pleine voix : « Mon fils Absalom, Absalom, mon fils, mon fils ! »
>
> Joab vint trouver le roi à l'intérieur. Il dit : « Tu couvres de honte, aujourd'hui, le visage de tous tes serviteurs qui t'ont sauvé la vie aujourd'hui, ainsi qu'à tes fils et à tes filles, à tes femmes et à tes concubines. Tu aimes ceux qui te détestent et tu détestes ceux qui t'aiment. Tu as proclamé aujourd'hui que chefs et serviteurs ne sont rien pour toi. Eh bien, aujourd'hui, je le sais, si Absalom était vivant et nous tous morts, aujourd'hui, eh bien, tu trouverais cela normal. Maintenant, lève-toi, et va parler au cœur de tes serviteurs, car, je te le jure par le SEIGNEUR, si tu n'y vas pas, personne ne passera cette nuit avec toi, et ce sera pour toi un malheur pire que tous les malheurs qui te sont arrivés depuis ta jeunesse jusqu'à maintenant. » Alors, le roi se leva et vint s'asseoir à la porte, et l'on proclama à tout le

peuple : « Voici que le roi est assis à la porte ! » Et tout le peuple vint en présence du roi. (2 S 18, 31-19, 9)

Joab a raison, mais David a-t-il tort ? Absalom n'a eu que ce qu'il méritait, mais David est-il pour autant interdit de deuil ? Et qu'en est-il du SEIGNEUR lorsque, suivant les termes de l'alliance, Israël rebelle n'obtient que ce qu'il mérite ? Le SEIGNEUR devient un genre de théologien lorsqu'il parle de lui, par analogie, comme d'un père, mais sur quoi porte son analogie ? Le sens de cette analogie est à chercher du côté de la paternité telle qu'elle est connue dans la vie des Israélites, mais surtout dans la vie même de David. Dans l'histoire d'Absalom, on voit bien ce que veut dire être père quand votre fils vous agresse : vous l'écrasez, mais il reste votre fils, et vous restez son père. Le SEIGNEUR peut-il être un père de ce genre ? À tout le moins, cette possibilité est gardée, subconsciemment, en réserve.

La tendresse paternelle et le souci de défendre le faible contre le fort se retrouvent dans un autre oracle du prophète Natan au roi David en 2 Samuel 12, à mi-chemin entre l'oracle de Natan sur la paternité et la révolte d'Absalom. Si le courage, l'exubérance et la générosité de David ont conduit Dieu à s'imaginer père et à parler pour la première fois de lui comme d'un père, cette fois David offense Dieu par sa lâcheté, son adultère, son blasphème, sa traîtrise et sa gloutonnerie. La liste est longue, mais le deutéronomiste parvient à le prendre en faute sur chacun de ces points.

Lâcheté : L'armée israélite combat les Ammonites, mais David, qui s'est tout dernièrement illustré par les armes, est resté à Jérusalem. Pour finir, ce sont ses hommes qui lui demandent de ne pas sortir pour sa propre sécurité (21, 17), mais, pour l'heure, ils n'en ont encore rien fait. Tandis que ses hommes risquent leur vie dans la bataille, le roi est en sécurité dans son palais de cèdre.

Adultère : Du haut de la terrasse de son palais, David aperçoit Bethsabée, la femme de l'un de ses soldats, qui se baigne. Le roi « envoya des émissaires pour la prendre. Elle vint chez lui et il coucha avec elle » (2 S 11, 2-3). A-t-elle résisté ? Était-elle consentante ? S'était-elle arrangée pour être vue ? Le texte reste muet à ce propos, mais la loi israélite est claire : la conduite de Bethsabée, quelle qu'elle fût, ne pouvait en rien amoindrir le péché de David.

Blasphème : Qu'un Israélite ait des relations sexuelles avec une étrangère est un crime contre l'alliance, surtout quand la femme ne fait pas partie des dépouilles de guerre. Bethsabée, dont le nom est cananéen et qui est mariée à un Hittite, semble s'être convertie au culte du Dieu israélite. Son bain nous est décrit comme un bain de purification postmenstruel conformément à la loi israélite. Sa conversion ne dispense pas David d'observer la loi.

Traîtrise : Urie, le mari de Bethsabée, a combattu pour David avec l'armée israélite. David demande qu'Urie soit renvoyé en permission à Jérusalem, où le roi tente de l'amener à coucher avec Bethsabée. L'intention de David est claire comme le jour : se couvrir si Bethsabée tombe enceinte alors que son mari n'était point là pour la féconder. Mais Urie a beau être un Hittite, il est plus respectueux de la loi que ne l'est David. Ainsi répond-il à sa suggestion : « L'arche, Israël et Juda habitent dans des huttes. Mon seigneur Joab [le commandant en chef de David] et les serviteurs de mon seigneur campent en rase campagne. Et moi, j'irais chez moi manger, boire et coucher avec ma femme ! Par ta vie, par ta propre vie, je ne ferai pas cette chose-là » (11, 10-11). Plus tard, lorsque Urie retourne sur le front, David lui a confié un message, manifestement scellé, à l'intention de Joab : « Mettez Urie en première ligne, au plus fort de la bataille. Puis, vous reculerez derrière lui. Il sera atteint et mourra » (11, 15). Joab obéit cyniquement, et la manœuvre coûte la vie à Urie et à plusieurs autres. Le commandant en chef envoie un émissaire à David pour lui faire part de toutes ces morts, et le cynisme du roi passe le sien. Il confie au messager sa réponse à Joab : « Tu parleras ainsi à Joab : "Ne prends pas trop mal cette affaire. L'épée dévore d'une façon ou d'une autre. Renforce ton attaque contre la ville et renverse-la." Réconforte-le ainsi » (11, 25).

Gloutonnerie : Si David peut tuer par procuration son fidèle soldat et voler l'épouse de sa victime, c'est qu'il a déjà de nombreuses épouses, dont les sept premières ont pour nom Mikal, Ahinoam, Avigaïl, Maaka, Hagguith, Avital et Égla. Sitôt que David est installé à Jérusalem, cependant, le deutéronomiste cesse de compter et se contente d'indiquer (5, 13) que « David prit encore des concubines et des femmes ». Pour ne pas dire plus, David n'a nul besoin d'une autre femme, et c'est sur cet abus de pouvoir que se concentre le SEIGNEUR lorsqu'il envoie Natan lui livrer un oracle :

> Le SEIGNEUR envoya Natan à David. Il alla le trouver et lui dit : « Il y avait deux hommes dans une ville, l'un riche et l'autre pauvre. Le riche avait force moutons et bœufs. Le pauvre n'avait rien du tout sauf une agnelle, une seule petite, qu'il avait achetée. Il la nourrissait.

Elle grandissait chez lui en même temps que ses enfants. Elle mangeait de sa pitance, elle buvait à son bol, elle couchait dans ses bras. Elle était pour lui comme une fille. Un hôte arriva chez le riche. Il n'eut pas le cœur de prendre de ses moutons et de ses bœufs pour apprêter le repas du voyageur venu chez lui. Il prit l'agnelle du pauvre et l'apprêta pour l'homme venu chez lui. »

David entra dans une violente colère contre cet homme et il dit à Natan : « Par la vie du SEIGNEUR, il mérite la mort, l'homme qui a fait cela. Et de l'agnelle il donnera compensation au quadruple, pour avoir fait cela et pour avoir manqué de cœur. » Natan dit à David : « Cet homme, c'est toi ! Ainsi parle le SEIGNEUR, le Dieu d'Israël : C'est moi qui t'ai oint comme roi d'Israël et c'est moi qui t'ai délivré de la main de Saül. Je t'ai donné la maison de ton maître et j'ai mis dans tes bras les femmes de ton maître ; je t'ai donné la maison d'Israël et de Juda ; et si c'est trop peu, je veux y ajouter autant. Pourquoi donc as-tu méprisé la parole du SEIGNEUR en faisant ce qui lui déplaît ? Tu as frappé de l'épée Urie le Hittite. Tu as pris sa femme pour en faire ta femme et lui-même, tu l'as tué par l'épée des fils d'Ammon. Eh bien, l'épée ne s'écartera jamais de ta maison, puisque tu m'as méprisé et que tu as pris la femme d'Urie le Hittite pour en faire ta femme. » (2 S 12, 1-10)

Rien n'obligeait le SEIGNEUR à condamner le péché de David comme il le fait. Le choix qu'il fait de ses images et de ses comparaisons montre qu'il pense à la vie de famille des hommes, à son intimité et à la tendresse de ses émotions.

Juste une digression : outre qu'il nous donne un aperçu de la vie au foyer d'un Israélite dans l'Antiquité, l'épisode du pauvre homme avec son agnelle est peut-être la seule évocation biblique d'un animal domestique. Peut-être cette agnelle est-elle celle que, le moment venu, le pauvre homme et ses enfants mangeront, mais qui connaît le cochon Wilbur du *Charlotte's Web* de E. B. White ne saurait douter un seul instant que des animaux de ferme puissent être, ne fût-ce que temporairement, des mascottes. Le passage est révélateur à un autre titre : il indique que l'agneau était l'animal que cette société pastorale pouvait le plus facilement nourrir à table, chérir comme un enfant, etc. : « Elle mangeait de sa pitance, elle buvait à son bol, elle couchait dans ses bras. » Dans la longue histoire, infiniment riche, de l'agneau comme symbole religieux juif et chrétien, voici un premier épisode, inopinément révélateur.

Entre l'agnelle et Bethsabée, la différence est naturellement considérable, et David se laisse facilement égarer. Le SEIGNEUR dispose soigneusement son piège. David attend peut-être une accusation d'adultère et de meurtre. Le SEIGNEUR parle plutôt d'avarice et de gloutonnerie. En faisant de Bethsabée une agnelle, son allégorie la transforme en pitance et en richesse, tandis qu'elle fait de David le débauché un glouton doublé d'un ladre. Si nous nous risquions à une lecture historique de l'oracle de Natan, sans doute trouverions-nous des traces du passage d'une société de nomades à une société de sédentaires, dans laquelle la propriété de la terre et l'accumulation des richesses rendirent possibles des abus que les nomades n'imaginaient pas et auxquels la Tora ne fait guère allusion. Historiquement, les choses ont bien pu se passer ainsi. Mais comme c'est Dieu qui parle, tout nouvel ensemble d'hypothèses dans un oracle émanant de lui nous renseigne sur lui. En l'occurrence, le SEIGNEUR semble tenir pour acquis, comme il ne l'a jamais fait auparavant, que le pauvre et le démuni ont *a priori* droit à sa protection.

ARBITRE

« Tu seras roi sur Aram »

1 ET 2 LIVRES DES ROIS

Cette affinité — qui n'était guère prévisible — du SEIGNEUR des armées envers les faibles et les humbles jette un pont en direction du prophète dont l'emprise sur l'imagination religieuse juive et chrétienne ultérieure n'aura d'égale que celle de Moïse lui-même, à savoir le prophète Élie. Élie et son successeur, Élisée, ont été des faiseurs de prodiges, des champions des pauvres et d'implacables adversaires de la corruption des autorités religieuses et civiles. Dans une certaine mesure, eux-mêmes et le prophète Michée, leur contemporain, ont parfaitement leur place dans le récit que fait le deutéronomiste des avertissements qui n'ont pas été entendus et qui annoncent la destruction d'Israël par le SEIGNEUR. Dans une certaine mesure, cependant, ils vont au-delà ; et l'histoire d'Élie le fait d'une manière singulièrement paradoxale.

Le grand adversaire d'Élie fut une reine étrangère mariée à un roi israélite, l'infâme Jézabel, épouse du roi Akhab. En 1 Rois 21, Jézabel arrange le meurtre judiciaire de Naboth, dont elle convoite la vigne, et attire sur sa tête le courroux du SEIGNEUR, ainsi transmis par le prophète Élie :

> La parole du SEIGNEUR fut adressée à Élie, le Tishbite : « Lève-toi, descends à la rencontre d'Akhab, roi d'Israël à Samarie. Il est dans la vigne de Naboth où il est descendu pour en prendre possession. Tu lui parleras en ces termes : "Ainsi parle le SEIGNEUR : Après avoir commis un meurtre, prétends-tu aussi devenir propriétaire ?" Tu lui diras : "Ainsi parle le SEIGNEUR : À l'endroit où les chiens ont léché le sang de Naboth, les chiens lécheront aussi ton propre sang." » (1 R 21, 17-19)

Le fait qu'Élie insiste ainsi sur ce crime le met en parfait accord avec le thème secondaire du souci des pauvres et des démunis qui complique la marche du deutéronomiste vers le jugement au niveau national.

Mais ce n'est pas là, au fond, le plus frappant dans l'histoire d'Élie. Jézabel, qui est sidonienne de naissance, ne se contente pas d'adorer Baal : elle s'en fait la propagandiste active et persécute les fidèles du SEIGNEUR. La façon dont elle abuse de ses pouvoirs royaux contre l'innocent Naboth est, d'une certaine manière, la moindre des charges retenues contre elle. Élie, qui lui résiste comme à la missionnaire implacable d'une religion étrangère, se trouve impliqué dans une forme de relations étrangères. Et c'est dans sa carrière et dans celle de Michée que nous voyons se produire en Dieu lui-même une évolution comparable. Après la sollicitude nouvelle de Dieu envers les humbles et sa nouvelle manière de se considérer comme un père, c'est le troisième changement que nous allons examiner.

De manière un peu surprenante, l'une des actions d'Élie consiste à oindre un nouveau roi en Aram pour mener la guerre contre le royaume d'Israël, au nord, qui a péché. (Sur la carte antique, Aram coïncide en gros avec la Syrie moderne.) Avant que ce roi araméen accède au pouvoir, cependant, Akhab, le mari de Jézabel, et Josaphat, roi de Juda, partent en guerre contre Aram et sollicitent le conseil des prophètes. La plupart sont des flagorneurs et prédisent une glorieuse victoire. L'un d'eux, Michée, refuse de se joindre au chœur. En présence des rois, il répète sarcastiquement ce qu'ont dit ses collègues, mais Akhab reconnaît le sarcasme. Il prétend vouloir la vérité :

> Le roi lui dit : « Combien de fois devrai-je te faire jurer de ne me dire que la vérité au nom du SEIGNEUR ? » Michée répondit :
> « J'ai vu tout Israël dispersé sur les montagnes,
> comme des moutons qui n'ont point de berger ;
> le SEIGNEUR a dit :
> "Ces gens n'ont point de maître ;
> que chacun retourne chez lui en paix !" »
> Le roi d'Israël dit à Josaphat : « Ne t'avais-je pas dit : Il ne prophétise pas du bien sur moi, mais du mal ! » Michée dit : « Eh bien ! Écoute la parole du SEIGNEUR. J'ai vu le SEIGNEUR assis sur son trône et toute l'armée des cieux debout auprès de lui, à sa droite et à sa gauche. Le SEIGNEUR a dit : "Qui séduira Akhab pour qu'il monte et tombe à Ramoth-de-Galaad ?" L'un parlait d'une façon et l'autre d'une autre. Alors, un esprit s'est avancé, s'est présenté devant le SEIGNEUR et a dit : "C'est moi qui le séduirai." Et le SEIGNEUR lui a dit : "De quelle manière ?" Il a répondu : "J'irai et je serai un esprit de mensonge dans la bouche de tous ses prophètes." Le SEIGNEUR lui a dit : "Tu le séduiras ; d'ailleurs tu en as le pouvoir. Va et fais ainsi." Si donc le SEIGNEUR a mis un esprit de mensonge dans la bouche de tous tes prophètes, c'est que lui-même a parlé de malheur contre toi. » (1 R 22, 16-23)

Nous voyons ici comment la vision deutéronomique du châtiment infligé à Israël par le truchement d'autres nations implique le SEIGNEUR Dieu dans de complexes manipulations internationales telles qu'on n'en avait encore jamais vu. Appelé roi des cieux, il ressemble davantage sur terre à un empereur, à un faiseur de rois, à un arbitre international plénipotentiaire. Mais, une fois encore, il nous faut nous interroger sur ce que signifierait pour le SEIGNEUR le succès de ces manipulations. La démonstration de sa puissance n'est-elle pas extrêmement paradoxale et, en définitive, absurde ? Israël et Juda auront perdu, mais comment lui-même aura-t-il gagné ?

Le dernier quart de l'histoire deutéronomique se déroule à l'ombre d'une deuxième théophanie du SEIGNEUR Dieu au mont Sinaï, également appelé le mont Horeb. Cette théophanie est une apparition à Élie relatée en 1 Rois 19. Tout ce qui se passe par la suite, y compris le discours de Michée que l'on vient de citer et la chute finale des deux royaumes israélites, prend de ce fait un tour quelque peu différent. Élie affronte publiquement les quatre cent cinquante prophètes de Baal : il a le dessus et les passe par l'épée, mais il est désormais un homme marqué. Obligé de fuir pour sauver sa vie, il fait des détours qui le mènent, semi-miraculeusement, à l'Horeb.

> La parole du SEIGNEUR lui fut adressée : [« Pourquoi es-tu ici, Élie ? » Il répondit : « Je suis passionné pour le SEIGNEUR, le Dieu des puissances : les fils d'Israël ont abandonné ton alliance, ils ont démoli tes autels et tué tes prophètes par l'épée ; je suis resté moi seul et l'on cherche à m'enlever la vie. » Le SEIGNEUR dit :] « Sors et tiens-toi sur la montagne, devant le SEIGNEUR ; voici, le SEIGNEUR va passer. » Il y eut devant le SEIGNEUR un vent fort et puissant qui érodait les montagnes et fracassait les rochers ; le SEIGNEUR n'était pas dans le vent. Après le vent, il y eut un tremblement de terre ; le SEIGNEUR n'était pas dans le tremblement de terre. Après le tremblement de terre, il y eut un feu ; le SEIGNEUR n'était pas dans le feu. Et après le feu, le bruissement d'un souffle ténu. Alors, en l'entendant, Élie se voila le visage avec son manteau ; il sortit et se tint à l'entrée de la caverne. Une voix s'adressa à lui : [« Pourquoi es-tu ici, Élie ? » Il répondit : « Je suis passionné pour le SEIGNEUR, le Dieu des puissances : les fils d'Israël ont abandonné ton alliance, ils ont démoli tes autels et tué tes prophètes par l'épée ; je suis resté moi seul et l'on cherche à m'enlever la vie. » Le SEIGNEUR lui dit* :] « Va, reprends ton chemin en direction du

---

* Les mots entre crochets sont un exemple des erreurs de copie auxquelles on a donné le nom de dittographie, ou doublon. La première ou la seconde fois, ces mots ont été introduits par accident dans le texte alors que le copiste posait les yeux sur

désert de Damas. Quand tu seras arrivé, tu oindras Hazaël comme roi sur Aram. Et tu oindras Jéhu, fils de Nimshi, comme roi sur Israël ; et tu oindras Élisée, fils de Shafath, d'Avel-Mehola, comme prophète à ta place. Tout homme qui échappera à l'épée de Hazaël, Jéhu le tuera, et tout homme qui échappera à l'épée de Jéhu, Élisée le tuera, mais je laisserai en Israël un reste de sept mille hommes, tous ceux dont les genoux n'ont pas plié devant le Baal et dont la bouche ne lui a pas donné de baisers. » (1 R 19, 9-18)

Bien que « la voix encore fluette », suivant la formule mémorable de la King James Version (ici traduite par « le bruissement d'un souffle ténu »), ait pris son autonomie, les exégètes ont souvent glissé sur ce passage dans un quasi-silence. Ici comme dans divers autres détails biographiques, il est clair qu'Élie est présenté comme un second Moïse. Mais, en ce cas, comment faut-il comprendre que tous les traits caractéristiques de la théophanie à Moïse — le vent, le tremblement de terre, le feu — soient mentionnés puis rejetés ? Il est exclu que « le bruissement d'un souffle ténu » soit destiné à signaler la douceur, qu'il ait quelque lien que ce soit avec les moments de compassion et de tendresse que nous avons énumérés. Hazaël d'Aram sera pour Israël un ennemi féroce ; sur la scène intérieure, Jéhu multipliera les atrocités ; et, suivant la prédiction d'Élie, Élisée sera un guerrier autant qu'un prophète.

Le défi lancé à Moïse réside plutôt dans l'*issue* des actions qu'Élie met en branle sur l'ordre du SEIGNEUR. Oui, Jéhu persécutera les adorateurs de Baal, mais il continuera dans le même temps à pratiquer l'idolâtrie du veau d'or, et il combattra contre Hazaël, bien que les deux hommes soient censés être pareillement des instruments de la volonté divine. Élisée se montrera vaillant au service du SEIGNEUR, mais à la fin de sa vie il s'efforcera lui aussi de contrarier l'effet des victoires de Hazaël, qui sont ici annoncées comme l'œuvre de Dieu mais qui finiront par emplir Élisée de chagrin. Au total, l'action combinée des trois ne laissera d'Israël qu'un reliquat que Dieu lui-même a fixé à sept mille hommes, mais peut-on vraiment accepter un tel bilan comme une preuve de la puissance divine ?

On ne saurait exclure totalement que, de manière à dessein hermétique, ce passage exprime quelque scepticisme quant à la puissance du SEIGNEUR. Malgré la grandeur d'Élie, que les siècles suivants continuèrent à reconnaître, ce passage est omis des Livres des Chroniques, religieusement et politiquement corrects, écrits par

---

la mauvaise occurrence du mot *dit*, omniprésent. L'inclusion des deux occurrences ne changerait pas grand-chose à l'interprétation donnée ici, mais nous avons choisi d'ignorer la première.

la suite. Si spectaculairement étalée lorsque Moïse et les Israélites se tenaient devant le SEIGNEUR au Sinaï, la puissance divine est ici contestée. Ce redoutable spectacle, soupçonne Élie, n'était peut-être pas ce qu'il semblait. D'autres choses pourraient-elles se révéler pareillement illusoires ? Élie se voile la face en entendant « le bruissement d'un souffle ténu ». Que veut dire son geste ? La tranquillité, le message que lui adresse le SEIGNEUR, sont-ils une révision ? Une confession ? Fuyant Akhab et Jézabel, Élie avait demandé à mourir : « Je n'en peux plus ! Maintenant, SEIGNEUR, prends ma vie, car je ne vaux pas mieux que mes pères » (19, 4). Et c'est en réponse à cette prière que Dieu l'a conduit à l'Horeb (= Sinaï), mais la théophanie dont il a été le témoin est-elle propre à le rassurer ? Dans quelle mesure le SEIGNEUR maîtrise-t-il vraiment le cours des événements ?

Suivant la science historique, Élie et Élisée appartenaient à deux « cycles » séparés que les Livres des Rois ont mélangés. Ainsi s'explique cette anomalie : c'est Élisée, non Élie, qui finit par commissionner Hazaël. Sans doute est-ce exact, mais, d'une scène à l'autre, nous observons aussi une continuité dans le pathétique :

> Élisée se rendit à Damas alors que Ben-Hadad, roi d'Aram, était malade. On dit au roi : « L'homme de Dieu est venu jusqu'ici. » Le roi dit à Hazaël : « Prends avec toi un présent et va trouver l'homme de Dieu : tu consulteras le SEIGNEUR par son entremise, en disant : "Sortirai-je vivant de cette maladie ?" » Hazaël alla trouver Élisée ; il avait pris avec lui un présent, tout ce qu'il y avait de meilleur à Damas, la charge de quarante chameaux. Il arriva, se tint devant Élisée et dit : « Ton fils [avec une déférence exagérée, Hazaël, parle du roi d'Aram comme du "fils" du prophète israélite] Ben-Hadad, roi d'Aram, m'envoie vers toi pour dire : "Sortirai-je vivant de cette maladie ?" » Élisée lui répondit : « Va lui dire : "Certainement tu vivras", mais le SEIGNEUR m'a fait voir qu'il mourrait. » Puis il rendit son visage immobile, il le figea à l'extrême ; l'homme de Dieu pleura. Hazaël dit : « Pourquoi mon seigneur pleure-t-il ? » Élisée répondit : « Parce que je sais le mal que tu feras aux fils d'Israël : tu livreras au feu leurs forteresses, tu tueras par l'épée leurs jeunes gens, tu écraseras leurs petits enfants, tu éventreras leurs femmes enceintes. » Hazaël dit : « Mais qu'est-ce donc que ton serviteur, ce chien [c'est de lui que parle Hazaël, avec une feinte humilité], pour qu'il en fasse tant ? » Élisée répondit : « Le SEIGNEUR m'a fait voir que tu seras roi sur Aram. »
>
> Hazaël quitta Élisée et revint vers son maître qui lui dit : « Que t'a dit Élisée ? » Il répondit : « Il m'a dit : Certainement tu vivras. » Le lendemain, Hazaël prit une couverture et, l'ayant plongée dans l'eau, il l'étendit sur le visage du roi qui mourut. Hazaël régna à sa place.
> (2 R 8, 7-15)

Encouragé par le Dieu d'Israël, Hazaël a occis son maître, mais Élisée refuse d'accueillir les futures attaques de Hazaël contre Israël comme le jugement du SEIGNEUR et va même jusqu'à exprimer son désaccord sur ce point. Par le SEIGNEUR, Élisée sait de quoi l'avenir sera fait, mais il ne paraît pas y reconnaître un avenir que le SEIGNEUR maîtrise et dirige. Sur ce point, le contraste est saisissant entre Moïse et Josué d'un côté, Élie et Élisée de l'autre.

Avant Élie, les plus grands dirigeants du passé israélite — Jacob, Moïse, Josué et David — ont tous prononcé un dernier testament dans des versets solennels avant d'être « réunis aux leurs » et inhumés avec les honneurs dans un lieu connu. Pour Élie, il en va tout autrement :

> Comme ils passaient [le Jourdain], Élie dit à Élisée : « Demande ce que je dois faire pour toi avant d'être enlevé loin de toi ! » Élisée répondit : « Que vienne sur moi, je t'en prie, une double part de ton esprit ! » Il dit : « Tu demandes une chose difficile. Si tu me vois pendant que je serai enlevé loin de toi, alors il en sera ainsi pour toi, sinon cela ne sera pas. »
>
> Tandis qu'ils poursuivaient leur route tout en parlant, voici qu'un char de feu et des chevaux de feu les séparèrent l'un de l'autre ; Élie monta au ciel dans la tempête. Quant à Élisée, il voyait et criait : « Mon père ! Mon père ! Chars et cavalerie d'Israël ! » Puis il cessa de le voir. Il saisit alors ses vêtements et les déchira en deux. (2 R 2, 9-12)

Qu'Élie ait été emporté vivant au ciel laisse penser qu'il n'a jamais connu la mort. Le prophète Malachie prédira son retour en prélude au « jour du SEIGNEUR ». Les Évangiles rapportent des spéculations contemporaines de Jésus : le retour d'Élie annoncera l'avènement du Messie. Toute une école mystique juive allait naître autour de la *merkabah*, du char dans lequel Élie est monté au ciel. De manières différentes, toutes ces retombées attestent une espèce d'ambiguïté extatique dans ce texte. Le transport d'Élie au ciel n'a pas cette force tranquille ni cette paix qui entourent les autres morts évoquées. Lorsque Jacob, Moïse, Josué et David meurent, ils ont fait le travail que le SEIGNEUR désirait les voir accomplir. Une tout autre atmosphère entoure le dernier passage d'Élie. Son œuvre est interrompue. Il laisse ses affaires inachevées. L'expression « Chars et cavalerie d'Israël ! » pourrait bien être un cri de guerre contemporain transformé, pour la circonstance, en une forme d'adresse directe et angoissée au prophète qui se meurt, ou tout au moins qui s'en va : il était le dernier défenseur du culte du SEIGNEUR Dieu, le dernier champion de l'alliance. Après lui, que reste-t-il, hormis le terrifiant jugement du SEIGNEUR Dieu, les malédictions du chapitre 28 du Deutéronome ?

À la mort d'Élisée, on entendra de nouveau la même formule obsédante :

> Élisée tomba malade de la maladie dont il devait mourir. Joas, roi d'Israël, descendit vers lui, pleura contre son visage et dit : « Mon père ! Mon père ! Chars et cavaleries d'Israël ! » Élisée lui dit : « Prends un arc et des flèches ! » Joas prit un arc et des flèches. Élisée dit au roi d'Israël : « Tends l'arc ! », et il le tendit. Élisée mit ses mains sur celles du roi et dit : « Ouvre la fenêtre qui donne vers l'orient ! » Joas l'ouvrit. Élisée lui dit : « Tire ! », et il tira. Élisée dit : « C'est la flèche de la victoire du SEIGNEUR, la flèche de la victoire sur Aram. Tu frapperas Aram à Afeq jusqu'à extermination. » (2 R 13, 14-17)

Élisée meurt, mais Joas triomphe de Hazaël. Telle est la scène qui a fait si forte impression au poète anglais William Blake, dans son *Milton*.

> Apporte-moi mon arc d'or incandescent :
> Apporte-moi mes flèches de désir :
> Apporte-moi ma lance : Nuées, ouvrez-vous !
> Apportez-moi mes chariots de feu !

Blake mêle la mort d'Élie et celle d'Élisée et prend d'autres libertés, mais sa réponse est profonde et fidèle au sentiment sous-jacent de ces deux scènes — celui d'une urgence intense et désespérée, d'une sorte de panique face au malheur imminent. Tel était précisément le sentiment de Blake face à l'Angleterre de son temps, et c'est infailliblement qu'il trouve dans l'histoire biblique le moment qui lui correspond le mieux.

Tout comme la paternité et le thème apparenté de la tendresse, ce motif du doute est abordé, mais sans plus. Et avant la fin des Livres des Rois, arrive la réfutation. En 2 Rois 19, 23-25, le prophète Ésaïe réfute en effet d'une certaine manière le désespoir d'Élie et la panique d'Élisée. Respirant la confiance, il prédit justement la déroute à Jérusalem de l'envahisseur assyrien Sennakérib (l'Assyrien qui « a fondu tel un loup sur le troupeau » du poème de Byron). Dans l'oracle que prononce Ésaïe à cette occasion, le SEIGNEUR se vante que Sennakérib n'a jamais fait qu'exécuter les plans qu'il avait conçus pour lui :

> Par tes messagers, tu as insulté le Seigneur
> Tu as dit : « Avec l'élan de mes chars,
> je suis monté au sommet des montagnes,
> aux retraites inaccessibles du Liban

pour couper la futaie de ses cèdres,
les plus hauts de ses cyprès
et atteindre sa plus haute extrémité, son parc forestier.
J'ai creusé et j'ai bu des eaux étrangères,
j'ai asséché, sous la plante de mes pieds,
tous les canaux d'Égypte.
Ne sais-tu pas que depuis longtemps
j'ai fait ce projet,
que depuis les temps anciens
je l'ai formé ?
À présent, je le réalise :
Il t'appartient de réduire en tas de pierres
les villes fortifiées.

Cette philosophie ou cette théologie de l'histoire, dont la domination est écrasante dans l'histoire deutéronomique, restera relativement dominante. Mais le scepticisme qu'elle inspire ira croissant régulièrement ; et nous pouvons le voir poindre discrètement dans l'antithéophanie dont Élie est le témoin à l'Horeb avec la révélation d'événements qui ne se produiront pas. Ce qui, derrière le chiffrage, rend le scepticisme si hardi, c'est qu'il est le fait non d'Élie, mais du SEIGNEUR. C'est lui qui se retire du vent, du tremblement de terre et du feu, c'est lui qui, dans le bruissement d'un souffle ténu, décrète un avenir qui (dont il sait qu'il ?) ne se réalisera pas.

Israël s'était déjà clairement scindé en deux royaumes — Israël proprement dit, au nord, et Juda, au sud — quand David parvint à renverser le cours des choses et à les réunir dans sa nouvelle capitale de Jérusalem. Le souvenir de ce retournement est conservé dans les Psaumes, en 78, 67-68 :

Il écarta la famille de Joseph,
il refusa de choisir la tribu d'Éphraïm.
Il choisit la tribu de Juda,
la montagne de Sion qu'il aime.

Le Psaume 78 contient aussi l'une des diverses allusions du Tanakh à la destruction de Silo, qu'aucun récit n'évoque explicitement.

En gros, les quatre premiers livres de l'histoire deutéronomique — Josué, les Juges et les deux Livres de Samuel — retracent l'ascension de Juda et l'évidente montée en puissance politique et matérielle des deux royaumes, malgré leur rivalité. Mais les Livres des Rois, qui commencent après la mort de David, retracent la dégringolade dans le désordre et le malheur. Salomon, l'un des fils de David, monte sur le trône, construit et consacre un temple au SEIGNEUR, et donne à sa nation une richesse et une puissance qui, brièvement, surpassent l'œuvre accomplie par son père. Mais Salomon acquiert aussi un immense harem étranger, et ses épouses le dévoient dans un culte étranger. À sa mort, Jéroboam, fils de Nevath, un Éphraïmite, mène la révolte du Nord contre la dynastie davidique de Juda aux cris de

> « Quelle part avons-nous avec David ?
> Nous n'avons rien de commun avec le fils de Jessé !
> À tes tentes, Israël !
> Maintenant, occupe-toi de ta maison, David ! » (1 R 12, 16)

Roboam, l'héritier de Salomon, tente de rassembler autour de sa personne le Nord non moins que le Sud — il se rend à Sichem, centre symbolique du Nord et lieu de naissance de la nation, pour s'y faire proclamer roi —, mais en vain.

Jusqu'à la fin des Livres des Rois, l'idolâtrie et le culte étrangers qui ont proliféré sous Salomon continuent à s'étendre. Les rois apostats d'Israël, au nord, sont invariablement comparés à Jéroboam ; ceux de Juda, au sud, invariablement à Roboam. Il est des exceptions, notamment Ézékias et Josias, alors que l'indépendance du royaume de Juda touche à sa fin. Ils tentent des réformes — de nombreux historiens associant Josias à la domination ultérieure, sinon à la rédaction, de l'histoire deutéronomique elle-même. Et par-delà la corruption des rois et la fausseté de nombreux prophètes, continuent à s'élever les protestations véhémentes et condamnées d'une poignée de fidèles de l'alliance comme Élie, Élisée et — à l'extrême fin — Ésaïe. Mais l'issue n'a jamais fait l'ombre d'un doute. Les Assyriens prennent Samarie, capitale d'Israël (2 R 17), en 722 avant Jésus-Christ ; les Babyloniens s'emparent de Jérusalem, capitale de Juda (2 R 30), en 587 ; et une entreprise divine qui, suivant les calculs de la Bible, a duré plus d'un millénaire finit dans le naufrage, le massacre et l'ignominie de l'exil.

6

Dieu connaît-il l'échec ?

Si la rupture de l'alliance et le génocide qui s'ensuit ne sont que trop clairement une catastrophe dans la vie d'Israël, que sont-ils dans la vie de Dieu ? L'alliance reproductive avec Israël est née, on l'a vu, d'un genre de traité *au sein* du personnage divin, d'un compromis entre les élans créateurs de Dieu et ses élans de destruction. Il s'était repenti de la création, puis à nouveau repenti de la destruction totale. L'alliance avec Abraham était une voie moyenne : la fécondité humaine s'en trouvait implicitement restreinte, la destructivité divine implicitement canalisée et contenue. Cette alliance s'est désormais soldée par un échec. Que va faire Dieu ensuite ?

Rappelons que Dieu, comme on l'a vu dans le premier interlude, n'a pas de vie sociale ni de vie privée ; il ne fréquente pas d'autres dieux, et, intellectuellement, il n'est guère porté sur l'introspection. Il n'est pas un être de ce genre. Sa seule manière de se connaître passe, apparemment, par l'humanité, considérée comme son image. Après l'échec évident qui a couronné ses efforts séculaires dans le cadre de l'alliance abrahamique, quelle peut être sa prochaine initiative concernant l'humanité ?

Doit-il se repentir de l'un de ses précédents repentirs ? Autrement dit, va-t-il, au prix d'un brusque crochet, revenir au temps d'avant le déluge, réitérer son commandement inconditionnel et universel pour inviter les hommes à être « féconds et prolifiques » et se résigner aux conséquences ? Ou son côté destructif va-t-il triompher ? Ayant échoué avec Israël, va-t-il juger qu'il a échoué avec l'ensemble de l'humanité ? Par deux fois, il s'en est fallu de peu qu'il ne détruise Israël pour recommencer de zéro avec Moïse. Pourrait-il maintenant détruire toute l'humanité et recommencer de zéro avec... ? Mais on ne voit pas avec quoi ni avec qui il pourrait recommencer.

En fait, les termes mêmes de l'alliance entre Israël et le

SEIGNEUR finissent par entraîner celui-ci dans une relation nouvelle avec au moins quelques autres nations du monde. Ainsi qu'on l'a vu en entrant dans l'effroyable détail du Deutéronome 28, le SEIGNEUR fait le serment de réserver à Israël le pire sort qui se puisse imaginer, non pas directement mais par l'entremise d'une nation ou de nations qui assiégeront son ancien partenaire et le contraindront à un abominable exil. Si Israël n'avait point rompu l'alliance, l'exercice par Dieu de ses facultés créatrices et destructrices serait demeuré concentré dans le cadre de sa relation avec Israël. Autrement dit, de même qu'il n'a passé d'alliance reproductive avec aucune autre nation, il ne se serait pas engagé militairement. Mais du jour où les armées d'Assyrie et de Babylone sont devenues l'instrument de son jugement sur Israël, il se trouve *ipso facto* engagé auprès d'elles.

Le champ de ses activités s'en trouve élargi : afin de punir son partenaire, il doit accroître la gamme de ses interventions internationales. Non que ses relations instrumentales avec l'Assyrie ou Babylone constituent une nouvelle alliance. Sitôt que ces nations ont rempli leur mission, sitôt qu'Israël a reçu le châtiment mérité et que l'alliance est rompue, le SEIGNEUR n'a plus, en principe, aucune raison de s'engager plus avant avec quelque groupe humain que ce soit. Et si elles outrepassent ses intentions, elles encourent à leur tour son courroux. Pourtant, dans la mesure où le personnage de Dieu se définit par ses actions, un élargissement, fût-il temporaire, de son engagement auprès des nations du monde en tant que nations — plutôt que, simplement, de l'humanité — ne peut que changer sa définition par l'action : ce qu'il a fait une fois, il pourrait le refaire d'une façon ou d'une autre.

Évoquant la victoire du SEIGNEUR sur le Pharaon, nous avons dit que pour Moïse et les Israélites, dans le cantique de l'Exode 15, tout se passait comme si El, dieu au pouvoir immense mais peu susceptible d'entrer en guerre au nom de quiconque, s'était contre toute attente rangé à leur côté. Chaque camp avait son dieu. Dans le Livre des Juges 11, 24, nous percevons clairement un écho de cette vision polythéiste des choses lorsqu'un chef israélite, espérant éviter de guerroyer contre le roi d'Ammon, s'adresse à lui en ces termes : « Ne possèdes-tu pas ce que Kemosh, ton Dieu, te fait posséder ? Et tout ce que le SEIGNEUR notre Dieu a mis en notre possession, ne le posséderions-nous pas ? » Ainsi donc, chaque nation avait l'appui d'un dieu, mais aucune n'eut celui du plus haut et du plus lointain jusqu'au jour où, du moins le sembla-t-il à Israël, ce dieu-là s'engagea dans le camp israélite. Mais le dieu qui sauva Israël cessa de ressembler au dieu du ciel ou au juge cosmique militarisé pour correspondre davantage à Baal, dieu de la guerre familier et moins exalté, même si, par un retournement des plus improbables, ce sauveur nouvellement apparu mêlait les fonctions anarchiquement guerrières de Baal à celles d'un législateur.

Si tel est le profil du SEIGNEUR Dieu à la fin du Livre de l'Exode, nous pouvons dire en toute impartialité qu'il demeure très peu changé à travers le Lévitique, les Nombres, le Deutéronome, Josué, les Juges et 1 et 2 Samuel. Tout au long de ces livres Israël se laisse en effet conduire par un dieu de la guerre qui ressemble comme deux gouttes d'eau à un Baal désexualisé ; et bien qu'Israël ne sorte pas victorieux de tous les engagements, au moins chaque défaite est-elle suivie d'un redressement et d'un retour à la victoire. Au sein du SEIGNEUR Dieu, l'élément baaliste est dominant.

Dans les Livres des Rois, cependant, à l'approche des deux défaites finales, fatidiques, la fusion des personnalités de Baal et d'El change subtilement, et El reprend le dessus. Ainsi, lorsque le SEIGNEUR passe à l'action avec Josué contre Jéricho (Jos 6), il apparaît, tel Baal, en personne. Mais lorsque sonne l'heure pour lui d'une action punitive contre Israël, il charge le prophète Élie d'oindre un prophète et deux rois, dont un qui régnera sur la nation étrangère d'Aram. Si El, en tant que seigneur de tous les dieux et de tous les hommes, devait devenir activement guerrier, sans doute s'y prendrait-il ainsi : il enverrait une nation contre l'autre, il manipulerait les pièces sur un genre d'échiquier mondial, plutôt que de s'engager personnellement dans les combats.

Ainsi, alors que l'alliance approche de l'ultime naufrage, la vue rapprochée que nous avons eue du SEIGNEUR et d'Israël, partenaires de l'alliance séjournant ensemble dans le désert ou traversant de concert le Jourdain pour conquérir Canaan, laisse place à une vue d'ensemble, où l'on voit simultanément plusieurs nations, tandis que le SEIGNEUR a des desseins sur au moins quelques-unes d'entre elles. Le SEIGNEUR n'en devient pas moins guerrier, mais sa bellicosité est d'une espèce plus « diplomatique » qu'il ne le semblait dans les moments les plus explosifs avec Moïse au Sinaï. En fait, la rupture de l'alliance étend l'engagement potentiel du SEIGNEUR, comme guerrier et maître des destinées nationales, au-delà du champ géographique étroit de l'alliance — l'Égypte, le désert, Canaan —, aux empires qui, historiquement parlant, ont écrasé Israël à la faveur de leur expansion. Même si elle ne marque pas en soi un retour à la destructivité massive du déluge, la militarisation de la dimension El dans le personnage du SEIGNEUR propage sa présence potentiellement destructrice. À la création du monde, son champ était, si l'on peut dire, cosmique sans être international. Désormais, il sera également international.

Il est à l'évidence possible de parler de ces événements en termes historiques autonomes. Pour la critique historique, le Tanakh n'est jamais qu'une source pour écrire l'histoire des croyances religieuses de l'antique Israël. Mais le fait qu'on *puisse* en parler en ces termes ne signifie pas qu'il *faille* le faire ; et si le philosophe perçoit une projection derrière la croyance religieuse, le critique littéraire peut aussi voir, derrière la projection, la créativité de celui qui en est l'auteur. Ce qui fait du Tanakh une œuvre d'art, c'est précisément sa manière de transformer l'expérience littéraire d'un peuple en un personnage, le SEIGNEUR Dieu, et son expérience historique en intrigue. Pareille transformation n'aurait jamais pu se produire sous la forme d'un processus purement inconscient, comme une sorte d'abréaction* involontaire. Elle requiert l'exercice d'une intelligence agressivement créatrice. Il fallait une certaine audace littéraire pour transformer les victoires historiques de l'Assyrie et de Babylone en actions d'un protagoniste, le SEIGNEUR Dieu, appliquant les termes d'un accord antérieur avec Israël, son antagoniste. Il n'en fallait pas moins pour permettre au personnage du protagoniste de se développer dans et à travers ces actions. Dans l'histoire deutéronomique, le changement que l'on vient d'évoquer est à peine esquissé. C'est dans les oracles des prophètes, que nous aborderons dans le prochain chapitre, que ce changement prend toute son ampleur. Mais cette préfiguration de la suite des événements dans les précédents relève elle-même de l'art plutôt que d'un accident, bien qu'il s'agisse d'un processus sujet à des accidents et qu'aucune conscience artistique ne le maîtrise entièrement.

À propos des Livres de Josué, des Juges, de 1 et 2 Samuel, de 1 et 2 Rois, nous avons généralement parlé d'histoire deutéronomique, moins souvent de « prophètes premiers ». Mais si l'on met l'accent sur le mot *deutéronomique*, il n'est aucune différence entre ces deux désignations. Parce que le Deutéronome se termine par une longue prophétie, l'histoire deutéronomique se déploie comme une histoire enfermée dans une prophétie. Moïse, le premier et le plus grand des prophètes, le prophète paradigmatique, a dénoncé le Pharaon, le roi d'Égypte, de même que les prophètes ultérieurs ont dénoncé les rois d'Israël et de Juda. Moïse a prédit que Dieu passerait à l'action contre le Pharaon si celui-ci n'obéissait à celui-là. Le Pharaon n'a pas obéi,

---

* Terme de psychanalyse, défini ainsi par J. Laplanche et J.-B. Pontalis : « Décharge émotionnelle par laquelle un sujet se libère de l'affect attaché au souvenir d'un événement traumatique. » *(N.d.T.)*

et s'est ensuivie une action divine spectaculaire. Mais s'exprimant de nouveau par la bouche de Moïse, alors que ce dernier est en fin de carrière, Dieu a promis une action non moins spectaculaire contre les siens s'ils ne satisfaisaient point à certaines conditions. Ils ont failli, et le voici qui est passé à l'action. Ainsi Moïse couvre-t-il de son ombre prophétique toute la vie nationale d'Israël, de sa victoire sur Canaan à sa défaite par l'Assyrie et Babylone.

Telle est l'interprétation que donnent à plusieurs reprises et explicitement les Livres des Rois, jamais autant qu'après la chute du royaume du Nord devant l'Assyrie. Ainsi, le Deutéronomiste écrit :

> Cela est arrivé parce que les fils d'Israël ont péché contre le SEIGNEUR, leur Dieu, lui qui les avait fait monter du pays d'Égypte, les soustrayant à la main du Pharaon, roi d'Égypte, et parce qu'ils ont craint d'autres dieux. Ils ont suivi les lois des nations que le SEIGNEUR avait dépossédées devant les fils d'Israël et les lois que les rois d'Israël ont établies. Les fils d'Israël ont entrepris contre le SEIGNEUR, leur Dieu, des choses qu'on ne doit pas faire : ils se sont construit des hauts lieux dans toutes leurs villes, dans les tours de garde aussi bien que dans les places fortes ; ils ont érigé à leur usage des stèles et des poteaux sacrés sur toutes les collines élevées et sous tout arbre verdoyant ; là, sur tous les hauts lieux, ils ont brûlé de l'encens comme les nations que le SEIGNEUR avait déportées devant eux. Ils ont commis de mauvaises actions au point d'offenser le SEIGNEUR. Ils ont servi les idoles alors que le SEIGNEUR leur avait dit : « Vous ne le ferez pas ! »
>
> Le SEIGNEUR l'avait attesté contre Israël et Juda par l'intermédiaire de tous ses prophètes, de tous les voyants, en disant : « Revenez de vos voies mauvaises, gardez mes commandements, mes décrets, selon toute la Loi que j'ai prescrite à vos pères et que je vous ai transmise par l'intermédiaire de mes serviteurs les prophètes. » Mais ils n'ont pas écouté, ils ont raidi leur nuque comme l'avaient raidie leurs pères qui n'avaient pas cru au SEIGNEUR, leur Dieu. Ils ont rejeté ses lois ainsi que l'alliance qu'il avait conclue avec leurs pères, les exigences qu'il leur avait rappelées ; ils ont couru auprès des riens et les voilà réduits à rien. Ils ont suivi les nations qui les entouraient alors que le SEIGNEUR leur avait prescrit de ne pas agir comme elles. Ils ont abandonné tous les commandements du SEIGNEUR, leur Dieu, et ils se sont fait deux statues de veaux ; ils ont dressé un poteau sacré, se sont prosternés devant toute l'armée des cieux et ont servi le Baal. Ils ont fait passer par le feu leurs fils et leurs filles ; ils ont consulté les oracles, pratiqué la divination. Ils se sont livrés à de mauvaises actions aux yeux du SEIGNEUR au point de l'offenser. Le SEIGNEUR s'est mis dans une violente colère contre Israël ; il les a écartés loin de sa présence. Seule est restée la tribu de Juda.
>
> Mais Juda non plus n'a pas gardé les commandements du

SEIGNEUR, son Dieu ; ils ont suivi les lois qu'Israël avait établies. Le SEIGNEUR a rejeté toute la race d'Israël ; il les a humiliés, il les a livrés aux mains des pillards pour les chasser finalement loin de sa présence. (2 R 17, 7-20)

À première vue, du moment qu'Israël a clairement violé l'alliance et qu'il a subi son juste châtiment par l'entremise de l'Assyrie et de Babylone, il ne reste plus rien à faire. L'histoire est terminée. Le rideau tombe. Mais Dieu ne saurait désirer que le rideau tombe — sur Dieu. S'il a fallu une certaine audace à un auteur antique pour imaginer les victoires de l'Assyrie et de Babylone comme des actions divines, un autre a dû relever le défi d'écrire un deuxième acte pour un premier qui, apparemment, n'en permettait pas de second. Au bout du compte, la poursuite de l'action passe par le personnage du protagoniste. Le SEIGNEUR trouve le moyen de garder contact avec Israël, partant de laisser sa propre vie se déployer, en opérant un changement en lui.

Dans une certaine mesure, le Livre du Deutéronome lui-même prévoit ce changement et la survie de quelque partenariat entre Israël et le SEIGNEUR. Dans l'un de ces passages incandescents qui expliquent, si la chose est possible, la survie des Juifs au fil des millénaires, Moïse envisage le jour où la terre d'Israël aura subi une destruction aussi complète et horrifiante que Sodome. Que devra faire la génération *d'après* cette destruction quand elle verra que « tout son pays n'est que soufre, sel et feu : pas de semailles, pas de végétation, aucune plante ne pousse » ? Que devra faire cette génération quand les nations demanderont « pourquoi ? » et que la réponse fusera, accablante : « C'est parce qu'ils ont abandonné l'alliance du SEIGNEUR, le Dieu de leurs pères » (Dt 29, 21-24) ?

> Et quand arriveront sur toi toutes ces choses, la bénédiction et la malédiction que j'avais mises devant toi, alors tu réfléchiras parmi toutes les nations où le SEIGNEUR ton Dieu t'aura emmené : tu reviendras jusqu'au SEIGNEUR ton Dieu, et tu écouteras sa voix, toi et tes fils, de tout ton cœur, de tout ton être, suivant tout ce que je t'ordonne aujourd'hui. Le SEIGNEUR ton Dieu changera ta destinée, il te montrera sa tendresse, il te rassemblera de nouveau de chez tous les peuples où le SEIGNEUR ton Dieu t'aura dispersé. Même si tu as été emmené jusqu'au bout du monde, c'est de là-bas que le SEIGNEUR ton Dieu te rassemblera, c'est de là-bas qu'il ira te prendre. Le SEIGNEUR ton Dieu te fera rentrer dans le pays que tes pères ont possédé, et tu le posséderas ; il te rendra heureux et nombreux, plus que tes pères. (Dt 30, 1-5)

Oui, ce commandement que je te donne aujourd'hui n'est pas trop difficile pour toi, il n'est pas hors d'atteinte. Il n'est pas au ciel ; on dirait alors : « Qui va, pour nous, monter au ciel nous le chercher, et nous le faire entendre pour que nous le mettions en pratique ? » Il n'est pas non plus au-delà des mers ; on dirait alors : « Qui va, pour nous, passer outre-mer nous le chercher, et nous le faire entendre pour que nous le mettions en pratique ? » Oui, la parole est toute proche de toi, elle est dans ta bouche et dans ton cœur, pour que tu la mettes en pratique. (Dt 30, 11-14)

Je dis que, « dans une certaine mesure », la survie est prévue dans ce passage parce que le poids du long discours de Moïse, aux dimensions d'un livre, mais aussi le poids d'un récit dans lequel Dieu est à trois reprises empêché de justesse d'anéantir Israël pèse très lourdement du côté du jugement irréversible. À la fin de la dernière malédiction du Deutéronome 28, lorsque Moïse déclare : « Et le SEIGNEUR te fera retourner sur des bateaux en Égypte [...]. Et là, vous vous mettrez vous-mêmes en vente pour être les serviteurs et les servantes de tes ennemis, mais il n'y aura pas d'acheteur ! », c'est sans conteste la condition terminale d'Israël qu'il décrit. Si le passage cité à l'instant contredit cette finalité, que devons-nous en inférer ? Que, tout compte fait, le SEIGNEUR « ne voulait pas dire ça » ? Ou que sa miséricorde l'emportera toujours sur son sens de la justice ? S'il peut pardonner sans fin à Israël, en quel sens a-t-il une alliance avec lui ? S'il annule ses châtiments mais pas ses promesses, ne s'impose-t-il pas une obligation gratuite et unilatérale envers Israël ? Et, en un sens, n'est-il pas sa propre dupe ?

Aux deux dernières questions, la réponse est « oui », mais le SEIGNEUR devra changer avant de pouvoir aborder ces questions. Pour l'instant, tel que nous le trouvons à la fin du IIᵉ livre des Rois, ces possibilités sont à peine entrevues. Juste avant le passage dans lequel Moïse prévoit la catastrophe puis un redressement qui semble réduire à néant tout ce qu'il a pu dire, il déclare : « Au SEIGNEUR notre Dieu sont les choses cachées, et les choses révélées sont pour nous et nos fils à jamais, pour que soient mises en pratique toutes les paroles de cette Loi » (Dt 29, 28).

Autrement dit, s'il est une contradiction entre l'espoir de la divine miséricorde et les impératifs de l'alliance, Moïse entend qu'Israël fonde sa conduite sur les exigences inlassablement promulguées de l'alliance, et qu'il traite la promesse plus lointaine et mystérieuse de miséricorde comme l'une de ces « choses cachées » qui sont au SEIGNEUR. Dans ce contexte, la promesse d'un retour d'exil vers la terre promise est à peine plus qu'un fléchissement dans la détermination, claire comme de l'eau de roche, du SEIGNEUR : qu'Israël manque aux impératifs de l'alliance, et il l'effacera. Le tremblement en question ne saurait devenir une nouvelle direction à moins que Dieu ne change, et, comme dit Moïse, ce ne sont pas des choses qu'on puisse savoir ou prédire. Au nombre des « choses cachées » du SEIGNEUR, la plus cachée, le secret suprême, est le SEIGNEUR lui-même.

7

Transformation

Si rien, dans la littérature moderne, ne correspond exactement à ce qu'on trouve dans la Bible, de tous les genres littéraires bibliques il n'en est aucun qui soit si clairement à part que la prophétie. Celle-ci mêle la prédication, la politique et la poésie d'une façon qui défie le commentaire théologique, historique et littéraire. Notre propre approche est littéraire, mais l'accent porte non pas sur le langage ni sur l'effet littéraire en soi, mais sur le personnage. Nous nous pencherons sur la prophétie comme portrait, ou autoportrait de Dieu sous une forme non narrative. Très souvent, les prophètes n'articulent pas leurs propres mots, mais ceux de Dieu, ou sa « Parole », comme ils disent souvent en employant un singulier quasi personnifié. Si nous reconnaissons au moins une valeur de vérité littéraire à leur relation avec Dieu, cette Parole en dit autant sur Dieu que sur aucun d'entre eux.

S'il est en principe raisonnable de définir Dieu à travers son message aux prophètes, c'est en pratique difficile parce qu'il semble qu'il y ait non pas un message, mais plusieurs et, pire encore, que ces divers messages se contredisent allégrement. Les commentateurs esquivent typiquement la difficulté en abandonnant tacitement la fiction que c'est Dieu lui-même qui parle, pour traiter chaque prophète en commentateur religio-politique autonome, un auteur au sens moderne, et diviser les grands livres en petits livres d'une plus grande cohérence interne, voire en oracles individuels. Mais, quels que soient les gains historiques qu'on peut en attendre, procéder ainsi c'est nier la prémisse littéraire majeure de la Bible elle-même, à savoir que tous ces messages apparemment contradictoires viennent tous de la même source divine.

L'autre voie de la cohérence, sans en minimiser la difficulté, consiste à partir de l'hypothèse que ces messages émanent tous du même personnage, puis d'inférer des contradictions que le personnage doit être dans la détresse. Suivant cette interprétation, la rupture de l'alliance, la chute de Jérusalem et l'exil d'Israël à Babylone deviennent une crise dans la vie de Dieu aussi bien que dans la vie de la nation.

Le biographe de Dieu qui se détourne du Pentateuque et de l'histoire deutéronomique pour passer aux prophètes derniers peut se comparer au biographe d'un général dans quelque guerre qui a fait date. S'en étant remis à la grande histoire, dans laquelle le général peut être le personnage central mais où il est loin d'être le seul, le biographe, par un grand coup de chance, entre en possession de trois grandes liasses de correspondance et de douze petites : les quinze livres de prophéties. Le plus grand désordre règne parmi ces lettres. De surcroît, leurs destinataires forment un groupe très varié, et le général s'est manifestement efforcé d'adapter ses messages à leurs besoins et à leurs capacités. Tout aussi clairement, il a souvent été lui-même soumis à une tension extrême en le faisant. Il est donc impossible de dégager un sens simple de cette correspondance, mais ce n'en est pas moins une découverte saisissante, un aperçu de l'esprit d'un homme que l'on ne connaît autrement que par ses actions et ses déclarations *ad hoc*, bien plus brèves.

Le lien qu'entretiennent le protagoniste divin et l'antagoniste humain dans la Bible est unique. Dieu fait l'humanité à son image, mais sans cette image de soi il paraît incapable d'avoir les moindres relations, fût-ce avec lui-même. Dans le cas présent, sans Dieu pour envoyer sa « Parole », les prophètes n'auraient rien à recevoir. Mais sans eux, il n'aurait rien non plus à envoyer. De surcroît, ce qu'il leur envoie porte la marque intime de chacun d'eux, comme seul en est capable un correspondant de talent.

Maintes et maintes fois, dans ces « lettres », le SEIGNEUR menace en même temps qu'il prédit la catastrophe centrale que fut la perte de la terre d'Israël et l'exil du peuple des suites de la rupture de l'alliance avec le SEIGNEUR. Nombre, sinon la plupart, de ces menaces et prédictions ont été proférées avant les faits ; et si, pour des raisons internes, la critique historique peut démontrer que certaines ont été faites après coup, ce qui compte, dans notre lecture séquentielle de la Bible, c'est que toutes sont *lues* après coup. À cet égard, leur impact émotionnel est vaguement comparable à celui des Mémoires et des recueils de correspondance parus au lendemain de la Seconde Guerre mondiale — comme ceux de Montgomery, de Churchill, de Roosevelt, de Speer et du général de Gaulle — tels que purent les recevoir des lecteurs qui savaient déjà comment la guerre s'était terminée. Lorsque la paix est restaurée et la guerre terminée, on a tout le loisir d'examiner son effet à l'époque sur des personnages clés.

Et quel est l'effet sur Dieu de cette défaite historique de son partenaire ? En deux mots, elle le plonge dans une agitation angoissante mais puissamment engageante. Dieu — un dieu composite, on l'a vu — nourrit sa prophétie de ses propres tensions intérieures, concentrant ses ressources créatives dans le seul dessein de perpétuer deux vies : la sienne et celle d'Israël. Tel un homme d'État doublé d'un guerrier talentueux et plein de ressources, il affronte des conditions extrêmes afin de trouver en lui une réponse à la hauteur d'une crise extérieure terrassante. Pour y parvenir dans la crise qu'il affronte, le SEIGNEUR doit prendre possession des éléments disparates de sa propre personnalité et de son passé pour en extraire d'une manière ou d'une autre une nouvelle version de la relation original/image qui l'a conduit dans un premier temps à créer l'humanité puis, après l'échec essuyé avec l'ensemble des hommes, à prendre un nouveau départ plus restreint avec Abraham. Lui qui au commencement n'avait pas d'histoire en a maintenant une, puissamment suggestive. Il doit l'exploiter agressivement, et il le fait.

Dans les Livres de l'Exode et du Deutéronome, la fusion des diverses personnalités divines, capables de défaire les empires et de faire les nations, a d'abord donné naissance au personnage du SEIGNEUR Dieu. Dans les livres prophétiques, nous commençons à voir que cette fusion, quoique intrinsèquement instable, n'est pas *nécessairement* explosive. La décomposition, la chute de l'instabilité explosive à la fragmentation, puis à la stabilité de l'inertie, est aussi possible. Nous pouvons donc dire que Dieu livre une guerre à mort pour se maintenir dans un état de fusion qui restera dynamique ou, pour changer d'angle de vue, que les prophètes s'évertuent à faire pression sur les éléments de la fusion originale de manière à les porter une fois encore au point critique. Peut-être son personnage doit-il encore exploser pour fusionner à nouveau. Personnalités souvent instables, les prophètes ont bel et bien un effet déstabilisant, mais sans quelque déstabilisation, la vie de Dieu menace de toucher à sa fin.

Sans vouloir filer outre mesure aucune de ces métaphores, la personnalité conflictuelle de Dieu et sa vie accidentée forment l'inventaire de base de ses possibilités de développement. Afin d'exploiter cet inventaire, il fait appel à des collaborateurs qui sont eux-mêmes des personnalités conflictuelles au passé mouvementé. Les trois grands prophètes — Ésaïe, Jérémie et Ézéchiel — peuvent être considérés comme l'articulation, respectivement maniaque, dépressive et psychotique, du message prophétique. Quant aux versions calmes, saines et modérées de la prophétie, il n'y en a pas. La modération et la sérénité s'imposent non pas dans la tradition prophétique d'Israël, mais dans sa tradition de sagesse. La sagesse accepte, la prophétie rejette ; et il faut une sorte de folie pour rejeter les données élémentaires de toute une société, *a fortiori* pour suggérer que l'histoire doit recommencer par une nouvelle création du monde. Certes, la folie en question n'est pas une folie ordinaire, mais cette folie maîtrisée que la société moderne honore parfois chez les grands artistes. Toutefois, cette folie n'est pas non plus à ce point différente de l'autre espèce qu'on doive totalement se passer du mot *folie*. Toutes deux ont quelque chose en commun. Le cliché suivant lequel le fou se prend pour Dieu est plus près de la vérité pour ces prophètes fous que pour aucun autre auteur de toute la littérature universelle. Les prophètes « jouent » les vieux thèmes de l'histoire et de la théologie israélites, mais autrement, de manière extravagante et forcée. À tout moment, cependant, alors que Dieu essaie et, parfois, écarte aussitôt chaque idée nouvelle, chaque image nouvelle, la même question de fond hante son esprit, trop terrifiante pour des mots ordinaires : *Si c'est vrai, si ça marche, alors... pouvons-nous recommencer ?*

Bien que le récit formel et continu du Tanakh s'interrompe à la fin du IIe Livre des Rois pour ne reprendre qu'au Livre d'Esdras, vingt-cinq livres bibliques après, les oracles (discours prophétiques) des trois grands prophètes — Ésaïe, Jérémie et Ézéchiel — et de deux petits prophètes sur douze — Aggée et Zacharie — sont encadrés par un récit juste suffisant pour créer un lien ténu entre ces deux points. D'une importance particulière est, à cet égard, le Livre de Jérémie, où la biographie du prophète, alternant avec ses oracles, poursuit assez longuement le IIe Livre des Rois pour montrer une division tripartite du peuple israélite défait. Dans Jérémie, les Israélites sont souvent appelés *hayyehudim*, d'un mot qu'on peut traduire par « les Juifs », mais que la Jewish Publication Society rend souvent par « Judeans », en français « Judéens ». Des douze tribus d'Israël, seule survivra la maison de Juda, mais à cette phase transitoire de son histoire, elle n'a pas encore pris la forme qu'elle aura à l'avenir : celle des Juifs, c'est-à-dire d'une nation dont la singularité est de vivre partagée entre sa patrie et l'étranger. Puisque la traduction « les Juifs » suggère de façon par trop automatique et anachronique cette identité ultérieure, « Judéens » est jusqu'ici préférable. Après la défaite de Babylone par la Perse, en 538 avant notre ère, la Diaspora prit un tour largement volontaire. À compter de cette date, la désignation « les Juifs » est généralement préférable, surtout hors de Judée.

Une lecture attentive des derniers chapitres du IIe Livre des Rois et des chapitres narratifs de Jérémie, d'Ézéchiel, d'Aggée et de Zacharie indique clairement que la conquête babylonienne ne s'est pas faite d'un seul coup. Nabuchodonosor, roi de Babylone, déporta l'élite culturelle et religieuse de Juda vers Babylone quelques décennies avant la conquête finale de Jérusalem. Cette conquête fut sauvage, assurément, et Jérusalem se trouva ruinée ; et pourtant, ainsi qu'il arriva souvent dans le cours de l'empire, la paysannerie demeura sur place pour travailler la terre. Les Babyloniens n'appliquèrent pas une politique de la terre brûlée à travers toute la Judée, et, le moment venu, ils mirent en place un gouverneur qui la dirigea depuis la Samarie, comme une province occidentale de l'empire babylonien. Jérémie prédit que l'exil babylonien allait durer soixante-dix ans ; et si l'on prend pour point de départ l'an 609 avant J.-C., date de déportation de l'élite, sa prédiction se réalisa en 538, lorsque Cyrus, roi de Perse (la Perse ayant, entre-temps, conquis Babylone), dépêcha une délégation de Judéens pour reconstruire le temple du dieu qu'il appelait « le Dieu du ciel ».

Toutefois, nombre de Judéens exilés restèrent à Babylone, formant une minorité prospère et influente, tandis que les empires — babylonien, perse, grec, parthe, sassanide, etc. — triomphaient et sombraient. La modeste vie politique nationale qui reprit en Judée, désormais province de l'empire perse, fit à nouveau de Jérusalem le centre spirituel de la communauté juive mondiale naissante, tandis que Babylone en restait le centre culturel, intellectuel et financier. *Lingua franca* des empires babylonien et perse, l'araméen devint la langue de la science juive. (Des deux éditions antiques du Talmud, la plus importante fut réalisée à Babylone.) Le plus surprenant, peut-être, c'est que l'alphabet araméen aux caractères carrés ait remplacé l'alphabet israélite cursif des origines dans l'écriture même de l'hébreu. À d'autres égards, également, l'influence de Babylone fut forte. Les Judéens adoptèrent les noms babyloniens pour les mois du calendrier. Le mythe judéen de la création — fortement influencé, on l'a vu, par celui de Babylone — a bien pu être écrit à Babylone. Et celle-ci resta influente alors même qu'on rejetait ses pratiques. Le spectacle de l'idolâtrie babylonienne, sans commune mesure avec ce que les Judéens avaient pu voir chez les Cananéens, aiguisa leur distinction entre le SEIGNEUR Dieu et les dieux fabriqués, que cette fabrication fût matérielle ou non.

La vigueur de la grande communauté juive expatriée à Babylone allait être d'une importance cruciale, six siècles plus tard, lorsque Jérusalem fut de nouveau la proie des flammes, cette fois à la suite de deux révoltes avortées (en 70, puis en 135 après J.-C.) contre le pouvoir romain. La déportation massive qui suivit ces défaites accrut considérablement la Diaspora occidentale des Juifs et perturba profondément la vie de la communauté juive d'Occident, mais en Orient la vie des Juifs de Babylone suivit son cours. Il est assez étonnant de constater que les académies talmudiques de Soura et de Néhardéa, à Babylone, continuèrent à faire autorité pour les Juifs d'Orient et même d'Occident jusqu'au XIIe siècle de notre ère.

Mais il y avait une troisième grande communauté judéenne. Alors que la vie judéenne ne faisait que commencer à Babylone, des forces militaires insoumises — encore une chose que nous savons par Jérémie — se révoltèrent contre le gouverneur de Babylone, formant un genre de mouvement de résistance allié à une nation locale, les Ammonites. Les rebelles parvinrent à assassiner le gouverneur, mais leur rébellion avorta, et, passant outre aux véhémentes mises en garde de Jérémie, ils se réfugièrent en Égypte. Symboliquement, tout au moins, on peut voir dans cet épisode le début de la longue histoire de la communauté juive, militante et dissidente, en Égypte après l'exil.

Cette communauté juive d'Égypte [1] devait être d'une importance sans pareille dans l'histoire des Juifs, parce que c'est en Égypte, après qu'Alexandre le Grand en eut fait une partie du monde hellénistique, que fut consenti un effort de grande ampleur pour concilier la pensée religieuse juive à la pensée philosophique grecque. À Alexandrie, pour la première fois, on peut parler de théologie juive au sens le plus fort du mot. La figure de proue de cette entreprise est le philosophe religieux juif du Ier siècle, Philon d'Alexandrie. Tragiquement, étant donné l'intérêt mutuel évident que les Juifs et les Grecs (de culture) portaient à leurs conceptions religieuses, les déchirements civils entre les deux groupes dégénérèrent en l'an 117 de notre ère en une rébellion juive condamnée à l'échec. À cette époque, les Romains avaient remplacé les Grecs, mais la langue et la culture demeuraient grecques. Certains spécialistes soupçonnent que, puissante et sûre d'elle-même, la communauté juive d'Alexandrie envisageait de reprendre Jérusalem par les armes, mais elle n'en fit rien. La rébellion se solda par une défaite écrasante et, comme à Jérusalem, par des déportations massives qui alimentèrent la Diaspora juive en Occident. Plus récemment, certains chercheurs ont soutenu que, même si la pensée juive alexandrine ne semble guère avoir influencé le judaïsme dans les premiers siècles qui suivirent la rébellion, le christianisme est sans doute l'héritier du judaïsme alexandrin. Autrement dit, apportant à la Diaspora juive de Méditerranée ce qui était encore une forme de judaïsme, les missionnaires juifs du mouvement christique naissant ont bien pu recevoir le plus chaleureux des accueils parmi les Juifs culturellement assimilés, influencés par la pensée alexandrine, c'est-à-dire par Philon. La gnose fut peut-être plus importante encore comme point de chute du courant de pensée initié par Philon.

Aussi intéressante que puisse être en soi cette histoire, cependant, notre propos n'est pas historique, mais littéraire : ce n'est pas la transformation de l'Israël antique en une communauté juive moderne qui nous intéresse, mais le personnage du SEIGNEUR Dieu tel qu'il ressort des discours prophétiques interrompus, tout au plus, par de brèves interludes narratifs. Ce livre n'étant pas un commentaire du Tanakh, il est hors de question de procéder à un examen complet des discours tenus par les quinze prophètes. Force nous est de faire un compromis, c'est-à-dire de tenter une étude assez systématique d'un grand et de trois petits prophètes : Ésaïe dans ce chapitre ; Aggée, Zacharie et Malachie au début du chapitre 9. Quelques autres seront mentionnés dans les chapitres suivants, mais juste en passant.

Nous parlions à l'instant d'Ésaïe comme d'un prophète « maniaque ». Que la critique historique ne pense pas que toutes les prophéties du Livre d'Ésaïe soient l'œuvre d'un seul auteur, sain d'esprit ou non, n'y change rien. Quelle que soit la généalogie littéraire du livre et le nombre de mains qui y ont contribué, l'effet littéraire de son découpage rapide, surtout dans les chapitres d'ouverture, est celui d'un seul et unique esprit foisonnant de concepts et d'images. L'orateur — tantôt le SEIGNEUR, tantôt Ésaïe , tantôt l'un ou l'autre, ou les deux à la fois — change constamment. La typographie peut rationaliser cet état de fait en mettant entre guillemets ce qui semble être la parole de Dieu, alors même que le texte ne l'identifie pas explicitement comme telle, mais la vérité est plus profonde que la typographie : les deux esprits — celui du SEIGNEUR et celui d'Ésaïe — sont également bouillants et, pour cette raison, aucun des deux n'est tout à fait tranquille. Mais par la même occasion, la fécondité presque douloureuse du Livre d'Ésaïe en fait un abrégé des prophéties : chaque idée, chaque image, ou presque, qu'on trouvera chez les autres prophètes fait au moins une brève apparition chez Ésaïe. Avec la violence de son tangage et de ses changements de cap, ses visions ravagées de destruction universelle et ses transports extatiques de rédemption universelle, le Livre d'Ésaïe est un genre de *Deus agonistes* : le spectacle d'un combat dans lequel le SEIGNEUR Dieu se met en quatre.

Non qu'Ésaïe nous dise, en toutes lettres, que Dieu est au pied du mur. Tout ce qu'il dit ici, le SEIGNEUR paraît le dire avec autant d'assurance que lorsqu'il s'adressait à Moïse, voire avec encore plus d'aplomb. Mais si fier qu'il soit, le fond de son propos est d'une certaine façon humiliant, car les interprétations qu'il donne de la chute de Jérusalem — toujours appuyées sur la certitude divine la plus absolue — sont fondamentalement contradictoires et en complet désaccord avec l'interprétation deutéronomique que nous venons de voir.

En matière d'interprétation, deux options dominantes alternent, et parfois se contredisent :

1. Israël a péché et n'a pas volé son châtiment. Dieu doit donc laisser les choses suivre leur cours. Telle est l'interprétation deutéronomique répétée avec toute la force de la rhétorique.

2. Israël a été bien assez puni de ses péchés et, d'une manière ou d'une autre, le SEIGNEUR doit maintenant venir à sa rescousse.

Bien que, de la façon indiquée à l'instant, Dieu parle différemment et révèle ainsi à chacun des prophètes un aspect différent de lui, il n'en aborde pas moins avec chacun d'eux le même ensemble d'événements de sa propre vie et le même ensemble de questions. Les événements : Israël a été infidèle à Dieu ; Dieu a puni Israël. Les questions : Dieu et Israël peuvent-ils recommencer et, si oui, comment ? Dieu va-t-il désormais revoir ses relations avec les autres nations du monde et, si oui, en quel sens ?

Le prophète le plus célèbre et le plus cher au cœur de l'élite judéenne qui, depuis Babylone, devait recréer une vie nationale, semble avoir été Jérémie, plutôt qu'Ésaïe. À leur retour, c'est sa prophétie qui, à les entendre, s'est accomplie. Seul de tous les prophètes, il avait exhorté ceux qui avaient été déportés à Babylone à se marier, à procréer et à y prospérer jusqu'à ce que le SEIGNEUR les rapatriât ; de même, il avait exhorté ceux qui étaient demeurés dans la Judée dévastée à ne partir pour aucune autre destination, par exemple l'Égypte. Vilipendé de son vivant, Jérémie devint après sa mort une sorte de prophète « officiel » de l'*establishment* sacerdotal.

Mais c'est Ésaïe, non Jérémie, qui fait valoir l'éloquence du SEIGNEUR Dieu. C'est en parlant à Ésaïe que le SEIGNEUR plonge au plus profond de lui, et avec le plus de témérité, dressant l'inventaire le plus minutieux de ses propres réponses à l'angoisse que lui a inspirée l'angoisse qu'il a infligée à son peuple élu. Lire ces réponses, c'est traverser cette crise en compagnie du Dieu qui la souffre.

BOURREAU

« *La voici qui se hâte et arrive très vite* »

ÉSAÏE 1-39

Le lecteur moderne aurait beaucoup plus de facilité à se retrouver dans le livre d'Ésaïe si, dans ses pages, le SEIGNEUR s'avouait atterré par le châtiment qu'il a infligé à Jérusalem et déchiré entre les deux positions — donnons-leur le nom de justice et de miséricorde — qu'on vient de signaler. Mais il n'en fait rien.

Pour reprendre une fois encore l'analogie de la lettre personnelle, ces « lettres » de Dieu ne sont pas de celles où l'auteur confie sa confusion ; au contraire, ayant affaire à différents correspondants, il essaie des positions radicalement différentes, qu'il pousse à chaque fois à la limite. Dans l'ensemble, le Livre d'Ésaïe offre un répertoire de réponses au mieux partiellement compatibles à cette crise suprême touchant la vie commune d'Israël et de Dieu.

En 2 Samuel 7, on l'a vu, s'adressant à David par la bouche du prophète Natan, Dieu a timidement essayé, pour la première fois, de parler de lui sur le mode comparatif et analogique. « Je suis comme un père », dit-il à David, pour le paraphraser très légèrement. Le voici qui reprend cette comparaison et la développe. Mais « comme un père » n'est qu'un début. Il est aussi amant, mari, mère, berger, jardinier, roi et — catégories dont il n'avait encore jamais été question — un rédempteur et le « le Saint d'Israël ». À la fin de l'histoire deutéronomique, nous l'avons vu s'engager à nouveau dans les relations internationales, même s'il ne s'agissait guère pour lui de prendre des responsabilités. Ici, cet engagement se confirme et s'épanouit en une vraie responsabilité, doublée d'un effort pour demander comment cette responsabilité nouvelle peut s'accorder avec une nouvelle responsabilité envers Israël qui reste à définir. Et pourtant, si tout ceci équivaut à ce qu'on pourrait appeler « le nouveau SEIGNEUR Dieu », il est aussi des moments — et ils sont nombreux — où la synthèse massive des personnalités divines que Moïse a énoncée avec une éloquence si imposante dans le Deutéronome réduit au silence toute dissension et arrête toute évolution.

Parce que G. F. Haendel a mis en musique quelques-uns des plus célèbres versets d'Ésaïe dans l'oratorio de son *Messie*, la lecture du prophète ne manquera pas d'évoquer quelques mesures de cette œuvre. Mais au niveau de la composition, le Livre d'Ésaïe ressemble moins au *Messie* qu'aux deuxième et troisième mouvements de la *9e Symphonie* de Beethoven. Dans ces mouvements, un thème en interrompt un autre, un tempo brise l'autre. C'est aussi le cas dans le Livre d'Ésaïe. Même les chapitres du « choral » qui en sont le point culminant (l'œuvre du « Second Ésaïe », comme l'appelle la critique historique), et où tous les thèmes et états d'esprit antérieurs paraissent se fondre en une magnifique harmonie, sont parsemés d'arrêts, de changements d'allure, d'envolées et d'embardées plus brusques qu'il n'y paraît à la première écoute. La *9e Symphonie*, on l'a souvent remarqué, est une composition presque incomposée, elle donne le sentiment que le jeu des possibles est toujours ouvert. Il en va de même ici : la fin de la seule relation durable que Dieu ait jamais eue et la fin imminente de l'histoire d'Israël en tant que nation créent un sentiment de liberté vertigineux, parfois perclus de douleur. D'un point de vue intellectuel, il n'est pas grand-chose d'entièrement exclu ; et le style presque désinvolte est à l'image de cette ouverture sans précédent.

Dans la longue vision qui ouvre le livre, Ésaïe cite les paroles du SEIGNEUR aux rois de Juda, à qui il donne, de façon choquante, le nom de « grands de Sodome » :

> Écoutez la parole du SEIGNEUR, grands de Sodome,
> prêtez l'oreille à l'instruction de notre Dieu, peuple de Gomorrhe.
> Que me fait la multitude de vos sacrifices, dit le SEIGNEUR ?
> Les holocaustes de béliers, la graisse des veaux,
> j'en suis rassasié.
> Le sang des taureaux, des agneaux et des boucs,
> je n'en veux plus.
> Quand vous venez vous présenter devant moi,
> qui vous demande de fouler mes parvis ? (Es 1, 10-12)

Louis Segond traduit ainsi le dernier verset :

> Quand vous venez vous présenter devant moi,
> Qui vous demande de souiller mes parvis ?

Prise à la lettre, la question est étonnante. Qui se souvient de l'Exode ou du Lévitique pourrait rétorquer : « Qui l'a demandé ? *Mais c'est toi !* » Les questions qui commencent par l'hébreu *mi*

— « qui ? » — sont parfois plus des exclamations que des questions. Ainsi en français, dans les expressions du genre, « Qui s'en soucie ? ». Mais cela n'atténue aucunement le choc.

Si le SEIGNEUR n'a que faire des holocaustes, que veut-il ?

> Lavez-vous, purifiez-vous.
> Ôtez de ma vue vos actions mauvaises,
> cessez de faire le mal.
> Apprenez à faire le bien,
> recherchez la justice,
> mettez au pas l'exacteur,
> faites droit à l'orphelin,
> prenez la défense de la veuve. (Es 1, 16-17)[2].

Ces propos figurent dans une vision d'Ésaïe « qu'il vit au sujet de Juda et de Jérusalem, aux jours d'Ozias, de Yotam, d'Akhaz et d'Ézékias, rois de Juda » (1, 1). Mais, au total, ces quatre rois ont régné un siècle. En fait, le SEIGNEUR prétend que, malgré les apparences, c'est ce qu'il a toujours souhaité, et qu'il demande en vain depuis une centaine d'années. En exil, les sacrifices d'animaux un peu élaborés sont exclus ; mais même en exil, on peut protéger l'orphelin, défendre la veuve, et ainsi de suite. Voici une nouvelle base pour établir une alliance.

Le châtiment en tant que tel n'est pas une base nouvelle, mais peut-être l'exil n'est-il pas exclusivement un châtiment :

> C'est pourquoi — oracle du Seigneur DIEU le tout-puissant —,
> L'indomptable d'Israël —
> Malheur ! J'aurai raison de mes adversaires,
> je me vengerai de mes ennemis.
> Je tournerai ma main contre toi :
> avec un sel je refondrai ton écume,
> j'éliminerai tous tes déchets.
> Je ferai revenir tes juges comme autrefois,
> tes conseillers comme jadis,
> et ensuite, on t'appellera Cité-Justice,
> Ville Fidèle. (Es 1, 24-26)

« Je refondrai ton écume » : voici que le SEIGNEUR repense son action. En châtiant la génération de Noé, il avait trouvé l'humanité absolument incorrigible. Il n'y avait pas moyen de la purifier. Et il n'avait pas changé d'avis. À l'exception de 2 Samuel 7, lorsque le SEIGNEUR déclare qu'il sera un père sévère pour la maison de David, mais sans plus, le châtiment n'avait encore jamais été envisagé comme une mesure de discipline. Tel est le cas maintenant.

Et qu'en est-il des autres nations, celles dont le SEIGNEUR s'est servi pour punir Israël ?

> Il arrivera dans l'avenir que la montagne de la Maison du SEIGNEUR
> sera établie au sommet des montagnes
> et dominera sur les collines.
> Toutes les nations y afflueront.
> Des peuples nombreux se mettront en marche et diront :
> « Venez, montons à la montagne du SEIGNEUR,
> à la Maison du Dieu de Jacob.
> Il nous montrera ses chemins
> et nous marcherons sur ses routes. »
> Oui, c'est de Sion que vient l'instruction
> et de Jérusalem la parole du SEIGNEUR. (Es 2, 2-3)

Le SEIGNEUR peut rétablir une alliance avec Israël et cependant conserver une relation, sous une forme ou sous une autre, avec les autres nations, en faisant d'Israël le maître — ou tout au moins, le siège de l'instruction — et des autres nations les élèves. Le passage se termine sur une vision souvent citée de l'« apprentissage » de la paix :

> Il sera juge entre les nations,
> l'arbitre de peuples nombreux.
> Martelant leurs épées, ils en feront des socs,
> de leurs lances ils feront des serpes.
> On ne brandira plus l'épée nation contre nation,
> on n'apprendra plus à se battre. (Es 2, 4)

« *I ain't gonna study war no more* », je ne vais plus étudier la guerre, suivant la paraphrase de *Down by the Riverside*. Le sommet de la montagne est la demeure de Baal (l'histoire deutéronomique ne cesse de dénoncer les cimes comme les lieux de culte de Baal) aussi bien que celle de Yahweh, le dieu de la guerre pareil à Baal. La même montagne devient ici une école de paix.

Mais il y aura d'abord un « jour du SEIGNEUR », au cours duquel, pour la dernière fois, le saint guerrier lâchera la bride à son courroux sur toute la terre. C'est alors seulement que les humains « jetteront aux taupes et aux chauves-souris leurs idoles d'argent et leurs idoles d'or » (2, 20). Ce qui est aussi un nouveau départ à peine croyable. Même si c'est par la guerre que les nations viendront au SEIGNEUR, l'idée qu'elles puissent venir à lui est radicalement nouvelle. Inlassablement, le Deutéronomiste avait mis en garde Israël contre le culte des dieux cananéens, mais jamais il n'avait caressé l'idée que les Cananéens cesseraient d'adorer leurs dieux pour se reporter sur celui d'Israël. L'impossibilité même d'une telle évolution était précisément ce qui justifiait le génocide. La conversion étant impossible, l'extermination était nécessaire.

Mais si l'humanité tout entière adore le SEIGNEUR, en quel sens Israël reste-t-il le peuple du SEIGNEUR ? Celui-ci semble partagé. Tantôt c'est Israël entier qui reste le peuple de l'alliance ; tantôt le sol commence à se dérober sous la nation :

> Le SEIGNEUR traduit en jugement
> les anciens de son peuple et ses chefs :
> c'est vous qui avez dévoré la vigne
> et la dépouille des pauvres est dans vos maisons.
> Qu'avez-vous à écraser *mon peuple*
> et à fouler aux pieds la dignité des pauvres ?
> — Oracle du Seigneur DIEU, le tout-puissant. (Es 3, 14-15 ; c'est moi qui souligne.)

Est-ce Israël dans son ensemble qui est le peuple du SEIGNEUR, ou uniquement ses pauvres ? Ou s'agit-il des pauvres de toutes les nations ? Certes les codes du Pentateuque se soucient de la veuve et de l'orphelin, des étrangers et des esclaves, etc., mais ils ne le font point au nom de quelque relation singulière du SEIGNEUR avec eux. Or, si telle est maintenant son inclination, il est facile d'allonger cette liste d'une catégorie : celle des vaincus dans la guerre, sans exclure Israël. Bref, on a là une autre base possible pour une nouvelle alliance.

Le SEIGNEUR a si souvent promis l'opulence à son peuple élu qu'il l'a encouragé à voir dans la richesse un signe de sa faveur. Or voici que soudain cette idée est à son tour remise en question. En Ésaïe 3-5, les nantis — et, en particulier, les femmes qui ne se refusent rien — ont droit à quelques-uns des mots les plus acerbes de toute la Bible. Ésaïe 3, 16-26 dresse un genre d'inventaire des parures des femmes — « écharpes, gourmettes, amulettes, etc. » — et promet sèchement que « le Seigneur [...] découvrira leur front ». Quand arriveront les conquérants babyloniens,

> Au lieu de parfum, ce sera de la pourriture,
> au lieu de ceinture, une corde,
> au lieu de savantes tresses, la tête rasée,
> au lieu de linge fin, un pagne en toile de sac,
> une marque infamante au lieu de beauté. (Es 3, 24)

Quant à la formulation, elle n'est pas différente de celle des malédictions du Deutéronome. Ce qui est nouveau, c'est que le SEIGNEUR se soucie des abus de richesse. L'accumulation elle-même est condamnée dans l'un des versets les plus franchement anti-capitalistes de la Bible :

> Malheur ! Ceux-ci joignent maison à maison, champ à champ,
> jusqu'à prendre toute la place

et à demeurer seuls au milieu du pays.
À mes oreilles a retenti le serment du SEIGNEUR, le tout-puissant :
De nombreuses maisons, grandes et belles,
seront vouées à la désolation faute d'habitants. (Es 5, 8-9)

Qui est choqué par ce comportement ? Tandis qu'il rend son jugement, le SEIGNEUR se donne un nouveau nom, « le Saint d'Israël ». C'est sous ce nom qu'il est l'ami des pauvres, l'adversaire implacable et sarcastique des nantis et des corrompus éhontés :

Malheur ! À leurs propres yeux, ils sont sages,
de leur point de vue, ils sont intelligents.
Malheur ! Ce sont des héros de beuveries,
des champions pour mélanger la boisson*.
Ils justifient le coupable pour un présent
et refusent à l'innocent sa justification. (Es 5, 21-23)

Et c'est le Saint d'Israël qui envoie Babylone contre Israël, comme une sorte de chien policier. Dans sa beauté dure et cruelle, Ésaïe 5, 26-30 est l'un des plus beaux poèmes de guerre de la littérature universelle :

Il lève un étendard pour une nation lointaine,
il la siffle des extrémités de la terre
et la voici qui se hâte et arrive très vite.
Aucun de ses hommes n'est fatigué, aucun ne trébuche,
aucun n'est assoupi ni endormi.
Les ceintures ne sont pas détachées
et les cordons des sandales ne sont pas rompus.
Ses flèches sont aiguisées,
tous ses arcs sont tendus.
On prendrait pour de la pierre les sabots de ses chevaux,
pour un tourbillon les roues de ses chars.
Son rugissement est celui d'une lionne,
elle rugit comme les lionceaux,
elle gronde, elle s'empare de sa proie, elle l'emporte
et personne ne la lui arrache.
Mais en ce jour-là, il y aura un grondement contre elle,
semblable au grondement de la mer.
On regardera vers la terre
et voici : ténèbres et détresse
et la lumière sera obscurcie par un épais brouillard.

Mais qui est ce « Saint d'Israël » qui siffle les chiens de la guerre ? Dans une vision du chapitre suivant (Es 6), le prophète voit

---

* « Des champions de cocktails », indique la TOB, ici légèrement modifiée suivant la traduction proposée par la Bible de Jérusalem. (*N.d.T.*)

le SEIGNEUR tel qu'on ne l'avait encore jamais vu, assis sur un trône élevé, sa suite emplissant le temple. Il est escorté par une cohorte de « séraphins » à six ailes, qui couvrent leurs génitoires d'une paire d'ailes et leur visage d'une deuxième, tandis que la troisième leur sert à voler en clamant :

> « Saint, saint, saint, le SEIGNEUR, le tout-puissant,
> sa gloire remplit toute la terre ! » (Es 6, 3)

Ésaïe s'exclame : « Malheur à moi ! Je suis perdu, / car je suis un homme aux lèvres impures, / j'habite au milieu d'un peuple aux lèvres impures/ et mes yeux ont vu le roi, le SEIGNEUR, le tout-puissant. »

Jusqu'ici, on l'a dit, le SEIGNEUR Dieu n'a jamais été roi d'Israël ni de quiconque. Même dans la vision de Michée, qu'on a brièvement évoquée, il est juge ou arbitre international plutôt que monarque. Sa royauté est désormais écrasante, voire effrayante. Mais quel est son désir ? L'un des séraphins (du pluriel hébreu *seraphim*) pose un charbon ardent sur la bouche d'Ésaïe et dit : « Dès lors que ceci a touché tes lèvres, / ta faute est écartée, ton péché est effacé. » Le Lévitique donne des indications détaillées sur la manière d'effacer diverses formes de culpabilité, mais il appartient aux hommes d'appliquer ces mesures. Ici, c'est le SEIGNEUR en personne qui agit. Mais pourquoi ?

> J'entendis alors la voix du Seigneur qui disait :
> « Qui enverrai-je ? Qui donc ira pour nous ? »
> et je dis : « Me voici, envoie-moi ! »
> Il dit : « Va, tu diras à ce peuple :
> Écoutez bien, mais sans comprendre,
> regardez bien, mais sans reconnaître.
> Engourdis le cœur de ce peuple,
> appesantis ses oreilles,
> colle-lui les yeux !
> Que de ses yeux il ne voie pas,
> ni n'entende de ses oreilles !
> Que son cœur ne comprenne pas !
> Qu'il ne puisse se convertir et être guéri ! » (Es 6, 8-10)

« Me voici ! » avait répondu Moïse à la voix qui l'apostrophait depuis le buisson ardent, mais il est ici une autre similitude, plus troublante. Le SEIGNEUR dit à Ésaïe d'obscurcir le cœur d'Israël de même qu'il avait obscurci (et endurci) celui du Pharaon, le rendant incapable d'entendre le message qui lui était adressé. Prononcés, des mots comme « regardez bien, mais sans reconnaître » sont ironiques, mais l'ironie est amère. L'instruction du SEIGNEUR à Ésaïe trahit son intention, désormais irréversible, de détruire Israël. Il n'y a là plus rien d'ironique ni d'équivoque. « Jusques à quand ? » demande Ésaïe ; c'est-à-dire, pendant combien de temps s'appliquera l'ironique injonction divine à ne pas comprendre ? Réponse : jusqu'à la destruction totale du pays. Le pays ne sera pas simplement abattu comme un arbre, mais oblitéré comme un arbre abattu dont on brûle la souche :

> Et s'il subsiste encore un dixième,
> à son tour il sera livré au feu,
> comme le chêne et le térébinthe abattus,
> dont il ne reste que la souche. (Es 6, 13)

Le Saint d'Israël mêle plusieurs éléments, tous nouveaux, sans que le texte s'appesantisse sur aucun d'entre eux. Le Saint est exalté, il trône dans les cieux, mais c'est des humbles de la terre qu'il se soucie. Il est un maître, un révélateur, qui envoie Ésaïe proclamer sa parole. Reste que, maîtrisant sans effort toutes les nations du monde, il a chargé l'Assyrie et Babylone de détruire Israël, et il entend bien qu'Israël ne comprenne son message qu'*après* avoir subi son châtiment. Que le Saint soit aussi inconnaissable n'a rien pour surprendre.

Le Livre d'Ésaïe, on l'a dit, est riche en retournements brutaux. À ce décret divin de cécité succède très bientôt l'exact opposé :

> Le peuple qui marchait dans les ténèbres
> a vu une grande lumière.
> Sur ceux qui habitaient le pays de l'ombre,
> une lumière a resplendi. (Es 9, 1)

> Car un enfant nous est né,
> un fils nous a été donné.
> La souveraineté est sur ses épaules.
> On proclame son nom :
> « Merveilleux-Conseiller, Dieu-Fort,
> Père à jamais, Prince de la Paix. »
> Il y aura une souveraineté étendue et une paix sans fin
> pour le trône de David et pour sa royauté,
> qu'il établira et affermira
> sur le droit et la justice
> dès maintenant et pour toujours
> — l'ardeur du SEIGNEUR, le tout-puissant, fera cela. (Es 9, 5-6)

Dans ses termes les plus larges, cette prophétie rappelle celle de Natan au roi David, affirmant que sa dynastie serait éternelle, mais pour aucun héritier davidique Natan ne prévoyait rien qui approchât, fût-ce de loin, les titres de « Dieu-Fort, Père à Jamais, Prince de la

Paix ». Certes, même en nommant ses propres enfants, Ésaïe joue sur les noms. Et comme les noms hébreux sont souvent des phrases nominales ou des noms « théophores » (des noms qui portent en eux un nom de Dieu), ses ressources en ce domaine sont d'une richesse presque trompeuse. Si au lieu de « on proclame son nom [...] Prince de la Paix », la traduction donnait « on proclame son nom [...] Sarsalom », comme Absalom, le fait que ces noms ne sont jamais *que* des noms ne prêterait pas au doute. La tradition qui veut qu'on les traduise, au lieu de les laisser, comme les autres noms, sous leur forme hébraïque translittérée, est tout de même parfaitement justifiée. Car lorsque Ésaïe dit, « on proclame son nom [...] Elgibor (Dieu-Fort) », il ne dit pas qu'un homme de la lignée de David sera divin ; il dit — précisément par le choix qu'il fait de ce nom — qu'il sera surhumain. Le chapitre 6 était une vision du roi Yahweh sur son trône céleste. Le chapitre 9 établit un parallèle en offrant la vision d'un futur roi terrestre messianique et exalté.

Historiquement parlant, cet élargissement de l'idée de royauté est sans conteste née en Israël d'une réaction à l'apparition de l'idée d'un État mondial en Assyrie[3]. Certes il ne s'agissait en aucune façon du premier empire, et les Assyriens n'avaient par ailleurs aucune originalité culturelle, mais ils furent les premiers à construire à dessein un empire multinational intégré, éliminant les frontières, déportant les populations parmi les régions tributaires, et créant une seule économie administrée depuis la capitale royale. Les Assyriens eux-mêmes furent renversés, mais leur modèle impérial a survécu dans un œkoumène proche-oriental — certes pas un authentique empire mondial — gouverné, tour à tour, par les Babyloniens, les Perses et les Grecs. Mais surtout, une fois née, l'*idée* d'empire mondial ne devait jamais mourir. En tant que nation responsable de la destruction de Jérusalem, les Babyloniens occupent plus de place que les Assyriens dans l'imagination israélite ; mais, parce qu'ils sont à l'origine de cette idée hardie, les Assyriens sont souvent mentionnés ; or c'est à cet instant précis, alors que cette exaltation messianique de la royauté israélite trouve sa première formulation, qu'on en trouve une mention cruciale, par une sorte d'association psychologique. Après avoir installé son roi messianique sur la montagne de Sion, le SEIGNEUR va punir le roi d'Assyrie parce qu'il dit :

> « C'est par la force de ma main que j'ai agi
> et par ma sagesse ; car je suis intelligent.
> J'ai supprimé les frontières des peuples
> et pillé leurs réserves.

> Comme un héros, j'ai fait descendre
> ceux qui siégeaient sur des trônes.
> Ma main a atteint comme un nid
> les richesses des peuples.
> Comme on ramasse des œufs abandonnés,
> moi, j'ai ramassé toute la terre
> et il n'y a eu personne pour battre de l'aile,
> ouvrir le bec et pépier. » (Es 10, 13-14)

Puisque le SEIGNEUR s'est simplement servi de l'Assyrie comme d'un fléau, il s'offusque que le roi assyrien ne saisisse pas le fond de l'affaire. Il mérite une leçon.

Mais le nouvel empire mondial que le SEIGNEUR envisage avec Sion pour capitale ne doit pas être supérieur à l'Assyrie uniquement par les armes. Dans le passage qui suit, les thèmes antérieurs — du souci préférentiel du SEIGNEUR pour les pauvres et de la montagne de Sion comme centre mondial de la « connaissance du SEIGNEUR » — convergent avec ce thème de la royauté messianique. Le SEIGNEUR remportera les victoires comme Dieu a créé le monde, par sa seule parole. Suivant l'image hardie d'Ésaïe , il frappera ses ennemis « de sa parole comme d'une verge* ». Mais à tout ceci vient s'ajouter encore une autre idée nouvelle, très pauvrement intégrée : celle de l'empire mondial à venir comme nouvelle création.

Le royaume messianique, la nouvelle création, commencera lorsque « un rameau sortira de la souche de Jessé » (le père de David) — autrement dit, lorsqu'une vie nouvelle jaillira de la souche apparemment calcinée. Ce « rameau », le prince messianique du SEIGNEUR,

> ne jugera pas d'après ce que voient ses yeux,
> il ne se prononcera pas d'après ce qu'entendent ses oreilles.
> Il jugera les faibles avec justice,
> il se prononcera dans l'équité envers les pauvres du pays.
> De sa parole, comme d'un bâton, il frappera le pays,
> du souffle de ses lèvres il fera mourir le méchant. (Es 11, 3-4)

Mais cette transformation sociale n'est qu'un début. Elle se doublera d'une transformation naturelle :

> Le loup habitera avec l'agneau,
> le léopard se couchera près du chevreau.
> Le veau et le lionceau seront nourris ensemble,
> un petit garçon les conduira.
> La vache et l'ourse auront même pâture,

---

* Trad. L. Segond. *(N.d.T.)*

leurs petits, même gîte.
Le lion, comme le bœuf, mangera du fourrage.
Le nourrisson s'amusera sur le nid du cobra.
Sur le trou de la vipère, le jeune enfant étendra la main.
Il ne se fera ni mal, ni destruction sur toute ma montagne sainte,
car le pays sera rempli de la connaissance du SEIGNEUR,
comme la mer que comblent les eaux. (Es 11, 6-9)

C'est le « royaume paisible » que l'art américain, à ses débuts, ne se lassait jamais de représenter.

Dans la synthèse des conceptions bibliques de Dieu qui définit le mot *Dieu* dans toutes les langues occidentales, on pourrait croire que ce genre de miraculeuse bienveillance était présent de toute éternité, mais il n'en est rien : elle a un début, et c'est à ce point précis qu'elle commence. Ni le Dieu qui a circoncis Abraham, ni le Dieu qui a inspiré à Joseph ses interprétations de rêves, ni le Dieu de la guerre qui a fait sortir Israël d'Égypte, ni le législateur qui a promulgué le pacte du haut du Sinaï — aucun n'a jamais parlé d'une telle transformation totale de la réalité sociale et naturelle. Si, sur la foi de son pouvoir avéré de créer le monde existant à partir du néant, on pouvait en effet lui supposer le pouvoir de promouvoir un pareil changement, il n'avait eu jusqu'ici aucune occasion de le revendiquer publiquement. Voici que l'occasion se présente. Dans ce moment critique, le SEIGNEUR scrute son propre passé, on l'a dit, pour voir ce qui est de nature à lui assurer un avenir. S'il faut que l'Assyrie trouve à qui parler et se laisse dépasser, si l'instauration d'une nouvelle alliance requiert un monde entièrement nouveau, ce ne sont pas les moyens qui manquent. S'adressant à Ésaïe, le SEIGNEUR « se souvient » que, en effet, il est capable de tout ceci.

Maintenant qu'Israël, sa population éparse, forme une communauté juive mondiale, le SEIGNEUR ne peut s'empêcher de se considérer comme un acteur sur la scène mondiale. Sa réponse à cette dispersion consiste à prévoir, comme prélude à une nouvelle création, une nouvelle sorte d'exode, non pas d'une seule terre, mais des multiples pays où les Judéens ont été bannis. Le jour du SEIGNEUR, Ésaïe dit, « le Seigneur étendra la main une seconde fois/ pour racheter le reste de son peuple, / ceux qui resteront en Assyrie et en Égypte, / à Patros, Koush, Élam, Shinéar et Hamath/ et dans les îles de la mer » (11, 11). La première fois que le SEIGNEUR avait « étendu la main », c'était pour frapper l'Égypte (voir, entre autres, Ex 7, 5). Cette fois-ci,

Il y aura une chaussée pour le reste de son peuple,
pour ceux qui seront restés en Assyrie,

comme il y en eut une pour Israël
le jour où il monta du pays d'Égypte. (Es 11, 16)

Jusqu'ici, le triomphe a été au rendez-vous, mais pourquoi juste un reliquat ? Nous avons entendu parler de reliquat dès le Deutéronome ; et pourtant, comme l'énumération des lieux d'exil juste après la vision du « royaume paisible », le mot *reste* jure par sa petitesse dans un contexte d'agrandissement mythique. Et ce n'est guère la seule note discordante dans les premiers chapitres d'Ésaïe, douze chapitres qui, comme on l'a dit, constituent une sorte d'inventaire de concepts peut-être compatibles, mais qui sont loin d'être intégrés et qui, collectivement, restent en désaccord avec une idée beaucoup plus simple, à savoir que, en péchant et en provoquant l'implacable courroux de Dieu, Israël a mis fin à l'alliance.

À ce stade, on ne sait pas très bien si Dieu dépassera son courroux, et celui-ci est presque l'unique sujet des onze chapitres suivants (Es 13-23). On y trouve des oracles prédisant un sort sinistre à chacune des nations. Individuellement monotones, ils sont collectivement remarquables du seul fait qu'on n'a encore jamais rien vu de tel, et qu'il n'y a pas vraiment de raison pour qu'on y ait droit maintenant. Sauf quand il s'est servi de l'Assyrie ou de Babylone comme d'un instrument, la relation du SEIGNEUR avec les nations du monde était dictée par l'alliance avec Noé, qui n'interdisait que le meurtre et ne parlait pas de sanctions. En dehors d'Israël, les autres nations n'étaient pas, et ne sont toujours pas tenues d'obéir à quelque injonction divine à adorer le SEIGNEUR ou à observer quelque code légal ou moral imposé par lui. De quoi sont-elles donc punies ?

De manière typique, Ésaïe ne donne guère de raisons, voire aucune. Ainsi, contre l'Arabie :

Proclamation sur l'Arabie.
Vous allez passer la nuit dans la forêt en Arabie,
caravanes de Dedân.
Allez à la rencontre de l'assoiffé,
apportez de l'eau,
habitants du pays de Téma ;
allez au-devant du fugitif avec son pain,
car ils s'enfuient devant les épées,
devant l'épée déchaînée,
devant l'arc tendu
sous le poids du combat. (Es 21, 13-15)

Tous les oracles ne sont pas aussi arides que celui-là, mais tous sont diserts sur le courroux promis et restent discrets sur ce qui l'a provoqué. Dans le Livre de Josué, lorsque les Israélites infligent un génocide au pays de Canaan au nom du SEIGNEUR, les Cananéens sont pareillement innocents. Plutôt que des images du jugement divin, peut-être ces oracles ne sont-ils que des images des futures victoires israélites, moralement neutres en un sens, de même que ces victoires antérieures n'avaient été que la réalisation d'un plan divin sur cette terre, un peu comme on défriche un champ avant de le planter. Certes, le SEIGNEUR s'est montré sans merci envers ceux qui se sont mis en travers de son chemin — par exemple, avec les Amalécites que Saül avait omis d'exterminer entièrement —, mais, même alors, sa férocité n'était pas foncièrement un jugement moral. L'anéantissement physique ne suit une condamnation morale incontestable que dans le cas d'Israël.

Par ailleurs, si d'autres nations sont désormais jugées passibles d'une condamnation morale, peut-être est-ce la vision qu'en a le SEIGNEUR qui a changé. Paradoxalement, le fait même qu'elles puissent être réellement punies désormais, plutôt que purement et simplement exterminées, les rapproche de l'équivalence morale avec Israël. L'ancienne vision survit sans doute dans quelques-uns de ces oracles, mais une nouvelle vision lui dispute maintenant la suprématie. La prémisse de l'ancienne conception était l'impossibilité d'une conversion — ou, mieux encore, celle-ci restait inimaginable. Mais à mi-chemin de cette série de classiques prophéties de malheur, on trouve une étonnante prédiction de conversion : « Le SEIGNEUR se fera connaître des Égyptiens » et ils viendront à lui.

> Ce jour-là, une chaussée ira d'Égypte en Assyrie. Les Assyriens viendront en Égypte et les Égyptiens en Assyrie. Les Égyptiens adoreront avec les Assyriens.
> Ce jour-là, Israël viendra le troisième, avec l'Égypte et l'Assyrie. Telle sera la bénédiction que, dans le pays, prononcera le SEIGNEUR, le tout-puissant : « Bénis soient l'Égypte, mon peuple, l'Assyrie, œuvre de mes mains, et Israël, mon patrimoine. » (Es 19, 23-24)

Que devons-nous en conclure ? Le SEIGNEUR Dieu désire-t-il défaire, humilier et punir les autres nations du monde ? Veut-il les subordonner à Israël dans un nouvel ordre social et une nouvelle création ? Ou entend-il en faire les égales d'Israël à son service ? Chacune de ces visions radicalement opposée est exposée avec une égale et irréductible rigueur.

Mais dans l'esprit de Dieu, le clivage était encore plus profond. Le monothéisme se targue que la réalité ultime réside dans sa demeure, et nulle part ailleurs. Son chagrin est qu'il faut tout loger dans cette maison-là. Dans le chapitre 2 de ce livre, évoquant la manière dont Dieu a noyé le monde sous un déluge, nous avons expliqué que l'antique Mésopotamie avait deux dieux, un dieu créateur et un dieu destructeur qui s'affrontaient. Dans l'antique Israël, en revanche, il n'y avait qu'un seul Dieu, qui tout à la fois créait et détruisait. L'affrontement se déroulait en lui. Juste après la série d'oracles contre les voisins d'Israël — interrompue par la vision citée à l'instant, totalement inconséquente, d'un avenir radieux assyro-égypto-israélite —, le Dieu-Destructeur resurgit des profondeurs. Cette fois-ci, ce n'est pas l'Égypte ou l'Assyrie qui est condamnée, mais le monde entier ; et, une fois encore, le crime est à peine nommé, tandis que le châtiment est décrit avec un luxe de détails :

C'est la frayeur, la fosse et le filet
pour toi, habitant du pays.
Celui qui fuira le cri de frayeur
tombera dans la fosse,
sera pris dans le filet.
Les écluses d'en haut sont ouvertes,
les fondements de la terre sont ébranlés.
La terre se brise,
la terre vole en éclats,
elle est violemment secouée.
La terre vacille comme un ivrogne,
elle est agitée comme une cabane. Son péché pèse sur elle,
elle tombe et ne peut se relever.
Ce jour-là, le SEIGNEUR interviendra
là-haut contre l'armée d'en haut
et sur terre contre les rois de la terre.
Ils seront entassés, captifs, dans la fosse,
ils seront enfermés en prison
et, longtemps après, ils devront rendre des comptes.
La lune sera humiliée,
le soleil sera confondu.
Oui, le SEIGNEUR, le tout-puissant, est roi
sur la montagne de Sion et à Jérusalem
dans sa gloire, en présence des anciens. (Es 24, 17-23)

C'est la première apocalypse, ou vision de chute finale, de la Bible. Son éruption signale, mieux que ne pourrait le faire aucune autre chose, que depuis le traumatisme de la rupture de l'alliance et de la chute de Jérusalem, il n'est plus de voies fermées à la personnalité multiple du SEIGNEUR. L'alliance du SEIGNEUR avec Abraham et tout ce qui en est résulté était un compromis entre la créativité sans réserve du « Soyez féconds et prolifiques » (Gn 1, 22) et la destructivité sans réserve du « tout ce qui est sur terre expirera » (Gn 6, 17). Maintenant que le compromis a été mis à mal, l'alternative d'origine revient au premier plan. La vision du royaume paisible est une vision de créativité et de bienveillance sans limite ; dans celle que l'on vient d'évoquer, au contraire, la destructivité et la malveillance règnent sans partage. Israël et sa destinée sont absents de cette vision-ci, qui s'achève sur la réunion des acolytes du destructeur divin (*ses* aînés, plutôt que ceux d'Israël) autour de son trône montagneux à seule fin de témoigner de sa gloire parmi les décombres du monde.

On ne saurait allégoriser chaque accident éditorial d'un ouvrage qui, comme le Livre d'Ésaïe, est le fruit d'une collaboration. On ne saurait faire de chaque épisode un tournant de l'intrigue. Les éditeurs de l'Oxford Annotated Bible se contentent de ce conseil laconique : « *Cf.* v. 19 » à Ésaïe 26, 14. Soit :

> Puisque les morts ne revivent pas,
> puisque les trépassés ne se relèvent pas,
> tu es intervenu pour les exterminer
> et faire disparaître jusqu'à leur souvenir.

Cinq versets plus loin, en Ésaïe, 26, 19, on lit :

> Tes morts revivront, leurs cadavres ressusciteront.
> Réveillez-vous, criez de joie,
> vous qui demeurez dans la poussière !
> Car ta rosée est une rosée de lumière
> et la terre aux trépassés rendra le jour.

Les annotateurs d'Oxford n'ont rien à ajouter à ce que la juxtaposition dit d'elle-même, à savoir que le texte est incohérent. Qui peut les en blâmer ?

En même temps, certains mouvements plus amples, plus lents, méritent d'être lus comme des tournants de l'intrigue, ou des évolutions aux conséquences durables dans le personnage du protagoniste, et il est bon de signaler ceux-ci à leur première manifestation, de même que nous avons noté la première mention de la paternité divine en 2 Samuel 7. L'eschatologie, la spéculation sur la fin des temps et les signes auxquels on saura que l'heure approche, et l'apocalyptisme, les visions de cette fin passant par une destruction mondiale ou cosmique sans précédent, n'ont presque tenu aucune place dans la Bible depuis le chapitre 6 de la Genèse. Dorénavant, leur rôle ne va cesser de croître, sans remplacer toutes les autres visions, mais en s'imposant à côté d'elles comme une option permanente. La condition *sine qua non* de l'émergence de l'eschatologie et de l'apocalyptisme a sans doute été, d'abord, l'exposition à l'empire assyrien et à la mondialisation de la pensée sociale qu'il représentait et, ensuite, l'expérience plus personnelle de la destruction complète de son propre monde, de sa propre société. Mais de semblables influences pourraient entraîner un écrivain dans toutes sortes de directions. Elles ont conduit les auteurs de la Bible à changer la voix et le personnage du SEIGNEUR Dieu. Dieu parle des prétentions de l'Assyrie et de Babylone. Il parle de la dévastation d'Israël. Et il conçoit des réponses mutuellement incohérentes qui réfléchissent diverses facettes de son personnage et de son propre passé. Au bout du compte, il se transforme ce faisant par la parole en quelqu'un d'autre. Mais le processus est parsemé de contrastes désespérés.

Dans la « Petite Apocalypse » d'Ésaïe, comme on l'appelle parfois (Es 24-27), la vision de mort citée à l'instant est suivie, sans être tout à fait supplantée, par une vision de vie. Les versets 25, 7-8, qui seront cités dans l'Apocalypse (ou Révélation), le dernier livre de la Bible chrétienne, poussent l'extravagance jusqu'à éliminer, outre la mort, le chagrin et la douleur :

> Il fera disparaître sur cette montagne
> le voile tendu sur tous les peuples,
> l'enduit plaqué sur toutes les nations.
> Il fera disparaître la mort pour toujours.
> Le Seigneur DIEU essuiera les larmes sur tous les visages
> et dans tout le pays il enlèvera la honte de son peuple.
> Il l'a dit, Lui, le SEIGNEUR.

Quelle vision émane de l'esprit de Dieu ? Celle-ci ? Ou la « frayeur, la fosse et le filet pour toi, habitant du pays » ? Les deux, et on peut uniquement en déduire que l'esprit qui les enferme toutes deux n'est aucunement en paix avec lui-même.

Pour un roi, il devait être difficile de s'y retrouver parmi des oracles aussi variés. Le Livre d'Ésaïe est divisé en deux parties à peu près égales par un interlude en prose concernant Ézékias, un roi presque bon sauvé des Assyriens et guéri d'une maladie qu'il croyait fatale. Mais une fois rétabli, le roi, mal inspiré, permet à une délégation babylonienne de passage de voir son trésor, le prophète se retourne contre lui et prophétise la victoire finale de Babylone, ajoutant d'un ton lugubre qu'une partie des fils d'Ézékias deviendront eunuques au service du souverain babylonien. Dans la réponse d'Ézékias, on devine la lassitude : « "Elle est bonne, la parole du SEIGNEUR que tu as dite." Il se disait : "Ce sera la paix et la sécurité durant mes jours" » (39, 8). Une version israélite antique d'*Après moi le déluge* ? Peut-être, mais le mélange de bonnes nouvelles et de mauvaises dans Ésaïe n'était pas moins déroutant pour les contemporains que pour nous.

LE SAINT

« À qui m'assimilerez-vous ? »

ÉSAÏE, 40-66

Les virevoltes déroutantes d'Ésaïe commencent à se calmer, et les bonnes nouvelles à prédominer dans la dernière portion du livre, c'est-à-dire dans la partie que nous appellerons, comme la critique historique, le « Second Ésaïe ». *Second*, parce que son style et sa synthèse singulière le distinguent clairement du ou des auteurs d'Ésaïe 1-39. *Ésaïe*, parce que nombre de ses images et de ses concepts développent ceux qu'on vient de passer en revue. Si le Livre d'Ésaïe supporte la comparaison avec la *9ᵉ Symphonie* de Beethoven, c'est manifestement dans le Second Ésaïe que nous entendons l'ode en forme de choral, avec son air de triomphe, de libération et, tout au moins à la première écoute, d'unité.

Autant le Premier Ésaïe défie le résumé, autant le Second y invite ; et le résumé pourrait être le suivant :

> *Israël a lourdement péché et n'a pas volé son châtiment, mais le châtiment reçu paraît maintenant suffisant, et en vérité bien plus que suffisant. Il est temps que le SEIGNEUR réconforte son peuple, et il a hâte de le faire. Son retour de Babylone à Jérusalem à travers le désert sera une marche triomphale, éclipsant la gloire de sa longue expédition à travers le désert depuis l'Égypte. Le SEIGNEUR des armées a oint Cyrus, roi des Perses, pour défaire Babylone et rétablir Israël sur la montagne sainte du SEIGNEUR à Jérusalem. Là, à travers le « serviteur du SEIGNEUR », le SEIGNEUR va rassembler un peuple élu qui, en principe, comprend toute l'espèce humaine. En instaurant cet ordre nouveau, le SEIGNEUR sera roi aussi bien que créateur, et père autant que roi. Mais surtout, il sera « votre rédempteur, le Saint d'Israël » — invincible parce qu'il est le seul Dieu qui existe vraiment, et saint parce qu'il est au-dessus de toute connaissance humaine.*

Dans la vision du Second Ésaïe, Dieu ne dit sans doute pas grand-chose d'entièrement neuf sur lui-même ni sur Israël. En revanche, son humeur subit une métamorphose complète par une série d'omissions, de substitutions et d'extensions stratégiques, et par l'adoption d'un ton de sollicitude tendre, presque maternelle, sans précédent et d'autant plus frappant qu'il s'accompagne d'une insistance également nouvelle sur le seul et unique dieu qui ne soit pas une pure fabrication.

Quelques changements particuliers :

1. Dieu se dispense presque entièrement de nouveaux oracles de destruction contre Israël ou contre toute autre nation sauf, une fois, contre Babylone.

2. Il s'abstient de condamner Israël pour ses tares morales, le mépris des pauvres, la corruption, etc., ou pour toute autre rupture de l'alliance mosaïque. Moïse n'est mentionné qu'une fois, et la rhétorique de la loi du Deutéronome est totalement absente.

3. Plutôt que de vitupérer Israël pour s'être intéressé jadis au Baal des Cananéens, il raille surtout l'idolâtrie babylonienne sans jamais insinuer que les Juifs en exil aient pu s'y intéresser. Ici, comme dans les Nombres 1 et 2, le postulat est que, pécheur maintenant pardonné, Israël est bien digne de cette nouvelle relation glorieuse avec le SEIGNEUR.

4. Ayant établi l'irréalité absolue de tous les dieux rivaux, réduits à l'état de simples objets manufacturés, il rend sa fiabilité et son invincibilité de rédempteur d'autant plus probantes qu'il puise à profusion et avec éloquence dans toute son histoire : la création, les patriarches, l'exode, la conquête et le couronnement qu'est son alliance personnelle et éternelle avec la lignée royale de David.

5. Sans nier son propre pouvoir, il a une nouvelle façon d'insister sur le mystère plutôt que sur le pouvoir à la source de sa sainteté. Il n'y a de définition de la sainteté que dialectique. Est saint ce qui est *autre que* profane. Le SEIGNEUR est saint en étant *autre que* l'humanité. Mais à quel égard ? Dans le Second Ésaïe, le SEIGNEUR souligne à loisir qu'il connaît l'humanité, mais que l'humanité ne le connaît pas et ne saurait le connaître, tout au moins par ses propres moyens. Voilà en quoi ils diffèrent. Si la première alliance, maintenant brisée, se fondait sur la clarté de la loi et de ses impératifs, cette nouvelle alliance se situe dans le mystère de la personnalité du SEIGNEUR et de ses intentions insondables.

Les premier et deuxième changements sont des omissions qui parlent d'elles-mêmes. Relatifs au monothéisme et au personnage du SEIGNEUR, les trois derniers requièrent davantage de commentaires.

Entre l'interdiction de l'idolâtrie dans le Décalogue et la polémique d'Ésaïe contre l'idolâtrie babylonienne, le Tanakh parle étonnamment peu d'idolâtrie. C'est à peine si l'histoire deutéronomique effleure le sujet. Bien que le caractère absolu de l'interdiction initiale soit peut-être le trait le plus frappant de la première religion israélite, il faut observer que la religion cananéenne, qui fut la rivale du yahvisme dans les siècles précédant la conquête babylonienne, n'était pas particulièrement idolâtre. Les Israélites qui désertèrent le SEIGNEUR pour embrasser le culte de Baal ne devenaient pas *ipso facto* idolâtres ; au demeurant, ce n'est jamais l'idolâtrie qui leur est reprochée. L'accusation, qui reconnaît à Baal une certaine réalité, est typiquement l'infidélité à l'alliance avec le SEIGNEUR qui s'exprime par un sacrifice offert à Baal. Le culte cananéen de Baal recourait à divers objets sacrés, notamment à des autels, des mâts sacrés, des arbres, des rochers dressés, etc., mais Israël possédait son propre arsenal élaboré d'objets de culte. Ce n'est pas sur l'idolâtrie que les deux traditions divergeaient, mais sur le sexe. Le culte de Baal était orgiaque ; le culte du SEIGNEUR, Dieu asexué, était chaste. La « prostitution aux faux dieux » contre laquelle fulmine le Deutéronomiste était assez littérale : la prostitution sacrée était un trait classique du baalisme. Et les Israélites abominaient cette pratique. Pourtant, parce que le SEIGNEUR d'Israël était, comme Baal, un dieu de la guerre qui, malgré son asexualité, se souciait vivement de fécondité, sans exclure un intérêt direct pour le pénis, la menstruation, les premiers fruits de la matrice et du champ, etc., le syncrétisme avec Canaan était sans doute presque inévitable ; pour les syncrétistes, il impliquait peut-être un choc culturel relativement mineur.

Babylone produisit un choc autrement plus rude. L'image de Marduk, le dieu babylonien, dans son ziggourat, la fameuse « tour de Babel », était aussi proche de la divinité littérale, pour les Babyloniens, que l'a jamais été une icône dans l'histoire religieuse. Par cinq fois, lorsque la capitale fut conquise et reprise par les diverses nations qui la dominèrent à une époque ou à une autre, la statue fut soit enlevée et retirée, soit recapturée et rapportée en triomphe. Tout ceci était profondément étranger, et aussi ridicule que répugnant pour les Juifs en exil, même si le Second Ésaïe force à dessein le trait dans une intention satirique. Si l'idée assyrienne d'un État mondial fut un apport positif à la pensée religieuse juive, l'idée babylonienne d'une statue divine fut une contribution négative. Elle ouvrit les yeux des Juifs exilés, leur faisant comprendre comme jamais auparavant à quel point ils devaient prendre à la lettre leur monothéisme. Ce constat étant placé dans la bouche de Dieu, il prend la forme d'une insistance nouvelle sur son unicité, et partant, sur sa majesté.

La confession deutéronomique, « ÉCOUTE, Israël ! Le SEIGNEUR notre Dieu est le SEIGNEUR UN », ne signifiait pas, au départ, que le SEIGNEUR était le seul dieu de manière aussi précise et délibérée qu'il allait le devenir à jamais au cours de cette période. Du jour où les dieux des idolâtres furent, pour ainsi dire, frappés d'irréalité, tous les dieux rivaux se retrouvèrent dans le même sac, qu'il y eût ou non idolâtrie. Du coup, le SEIGNEUR Dieu, le SEIGNEUR des armées, le « Saint d'Israël », comme aime à l'appeler le Second Ésaïe, inspira un certain effroi qui n'était pas de mise du temps où il était tacitement convenu, même si c'était à la légère, que les Moabites auraient toujours leur Kemosh, les Philistins leur Dagôn, etc., et qu'ils avaient somme toute quelque raison de les garder.

C'est, *grosso modo*, ainsi que les choses se passaient dans le monde antique. Les autres nations ne niaient pas la réalité du SEIGNEUR comme dieu national des Juifs. Lorsque Sennakérib menace Ézékias, il prétend que le SEIGNEUR, dieu national d'Israël, ne saurait défendre Juda contre lui un tant soit peu mieux que les autres dieux nationaux des nations vaincues n'ont su le faire. En fait, prétend Sennakérib, le SEIGNEUR lui a dit : « Monte contre ce pays pour le détruire » (2 R 18, 25 ; Es 36, 10). Dans le Deutéronome, le SEIGNEUR est tout près de reconnaître un monde de nations multiples avec une multitude de dieux plus ou moins réels. Mais tel n'est plus le cas dans Ésaïe. Dorénavant, qu'une nation ait ou non le SEIGNEUR pour Dieu, elle n'a plus la moindre raison d'avoir aucun autre dieu. Le choix qu'il offre à leur adoration, c'est, très littéralement : moi ou rien.

> À qui m'assimilerez-vous, et me ferez-vous identique ?
> À qui me comparerez-vous, que nous soyons semblables ?
> Certains gaspillent l'or de leur bourse,
> pèsent l'argent au fléau,
> engagent un mouleur pour qu'il en fasse un dieu,
> et ils s'inclinent et ils se prosternent !
> Ce sont eux qui le portent sur l'épaule, qui le supportent,
> qui le mettent au repos, au lieu que ce soit lui !
> Il reste immobile : de sa place il ne s'écarte pas.
> Qu'un homme crie vers lui, il ne répond pas,
> de sa détresse il ne le sauve pas. (Es 46, 5-7)

Le SEIGNEUR, qui prononce ces versets, n'attend d'aucun de ses auditeurs qu'il le compare à une idole. Implicitement, ils se tiennent avec lui à chaque fois qu'il raille le néant des dieux des idolâtres. Il attend plutôt qu'ils conduisent le reste du monde jusqu'à lui. Israël ne suffit plus. Dans l'un des quatre passages où Israël est personnifié sous les traits d'un serviteur souffrant dont la destinée, longtemps cachée, est sur le point d'être révélée, le SEIGNEUR dit :

« C'est trop peu
que tu sois pour moi un serviteur
en relevant les tribus de Jacob,
et en ramenant les préservés d'Israël ;
je t'ai destiné à être la lumière des nations,
afin que mon salut soit présent jusqu'à l'extrémité de la terre. »
(Es 49, 6)

Le thème est déjà abordé dans le Premier Ésaïe, mais alors que le résultat y était encore présenté comme un triomphe plus ou moins militaire, il est ici décrit comme l'aboutissement logique du monothéisme israélite et une œuvre spirituelle pour Israël en tant que nation, le fruit aussi bien que la récompense de ses efforts.

Le monothéisme sans compromission du côté de l'humanité suggère, presque inévitablement, la possibilité d'un « mono-anthropisme » sans compromission du côté de Dieu. Autrement dit, il suggère qu'une alliance divine avec toute l'espèce humaine — en fait, l'alliance du SEIGNEUR avec Noé ou la restauration de son alliance implicite avec Adam — doit être la seule alliance suivant cette proportion implicite : *dieux multiples/peuples multiples : dieu unique/peuple unique.* Mais si une alliance divino-humaine doit naître par extension de l'alliance avec Abraham, cette alliance doit cesser d'être l'alliance de fécondité annoncée au départ. De toute évidence, une alliance promettant une fécondité disproportionnée à une nation ne saurait, par sa nature même, être étendue à toutes les nations. Mais il existe une autre solution, et c'est celle que le SEIGNEUR choisit. Plutôt que les récompenses de l'alliance, sous la forme de la fécondité, il va en étendre les obligations. À la différence de la fécondité augmentée par la grâce de Dieu, la loi dont celui-ci est l'auteur peut être délivrée à toutes les nations sans diminution, surtout si la loi commence à être vue comme une récompense en soi ; or c'est précisément ainsi qu'il commence à la voir. Lors de sa première promulgation au Sinaï, la loi avait une fonction purement instrumentale : elle stipulait quelles conditions Israël devait remplir pour jouir d'une fécondité et d'une prospérité disproportionnées au pays de Canaan. Mais, réfléchissant à sa propre unicité, le SEIGNEUR s'est manifestement mis dans l'idée que sa loi était bonne en soi et qu'Israël serait sa « lumière auprès des nations » en faisant connaître sa loi.

Tout cela résume un thème apparu en Ésaïe 2, 2-3, où le prophète imagine que les nations tiennent ce langage :

« Venez, montons à la montagne du SEIGNEUR,
à la Maison du Dieu de Jacob.

> Il nous montrera ses chemins
> et nous marcherons sur ses routes. »
> Oui, c'est de Sion que vient l'instruction
> et de Jérusalem la parole du SEIGNEUR. (Es 2, 3)

Dans le plan révisé du SEIGNEUR, l'ascendant d'Israël tient moins à quelque victoire sur l'ennemi qu'à l'accomplissement pacifique d'une vocation religieuse universellement reconnue :

> Des gens de toute provenance prendront la garde
> et feront paître votre petit bétail,
> des fils de l'étranger seront pour vous
> laboureurs et vignerons.
> Quant à vous, vous serez appelés « Prêtres du SEIGNEUR »,
> on vous nommera « Officiants de notre Dieu » ;
> vous mangerez la fortune des nations
> et vous vous féliciterez de capter leur gloire. (Es 61, 5-6)

Ces laboureurs et vignerons étrangers peuvent bien être des « citoyens de seconde classe », comme on le dira bien plus tard, mais la révision de leur statut à la hausse n'en est pas moins renversante. Auparavant, le projet du SEIGNEUR pour les habitants de la terre que Josué devait conquérir se résumait à un mot : extermination. Et la raison n'était pas simplement que ces adorateurs de Baal étaient une tentation pour les Israélites : le SEIGNEUR voulait aussi les fruits de leur labeur pour Israël. Comme disait Moïse, Israël devait jouir de « villes grandes et bonnes que tu n'as pas bâties, de maisons remplies de toutes sortes de bonnes choses que tu n'y as pas mises, de citernes toutes prêtes que tu n'as pas creusées, de vignes et d'oliviers que tu n'as pas plantés » (Dt 6, 10-11). Désormais, dans un passage qui va bien au-delà de la simple injonction à être gentil avec eux, les étrangers sont partie prenante de l'alliance et sont conviés au temple :

> Quant aux fils d'étranger, attachés à Yahvé pour le servir,
> pour aimer le nom de Yahvé, devenir ses serviteurs,
> tous ceux qui observent le sabbat sans le profaner,
> fermement attachés à mon alliance,
> je les mènerai à ma sainte montagne,
> je les comblerai de joie dans ma maison de prière.
> Leurs holocaustes et leurs sacrifices seront agréés sur mon autel,
> car ma maison sera appelée « maison de prière pour tous les peuples ».
> Oracle du Seigneur DIEU *

---

* YHWH : la Bible de Jérusalem indiquait ici « Seigneur Yahvé », que nous avons préféré remplacer par « SEIGNEUR Dieu » par souci d'harmonisation avec la TOB. *(N.d.T.)*

qui rassemble les déportés d'Israël :
J'en rassemblerai encore d'autres avec ceux qui sont déjà rassemblés.
Bêtes des champs venez toutes vous repaître,
ainsi que vous, toutes les bêtes de la forêt[4]... (Es 56, 6-9)

Dans toutes les divisions ethniques, la tentation est constante de déshumaniser l'étranger. L'*Homo sapiens* est une seule et même espèce, mais la « pseudo-spéciation », comme on dit parfois, ancre le sentiment que la différence entre un peuple et un autre, ou entre un peuple et tous les autres, est une différence entre ce qui est humain et ce qui ne l'est pas. Dans le dernier verset cité, le SEIGNEUR ne mâche pas ses mots, s'adressant pour la première fois aux nations qu'il admet dans son alliance dans un langage si dépréciatif que jamais un Israélite n'aurait même songé leur appliquer. Ce sont des bêtes, mais elles sont les bienvenues.

Si, dans l'ordonnancement divin des nations, cela représente une amélioration spectaculaire, ce n'est pas une perte pour Israël, même matériellement. En reconnaissant dans le SEIGNEUR le seul Dieu, les nations reconnaissent aussi, indirectement, la nation qui fournit les prêtres, les maîtres et les ministres du SEIGNEUR. Bien que la richesse des nations ne vienne plus à Israël de l'expropriation et de l'extermination, la richesse afflue toujours, et d'un cercle incomparablement plus large de nations. Avec l'essor de Cyrus, qui a ordonné la reconstruction du temple, et la défaite imminente de Babylone, les nations semblent sur le point de cesser de représenter une menace pour Israël. La menace naît plutôt de la propre peur d'Israël, qui doute que tout ceci se réalise vraiment. Et pourtant, le SEIGNEUR est même préparé à cela.

Le SEIGNEUR voit bien que ses adorateurs vaincus et exilés doutent de son pouvoir, mais il excuse ce doute en l'imputant à son inconnaissabilité naturelle — et, en l'occurrence, nous retrouvons la nouveauté centrale de l'autoportrait du SEIGNEUR dans le Livre d'Ésaïe tout entier :

« Jacob, pourquoi dis-tu,
Israël, pourquoi affirmes-tu :
"Mon chemin est caché au SEIGNEUR,
mon droit échappe à mon Dieu."
Ne sais-tu pas, n'as-tu pas entendu ?
Le SEIGNEUR est le Dieu de toujours,
il crée les extrémités de la terre.
Il ne faiblit pas, il ne se fatigue pas ;
nul moyen de sonder son intelligence. » (Es 40, 27-28)

Si les autres nations commencent tout juste à reconnaître le SEIGNEUR, on ne saurait leur jeter la pierre. La raison en est cette inconnaissabilité naturelle :

> Ainsi parle le SEIGNEUR :
> « La main-d'œuvre d'Égypte, le commerce de Nubie
> et les gens de Séva, hommes de haute taille,
> passeront chez toi et seront pour toi,
> s'en iront après toi, passeront liés de chaînes.
> Ils se prosterneront devant toi
> et t'adresseront cette prière :
> "C'est seulement chez toi qu'est Dieu et il n'y en a pas d'autre ;
> les dieux : néant !" »
> Mais pour sûr, tu es un Dieu qui se tient caché,
> le Dieu d'Israël, celui qui sauve ! (Es 45, 14-15)

Lorsque l'Égypte reconnaîtra Dieu, cette reconnaissance enrichira Israël, bien entendu, comme ce fut le cas au moment de l'Exode lorsque les Égyptiens comblèrent de cadeaux les Israélites sur le départ. Mais cette prédiction est bien moins nouvelle que l'idée que Dieu est un dieu qui se cache.

L'idée que Dieu est impénétrable, qu'il garde une mystérieuse hauteur, et qu'il échappe à la compréhension des simples mortels appartient certes au répertoire des idées reçues sur Dieu, mais elle est quasiment absente des portraits bibliques qui sont faits de lui avant Ésaïe. Les lecteurs qui ouvrent pour la première fois le Livre de la Genèse avec cet *a priori* sont souvent surpris et charmés de voir le SEIGNEUR Dieu faire si peu de façons dans ses tractations avec Adam et Ève, avec les patriarches et au moins dans ses face-à-face les plus paisibles avec son « ami » Moïse. L'idée d'un SEIGNEUR lointain et invisible, s'exprimant depuis les cieux plutôt que marchant dans un jardin ou séjournant sous une tente, est aussi d'origine biblique, mais on peut trouver une idée dans un passage ou un autre de la Bible sans la retrouver nécessairement partout. Ainsi, on la chercherait en vain dans la Genèse ; le Deutéronome y fait peut-être allusion une fois, et elle est absente de l'histoire deutéronomique. Elle apparaît chez Ésaïe, en partie, probablement, comme une manière d'échapper à la clarté éloquente, certes, mais par trop emprisonnante du Deutéronome. Le mystère ouvre la porte à la nouveauté : « Voici que moi je vais faire du neuf » (43, 19).

Le Dieu auguste apparaît pour la première fois en Ésaïe 6, au début du Premier Ésaïe, mais le même thème prend de plus en plus d'ampleur dans le Second Ésaïe. Pour le Dieu qui parlait par la bouche de Moïse, l'important n'était pas son inconnaissabilité, mais sa force supérieure telle qu'en attestaient ses œuvres puissantes. Pour le Dieu qui parle maintenant à travers Ésaïe, la puissance compte indéniablement, mais le mystère compte encore plus. Le Dieu d'Ésaïe comprend l'humanité, l'humanité ne comprend pas le Dieu d'Ésaïe, et c'est précisément *cela* que servent désormais à prouver les miracles divins. Ainsi lisons-nous en 29, 13-14 :

> ... La crainte qu'il me témoigne
> n'est que précepte humain, leçon apprise.
> C'est pourquoi je vais continuer à lui prodiguer des prodiges,
> si bien que la sagesse des sages s'y perdra
> et que l'intelligence des intelligents se dérobera.

Ce passage est à rapprocher de l'insistance avec laquelle Moïse souligne que le commandement du Seigneur « n'est pas au ciel ; on dirait alors : "Qui va, pour nous, monter au ciel nous le chercher... ?" » (Dt 30, 12), ou du Deutéronome 6, qui insiste lourdement sur la répétition constante et l'apprentissage par cœur. À l'opposé, Ésaïe compare la Parole de Dieu à un texte placé entre les mains d'un illettré (29, 12). Parfois, le prophète impute l'esprit obtus d'Israël à son cœur endurci ; le plus clair du temps, cependant, la cause en est l'incompréhensibilité intrinsèque du SEIGNEUR.

Chez tous les prophètes, on l'a dit, on retrouve en filigrane la même question : *Pouvons-nous recommencer ?* Le nouveau mystère dont Dieu est auréolé n'est pas en soi une réponse à cette question, mais il est la condition d'une réponse. Dieu et Israël ne sauraient recommencer si, sur des prémisses clairement énoncées, chaque partie étant parfaitement compréhensible et entièrement prévisible par l'autre, l'alliance s'est irrémédiablement brisée. Mais si un côté, celui de Dieu, est mystérieux au point que l'autre ne peut plus rien prévoir le concernant avec quelque assurance, la nouveauté redevient possible : l'histoire peut recommencer.

Cependant, ce qui porte l'enthousiasme au niveau de l'extase, presque de la manie, dans le Second Ésaïe, ce n'est pas ce mystère naissant, mais un mouvement parallèle, à savoir la coïncidence entre l'unicité divine, plus claire que jamais, et l'annonce que, sur les instances de Dieu, Cyrus et les Perses sont sur le point de renverser Babylone. Historiquement, la convergence de ces deux messages — le Dieu d'Israël est le seul et unique Dieu, et c'est lui qui *dépêche* Cyrus — n'a pas seulement fait le Second Ésaïe : elle a aussi refait Israël. C'est cette convergence d'idées — littéralement — presque grisante qui a écarté les Juifs du bord du précipice. Dans le texte prophétique, le SEIGNEUR lui-même paraît grisé par la convergence et poussé à fouiller sa propre histoire en quête d'une imagerie qui lui soit assortie. Ce sera une nouvelle création, un nouvel Exode, une nouvelle alliance, une nouvelle monarchie. Dans les premiers versets du poème, d'Ésaïe 51, 9 à 52, 2, il y a une espèce de fusion de l'imagerie. En 51, 9-11, le prophète commence :

> Surgis, surgis, revêts-toi de puissance,
> bras du SEIGNEUR,
> surgis, comme aux jours du temps passé,
> des générations d'autrefois.
> N'est-ce pas toi qui as taillé en pièces le Tempétueux,
> transpercé le Dragon ?
> N'est-ce pas toi qui as dévasté la Mer,
> les eaux de l'Abîme gigantesque,
> qui as fait du fond de la mer un chemin,
> pour que passent les rachetés ?
> Les affranchis du SEIGNEUR reviendront,
> ils entreront dans Sion au milieu des acclamations,
> la jubilation d'autrefois nimbant leur tête.
> Enthousiasme et Jubilation afflueront,
> Tourment et Gémissement se sont enfuis.

Rahab est le nom hébreu du dragon du chaos aquatique que le dieu suprême défait, dans les autres mythes sémitiques de la création, pour créer l'ordre, ou que le jeune dieu guerrier défait pour rétablir l'ordre. Au départ, le démembrement de cet ennemi de l'humanité est ici lié au partage des eaux de la mer Rouge, au moment de l'Exode, puis élargi de manière à inclure l'« Abîme », la Méditerranée. Sous le poids de la défaite et de l'exil, les personnalités du dieu suprême et du dieu national d'Israël fusionnent comme jamais auparavant. Mais dans le verset qui suit aussitôt, cette fusion se focalise personnellement sur Israël comme jamais auparavant :

> C'est moi, c'est moi qui vous réconforte.
> Qui es-tu pour craindre l'humain qui meurt,
> le fils d'Adam qui est compté comme une herbe,
> pour oublier le SEIGNEUR qui t'a fait,
> qui a tendu les cieux et fondé la terre,
> pour frémir sans cesse à longueur de jour
> devant la fureur de l'oppresseur,
> comme s'il était assez stable pour détruire ?
> Mais où est-elle, la fureur de l'oppresseur ?
> Vite, le voilà dégagé celui qui était prostré :
> il ne mourra pas, il n'est pas pour la fosse,
> et le pain ne lui manquera jamais !
> C'est moi qui suis le SEIGNEUR, ton Dieu... (Es 51, 12-15)

Historiquement, du jour où les Juifs eurent retrouvé la forme d'une communauté, ils purent se mettre à revivre un semblant de vie propre, quoique dans un État vassal de la Perse, avec ses lois, ses rites et son intégrité plus ou moins retrouvée ; et c'est à cette époque que la prophétie s'éteignit et que cette rhétorique s'apaisa. Mais au départ, elle était indispensable. Et même alors, elle n'avait rien d'illusoire. Certes, la plupart des merveilles qu'Ésaïe et les autres prophètes prédirent à Israël à son retour d'exil ne devaient jamais se concrétiser. Fait d'une importance capitale dans l'histoire de la religion israélite, puis juive, l'échec de la prophétie est un échec personnel dans la vie de Dieu. Pourtant, l'auteur qui le premier a donné sa pleine formulation au monothéisme et qui a si clairement perçu que cette idée était vouée à balayer le monde avait tout à fait raison du point de vue historique. La propagation de cette idée, essentiellement à travers le christianisme et l'islam, n'a pas été ce qu'il prévoyait ; et cette idée se diffusant, les Juifs ont été plus souvent vilipendés que glorifiés. Reste que le christianisme et l'islam croient adorer le même être qu'Israël a été le premier à adorer. Et Jérusalem, à laquelle Ésaïe voyait les nations converties rendre un hommage spirituel et matériel, garde sa place unique de ville sacrée du monothéisme.

Dans le poème que nous avons cité, c'est Ésaïe qui parle, tout en citant longuement les paroles du SEIGNEUR à Israël, mais le verset de conclusion, adressé à Israël en des termes qui font écho aux premiers mots adressés au SEIGNEUR, pourrait sortir de la bouche du SEIGNEUR aussi bien que du prophète :

> Surgis, surgis, revêts-toi de puissance, ô Sion,
> Revêts tes habits de splendeur... (Es 52, 1)

Dieu s'est « éveillé », il a pris conscience de son unicité de seul vrai Dieu vivant, et cela a attiré son attention sur le sens de ses actions passées. Mais comme il se réveille, son peuple se réveille également, bande ses forces et s'apprête à recommencer toute son histoire, assuré que la deuxième fois sera plus glorieuse que la première.

Alors que le SEIGNEUR Dieu prend pleinement conscience de son unicité littérale et, ce faisant, de son extraordinaire puissance, nous pouvons dire que le traumatisme de la défaite d'Israël et la crise de l'alliance brisée lui ont montré qui il est. Quand nous disons cela d'un être humain, nous voulons dire qu'un traumatisme et une crise lui ont montré qui il est *devenu* — c'est-à-dire, ce que l'histoire et sa personnalité, au total, ont fait de lui. Ainsi en va-t-il, jusqu'à un certain point, du SEIGNEUR Dieu. Il a commencé sans histoire, mais il a maintenant acquis une histoire tumultueuse ; et, de ce fait, il se connaît mieux. Cependant, de même que l'histoire de Dieu n'est pas passée par les étapes humaines habituelles de la naissance, de l'enfance, de la jeunesse, et ainsi de suite, sa découverte de soi ne passe pas par ces étapes. Parce que Dieu n'a pas été engendré et qu'il n'engendre pas, il ne peut éprouver qu'une version analogue de l'identité sexuelle de l'homme, de son désir, de sa latence, de son intimité, de son inhibition ou de sa frustration, etc. Et comme il ne vieillit pas, même ces expériences analogues ne sont pas attachées aux étapes de quelque maturation physique. Dans ses manières avec Abraham, par exemple, il a quelque chose d'un grand-père, mais cette étape arrive en premier dans son expérience, chose rigoureusement inconcevable dans la vie d'un homme.

En conséquence, bien que nous approchions maintenant du mitan de son histoire, nous ne devons pas nous étonner de ne pas le trouver à ce qui serait un tournant typique dans le développement psychosexuel de l'homme. Sans doute est-ce à travers les êtres humains dont le développement psychosexuel a été perturbé que nous pouvons l'approcher au plus près. D'un petit garçon dont la mère s'est retrouvée veuve, par exemple, on peut dire qu'il est maintenant l'homme de la famille : ainsi peut-il connaître, avant l'heure, une forme de la relation d'un homme adulte avec une femme. Même une fillette dont la mère a perdu son mari peut occuper une partie de l'espace que la mort de son père a laissé dans la vie de sa mère. Mais imaginez maintenant un être dont *toutes* les expériences sont de cette nature : imitations, emprunts, analogues de la réalité, survenant dans un ordre idiosyncrasique, détaché de la biologie. Tel est le SEIGNEUR Dieu, être sans parent ni enfant, orphelin cosmique, littéralement unique en son genre. Un être de cette nature n'a d'autre solution que d'emprunter, mais rien de ce qu'il emprunte ne conviendra jamais tout à fait. C'est à ceci que tient la profonde singularité psychologique du SEIGNEUR Dieu, son mystère, son insaisissable étrangeté. Quelles que soient les origines de son personnage, on a peine à croire que c'est la simple projection d'un personnage humain. Celui dont il serait la projection n'a guère pu exister.

Certains lecteurs trouveront sans doute fâcheux de parler de développement chez Dieu. Les plus religieux objecteront qu'il est blasphématoire de lui appliquer les catégories du développement psychosexuel de l'homme : Dieu est éternel, immuable, totalement inaccessible à la connaissance de l'homme ; n'essayez pas de le réduire aux dimensions du divan d'un thérapeute ! Mais même les plus laïques s'étonneront peut-être de lui voir ainsi appliquer les catégories propres à l'analyse d'un personnage littéraire sans qu'on passe le point de rupture. Peut-être est-il plus convenable d'en parler comme d'une personnification — de la force vitale, de la société, de l'ordre — ou d'un mélange de semblables personnifications, plutôt que d'une vraie fusion de personnalités comme ce livre s'y essaie.

À l'objection religieuse, il faut répondre par une contre-question : D'où tenez-vous que Dieu est inconnaissable ? Qui vous l'a dit ? Si votre réponse ne vient pas de la Bible, votre objection est irrecevable, parce que seul nous intéresse ici le Dieu de la Bible. Si votre réponse invoque la Bible, il n'est que justice de vous faire observer qu'à travers tous les livres de la Bible, jusqu'au point que nous avons atteint ici (au passage, ce point arrive beaucoup plus tard quand on lit le Tanakh dans l'ordre chrétien, celui de l'Ancien Testament), on part d'un postulat opposé au vôtre. De la Genèse au IIe Livre des Rois, personne ne doute une seconde que Dieu soit connaissable. C'est dans le Livre d'Ésaïe que l'inconnaissabilité de Dieu commence à être affirmée. Tout se passe comme si Dieu *devenait* alors inconnaissable, et l'on ne peut que demander pourquoi. Si vous n'admettez pas qu'il ne devienne inconnaissable qu'à ce point précis, force vous est de trouver une autre façon d'expliquer pourquoi les hypothèses à ce sujet diffèrent avant et après un point donné du texte.

Aux lecteurs laïques, il faut faire une concession partielle. En effet, on ne saurait proprement discuter d'un être qui, par définition, échappe à la condition humaine à partir de catégories définies par cette condition. Mais on peut en discuter improprement — c'est-à-dire par analogie — dans ces catégories, parce que sur un plan décisif, à savoir la temporalité de l'existence, sa condition et la condition humaine sont identiques. Les choses arrivent à Dieu une par une. Il agit, puis réagit à ce qu'il a fait, ou à ce que d'autres ont fait en réaction à lui. Il fait des plans et les ajuste quand ils ne marchent pas tout à fait. Il se repent, recommence, prévoit, scrute le passé. En conséquence, il apprend, et l'apprentissage est la condition nécessaire minimale pour débattre d'un personnage.

Entre parenthèses, on pourrait observer que, dans le Livre d'Ésaïe, Dieu se met à revendiquer une simultanéité passée et future de la connaissance qui, de fait, confine à l'omniscience. Ainsi dit-il en 41, 4 :

> Qui a réalisé et exécuté ?
> — Celui qui appelle les générations depuis l'origine :
> Moi, je suis le SEIGNEUR, le premier,
> et serai tel encore auprès des derniers.

« Je serai tel encore » ou, plus littéralement : « Moi (je serai) celui-là. » Mais le paradoxe est que cette capacité mentale surhumaine est apparemment une chose qu'il a *apprise* à son sujet, non une chose qu'il a toujours sue comme ce serait le cas avec une véritable omniscience.

Dieu se trouve-t-il étrange ? Au départ, très certainement pas. Dans les versets introductifs du Livre de la Genèse, Dieu a l'assurance aveugle d'un somnambule. Il fait ce qu'il fait. Il ne sait pas ce qu'il fait ni pourquoi. Ce n'est qu'après, en se heurtant à des obstacles, qu'il découvre ce qu'ont pu être ses intentions ou ce qu'elles doivent devenir. Cette impression peut être mise durablement en sourdine. Le SEIGNEUR qui récite à Moïse le livre minutieusement détaillé du Lévitique sait ce qu'il fait dans un sens ou dans l'autre de cette expression. Et pourtant, à la fin du IIᵉ Livre des Rois, le SEIGNEUR n'est encore devenu en aucune façon une question pour lui-même.

Il commence à le devenir dans le Livre d'Ésaïe. Telle est en effet la perception de soi que cache son discours sur sa propre inconnaissabilité. Alors même qu'il se prétend inconnaissable pour l'humanité plutôt que pour lui, le changement est capital. Jusqu'ici, fût-ce pour l'humanité, l'accent portait sur la clarté sans équivoque de la loi de Dieu, plutôt que sur une forme ou une autre d'obscurité. Pour la première fois, le SEIGNEUR semble reconnaître maintenant à quel point il est *différent*, jusqu'à en être déroutant. Il est différent des non-dieux qu'on lui oppose, parce qu'il est réel et qu'ils ne le sont pas. C'est le spectacle de l'idolâtrie qui le lui apprend. Mais il diffère aussi des êtres humains parce qu'ils aiment et que lui — tout au long de son histoire, jusqu'ici — n'a pas aimé. Maintenant qu'il découvre l'amour dans le Second Ésaïe, il ne se contente pas de dire de lui : « Que je l'aime ! », mais « Dieu que je suis mystérieux ! »

Il y a indéniablement quelque chose d'étrange et de mystérieux dans les premiers versets d'Ésaïe 40, des versets dits d'une voix à quoi rien ne nous avait tout à fait préparé dans la Bible :

> Réconfortez, réconfortez mon peuple,
> dit votre Dieu,
> parlez au cœur de Jérusalem
> et proclamez à son adresse
> que sa corvée est remplie,
> que son châtiment est accompli,
> qu'elle a reçu de la main du SEIGNEUR
> deux fois le prix de toutes ses fautes. (Es 40, 1-2)

Réconfortez ? *Réconfortez ?* On ne soulignera jamais assez que le SEIGNEUR Dieu n'a encore jamais parlé de réconfort. L'idée de rétablissement après la catastrophe n'est peut-être pas tout à fait une nouveauté, mais la voix de celui qui emploie le concept, observant la souffrance de l'homme et l'éprouvant par procuration, est aussi nouvelle que choquante dans sa façon d'associer le réconfort et la puissance écrasante de Dieu. Quelques versets plus loin, nous lisons :

> Qui a jaugé dans sa paume les eaux de la mer,
> dans son empan toisé les cieux,
> tassé dans un boisseau l'argile de la terre,
> pesé les montagnes sur une bascule
> et les collines sur une balance ?
> Qui a toisé l'esprit du SEIGNEUR
> et lui a indiqué l'homme de son dessein ? (Es 40, 12-13)

On aura droit à des chapelets de questions rhétoriques de ce genre lorsque le SEIGNEUR rembarrera Job, et elles se prêtent assez bien à la rebuffade, car elles expriment le pouvoir pur. Ici, cependant, elles soulignent que les mots doux de l'introduction ont derrière eux cette improbable puissance.

Et c'est précisément là, dans cette incongruité, que le SEIGNEUR trouve la raison la plus profonde de prétendre qu'il est mystérieux, caché, au-delà de la compréhension. Autrement dit, non seulement Dieu est un secret que les hommes ne sauraient connaître, mais Dieu connaît tous les secrets des hommes. Nous avons déjà cité les versets suivants du Second Ésaïe :

> Jacob pourquoi dis-tu,
> Israël, pourquoi affirmes-tu :
> « Mon chemin est caché au SEIGNEUR,
> mon droit échappe à mon Dieu. »
> Ne sais-tu pas, n'as-tu pas entendu ?
> Le SEIGNEUR est le Dieu de toujours,
> il crée les extrémités de la terre.
> Il ne faiblit pas, il ne se fatigue pas ;
> nul moyen de sonder son intelligence. (Es 40, 27-28)

Mais ce passage explique ensuite ce que le SEIGNEUR inconnaissable fait de sa nouvelle conscience de la souffrance des hommes, en particulier d'Israël :

> Il donne de l'énergie au faible
> il amplifie l'endurance de qui est sans forces.
> Ils faiblissent, les jeunes, ils se fatiguent,
> même les hommes d'élite trébuchent bel et bien !
> Mais ceux qui espèrent dans le SEIGNEUR retrempent leur énergie :
> ils prennent de l'envergure comme des aigles,

> ils s'élancent et ne se fatiguent pas,
> ils avancent et ne faiblissent pas ! (Es 40, 29-31)

De même que l'incompréhensibilité est un trait introduit dans l'idée reçue de Dieu à un moment précis et dans des circonstances particulières, il en va de même de cette idée apparentée : bien que nous ne connaissions pas Dieu, lui nous connaît, et il nous connaît intimement et individuellement sans qu'on lui dise rien sur nous. Dans le passage cité à l'instant, le SEIGNEUR sait, sans qu'on lui ait rien dit, qu'Israël est assailli par le doute. Auparavant, il aurait fallu qu'on le lui dît, comme Moïse avait dû lui faire part de ses craintes au buisson ardent, ou Anne de ses besoins à la porte du temple, à Silo.

Comme on l'a vu dans l'Exode, il y avait quelque chose de grisant dans cette idée que le dieu du ciel, El, pouvait être en même temps le Dieu national d'Israël, *yahweh* le guerrier, et l'ami personnel de Moïse. Ésaïe s'empare de ces éléments déjà incongrus et les affine, insistant d'un côté sur l'accès intime et immédiat du SEIGNEUR aux peines d'Israël (ce qui fait implicitement de lui le Dieu personnel de chaque membre de la tribu de Juda), de l'autre, sur sa puissance cosmique, créatrice du monde. D'où l'état d'esprit extatique du prophète et, dans les nombreux moments où c'est lui qui parle, chez le SEIGNEUR lui-même. Mais l'extase ne nie pas le mystère. En ceci, pour nous répéter, le Livre d'Ésaïe forme un vif contraste avec le Livre du Deutéronome, où Dieu est clair comme l'eau de roche dans ses demandes et ses promesses, mais n'a encore jamais porté le moindre intérêt aux souffrances et à la vie intérieure des hommes, fût-ce de Moïse lui-même.

L'association incongrue de ces deux éléments — l'accès de Dieu au cœur des hommes, et l'omnipotence et le mystère divins — est au fond du mot *Dieu* tel qu'on l'entend dans les langues vernaculaires de l'Occident, et on n'insistera jamais assez sur le rôle d'Ésaïe dans la création de cette incongruité. Le cœur des hommes dont le SEIGNEUR est l'intime est avant tout et surtout le cœur des opprimés :

> Ne crains pas, Jacob, à présent vermine,
> Israël, à présent cadavres,
> c'est moi qui t'aide,

dit le SEIGNEUR en 41, 14*. Jusqu'ici, il n'y avait pas grand-chose, sinon rien, pour nous laisser soupçonner que, même en tant que dieu personnel, « dieu de », le SEIGNEUR était apte, mais aussi et surtout

---

* Segond propose « faible reste » au lieu de « cadavres ». (*N.d.T.*)

porté à épier le cœur des hommes, à noter les peurs, les peines et les confusions, etc., à être le compagnon omniscient de l'âme. Le plus clair du temps, même les relations de toute évidence les plus personnelles du SEIGNEUR — avec Abraham, Jacob, Joseph, Moïse et David — semblaient être fonction de ses liens collectifs avec la future nation, Israël. Même dans les rares instants où le personnel semblait prendre le pas sur le collectif, Dieu donnait le sentiment de toujours rester à l'extérieur en traitant avec ceux qu'il avait élus. C'est le prépuce qui l'intéressait, pas l'imagination.

Si donc, à partir d'Ésaïe 40, le SEIGNEUR manifeste soudain une conscience intense, intime et presciente des peurs et des peines, des doutes et des suppositions d'Israël, cette nouveauté autorise, en soi, à prétendre qu'il est quelque peu mystérieux : en cessant d'être ce qu'il a si longtemps paru être, le SEIGNEUR est *devenu* mystérieux. Mais parce que cette conscience nouvelle va de pair avec une tendresse également sans précédent, elle pose une autre question également lancinante : pourquoi les émotions tendres ont-elles été si totalement étrangères au SEIGNEUR ?

8

Dieu connaît-il l'amour ?

En hébreu, le verbe *yd'*, « connaître », quand il s'applique à une connaissance personnelle, peut impliquer l'amour un peu plus facilement que le verbe anglais *to know*, voire que le français *connaître*. Dans le tableau du royaume paisible, en Ésaïe 11, la vision finale, « car le pays sera rempli de la connaissance du SEIGNEUR,/ comme la mer que comblent les eaux », renvoie au flot de la connaissance personnelle, non à un savoir théologique. À l'occasion, *yd'* peut même faire allusion à une intimité sexuelle. Une même force d'émotion s'attache aux autres verbes hébreux de perception : *zkr*, « se souvenir » ; *šm'*, « entendre » ; etc. Aussi, en dehors même de toute allusion à la tendresse du SEIGNEUR envers Israël, la soudaine intensification de sa connaissance personnelle d'Israël pourrait bien impliquer une sorte de transformation émotionnelle.

Cette concession faite à la psychologie antique, force nous est d'avouer sans ambages qu'à ce stade de son histoire Dieu n'a encore jamais aimé. On ne lui a jamais prêté d'amour, ni comme action ni comme mobile. Non qu'il n'ait pas eu la moindre vie émotionnelle. On l'a vu en courroux, vindicatif et en proie au remords. Mais il n'a pas aimé. Ce n'est point par amour qu'il a fait l'homme. Ce n'est point par amour qu'il a passé une alliance avec Abraham. Ce n'est pas par amour qu'il a fait sortir les Israélites d'Égypte ou qu'il a repoussé les Cananéens devant eux. L'« amour inébranlable » de l'alliance mosaïque, on l'a vu, était moins une douce émotion qu'un austère lien de fidélité mutuelle entre suzerain et vassal.

Dieu s'est montré étonnamment déterminé et pleinement fidèle à ses responsabilités dans l'alliance. Mais de ces attitudes à l'amour, il y a un long chemin. Même quand il a un geste de bonté envers un individu — par exemple, quand il entend la prière d'Anne et qu'elle porte un fils, Samuel —, il ne fait jamais allusion à ses bons senti-

ments, et personne ne le fait non plus pour lui. Voyez l'Exode 2, 23-
24 :

> Au cours de cette longue période, le roi d'Égypte mourut. Les fils
> d'Israël gémirent du fond de la servitude et crièrent. Leur appel monta
> vers Dieu du fond de la servitude. Dieu entendit leur plainte ; Dieu se
> souvint de son alliance avec Abraham, Isaac et Jacob. Dieu vit les fils
> d'Israël ; Dieu se rendit compte.

Dieu n'est pas ému par leur condition. Il ne s'en afflige pas. Il
sait simplement leur condition. Le texte ne dit pas « ... son alliance
avec Abraham, Isaac et Jacob, *qu'il aimait* », comme on serait tenté
de l'attendre. Les verbes du passage, répétés lorsque Dieu confie
une mission à Moïse, sont uniquement des verbes de perception :
« entendit... se souvint... vit... se rendit compte... » Et même en
prenant en considération la force émotive dont peuvent être porteurs
les verbes hébreux correspondants, on ne peut échapper ici au sentiment qu'il s'abstient de toute émotion. L'hébreu classique ne manque
pas de ressources pour exprimer les émotions, et ce passage néglige
d'y recourir. À en juger d'après le texte de la Bible, de la Genèse 1
à Ésaïe 39, on peut dire sans outrance que le SEIGNEUR ne sait pas
ce qu'est l'amour.

Tout aussi frappant, sinon plus, est le fait qu'il ne prenne de
plaisir à rien ni à personne. Pour démentir cette généralisation, on
peut certes opposer une poignée de contre-exemples. Dans la Genèse,
en 8, 21, quand les eaux se retirent, Noé offre un holocauste au
SEIGNEUR ; et « le SEIGNEUR respira le parfum apaisant et se dit
en lui-même : "Je ne maudirai plus jamais le sol à cause de l'homme..." », laissant ainsi entendre, au moins, que l'odeur lui a plu. À
la fin du chapelet de malédictions égrenées dans le chapitre 28 du
Deutéronome, Moïse avertit : « Et de même que le SEIGNEUR se
plaisait à s'occuper de vous pour vous rendre heureux et nombreux,
de même le SEIGNEUR se plaira à s'occuper de vous pour vous
faire disparaître et vous exterminer » (28, 63) ; un sentiment similaire
est exprimé en 30, 9. Et quand Salomon demande la sagesse au
SEIGNEUR, « cette demande de Salomon plut au SEIGNEUR »
(1 Rois 3, 10). Mais ces rares et maigres allusions au plaisir ou au
contentement de Dieu sont tout sauf représentatives. Ce sont pratiquement les *seuls* passages de ce genre. Dans leur rareté, ils n'ont
d'autre dessein que de faire ressortir le silence autrement total de la
Bible, de la Genèse jusqu'au IIe Livre des Rois, sur la joie, le bonheur
ou le plaisir de Dieu.

Les hommes et les femmes expriment leur joie en Dieu. En fait,
les Israélites sont tenus de le faire. Dans le Deutéronome, Moïse

ordonne à maintes reprises à Israël de se « réjouir devant le SEIGNEUR » et prévient : « Parce que tu n'auras pas servi le SEIGNEUR ton Dieu dans la joie et l'allégresse de ton cœur [...], tu serviras les ennemis... » (28, 47). Mais Moïse ne dit jamais que le SEIGNEUR est joyeux de cette joie. Dieu ne conçoit point d'allégresse de leur allégresse. Fût-ce dans les moments où l'exultation religieuse est à son faîte, ainsi quand Moïse et les Israélites chantent sa gloire après qu'il les a sauvés des armées du Pharaon, ou lorsque Débora et Baraq le louent après qu'il les a sauvés des Cananéens (Jg 5), le SEIGNEUR ne répond jamais par la moindre exultation.

Une fois ce modèle reconnu, même la description de Dieu au terme de chaque jour de la création — « Dieu vit que cela était bon » — a un caractère étrangement antihédoniste. Le texte ne dit pas, comme à l'évidence il le pourrait : « Et Dieu se réjouit, car cela était bon. » Dieu ne se réjouit pas. Il ne se réjouit jamais. Il ne prend aucun plaisir, fût-ce à lui-même. En s'abstenant de lui attribuer la moindre satisfaction conçue de son travail créateur, le Tanakh inaugure une longue série, étonnamment cohérente, d'abstentions analogues. Entre la création du monde et la chute de Jérusalem, on ne compte pas les occasions où le SEIGNEUR aurait pu donner un signe de joie ou de plaisir. Malgré l'entêtement d'Israël, les victoires ont été légion, les occasions ne manquent pas. Mais à de rares exceptions près, il n'en fait rien.

Dans les précédents chapitres de ce livre, nous avons à dessein cherché à mettre ces exceptions en lumière. Sans doute n'y a-t-il pas d'allusion directe à la joie ni au plaisir dans la réponse du SEIGNEUR à David en 2 Samuel 7, dans l'oracle que délivre Natan après que David a dansé devant le tabernacle et a déclaré spontanément son désir de bâtir un temple au SEIGNEUR, mais on entend une note de chaleur personnelle peu coutumière dans la toute première allusion que le SEIGNEUR ait jamais faite à sa paternité. Plus tôt, l'Exode 33 observe avec un émerveillement contenu que le SEIGNEUR et Moïse conversent comme deux amis pourraient le faire ; et au nom de cette amitié, le SEIGNEUR retient son courroux contre Israël et élit domicile dans son camp, sous une tente. Plus tôt encore, il est dit que Joseph a joui de l'« amour constant » ou de la « bonté » et de la « fidélité » de Dieu, sans qu'il soit fait aucune allusion à son rôle dans la création d'une nation alliée. Mais ce ne sont là que des possibilités à peine entr'aperçues. Page après page, livre après livre, le personnage de Dieu reste, pour l'essentiel, d'une impérieuse impassibilité, fréquemment ponctuée de bouffées de colère.

Ce personnage est-il inhumain ou manque-t-il simplement d'humanité ? Ou manque-t-il d'humanité parce qu'il est inhumain ? L'antique génie israélite, qui le premier a imaginé un dieu qui serait personnel sans être sexué, n'a pu simplement tomber sur cette idée ou la concocter à partir d'idées antérieures. Car il ne s'agit pas d'une idée de ce *genre*. Nombre d'idées sur le SEIGNEUR sont en fait des collages d'idées antérieures, et on n'a jamais cherché ici à dissimuler ce patchwork, mais cette idée-là est différente. Dans la civilisation où elle est apparue, on n'avait jamais rien connu de tel avant qu'elle n'apparaisse. Un génie assez original pour avoir conçu cette idée pouvait bien être assez original pour prendre des mesures afin de la protéger, c'est-à-dire inaugurer une tradition littéraire où le Dieu personnel et asexué est portraituré de telle sorte qu'il ne puisse être sexualisé par degrés.

De la Genèse au IIe Livre des Rois, le texte du Tanakh est assez librement anthropomorphique. Entre autres références physiques, il y est question du bras, de la main, du doigt et de la face de Dieu ; et les anges de Dieu, indiscernables de Dieu lui-même, ont des corps mâles, y compris, peut-on supposer, des organes génitaux. Mais peut-être parce que, même dans la vie quotidienne, la langue humaine multiplie à l'infini les usages métaphoriques des parties et des fonctions du corps humain, ces anthropomorphismes ne paraissent jamais déroger le moins du monde à la divinité de Dieu. L'auteur a cru pouvoir prendre cette liberté, et des siècles de lecteurs ont confirmé son jugement en sachant sans qu'on le leur dise que le bras que Dieu tendait contre l'Égypte n'était pas un bras ordinaire.

Mais, avec des raisons tout aussi bonnes peut-être, le même auteur a bien pu conclure que certaines sensations physiques dérogeraient à la divinité de Dieu en dérogeant à la perfection de sa puissance. L'exemple le plus évident en est le désir sexuel, dans lequel nous reconnaissons à juste titre une passion plutôt qu'une action, pour employer un mot qui, dans notre langue, appartient à la même famille que le mot *passif*. Le plaisir n'est pas un exploit. La luxure est une chose à quoi l'on cède, non une chose que l'on fait. Et qui est sous l'emprise de la concupiscence abandonne un certain pouvoir à la chose ou à la personne qui a excité sa convoitise. Il en va de même, bien que ce soit moins évident, d'autres tendres émotions. Le chagrin est le naufrage du désir : la personne ou la chose aimée a disparu, mais le désir demeure. La vraie joie est toujours une surprise et, dans cette mesure, elle mord sur son intimité et son autonomie. La compassion, comme son nom l'indique, est une variété de la passion. On sent avec l'objet de sa compassion, quoi qu'il ou elle ressente ; et dans la mesure où les sentiments de compassion ou de pitié sont involontaires, ils dérogent à la perfection de la maîtrise de soi. Il y a dans tout ceci un si fort degré d'interaction ou d'interdépendance corporelles qu'il est, pour ainsi dire, périlleux de tenir ce langage à propos d'un être dont on entend souligner la puissance aussi bien que l'asexualité. « Le SEIGNEUR fut pris de pitié » a un caractère physique viscéral diffus qui, par son potentiel sexualisant et corporalisant, va bien au-delà de la formule « Le SEIGNEUR étendit le bras ». Peut-être est-ce pour cela que les auteurs du Pentateuque et les premiers prophètes se sont laissé aller à des variations sans fin sur cette dernière phrase sans jamais approcher de la première.

Quant aux émotions peu tendres que ces auteurs s'estiment libres de prêter à Dieu, peut-être pouvons-nous dire qu'il s'agit, en effet, d'émotions, mais pas de passions. Dans la Genèse, en 6, 6-7, nous avons lu :

> Et le SEIGNEUR se repentit d'avoir fait l'homme sur la terre. Il s'en affligea et dit : « J'effacerai de la surface du sol l'homme que j'ai créé, homme, bestiaux, petites bêtes et même les oiseaux du ciel, car je me repens de les avoir faits. »

Certes, les mots *repentit* et *affligea* sont employés, mais comme l'indique l'action qui se prépare, ce repentir et cette affliction ne procèdent pas d'un attachement mais de la rupture de cet attachement. La colère et le mécontentement (le SEIGNEUR, on l'a vu, est perpétuellement fâché et insatisfait) ont le même effet de cassure. Loin de créer quelque vulnérabilité chez le SEIGNEUR *via* quelque sympathie physique ou un autre lien entre lui et un être humain, ils rétablissent une séparation et une invulnérabilité, d'autant que la colère de Dieu est toujours parfaitement maîtrisée. Le SEIGNEUR Dieu, sauf peut-être au Sinaï, n'est jamais sur le point de perdre son sang-froid. Généralement, la seule conséquence négative de la colère de Dieu pour Dieu lui-même est une rupture de son alliance avec Israël ou, dans le cas extrême prévu dans le chapitre 28 du Deutéronome, un génocide qui met fin à sa relation avec Israël. Ainsi quand, dans le verset cité à l'instant, il se repentit d'avoir créé la vie animale. Si Noé et son arche n'avaient pas tempéré son action, et qu'il eût mis fin à toute vie animale sur terre, dans quel état serait Dieu ? Il serait le Dieu qu'il était à la fin du quatrième jour de la création, avant que les oiseaux, les reptiles, les mammifères ou les êtres humains ne fussent créés, et quand a-t-il jamais été plus divin que cela ?

Même si, du point de vue de l'auteur qui l'a caractérisé pour la première fois, Dieu a fort bien pu être contraint à manquer d'humanité pour avoir d'abord été rendu inhumain, on ne saurait exclure que ce même auteur se soit inspiré d'êtres humains qui auraient cherché à paraître divins en paraissant inhumains. Bien que le personnage humain dont le SEIGNEUR Dieu serait la simple projection n'ait peut-être jamais existé, plus d'un seigneur de la guerre avide de pouvoir a certainement cherché à donner de lui l'image d'un homme sans pitié, au-delà du besoin et au-dessus de la passion, intimidant par ses colères imprévisibles, et impérieux sans mobile bien identifiable. Le masque du pouvoir n'est-il pas toujours ainsi ? Peu importe que ce ne soit jamais plus qu'un masque. Peu importe qu'aucun être humain ne soit jamais vraiment au-delà du besoin ni au-dessus de la passion, que la colère destinée à intimider finisse par devenir prévisible, ou que les motifs indiscernables soient encore des motifs. Si le masque est bien fait, il peut encore terrifier. Et la force irrésistible du SEIGNEUR Dieu, dans le premier portrait qu'en donne le Tanakh, vient de ce que son masque terrifiant n'est autre que son visage.

Mais c'est alors que son visage change. Il se passe quelque chose qui l'arrache à son état de latence affective, sourcilleuse et prolongée pour le conduire à l'ardeur lyrique qui explose dans le Second Ésaïe. Dans l'expérience humaine ordinaire, imagine-t-on esprit plus brisé que celui d'une vieille femme délaissée par son mari, d'une veuve ordinaire, d'une veuve par abandon ? Des innombrables épisodes possibles d'une histoire d'amour, c'est ce moment que choisit le SEIGNEUR Dieu, qui ne fait jamais les choses dans l'ordre habituel, pour prendre l'initiative la plus décisive :

> Ne crains pas car tu n'éprouveras plus de honte,
> ne te sens plus outragée, car tu n'auras plus à rougir,
> tu oublieras la honte de ton adolescence,
> la risée sur ton veuvage, tu ne t'en souviendras plus.
> Car celui qui t'a faite, c'est ton époux :
> le SEIGNEUR, le tout-puissant, c'est son nom ;
> le Saint d'Israël, c'est celui qui te rachète,
> il s'appelle le Dieu de toute la terre.
> Car, telle une femme abandonnée et dont l'esprit est accablé,
> le SEIGNEUR t'a rappelée :
> « La femme des jeunes années,
> vraiment serait-elle rejetée ? »
> a dit ton Dieu.
> Un bref instant, je t'avais abandonnée,
> mais sans relâche, avec tendresse, je vais te rassembler.
> Dans un débordement d'irritation, j'avais caché
> mon visage, un instant, loin de toi,
> mais avec une amitié sans fin, je te manifeste ma tendresse,
> dit celui qui te rachète, le SEIGNEUR. (Es 54, 4-8)

252

L'ironique *Éducation sentimentale* de Gustave Flaubert est l'un des plus grands romans jamais écrits sur l'apprentissage de l'amour. Sa morale tient en une ligne : avant de connaître l'amour, il faut avoir vécu un amour non payé de retour. Le SEIGNEUR Dieu n'est pas Frédéric Moreau, il n'a rien de ce romantique frivole épris de lui-même qu'est le protagoniste de Flaubert. Leurs aspirations sont bien différentes, et leurs échecs aussi sont différents. Mais c'est bien l'échec que le SEIGNEUR Dieu et Frédéric Moreau ont en commun [1]. Ce que chacun apprend de l'amour arrive au terme d'une liaison qui tourne mal, mais qu'aucun ne daigne considérer comme une véritable histoire d'amour au moment où il la vit.

Dieu est dans la condition d'un homme qui a battu sa femme et l'a chassée de sa maison. Elle était devenue à peine plus qu'une putain de bas étage : s'humiliant, elle l'avait humilié lui aussi en frayant avec les plus répugnants de leurs voisins. Il a fait montre d'une patience sans borne avec elle, dépêchant intermédiaire sur intermédiaire auprès d'elle pour lui faire des remontrances et la mettre en garde, mais en vain. Elle s'est vautrée dans le vice. Il a fini par perdre patience et par la jeter dehors. Que les voisins fassent ce que bon leur semble avec elle ; il en a fini avec elle.

C'est du moins ce qu'il croit. Cette action avait été prévue, prédite à maintes reprises, et il était bien entendu de part et d'autre, depuis le début, que telle serait la conséquence inévitable de ce genre de comportement : alors qu'elle n'aurait jamais dû réserver la moindre surprise, elle en ménage une, et de taille. Pour la première fois, il découvre ce que l'aimer signifie. Il la reprend ; et qu'elle ait changé ou non quand il s'y résout, lui a sans conteste changé. Le ton de sa voix est entièrement nouveau.

Dans la formule précédemment traduite par « amitié sans fin », ou « amour éternel », on retrouve le mot hébreu *ḥesed*, l'« amour inébranlable », « la fidélité et la loyauté » de l'alliance, le lien d'allégeance entre le suzerain et le vassal, plutôt qu'un sentiment plus tendre et personnel. Afin qu'aucun doute ne subsiste, les versets qui suivent ceux qu'on a cités plus haut font référence à l'alliance et à sa permanence :

> Quand les montagnes feraient un écart
> et que les collines seraient branlantes,
> mon amitié loin de toi jamais ne s'écartera
> et mon alliance de paix jamais ne sera branlante. (Es 54, 10)

C'est indéniablement l'amour de l'alliance, mais la relation d'alliance, qui virtuellement va toujours au-delà du simple contrat, prend tout aussi indéniablement une intensité nouvelle. Et dans un moment de ce genre, la réconciliation conjugale est la métaphore parfaite. Au cours de l'histoire humaine, plus d'un mariage a commencé sans affection. Les conjoints, lorsqu'ils promettent de s'aimer et de se chérir, ne sont pas nécessairement insincères. Surtout dans un mariage arrangé, et le mariage d'Israël avec Dieu était un mariage arrangé (Israël n'avait pas le choix), la promesse du couple porte en réalité sur le degré d'amour nécessaire pour satisfaire aux autres obligations plus externes du contrat. Plus d'un couple se perpétue sur cette base jusqu'à ce que la mort sépare les époux ; et si Israël était demeuré fidèle à Dieu, leur mariage métaphorique aurait pu durer indéfiniment sur une base comparable, c'est-à-dire sur la base fixée par l'alliance deutéronomique. Mais Israël n'est pas resté fidèle. Les prophètes en portent massivement témoignage : la nation a bel et bien changé de religion. Et la rupture de l'alliance initiale, la fin violente du mariage débouche maintenant, de manière assez improbable, sur une relation nouvelle instaurée — pour Dieu et, implicitement, pour Israël — sur une base émotionnelle complètement différente.

La nouveauté pour Dieu est plus grande que la nouveauté pour Israël. Dieu n'a jamais été aimé par sa mère ni par son père. Il n'a pas de mère ni de père. Moïse excepté, il n'a pas eu d'ami. D'une façon ou d'une autre, toute sa vie s'est déroulée dans les limites d'une relation collective et singulière. Quand il aime Jonathan, Saül, Bethsabée, Avigaïl ou Absalom, David, pour ne nommer qu'un seul Israélite, ne le fait pas en fonction de sa relation avec Dieu, mais Dieu n'a pas eu de relation affective qui ne fasse partie de sa relation collective avec Israël. En conséquence, tout changement de cette relation a une importance proportionnellement, quoique paradoxalement, beaucoup plus grande pour lui que pour tout Israélite ou même pour Israël dans sa totalité.

On aurait tort de dire qu'à ce stade de son histoire Dieu tombe amoureux d'Israël, ou, pour la première fois, tombe amoureux de l'humanité. L'expression « pitié aimante » décrit mieux ce qu'il ressent. En 62, 5, envisageant son avenir heureux avec Israël, il déclare : « De l'enthousiasme du fiancé pour sa promise, ton Dieu sera enthousiasmé pour toi », ce qui ressemble à de l'amour. Après le chapitre 40 d'Ésaïe, Dieu se voit certainement attribuer enthousiasme et plaisir comme jamais auparavant. Et pourtant, comme le montre la citation complète, le contexte est celui de la pitié :

> On ne te dira plus : « l'Abandonnée »,
> on ne dira plus à ta terre : « la Désolée »,
> mais on t'appellera « Celle en qui je prends le plaisir »,

> et ta terre « l'Épousée »,
> car le SEIGNEUR mettra son plaisir en toi
> et ta terre sera épousée.
> En effet, comme le jeune homme épouse sa fiancée,
> tes enfants t'épouseront,
> et de l'enthousiasme du fiancé pour sa promise,
> ton Dieu sera enthousiasmé pour toi. (Es 62, 4-5)

Est-il possible de se marier, ou de se remarier, par pitié ? Bien sûr que oui. Le remariage du SEIGNEUR avec Israël n'est pas exclusivement motivé par la pitié. Mais dire ceci n'enlève rien au fait que, envisageant les conséquences de son action, Dieu a eu la surprise de se découvrir une autre dimension.

Et cette surprise en réserve une autre, de portée plus grande encore. Dans la hiérarchie brute des émotions dont la plupart des femmes et des hommes sont porteurs en Occident, l'amour paraît plus proche de la maturité que la pitié. Que serait donc une personne capable de pitié mais incapable d'amour ? Dans l'évolution émotionnelle du créateur du monde, cependant, la pitié peut être, au bout du compte, plus lourde de conséquence que l'amour, car elle implique une révision radicale du sens de la souffrance. Dans la vie mentale du SEIGNEUR Dieu, telle que nous l'avons vue depuis la Genèse jusqu'au IIe Livre des Rois, la pitié n'avait pas sa place. Les méchants ne la méritaient pas quand ils étaient punis. Les bons n'en avaient pas besoin, car ils étaient récompensés. Certes, les actions de Dieu n'ont jamais été entièrement liées par les considérations humaines du bien et du mal ; autrement dit, la possibilité d'une action purement arbitraire n'a jamais été niée. Cependant, surtout après le Livre du Deutéronome, les actions de Dieu ont presque toujours été perçues comme un châtiment ou une récompense. Et, jusque-là, il était clairement sous-entendu qu'il ne commettait jamais d'erreur.

Alors que Dieu consent à éprouver de la pitié, le sentiment en question s'accompagne tout aussi clairement d'un soupçon d'erreur. En 40, 2, le SEIGNEUR demande à Ésaïe de crier à Jérusalem

> que sa corvée est remplie,
> que son châtiment est accompli,
> qu'elle a reçu de la main du SEIGNEUR
> deux fois le prix de toutes ses fautes.

En 51, 22-23, s'adressant de nouveau à Jérusalem, le SEIGNEUR dit :

> Voici que j'ai retiré de ta main le calice du vertige,
> la coupe du calice de ma fureur

255

désormais tu n'auras plus à la boire.
Je la mettrai dans la main de tes tourmenteurs...

Dans la première citation, le SEIGNEUR avoue à moitié qu'il est allé trop loin dans son châtiment ; dans la seconde, que les nations qui se contentaient soi-disant d'infliger le châtiment ordonné par le SEIGNEUR sont allées plus loin qu'il ne le voulait, et qu'elles méritent à leur tour un châtiment. En l'occurrence, il est loin d'avoir une maîtrise parfaite des événements ; mais dans l'un et l'autre cas, il en résulte pour Jérusalem une souffrance imméritée.

L'une des réponses du SEIGNEUR consiste simplement à promettre de se réconcilier avec Israël. En Ésaïe 54, continuant à s'adresser à Israël comme une épouse repentie, le SEIGNEUR dit :

Humiliée, ballottée, privée de réconfort,
voici que moi je mettrai un cerne de fard
autour de tes pierres,
je te fonderai sur des saphirs,
je ferai tes créneaux en rubis,
tes portes en pierres étincelantes
et tout ton pourtour en pierres ornementales. (Es 54, 11-12)

Trois versets plus loin, comme pour admettre au moins en principe que toutes les infortunes d'Israël ne sont pas des châtiments qu'il a voulus, il ajoute :

On complote, on monte un complot ? Cela ne vient pas de moi !
Qui complote contre toi, devant toi s'écroulera.
C'est moi, vois-tu, qui ai créé l'artisan,
celui qui souffle sur un feu de braises
et en tire une arme
destinée à ce qu'elle doit faire ;
c'est moi aussi qui ai créé le destructeur
destiné à défaire.
Toute arme fabriquée contre toi ne saurait aboutir,
toute langue levée contre toi en jugement,
tu la convaincras de culpabilité. (Es 54, 15-17)

Les tout derniers vers insistent sur la souveraineté du SEIGNEUR sur tous ceux qui pourraient provoquer ou auraient pu provoquer la destruction d'Israël, mais les premiers vers s'engagent dans une direction différente. Et la promesse qu'il fait de changer une cité de pierres en cité de gemmes ne fait que confirmer cette direction : le SEIGNEUR fait amende honorable.

Par une simple correction, cette réponse rétablit l'univers mental dans lequel Dieu a opéré dès le début : les bons sont récompensés, les méchants punis ; et si les comptes sont déséquilibrés, Dieu y remédiera, *bien que ça puisse prendre un peu de temps.* Un peu de temps : le plus souvent, Ésaïe suppose que ça suffira, mais il est vrai qu'il a choisi l'une des options de base pour traiter le problème du mal, ainsi qu'on devait l'appeler. Quand nous voyons les innocents souffrir et le mal prospérer, que devons-nous en déduire ? Apparemment, il n'y a qu'un petit nombre de possibilités :

1. Oui, l'innocent souffre et le méchant prospère. Le monde est immoral : en vérité, il est dirigé par un démon.

2. Non, l'innocent ne souffre et le méchant ne prospère qu'épisodiquement. Il arrive que l'innocent prospère et que le méchant souffre. Le monde est amoral et absurde : il n'est régi par personne ou n'obéit qu'au hasard.

3. Oui, il arrive que l'innocent souffre et que le méchant prospère ici et maintenant. Mais notre monde du temps et de l'espace n'est qu'une partie de la réalité. Plus tard et ailleurs, l'innocent recevra sa juste récompense et le méchant son juste châtiment. Pour peu qu'on le considère dans son ensemble, le monde est moral : en vérité, il est gouverné par un juge juste.

4. La prospérité du méchant n'exige d'un juge universel que de la miséricorde. Quant à la souffrance de l'innocent, elle n'est pas simplement mauvaise (option 1), simplement absurde (option 2), ou simplement à compenser (option 3). Plutôt que l'une de ces trois choses, elle peut être *méritoire,* en étant l'instrument par lequel le juge juste finit par apporter la justice à tous. Au bout du compte, la récompense de l'innocent qui souffre sera sans commune mesure avec la récompense de celui qui ne souffre pas. Le monde est moral : il obéit en fait à un juge mystérieusement juste qui a parfois besoin de la souffrance des hommes pour parvenir à ses fins.

Entre les options 3 et 4, le lien est évident. En effet, alors que la troisième option prévoit un autre lieu ou un autre temps, le ciel ou le futur, la quatrième discerne une autre dimension. Très souvent, le SEIGNEUR parle de l'option 3 (le futur, plutôt que le ciel), transformant le châtiment d'Israël en récompense au prix d'un contexte élargi. Mais dans le dernier poème d'une longue série qui semble être, simultanément, Israël personnifié et une vraie personne, et pourquoi pas le prophète lui-même, l'option 4 trouve sa première expression. La souffrance évoquée dans cet extraordinaire poème n'est jamais niée : c'est une peine extrême, effroyable, déchirante. Mais le SEIGNEUR n'est pas plus disposé à la juger absurde qu'à en faire l'occasion, comme plus tard dans le Livre de Job, de s'élever au-dessus du bien et du mal. Le SEIGNEUR ne laisse en aucune façon entendre qu'il croit à un univers transcendantalement amoral de ce genre. Son serviteur a souffert, il sera récompensé : mais sur le chemin de la souffrance à la récompense, il aura apporté la rédemption à une multitude :

> Voici que mon Serviteur réussira,
> il sera haut placé, élevé, exalté à l'extrême.
> De même que les foules ont été horrifiées à son sujet
> — à ce point détruite,
> son apparence n'était plus celle d'un homme,
> et son aspect n'était plus celui des fils d'Adam —
> de même à son sujet des foules de nations vont être émerveillées,
> des rois vont rester bouche close,
> car ils voient ce qui ne leur avait pas été raconté,
> et ils observent ce qu'ils n'avaient pas entendu dire.

> Qui donc a cru à ce que nous avons entendu dire ?
> Le bras du SEIGNEUR, en faveur de qui a-t-il été dévoilé ?
> Devant Lui, celui-là végétait comme un rejeton,
> comme une racine sortant d'une terre aride,
> il n'avait ni aspect, ni prestance tels que nous le remarquions,
> ni apparence telle que nous le recherchions.
> Il était méprisé, laissé de côté par les hommes,
> homme de douleurs, familier de la souffrance,
> tel celui devant qui on cache son visage ;
> oui, méprisé, nous ne l'estimions nullement.

> En fait, ce sont nos souffrances qu'il a portées,
> ce sont nos douleurs qu'il a supportées,
> et nous, nous l'estimions touché,
> frappé par Dieu et humilié.
> Mais lui, il était déshonoré à cause de nos révoltes,
> broyé à cause de nos perversités :
> la sanction, gage de paix pour nous, était sur lui
> et dans ses plaies se trouvait notre guérison.
> Nous tous, comme du petit bétail, nous étions errants,
> nous nous tournions chacun vers son chemin,
> et le SEIGNEUR a fait retomber sur lui
> la perversité de nous tous.

> Brutalisé, il s'humilie ;
> il n'ouvre pas la bouche,
> comme un agneau traîné à l'abattoir,
> comme une brebis devant ceux qui la tondent :
> elle est muette, lui n'ouvre pas la bouche.
> Sous la contrainte, sous le jugement, il a été enlevé,
> les gens de sa génération, qui se préoccupe d'eux ?
> Oui, il a été retranché de la terre des vivants,
> à cause de la révolte de son peuple, le coup est sur lui.
> On a mis chez les méchants son sépulcre,
> chez les riches son tombeau,

> bien qu'il n'ait pas commis de violence
> et qu'il n'y eût pas de fraude dans sa bouche.
>
> Le SEIGNEUR a voulu le broyer par la souffrance,
> Si tu fais de sa vie un sacrifice de réparation,
> il verra une descendance, il prolongera ses jours,
> et la volonté du SEIGNEUR aboutira.
> Ayant payé de sa personne,
> il verra une descendance, il sera comblé de jours ;
> sitôt connu, juste, il dispensera la justice,
> lui, mon Serviteur, au profit des foules,
> du fait que lui-même supporte leurs perversités.
> Dès lors je lui taillerai sa part dans les foules,
> et c'est avec des myriades qu'il constituera sa part de butin,
> puisqu'il s'est dépouillé lui-même jusqu'à la mort
> et qu'avec les pécheurs il s'est laissé recenser,
> puisqu'il a porté, lui, les fautes des foules
> et que, pour les pécheurs, il vient s'interposer. (Es 52, 13-53, 12)

Qu'est-il arrivé à Dieu pour qu'il tienne ce langage ? Sa vie l'a surpris. Quand il a puni Israël, il n'a pas prévu que la peine de celui-ci lui inspirerait de l'amour. Il a encore moins prévu que l'interaction de sa peine et de son amour provoquerait un précipité sous la forme de cette idée radicalement révisée de ce qu'est en fait la peine — ou de ce qu'elle peut être. Bien entendu, le poème ne sort pas en totalité de la bouche de Dieu. Les versets intermédiaires peuvent être d'Ésaïe. Ils peuvent être aussi de Dieu, qui citerait alors un groupe de personnes non identifiées (« nous... »), qui considèrent son serviteur dans l'horreur, dans l'effroi, et finalement dans la gratitude. S'agit-il d'Israël ? Mais alors pourquoi ne pas l'appeler par ce nom ? À la différence d'autres auteurs bibliques postérieurs, le Second Ésaïe n'emploie pas de langage codé : il indique presque toujours les noms. Nous ne savons pas la réponse. Mais d'une manière ou d'une autre, encadré par la parole de Dieu des premiers et derniers versets, ce poème obsédant trahit en Dieu un changement d'avis plus important encore que sa découverte, ou sa quasi-découverte, de l'amour.

Et, comme tous les changements précédents, celui-ci a été le fait d'une incontestable subversion de ses intentions avouées. L'accident est une partie, mais en général uniquement une partie, de toute expérience humaine. Peut-être parce que Dieu n'a d'autre vie que celle qu'il vit à travers l'humanité, parce que, autrement dit, il n'est point d'expérience divine dont il pourrait bénéficier, presque toutes ses expériences décisives semblent déjouer ses intentions. Après chacune de ses grandes actions, il découvre qu'il n'a pas tout à fait accompli ce qu'il croyait avoir accompli, ou qu'il a fait quelque chose qu'il n'avait pas l'intention de faire. Quand il a invité les hommes à être « féconds et prolifiques », il n'a pas vu qu'il était en train de créer une image de lui qui était aussi un créateur rival. Quand il a détruit ce dernier, il n'a pas vu qu'il allait regretter d'avoir détruit son image. Il n'a pas vu que son alliance avec Abraham, l'obligeant à concilier des pulsions contraires dans son propre personnage, le conduirait, précisément parce qu'il avait fait d'Abraham une grande nation, à livrer la guerre à l'Égypte. Ce faisant, il n'a pas vu non plus que sa victoire le laisserait avec tout un peuple sur les bras et l'obligerait à devenir un législateur et à lui conquérir une terre où il puisse vivre. En lui donnant la loi, il n'a pas vu que qui dit loi, dit possible transgression, et que, ce faisant, il avait transformé une alliance implicitement irrévocable en alliance explicitement révocable. Lorsqu'il a entrepris de se désengager de son alliance avec Israël après les premières infidélités mineures de ce dernier, il n'a pas vu que s'ensuivrait l'essor d'un roi, David, dont le charisme conduirait le SEIGNEUR presque malgré lui à nouer une relation quasi parentale avec son allié à demi abandonné. Quand son allié d'autrefois l'a entièrement déserté et qu'il a fait de l'Assyrie et de la Babylonie les instruments de sa vengeance, il n'a pas vu qu'il se créait un nouveau rôle international. Il n'a pas saisi qu'après avoir infligé le châtiment qu'il avait voulu, ses sentiments ne seraient pas seulement ceux d'un suzerain vengé, mais ceux d'un mari chagrin pour une femme meurtrie. Considérant ses souffrances, il n'a pas deviné qu'il trouverait dans la souffrance des hommes un sens qu'il n'y avait jamais vu.

En considérant de l'extérieur le cours de son histoire jusqu'ici, force nous est de conclure que Dieu n'a qu'une conscience très imparfaite de sa personne, et que c'est à peine s'il contrôle les conséquences de ses paroles et de ses actes. Même de l'intérieur de cette histoire, il n'en tire les conclusions qu'une par une, souvent après coup et à tâtons. Voici comment il voit les choses dans le Second Ésaïe :

C'est que vos pensées ne sont pas mes pensées
et mes chemins ne sont pas vos chemins
— oracle du SEIGNEUR.
C'est que les cieux sont hauts, par rapport à la terre :
ainsi mes chemins sont hauts, par rapport à vos chemins,
et mes pensées, par rapport à vos pensées.
C'est que, comme descend la pluie ou la neige, du haut des cieux,
et comme elle ne retourne pas là-haut
sans avoir saturé la terre,
sans l'avoir fait enfanter et bourgeonner,
sans avoir donné semence au semeur

et nourriture à celui qui mange,
ainsi se comporte ma parole
du moment qu'elle sort de ma bouche :
elle ne retourne pas vers moi sans résultat,
sans avoir exécuté ce qui me plaît
et fait aboutir ce pour quoi je l'avais envoyée. (Es 55, 8-11)

En apparence, il se vante de la puissance de sa parole ; derrière les apparences, il admet qu'il maîtrise aussi peu la parole que la pluie déjà tombée des cieux, et qu'il doit consentir un effort pour mettre ses pensées au diapason de son expérience. « Voici que moi je vais faire du neuf. » Oui, et voici que vous concevez une idée neuve, dont vous ne mesurerez toutes les conséquences qu'avec le temps. Bien que foncièrement différent de l'humanité à certains égards, Dieu est pareil à ses créatures en ce que lui aussi vit sa vie étape par étape et que, nonobstant ses protestations, il est douloureusement incapable de prévoir sa fin dans son commencement.

9

Restauration

Comme le savent bien les dramaturges, un personnage peut être caractérisé en son absence, voire par son absence. Une force particulière s'attache à un personnage qui est connu mais qui manque, ou dont l'apparition est différée. Dans la pièce de Shakespeare, Macbeth n'apparaît qu'à la troisième des sept scènes de l'acte I ; et alors que les deux premières scènes se terminent sans lui, son emprise sur l'auditoire s'accroît à vue d'œil. Primaire d'un point de vue psychologique, le mécanisme se laisse assez facilement saisir. Qui n'a vu quelqu'un arriver délibérément en retard à une soirée pour « faire son entrée » ? Nous pouvons savoir exactement ce qui se passe, mais cette connaissance n'a guère le pouvoir de réduire un effet quasi automatique. Pouvons-nous imaginer un personnage que les autres personnages attendent indéfiniment, qui ne fait jamais son entrée et qui se caractérise donc entièrement par ce qu'ils disent de lui ? Un tel personnage n'est-il pas une impossibilité ?

Si tel était le cas, la pièce de Beckett, *En attendant Godot*, aurait été un échec dramatique, car c'est une pièce dont le personnage-titre n'arrive jamais : l'action même de la pièce consiste à attendre éternellement. Pourtant, quiconque l'a vue ou y a joué peut en témoigner : c'est l'une des pièces du répertoire moderne les plus appréciées des acteurs et les plus captivantes pour le public. Profondément liée à ce mécanisme primaire et infaillible, la pièce conserve son suspense jusqu'à la toute dernière ligne — ou même après. La force du Godot de la pièce de Beckett, loin des planches, est une transformation comique de la présence de l'absence de Dieu dans la vie moderne. Le nom même de *Godot* est un mot composé à partir de l'anglais *God* (Dieu) et du suffixe diminutif français *-ot*, l'équivalent du *-ie* anglais. Charlie Chaplin est devenu Charlot en français. Irlandais dont la première langue était l'anglais mais qui écrivait en français,

Samuel Beckett a présenté la condition humaine comme l'attente tragi-comique d'une apparition de « Goddie ».

Au départ, le Tanakh est à l'évidence très différent d'*En attendant Godot*. De fait, dès la première ligne, c'est Dieu qui parle ; et, en vérité, le pouvoir simple et mystérieux qu'exerce la Genèse 1, 1 sur les lecteurs procède, dans une certaine mesure, de notre sentiment que rien n'y est dit ni fait exclusivement pour son effet sur un quelconque public. Dieu n'arrange pas son entrée : c'est lui qui lève le rideau. De cet instant à celui auquel nous arrivons maintenant, Dieu n'a jamais été dans les coulisses et, pour l'intelligence que nous avons de lui, ses propres paroles ont davantage compté que tout ce qu'on a pu dire de lui. Mais avec le Livre des Psaumes, « Jusques à quand, ô SEIGNEUR ? » devient un leitmotiv, et commence alors une vaillante et patiente attente de Dieu. Par le truchement des prophètes, Dieu a promis une restauration aussi bien qu'un jugement. Il a promis une création nouvelle « le jour du SEIGNEUR ». Mais quand viendra-t-il ? Le Psalmiste n'en sait rien, mais se contente d'attendre. Sur le plan littéraire, le lien est étroit entre *God* et Godot.

Aucune règle claire et nette ne détermine quand un personnage est simplement absent ou quand il est une présence absente. Mais si le personnage absent est sans cesse apostrophé par les présents, comme c'est le cas du SEIGNEUR dans le Livre des Psaumes, ou si d'autres parlent pour lui et prédisent son action, comme cela se passe, au moins résiduellement, dans les livres d'Aggée, de Zacharie et de Malachie, il a tendance à devenir une présence absente plutôt qu'une simple absence. Peut-être pouvons-nous discerner un spectre : présence, présence absente, absence présente, absence. Très approximativement, la présence est ce qu'un homme ressent quand il est dans une chambre avec une femme et qu'il la sait là. La présence absente est ce qu'il ressent quand elle vient de partir, mais que le son de sa voix, l'odeur de son corps sont encore dans l'air. L'absence présente est ce qu'il ressent quand elle est partie, et bien partie, mais qu'elle lui manque. L'absence est ce qu'il ressent quand il doit batailler pour savoir s'il l'a vraiment connue.

Le SEIGNEUR Dieu est une présence absente dans le Livre d'Ésaïe. Dans Aggée, Zacharie et Malachie, il passe de la présence absente à l'absence présente. Dans les Psaumes, il est une absence présente. Dans le Livre des Proverbes, peut-être est-il sur la route (on en est réduit à se le demander) qui mène de l'absence présente à l'absence pure et simple. Dans le Cantique des cantiques et, surtout, dans Esther, que nous examinerons dans le chapitre 12, il est une absence.

Rappelons que l'ordre du Tanakh est pour partie intentionnel, et pour partie accidentel. Ainsi, c'est manifestement à dessein que 2 Samuel suit 1 Samuel, mais probablement est-ce par accident que Job suit les Proverbes. Sur le plan artistique, la question se pose ainsi : Quel est l'effet esthétique de l'agencement ? Nous devons « entendre » l'alternance des deux comme nous entendrions l'alternance de morceaux de musique composés de manière ordinaire et de morceaux aléatoires. Pour beaucoup, la musique aléatoire n'est jamais que du bruit. Pour d'aucuns, cependant, même le bruit peut être un genre de musique si l'on se donne la peine de l'écouter. C'est une démarche analogue que nous adoptons quand nous nous interrogeons sur l'effet esthétique de l'ordre partiellement involontaire des livres du Tanakh.

Lire la séquence des six livres considérés dans ce chapitre et le suivant — Aggée, Zacharie et Malachie (les trois prophètes d'après l'exil) ; les Psaumes, les Proverbes et Job —, c'est, par analogie, écouter une musique mêlée de bruits. Ce n'est pas la musique par-delà le bruit que l'on écoute, mais l'effet produit par le mélange. Dans les trois premiers livres, il y a encore une bonne dose d'espoir et de vitalité dans l'échange entre Dieu et Israël. Ces livres jouent, si l'on veut, une bonne vieille rengaine. Mais dans le Livre des Psaumes, ce que d'autres disent à Dieu ou sur Dieu remplace ce que Dieu dit de lui ou révèle par son action. Dans le Livre des Proverbes surgit un genre de propos apparemment déplacé qui, en ce qui concerne le personnage de Dieu, pourrait paraître purement et simplement du bruit. Enfin, dans le Livre de Job, c'est le bruit du silence divin qu'on entend.

Si l'on écoute avec attention toutes ces œuvres, et si on les écoute dans l'ordre, chacune est de nature à augmenter notre intelligence du SEIGNEUR Dieu ; et bien qu'on n'y trouve pas le genre d'intrigue propre à l'histoire ou à la fiction, cette séquence aura le suspense d'une série de variations musicales hardies ou, pour changer de métaphore, le suspense des dépositions à la barre d'une brochette de témoins très différents. À chaque fois qu'un témoin se retire, on croit assurément que le dernier mot a été dit. Mais arrive alors le témoin suivant. La question « Que va-t-il *arriver* ensuite ? » n'est en aucune façon la seule forme intellectuelle du « Et après ? » que puisse saisir l'esprit humain. « Qu'allons-nous *entendre* ensuite ? » marche tout aussi bien. Et parce que tout le « temps de pages » que le témoignage occupe, Dieu, par implication, *écoute* ce que ses créatures disent de lui, leur témoignage devient une période clairement ressentie de sa vie, alors même qu'elle ne s'inscrit dans aucune séquence narrative.

Avant d'en venir au témoignage sur Dieu, cependant, il nous

faut entendre les derniers discours que Dieu lui-même adresse avant que l'humanité ne se mette à répondre dans les Psaumes, les Proverbes et le Livre de Job. Ces discours divins occupent les livres d'Aggée, de Zacharie et de Malachie, les trois derniers des douze petits prophètes. Lorsque le Psalmiste ouvre la bouche pour parler, les paroles de ces trois prophètes retentissent — ou plutôt, flottent — dans les airs.

FEMME

« Le jour des modestes débuts »

AGGÉE, ZACHARIE, MALACHIE

Nous avons eu l'occasion de comparer les oracles des prophètes aux collections de lettres publiées après une grande guerre. Les prophètes, disions-nous alors, donnent une sorte de commentaire du récit qui les a précédés — autrement dit, du récit qui va de Josué au IIᵉ Livre des Rois. En réalité, cependant, cela ne vaut que pour les trois grands prophètes et les neuf premiers des douze petits prophètes. Les trois derniers, ceux qui nous intéressent ici, commentent des événements qui n'ont pas encore été narrés. Partiellement racontés à la fin du Tanakh, dans les livres d'Esdras et de Néhémie, les événements en question concernent le retour de Babylone d'une partie de la tribu de Juda, Israël redevenant une province de l'empire perse sous le nom de Yehud, qui veut dire Juda ou Judée.

Normalement, donc, Aggée, Zacharie et Malachie[1], devraient être incompréhensibles, comme une conversation surprise dont les tenants et les aboutissants nous échappent. En réalité, toutefois, Aggée et Zacharie sont si scrupuleusement datés et contiennent tant de brefs interludes en prose qui définissent le contexte que, malgré l'absence de récit formel antérieur, on connaît parfaitement la situation fondamentale dans laquelle Dieu parle par l'intermédiaire de ces deux prophètes ou dans le livre non daté de Malachie. Ainsi, en Aggée 1, 1, la parole du SEIGNEUR est adressée au prophète « l'an deux du règne de Darius ». Il ne nous est pas dit de quoi Darius est roi, mais en Aggée 2, 2 le prophète reçoit l'ordre de parler à « Zorobabel, fils de Shaltiel, le *gouverneur* de Juda » (c'est moi qui souligne). En fait, Darius est roi de Perse ; mais alors même qu'Aggée ne lui donne jamais ce titre, il indique clairement, par l'étrangeté du nom *Darius* et l'usage du mot *gouverneur*, que les Judéens ont regagné leur pays, où ils sont les sujets de quelque potentat étranger. Nous pouvons en déduire que, sous une forme ou

267

sous une autre, Dieu a tenu sa promesse. Mais sous quelle forme ? Dans quelles dispositions Dieu se trouve-t-il à ce sujet ?

Certaines exigences de Dieu ont une dimension spécifiquement matérielle qui apporte une réponse surprenante aux deux questions, une réponse suffisante pour donner un nouveau cadre — ou, sinon un nouveau cadre, du moins une toile de fond suggestive — pour les Psaumes, les Proverbes et Job. À travers Aggée, Dieu reproche aux Judéens de rebâtir leurs foyers mais de ne pas reconstruire le temple, sa demeure :

> « Est-ce le moment pour vous d'habiter vos maisons lambrissées, alors que cette Maison-ci est en ruine ? Et maintenant, ainsi parle le SEIGNEUR le tout-puissant : Réfléchissez bien à quoi vous êtes arrivés. Vous avez semé beaucoup, mais peu récolté ; vous mangez, mais sans vous rassasier ; vous buvez, mais sans être gais ; vous vous habillez, mais sans vous réchauffer et le gain du salarié va dans une bourse trouée. » (Ag 1, 4-6)

Indirectement, le SEIGNEUR nous dit que le retour des Judéens à Jérusalem n'a pas été un retour glorieux. C'est tout juste s'ils se débrouillent. On est loin de ce qui leur a été promis. Mais la raison donnée du manque d'éclat de leur nouvelle vie nationale est surprenante : ils n'ont pas construit de temple à leur Dieu.

C'est d'autant plus surprenant qu'en 2 Samuel 7, le SEIGNEUR était superbement indifférent à l'architecture humaine. « Tu vois, déclare David interloqué, je suis installé dans une maison de cèdre, tandis que l'arche de Dieu est installée au milieu d'une tente de toile » (2 S 7, 2) : mais, à Dieu, tout cela était bien égal. Par la bouche du prophète Natan, Dieu demanda sur un ton rhétorique à David : « Pendant tout le temps où j'ai cheminé avec tous les fils d'Israël, ai-je adressé un seul mot à une des tribus d'Israël que j'avais établies en paissant Israël mon peuple pour dire : "Pourquoi ne m'avez-vous pas bâti une maison de cèdre ?" » (7, 7). Salomon finit par construire le temple, après avoir fait du reliquat de population non israélite du pays une main-d'œuvre servile pour le bâtir (1 R 9, 15). Et le SEIGNEUR accepte le présent de Salomon. Au terme de la longue prière dédicatoire du roi, le SEIGNEUR intervient : « J'ai entendu la prière et la supplication que tu m'as adressées : cette Maison que tu as bâtie, je l'ai consacrée afin d'y mettre mon nom à jamais ; mes yeux et mon cœur y seront toujours » (9, 3).

Si la loyauté du SEIGNEUR envers la « maison », la dynastie, qu'il a construite pour David est inconditionnelle, il n'en va pas de même de son attachement au temple. Il met une condition à sa permanence :

Mais si vous venez, vous et vos fils, à vous détourner de moi, si vous ne gardez pas mes commandements et mes lois que j'ai placés devant vous, si vous allez servir d'autres dieux et vous prosterner devant eux, alors [...] cette Maison [...], je la rejetterai loin de ma face [...]. Cette Maison qui est si élevée, quiconque passera près d'elle sera stupéfait et s'exclamera : « Pour quelle raison le SEIGNEUR a-t-il agi ainsi envers ce pays et envers cette Maison ? » On répondra : « Parce qu'ils ont abandonné le SEIGNEUR, leur Dieu... » (1 R 9, 6, 8-9)

En conséquence, s'il n'y a plus de temple dans le pays, c'est parce que le SEIGNEUR a voulu la destruction de celui que Salomon avait érigé pour lui. Au début, et de son propre aveu, il n'avait aucunement besoin d'un temple. Maintenant, il en veut un. Quelle que soit la raison de ce revirement, le changement est patent.

De fait, on voit un changement dans la situation de la tribu de Juda comme dans l'attitude du SEIGNEUR dans les propos que tient ce dernier après que le temple est construit (sans tarder). Il dit au gouverneur, au grand prêtre et au reste du peuple :

Quel est parmi vous le survivant qui a vu cette Maison dans son ancienne gloire ? Et comment la voyez-vous à présent ? N'apparaît-elle pas à vos yeux comme rien ? Mais maintenant, courage, Zorobabel — oracle du SEIGNEUR — et courage, Josué, fils de Yehosadaq, grand prêtre, et courage, vous tout le peuple du pays — oracle du SEIGNEUR —, au travail ! Car je suis avec vous — oracle du SEIGNEUR, du tout-puissant. [...] La gloire dernière de cette Maison dépassera la première, dit le SEIGNEUR, et dans ce lieu j'établirai la paix — oracle du SEIGNEUR, du tout-puissant. (Ag 2, 3-4, 9)

Dans sa première déclaration à travers Aggée, Dieu avait constaté qu'aucun temple n'avait été bâti :

C'est pourquoi, au-dessus de vous, les cieux ont retenu la rosée, et la terre a retenu son fruit. J'ai appelé la sécheresse sur la terre, sur les montagnes, sur le blé, sur le vin nouveau, l'huile fraîche et sur tout ce que produit le sol ; sur les hommes, les bêtes et sur tout le fruit de vos travaux. (Ag 1, 10-11)

Maintenant que le temple a été construit, Dieu enverra de nouveau la pluie, la prospérité reviendra, et finalement tout ira mieux que jamais. Reste que la gloire a été manifestement ajournée : le SEIGNEUR admet, à titre préventif, si l'on peut dire, que le nouveau temple n'est rien en comparaison de l'ancien.

Et qu'en est-il du nouveau souverain ? Bien entendu, le temple était intimement lié à la monarchie israélite. La gloire de Dieu et la gloire du roi s'entremêlent comme nulle part ailleurs : la maison de

Dieu (le temple) et la maison de David (la dynastie) étaient célébrées comme une seule et même chose. Le SEIGNEUR dépêche Aggée auprès du gouverneur nommé par les Perses, Zorobabel, descendant de David, pour lui dire qu'il est le messie, le « serviteur » du SEIGNEUR que célèbrent anonymement les poèmes mystiques d'Ésaïe. C'est lui qui annoncera le nouvel âge :

> Parle à Zorobabel, le gouverneur de Juda, et dis-lui : Je vais ébranler ciel et terre. Je vais renverser les trônes des royaumes et exterminer la force des royaumes des nations ; je vais renverser chars et conducteurs ; chevaux et cavaliers tomberont, chacun sous l'épée de son frère. En ce jour-là — oracle du SEIGNEUR, du tout-puissant — je te prendrai, Zorobabel, fils de Shaltiel, mon serviteur — oracle du SEIGNEUR. Je t'établirai comme l'anneau à cacheter, car c'est toi que j'ai élu — oracle du SEIGNEUR, du tout-puissant. (Ag 2, 21-23)

La rhétorique est usée, dérivée, et beaucoup trop grandiose pour un homme auquel même Dieu ne saurait, apparemment, se résoudre à s'adresser comme à un roi. Par la bouche de Zacharie, contemporain d'Aggée, le SEIGNEUR associe Zorobabel, qui a présidé à la construction du nouveau temple décrié, à la gloire qui lui est promise à l'avenir, comme pour suggérer que l'un sera aussi glorieux que l'autre :

> Ce sont les mains de Zorobabel qui ont posé les fondements de cette Maison,
> ce sont elles aussi qui l'achèveront,
> et vous reconnaîtrez que c'est le SEIGNEUR,
> le tout-puissant qui m'a envoyé vers vous.
> Qui donc dédaignait le jour des modestes débuts ?
> Qu'on se réjouisse en voyant la pierre de fondation
> dans la main de Zorobabel ! (Za 4, 9-10)

Pourtant, après avoir envoyé une douzaine de signaux codés indiquant que Zorobabel et le grand prêtre, Josué, sont en quelque sorte des cosouverains, le SEIGNEUR charge Zacharie de couronner Josué plutôt que Zorobabel. Tout le langage de l'héritier davidique est transféré à Josué, qui, bien que déjà prêtre, doit régner avec un prêtre à ses côtés. À en croire la critique historique, le texte a été modifié pour substituer le nom de *Josué* à celui de *Zorobabel*. Pourquoi ce changement ? Les Perses se sont-ils opposés comme à une sédition caractérisée à ce projet de remettre un héritier de David sur un semblant de trône ? Le peuple s'est-il pour une raison ou pour une autre retourné contre Zorobabel ? Le grand prêtre a-t-il monté quelque coup de force ? Les historiens savent seulement ce qu'un lecteur attentif du texte ne manquera pas de remarquer, à savoir qu'on n'entend jamais plus parler du messie Zorobabel et que le silence qui l'engloutit engloutit en même temps la lignée davidique.

Dieu saluant un délégué des Perses comme le Messie commence à ressembler à Don Quichotte saluant dans la servante Aldonza Lorenzo, simple paysanne, sa noble maîtresse, la Dulcinée du Toboso. Dieu reconnaît que le temple qu'il a réclamé a été accueilli par quelques quolibets. Les Juifs ont-ils également raillé Zorobabel ? Bien que le Tanakh soit capable d'humour, il ne fait jamais d'humour aux dépens de Dieu. Alors que Cervantès souligne le comique des incongruités avec un certain mordant, seule reste ici une certaine âpreté, même si elle n'est pas exempte d'un comique involontaire, comme dans les dernières paroles du SEIGNEUR à Zacharie : « En ces jours-là dix hommes de toutes les langues que parlent les nations s'accrocheront à un Juif par le pan de son vêtement en déclarant : "Nous voulons aller avec vous, car nous l'avons appris : Dieu est avec vous" » (8, 23).

Les Juifs à qui Dieu fait cette promesse sont les descendants des Judéens auxquels il a promis que leur retour de Babylone serait une marche triomphale à travers le désert : un nouvel exode et une nouvelle création qui feraient affluer à Sion toutes les nations venues adorer le Dieu un et enrichir la nation qui ferait de son service un sacerdoce. La promesse était palpitante, mais sa réfutation crève les yeux. Pourquoi envoyer dix gentils s'accrocher aux basques de chaque Juif dans une colonie juive qui, de l'aveu même de Dieu, est sur le point de périr d'inanition ?

Chez Malachie, le dernier des trois prophètes d'après l'exil, Dieu lui-même, au figuré, paraît affamé. La religion israélite ne s'est jamais prêtée aux charades d'un Dieu qu'il faut nourrir. Ce sont les prêtres et les lévites qui mangeaient la nourriture sacrifiée à Dieu. C'était leur privilège, et tout le monde savait ce qu'ils faisaient. Néanmoins, à trois chapitres de la fin d'un petit livre qui met un terme aux prophéties, Dieu se plaint de la piètre qualité des animaux qui lui sont sacrifiés, et on ne saurait imaginer contraste plus saisissant avec le mépris souverain dont il fait d'ordinaire preuve en la matière. « Que me fait la multitude de vos sacrifices ? » disait le SEIGNEUR à Ésaïe :

> Les holocaustes de béliers, la graisse des veaux,
> j'en suis rassasié.
> Le sang des taureaux, des agneaux et des boucs,
> je n'en veux plus. (Es 1, 11)

Tous les prophètes — grands et petits — n'ont cessé jusqu'ici de répéter ce sentiment jusqu'à en faire un cliché. Mais s'adressant à Malachie, Dieu renverse le poncif :

> Un fils honore son père, un serviteur, son maître. Or, si je suis père, où est l'honneur qui me revient ? Et si je suis maître où est le respect qui m'est dû ? vous déclare le SEIGNEUR tout-puissant, à vous les prêtres qui méprisez mon nom. Et vous dites : « En quoi avons-nous méprisé ton nom ? » — En apportant sur mon autel un aliment impur. Et vous dites : « En quoi t'avons-nous rendu impur ? » — En affirmant : « La table du SEIGNEUR est sans importance. » Et quand vous présentez au sacrifice une bête aveugle, n'est-ce pas mal ? Et quand vous en présentez une boiteuse et une malade, n'est-ce pas mal ? Offre-la donc à ton gouverneur. Sera-t-il satisfait de toi ? T'accueillera-t-il avec faveur ? dit le SEIGNEUR, le tout-puissant. (Ml 1, 6-8)

Au départ, rappelons-le, Dieu n'a demandé ni attendu de l'humanité le moindre culte. Le premier récit de la création ne contenait que des injonctions positives : être féconds et prolifiques, exercer sa domination sur le monde créé. Il n'y avait point d'interdits. Le second récit a ajouté un interdit : il ne fallait pas goûter au fruit de l'arbre de la connaissance du bien et du mal. Mais pas un mot sur le culte, ni sur les honneurs qu'il faudrait rendre au nom de Dieu. Pas un mot non plus sur cette question n'est adressé à Abraham, Isaac, Jacob ou Joseph. C'est avec Moïse que les Israélites sont invités à lui vouer un culte, et en fait un culte exclusif ; mais même alors, la nervosité avec laquelle le SEIGNEUR s'empressa d'abroger l'alliance indiquait clairement qu'il n'avait pas besoin de ce qu'il demandait. L'alliance avec Abraham était une alliance de fécondité ; et tandis que la nation descendue d'Abraham allait croissant, il était nécessaire de policer agressivement les frontières qui séparaient cette nation des autres dont Dieu n'encourageait ni ne garantissait la fécondité. Le culte faisait partie de cette police ; il avait sa fonction dans l'alliance en contribuant à garder à Israël une place à part dans le concert des nations. Or voici que maintenant, d'une manière ou d'une autre, il semble l'exiger.

Qu'il l'exige paraît les placer, lui et Israël, dans une situation de nécessité comparable. Aucun des deux ne semble jouir du pouvoir qui était le sien jadis. Et tandis que Dieu harangue Israël à la manière d'un prédicateur mécontent du fruit de la quête, nous les sentons tous deux à sec :

> Un homme peut-il tromper Dieu ? Et vous me trompez ! Vous dites : « En quoi t'avons-nous trompé ? » — Pour la dîme et les redevances. Vous êtes sous le coup de la malédiction et c'est moi que vous

trompez, vous, le peuple tout entier ! Apportez intégralement la dîme à la salle du trésor. Qu'il y ait de la nourriture dans ma Maison. Mettez-moi donc à l'épreuve à ce propos, dit le SEIGNEUR, le tout-puissant pour voir si je n'ouvre pas pour vous les écluses du ciel et si je ne répands pas sur vous la bénédiction en abondance. (Ml 3, 8-10)

Le constat est saisissant : c'est au milieu de ces plaintes que nous entendons Dieu parler pour la première fois de lui comme d'une femme en des termes qui ne souffrent pas la moindre équivoque :

Voici en deuxième lieu ce que vous faites : Inonder de larmes l'autel du SEIGNEUR — pleurs et gémissements — parce qu'il ne prête plus attention à l'offrande et ne la reçoit plus favorablement de vos mains. Vous dites : « Pourquoi cela ? » — Parce que le SEIGNEUR a été témoin entre toi et la femme de ta jeunesse que, toi, tu as trahie. Elle était pourtant ta compagne, la femme à laquelle tu es lié ! Et le SEIGNEUR n'a-t-il pas fait un être unique, chair animée d'un souffle de vie ? Et que cherche cet unique ? Une descendance accordée par Dieu ? — Respectez votre vie. Que personne ne soit traître envers la femme de sa jeunesse. En effet, répudier par haine, dit le SEIGNEUR, le Dieu d'Israël, c'est charger son vêtement de violence, dit le SEIGNEUR, le tout-puissant. Respectez votre vie. Ne soyez pas traîtres. (Ml 2, 13-16)

Dans Ésaïe , Dieu était le mari et Israël la femme de sa jeunesse, rejetée puis recueillie avec une miséricordieuse tendresse. Aujourd'hui, Dieu est la femme, Israël le mari.

Tout près des dernières paroles que le SEIGNEUR prononcera jamais par la bouche d'un prophète, ce passage oblige, comme aucun passage précédent ne l'a fait, à se poser la question : faut-il reconnaître une déesse parmi les diverses personnalités qui ont fusionné pour donner le personnage de Dieu. Mais avant d'aborder cette question, il nous faut noter la position uniformément subalterne et dénigrée des femmes dans la société israélite antique. En annonçant son jugement contre Israël qui a péché, et un jugement plus particulièrement focalisé sur les filles hautaines et matérialistes de Sion, le SEIGNEUR prédit une anarchie punitive reconnaissable au fait que les femmes auront pris le pouvoir :

Ô mon peuple, le tyran de mon peuple, c'est un petit enfant
et ce sont des femmes qui gouvernent.
Ô mon peuple, ceux qui te conduisent t'égarent
et ils inversent la direction de ta route. (Es 3, 12)

Beaucoup plus tôt, alors qu'une femme de la ville assiégée de Tévéç a mortellement blessé le roi rebelle en lâchant une meule du haut d'une muraille, Abimélek appelle son écuyer et lui dit : « Tire ton épée et fais-moi mourir, de peur qu'on ne dise de moi : "C'est une femme qui l'a tué" » (Jg 9, 54). Les attitudes de Dieu et d'Abimélek envers les femmes sont du pareil au même. Une femme souveraine ou une femme guerrière est soit un affront, soit une disgrâce.

Toutes les femmes ne sont pas dénigrées, bien entendu. Yaël la Qénite est louée dans le cantique de Débora et Baraq (Jg 5) pour avoir broyé avec un piquet de tente la tête d'un général cananéen, Sisera, devenu l'ennemi d'Israël après en avoir été jadis l'allié. Et en intriguant pour soustraire le trône d'Israël au fils aîné de David, Adonias, au profit de son propre fils, Salomon, Bethsabée est, au moins par implication, jugée très positivement. On pourrait naturellement en dire autant de Rébecca, quand elle intrigue avec Jacob pour dépouiller Esaü. Quelque jugement qu'un lecteur moderne puisse porter sur ces actions (on pourrait sans mal trouver des équivalents masculins), le Tanakh ne les condamne pas. Elles démontrent que les femmes sont à l'occasion, tout au moins, de puissants acteurs de la société israélite antique. Et il ne manque pas d'exemples secondaires parfaitement bénins : Anne, par exemple, qui implore le SEIGNEUR de lui donner un fils, puis l'en remercie avec une éloquence touchante, ou Avigaïl qui fait confiance au SEIGNEUR en même temps qu'à David.

La question de fond n'est donc pas de savoir si les femmes ont jamais exercé le pouvoir dans la société israélite, mais si, pour ainsi dire, le Dieu d'Israël enferme une déesse. Dieu est-il féminin aussi bien que masculin, mère autant que père, matriarche autant que patriarche, femme autant que mari, et ainsi de suite ?

La critique historique a souligné qu'El, l'ancien dieu cananéen dont le SEIGNEUR Dieu a absorbé la personnalité, avait une conjointe, Ashéra, qui enfanta des monstres pour battre le jeune rival d'El, Baal, mais qui était aussi, très généralement, une déesse de la fécondité et de la maternité. Par identification avec El, le Dieu d'Israël aurait pu, en quelque sorte, hériter d'Ashéra ; et quelques versets (très rares, assurément) survivent, dans lesquels Dieu est tour à tour masculin et féminin : par implication, on peut donc y reconnaître un couple divin. Le Deutéronome 32, 18, verset du cantique de Moïse, est souvent cité :

> Le Rocher qui t'a engendré, tu l'as négligé ;
> tu as oublié le Dieu qui t'a mis au monde.

À l'origine, le verset pouvait bien se terminer par « tu as oublié l'*arbre* qui t'a mis au monde » — rocher et arbre, ou autel de pierre et pieu de bois représentant le couple divin El (Yahweh) et Ashéra.

Cependant, si Yahweh et Ashéra ont jadis formé un couple, tel ne semble plus être le cas. Yahweh, le SEIGNEUR, n'a point d'épouse, et le texte du Tanakh associe invariablement Ashéra à Baal plutôt qu'à lui. Pour rester à dessein dans le vague, il est fort possible que Yahweh ait jadis partagé Ashéra avec El ; mais si tel est le cas, Ashéra délaissée s'est retrouvée avec Baal du jour où Yahweh est devenu célibataire.

Mais de même qu'un divorcé n'aura pas avec les femmes la même relation intime qu'un homme qui n'a jamais été marié, il est fort possible que la relation du SEIGNEUR avec Ashéra et avec la féminité ne cesse pas du seul fait qu'elle n'est plus sa conjointe. L'arbre ou sa représentation, le poteau sacré, est l'objet naturel le plus souvent associé à Ashéra. Ainsi dans Jérémie 17, 1-2 (c'est moi qui souligne) :

La faute de Juda est écrite avec un burin de fer,
à la pointe du diamant ;
elle est gravée sur la table de leur cœur
et sur les cornes de leurs autels.
Comme ils parlent de leurs enfants, ainsi parlent-ils de leurs autels
et de leurs poteaux sacrés [*ašerim*] près des *arbres toujours verts*, sur
les collines élevées.

Le nom commun hébreu *ašerah* (pluriel *ašerim*), qui signifie « poteau sacré », est aussi le nom de la déesse.

Représentations accouplées du dieu et de la déesse, la pierre et le bois sont courants dans la religion cananéenne, et c'est ce couple que raille Jérémie en 2, 27 :

Ils disent au bois : « Tu es mon père ! »
à la pierre : « C'est toi qui m'as enfanté. »

En fait, des Israélites ralliés à la culture cananéenne auraient probablement dit à la pierre, « Tu es mon père », et à l'arbre, « C'est toi qui m'as enfanté ». L'inversion s'explique sans doute par une moquerie intentionnelle. Mais il vaut la peine de signaler que, dans le culte du SEIGNEUR Dieu, la pierre, élément masculin, était parfaitement acceptable sous la forme d'un autel de pierre. Sous la forme d'un poteau, ou *ašerah*, le bois était inacceptable ; pourtant, le texte indique clairement que, nonobstant des dénonciations sans fin, l'*ašerah* conserva sa place dans le mobilier du culte à côté de l'autel de pierre du SEIGNEUR.

En tant que commentaire sur le personnage de Dieu, que suggère cet état de choses ? Que du jour où le SEIGNEUR Dieu est devenu asexué (ou a cessé d'être sexué), il n'a pas fusionné — du moins pas tout de suite — avec son ancienne conjointe, pour devenir ainsi un être également masculin et féminin, « ambisexué », mais s'est plutôt séparé de son épouse pour tâcher d'exclure le féminin de son personnage. De la part du SEIGNEUR, l'exclusion d'Ashéra est avant tout le fruit d'une violente répulsion. À ses yeux, en effet, le pire crime d'Israël, celui qui le pousse finalement à détruire Jérusalem et à effacer même le reste de Juda, est l'horrifiante décision qu'a prise le roi Manassé de placer une image sculptée d'Ashéra dans le temple du SEIGNEUR :

> L'idole d'Ashéra qu'il avait faite, il [Manassé] l'installa dans la Maison dont le SEIGNEUR avait dit à David et à son fils Salomon : « Dans cette Maison ainsi que dans Jérusalem, que j'ai choisie parmi toutes les tribus d'Israël, je mettrai mon nom pour toujours. Aussi je ne ferai plus errer les pas d'Israël loin de la terre que j'ai donnée à leurs pères, pourvu qu'ils veillent à agir selon tout ce que je leur ai prescrit, selon toute la Loi que leur a prescrite mon serviteur Moïse. » Mais ils n'écoutèrent pas ; Manassé les égara, au point qu'ils firent le mal plus que les nations exterminées par le SEIGNEUR devant les fils d'Israël.
>
> Alors le SEIGNEUR parla par l'intermédiaire de ses serviteurs les prophètes, en disant : « Parce que Manassé, roi de Juda, a commis ces abominations, qu'il a fait le mal plus que tout ce qu'avaient fait avant lui les Amorites, et qu'il a également fait pécher Juda par ses idoles, à cause de cela, ainsi parle le SEIGNEUR, le Dieu d'Israël : "Je vais amener sur Jérusalem et Juda un malheur tel que les deux oreilles tinteront à quiconque l'apprendra. Je vais tendre sur Jérusalem le cordeau de Samarie [déjà conquise et détruite] et le niveau de la maison d'Akhab [déjà exterminée]. Je nettoierai Jérusalem comme on nettoie une écuelle : on la nettoie et on la retourne à l'envers. Je délaisserai le reste de mon patrimoine : je les livrerai aux mains de leurs ennemis." » (2 R 21, 7-14)

Pourtant, malgré l'irrépressible révulsion du SEIGNEUR à la pensée qu'une déesse soit autorisée à partager sa Maison, il reste le créateur qui a dit : « Faisons l'homme à notre image, selon *notre* ressemblance », et qui a ensuite entrepris de créer une femelle aussi bien qu'un mâle. Ce qui, pour la critique historique, n'est peut-être rien de plus qu'un fragment fossile de langage mythologique est un trait de caractère inexpugnable pour la critique littéraire. L'image de Dieu n'est pas le seul mâle humain, mais le mâle et la femelle réunis. Et à cette dualité de l'image doit, tant bien que mal, répondre la dualité de l'original. C'est ce fait qui nous oblige à parler d'exclusion plutôt que de simple absence du féminin dans le personnage de Dieu. Et c'est cette exclusion qui donne un certain pathétique au fossile liturgique qu'est l'*ašerah* — objet opaque qui porte le nom d'une déesse presque oubliée, et symbole dont la présence signifie que ses adorateurs se souviennent de ce qui fut jadis et pourrait encore être.

L'*ašerah* montre bien pourquoi *asexué* est un mot, certes utile et probablement inévitable, mais inexact. Le SEIGNEUR n'est pas un être neutre ni neutralisé, encore moins un principe abstrait ou impersonnel, une âme universelle ou une force vitale. C'est un être mâle sous d'autres rapports, sans parents, épouse ni enfants, et sans aucune espèce de relations sexuelles que ce soit. Destructeur aussi bien que créateur, fauteur de guerre aussi bien que législateur, souverain lointain aussi bien qu'ami intime, il se forme par ajout ou par combinaison, tel un précipité de plusieurs personnalités divines antérieures. Mais la soustraction joue aussi un rôle dans la formation de son personnage. Ce qui lui est nié ou retiré est essentiel dans la définition de son identité. Dès lors, la question est simplement de savoir : *Lui a-t-on soustrait la féminité ?*

La meilleure réponse paraît être : *Oui, mais pas entièrement*, et, par un nouveau retournement imprévu de son histoire, sa féminité niée se trouvera à nouveau affirmée. Avec l'*ašerah* à côté de son autel, le SEIGNEUR Dieu ressemble à un homme éclatant de virilité qui porterait un sac à main de femme. Quel que soit en apparence le reste de son personnage, l'objet suffit à poser une question.

Cela étant largement reconnu à l'avance, il n'en serait pas moins erroné, nonobstant toute la tendresse de maints passages prophétiques, de dire qu'à ce stade de son histoire Dieu est à la fois mère et père, femelle et mâle. Dans un verset comme Ésaïe 66, 12-13, l'imagerie maternelle est transparente :

> Voici que je vais faire arriver jusqu'à elle [Jérusalem]
> la paix comme un fleuve,
> et, comme un torrent débordant,
> la gloire des nations.
> Vous serez allaités, portés sur les hanches
> et cajolés sur les genoux.
> Il en ira comme d'un homme que sa mère réconforte :
> c'est moi qui, ainsi, vous réconforterai,
> oui, dans Jérusalem, vous serez réconfortés.

Mais ce ne sont que des images. Au total, l'imagerie maternelle qu'il lui arrive d'employer quand il s'adresse aux prophètes est bien moins notable que le fait qu'il ait très longtemps évité les images paternelles aussi bien que maternelles. À la seule exception saillante de II Samuel 7, les deux espèces d'images parentales sont presque entièrement absentes de la Genèse jusqu'au IIe Livre des Rois. À partir d'Ésaïe, Dieu se met à parler assez librement de lui comme d'une mère et d'un père, mais plutôt que d'y voir un retour du féminin, il nous faut rappeler que cette liberté d'expression se manifeste au milieu d'une véritable explosion de métaphores, dans laquelle Dieu parle de lui comme d'un mari, d'un amant, d'un berger, d'un racheteur (métaphoriquement, celui qui paie la rançon des esclaves), et bien d'autres choses encore. Le mouvement est indéniablement vers la tendresse et la douceur ; mais vu que les déesses du Proche-Orient sont souvent d'une férocité sans bornes, cette dynamique ne trahit pas en soi une féminisation.

Le SEIGNEUR Dieu, on l'a dit, n'est père que par analogie. Lorsqu'il se met à parler de lui comme d'une mère, il n'est également mère que par analogie. La métaphore qu'il choisit d'employer pour parler de lui à un moment donné reflétera toujours ce qu'il veut dire de lui à cet instant. Ainsi, en Malachie 2, juste avant que Dieu ne parle de lui comme de la femme d'Israël, Malachie parle de Dieu comme du père d'Israël : « N'avons-nous pas tous un seul père ? Un seul Dieu ne nous a-t-il pas créés ? » (2, 10).

Pour autant, tout ce que Dieu peut dire de lui-même n'est pas analogie. Suivant le Tanakh, Dieu est réellement un créateur, non un créateur par analogie, et son alliance avec Israël est bel et bien un contrat. De surcroît, en un sens caractérologique plutôt que génital, il a été vraiment mâle, et pas vraiment femelle. Comme il se présente parfois sous une forme humaine et toujours sous une forme mâle, on peut même dire de lui qu'il a les organes génitaux d'un mâle ; mais chez lui, ils sont dénués de toute fonction génitale. Aussi singulier que cela puisse paraître, tout ceci rentre dans la définition de son identité et de son personnage.

Et pourtant, même cela changera. Après que les Judéens sont rentrés de leur captivité babylonienne, Dieu deviendra peu à peu plus androgyne. La féminité analogue implicite dans sa façon de se décrire comme une femme abandonnée — manifestement, une féminité de faiblesse — n'est pas sans lien avec le changement plus profond qui est à venir. Elle en est la condition et le prélude. Pour l'heure, toutefois, Dieu n'est ni féminin ni androgyne. Il serait plus juste de le présenter comme un mâle assagi et ébranlé, même quand il se compare à une femme mal entretenue, et la réponse à la question : *Y a-t-il une déesse en ce Dieu ?* est, plutôt que *non, pas encore.*

Au début de ce chapitre, nous expliquions que l'étude d'Aggée, de Zacharie et de Malachie ouvrirait la voie à la longue réponse de l'humanité à Dieu dans les Psaumes, les Proverbes et Job. À cette fin, nous avons attiré l'attention sur un ensemble de passages qui opposent ces prophètes d'après l'exil à ceux de l'exil et d'avant, des passages qui suggèrent clairement la déception et l'accablement chez les Judéens et, en Dieu, une perspective étriquée et un ton strident peu habituels. Un semblant de vie nationale s'est reconstitué, mais pour ceux qui ont bonne mémoire, ce n'est rien de plus qu'un semblant. Les Judéens et leur Dieu se retrouvent avec des identités profondément modifiées par l'histoire. Il est d'autres passages, chez ces trois prophètes, dont la lecture est un peu plus encourageante que ceux que nous avons cités ; et d'autres encore, surtout dans Zacharie 9-14, où l'espoir revêt la forme très particulière de l'apocalypse. Il faut dire un mot de plus à ce sujet.

Une apocalypse est la révélation chiffrée d'une destruction imminente qui sera suivie d'une intervention définitive de Dieu à la fin des temps. Historiquement, le genre apocalyptique est une espèce d'herbe folle qui a surgi en Judée sur la terre brûlée de la prophétie inaccomplie. Ses prédictions sont codées ou coulées dans quelque forme savamment mystérieuse — en partie pour égarer les oppresseurs étrangers des Judéens puis des Juifs, en partie pour conforter la croyance de la nation dans la puissance de Dieu et son unicité nationale quand tout semble prouver le contraire. De portée globale, il exprime le sentiment, maintenant bien développé, que l'avenir de la Judée est désormais inséparable de celui des autres nations du monde. En général, il est plus large mais aussi plus vague que la prophétie dans ses promesses. Alors même que les demandes spécifiques de Dieu se font plus modestes (un temple, des dîmes, des animaux de première qualité pour les sacrifices, etc.), ses promesses et ses menaces deviennent plus grandioses. Toutefois, le fait que le « jour du SEIGNEUR » que prédit l'apocalyptisme soit toujours proche mais jamais exactement daté le préserve du genre de réfutation par les événements dont souffre la prophétie dans la restauration judéenne.

Les moments apocalyptiques ou proto-apocalyptiques de Zacharie ne sont pas les seuls des prophètes bibliques. Il est des passages apocalyptiques dans les derniers chapitres d'Ésaïe, chez Ézéchiel et ailleurs. Mais le fait mérite d'être signalé : l'intensité de la tendance apocalyptique — de la propension à coder et à différer — est loin de retomber avec le retour des Judéens dans leur patrie. Qu'il en aille ainsi trahit leur profonde insatisfaction du caractère de la restauration — une insatisfaction dont on a vu bien d'autres signes chez Aggée, Zacharie et Malachie.

En tant que proposition sur Dieu, l'apocalyptisme semble dire qu'il est progressivement plus préoccupé par une destruction prochaine et progressivement plus enclin à chiffrer ce qu'il a à en dire.

En guise de prédiction codée de destruction, arrêtons-nous sur le long passage suivant extrait de Zacharie :

> Ainsi parle le SEIGNEUR, mon Dieu : « Fais paître ces brebis vouées à l'abattoir, elles que leurs acheteurs abattent impunément ; elles que l'on vend en disant "Béni soit le SEIGNEUR, me voilà riche !" tandis que leurs bergers n'éprouvent pour elles aucune pitié. Non, je n'aurai plus pitié des habitants de la terre, oracle du SEIGNEUR. En effet je vais livrer les hommes, chacun aux mains de son voisin et de son roi. Les rois saccageront la terre, mais je ne délivrerai pas les gens de leurs mains. » Je fis donc paître le troupeau que les trafiquants vouaient à l'abattoir. Je pris deux houlettes. J'appelai la première « Faveur » et la seconde « Entente » et je me mis à paître le troupeau. Puis je supprimai les trois bergers en un seul mois. Je perdis patience avec elles et elles, de leur côté, se lassèrent de moi. Alors je déclarai : « Je ne vous mènerai plus paître ! Celle qui doit mourir, qu'elle meure ! Celle qui doit disparaître, qu'elle disparaisse ! Celles qui survivront, qu'elles se dévorent entre elles ! » Je saisis ma houlette « Faveur » et la brisai pour rompre l'accord auquel j'avais soumis tous les peuples. Il fut donc dénoncé, en ce jour-là, et les trafiquants du troupeau qui m'observaient reconnurent que c'était là une parole du SEIGNEUR.
>
> Alors je leur déclarai : « Si bon vous semble, payez-moi mon salaire, sinon, laissez-le. » De fait, ils payèrent mon salaire : trente sicles d'argent [le prix d'un esclave]. Le SEIGNEUR me dit : « Jette-le au fondeur, ce joli prix auquel je fus estimé par eux. » Je pris les trente sicles d'argent et les jetai au fondeur, dans la Maison du SEIGNEUR. Puis je brisai ma seconde houlette « Entente » pour rompre la fraternité entre Juda et Israël.
>
> Le SEIGNEUR me dit : « Procure-toi maintenant un équipement de berger, qui sera un insensé. En effet, voici que je vais susciter un berger dans ce pays ; la brebis perdue, il ne s'en souciera pas ; celle qui s'est égarée, il ne la recherchera pas ; celle qui est blessée, il ne la soignera pas ; celle qui est bien portante, il ne l'améliorera pas. Il mangera les bêtes grasses et leur fendra le sabot. »
>
> Malheur au berger vaurien
> qui délaisse le troupeau !
> Que l'épée lui déchire le bras
> et lui crève l'œil droit !
> Que son bras se dessèche, oui, qu'il se dessèche !
> Que son œil droit s'éteigne, oui, qu'il s'éteigne ! (Za 11, 4-17)

Qui est le berger ? Qui sont les acheteurs et les vendeurs ? Pourquoi les houlettes sont-elles appelées « Faveur » et « Entente » ? Quel est l'accord annulé ? Quel est le sens du salaire et de l'allusion au prix d'un esclave ? Qui est le berger prédateur annoncé dans les derniers versets ? Et quand tout ceci arrivera-t-il, à moins que ça n'arrive déjà ? Ce passage est une allégorie, qui était sans doute un peu moins opaque à l'époque où elle a été composée qu'elle ne l'est aujourd'hui. À chacun de ses éléments, on peut faire correspondre une réalité, mais dans les prophéties antérieures, ces allusions eussent été incluses, plutôt que sous-entendues ou chiffrées.

S'adressant naguère aux prophètes ou à travers eux, Dieu usait librement des métaphores, mais avec parcimonie de l'allégorie. L'allégorie est une forme qui se prête bien à l'équivoque, mais Dieu n'a nullement le désir de jouer d'équivoque. Il ne paraissait pas soucieux, comme il l'est ici, de révéler et de dissimuler en même temps. Quand le prophète employa l'allégorie de l'agnelle pour faire honte à David après le meurtre d'Urie, le SEIGNEUR le pria d'expliquer sur-le-champ cette allégorie. En Ésaïe 5, 1, le prophète parle de son « bien-aimé » et de sa « vigne », mais aussitôt il décode :

> La vigne du SEIGNEUR, le tout-puissant, c'est la maison d'Israël,
> et les gens de Juda sont le plant qu'il chérissait.
> Il en attendait le droit,
> et c'est l'injustice.
> Il en attendait la justice,
> et il ne trouve que les cris des malheureux. (Es 5, 7)

On chercherait en vain un décodage comparable dans l'allégorie des mauvais bergers de Zacharie, et la raison en saute aux yeux. Le SEIGNEUR dissimule. Et sachant qu'il dissimule, Israël devient hostile à l'institution même de la prophétie.

De la façon la plus extraordinaire, Zacharie 13 range la prophétie avec l'idolâtrie et l'impureté dans la brève liste des pratiques qui seront effacées le « jour du SEIGNEUR » :

> Il arrivera en ce jour-là — oracle du SEIGNEUR, le tout-puissant — que j'éliminerai du pays le nom des idoles ; on n'en fera plus mention. J'expulserai aussi du pays les prophètes et leur esprit d'impureté. Alors, si quelqu'un continue de prophétiser, son propre père et sa propre mère lui signifieront : « Tu ne dois plus rester en vie : ce sont des mensonges que tu profères au nom du SEIGNEUR. » Alors son propre père et sa propre mère le transperceront pendant qu'il prophétisera. En ce jour-là, chaque prophète rougira de sa vision pendant qu'il prophétisera et il ne revêtira plus le manteau de poil pour tromper. Il protestera : « Je ne suis pas un prophète, je suis un paysan, moi. Je possède même de la terre depuis ma jeunesse. » (Za 13, 2-5)

La prophétie est une erreur, le SEIGNEUR ne la commettra pas deux fois.

D'égale importance, cependant, à côté de sa tendance à dissimuler ses intentions, est sa propension à s'appesantir sur les aspects destructeurs plutôt que restaurateurs des grands événements à venir. La destruction archétypique du monde — la seule qui n'ait pas été seulement prédite mais qui se soit accomplie — est le déluge de la Genèse 6-8. Cette action, on l'a vu, était l'œuvre du Dieu destructeur, une personnalité distincte aux antipodes de celle du créateur. L'alliance avec Abraham, que certains prophètes antérieurs rêvaient d'étendre, sous une forme ou sous une autre, à toute l'humanité, était au départ la résolution d'un conflit avec Dieu. Quand Israël brisa l'alliance, cette résolution se trouva en principe compromise. En promettant de rétablir Israël sur la terre promise, Dieu promettait aussi de reconstituer son propre compromis intérieur. Mais s'il a omis d'accomplir ce qu'il avait entrepris de faire, si à leur retour les Judéens trouvent la restauration décevante et s'il les juge mesquins avec lui, alors l'alliance est de nouveau tacitement remise en cause, et son côté sombre est une fois de plus libre de s'affirmer. Dans l'allégorie de Zacharie, le prophète agit-il, allégoriquement, pour Dieu, lorsqu'il accepte le rôle de berger du troupeau condamné ? Quelle est la voix que nous entendons vraiment dans les mots, « Celle qui doit mourir, qu'elle meure ! Celle qui doit disparaître, qu'elle disparaisse ! Celles qui survivront, qu'elles se dévorent entre elles ! » ? Le flou de l'allusion est pour le moins sinistre, et tout aussi alarmante est la manière dont le passage s'attarde sur la destruction, comme un criminel rôde autour d'une armurerie.

Évoquant l'Exode et le triomphe du SEIGNEUR Dieu sur le Pharaon, nous disions que si l'on pouvait résumer toute la Bible d'un seul mot, ce serait *victoire*. Cela reste valable même en cette période déchirée et contradictoire de la vie de Dieu. Zacharie 14, le dernier chapitre du Livre, passe d'une description de batailles apocalyptiques à une vision de paix miraculeuse tandis que toutes les nations affluent à Jérusalem pour y adorer Dieu. En ce jour-là, promet le SEIGNEUR, les clochettes des chevaux porteront l'inscription : « Consacré au SEIGNEUR. » Fût-ce après l'échec de la promesse, la promesse perdure et l'emporte sur la menace. Mais à l'heure où il s'enfonce dans le silence, Dieu est aussi déçu par son peuple que son peuple l'est par lui.

CONSEILLER

« Dieu ! que tes pensées me sont précieuses ! »

PSAUMES

Les cent cinquante prières qui composent le psautier du Livre des Psaumes forment une sorte de récapitulatif d'une bonne partie, mais certainement pas de tout ce qui les précède dans la Bible. Nombre des événements et problèmes abordés dans les vingt-six premiers livres du Tanakh (les cinq livres du Pentateuque, les six de l'histoire deutéronomique, et les quinze des prophètes) se retrouvent, par allusion, dans les Psaumes. Beaucoup sont explicitement attribués au roi David, quelques-uns étant même datés d'une époque précise de sa carrière. D'autres enfin, par leur contenu, nous livrent divers indices du moment où ils ont été dits ou, plus probablement, chantés pour la première fois.

Étant donné la diversité des contenus et des circonstances, il est difficile de préciser ce que les Psaumes, considérés dans leur ensemble, disent de Dieu, *a fortiori* d'y trouver de quoi progresser dans la biographie de Dieu. Mais trois facteurs atténuent grandement cette difficulté. Le premier, c'est que les Psaumes sont tous au présent. Bien que certains aient sans doute été écrits dans le passé, le fait même qu'un psaume ait été conservé et recueilli est une affirmation implicite de la validité persistante de la pensée ou du sentiment qu'il exprime. Lorsqu'un psaume est très précisément situé dans le passé, il est clairement sous-entendu que ce moment du passé et les sentiments exprimés valent la peine d'être rappelés et, d'une certaine façon, demeurent valables. Ainsi, le psaume 59 est celui que récita David « quand Saül envoya garder la maison pour le faire mourir », mais le sentiment qu'expriment les premiers versets se transpose aisément à d'autres situations :

> Dieu, délivre-moi de mes ennemis ;
> protège-moi de mes agresseurs.
> Délivre-moi des malfaisants
> et sauve-moi des hommes sanguinaires. (Ps 59, 2-3)

Le deuxième facteur modérateur, pour une lecture synthétique des Psaumes, tient à ce que nombre d'entre eux sont dépourvus de toute indication de temps ou de lieu.

Enfin, le troisième est que, même si les Psaumes ont été écrits à des moments très différents de l'histoire, nous les lisons tous au même moment littéraire. Nous pouvons dire des Psaumes quelque chose d'analogue à ce que nous avons dit des prophètes lorsque nous les avons comparés à la correspondance d'un grand général qu'on lirait une fois la guerre terminée. Son personnage, tel que les lettres le révèlent, aura été le sien, même pendant les hostilités ; mais parce que nous ne découvrons qu'après la guerre ce que les lettres disent de lui, tout se passe, pour nous, comme s'il changeait après le conflit. Plutôt qu'une correspondance avec les grands, les Psaumes se lisent souvent comme des entretiens avec des sans-grade : des fantassins et des contribuables anonymes qui témoignent de la manière la plus convaincante de la personnalité de leur chef, non par ce qu'ils disent de lui, mais par ce qu'ils lui disent. Notamment, tous paraissent lui avoir adressé la parole à une occasion ou à une autre — grande ou petite, publique ou privée.

À quel moment se déroulent ces entretiens ? Au moment défini au début de ce chapitre par notre lecture des trois prophètes d'après l'exil. Israël a changé de religion et abandonné Dieu. Puis Dieu, conformément aux termes de son alliance, a puni Israël et l'a exilé. Mais il avait promis de le prendre en pitié et de le ramener triomphalement — un triomphe qui conduirait le monde entier à leur rendre hommage à tous deux, Dieu et Israël réunis. Israël, en la personne des Judéens exilés, a maintenant regagné sa capitale et repris une vie nationale, mais celle-ci s'est révélée morne et précaire. Il nous faut imaginer les Psaumes récités ou chantés dans le temple que les exilés de retour ont construit à Jérusalem. Ils ont tardé à le bâtir, tant leurs besoins les plus élémentaires étaient pressants, et une fois édifié, beaucoup l'ont trouvé décidément peu convaincant.

Alors que nous découvrons l'assemblée en prière dans ce temple, qu'est-ce qui nous surprend dans ce que nous entendons ? Les fidèles vivent en paix. De fait, deux siècles durant, avant qu'Alexandre le Grand, déferlant depuis l'Occident, ne déclenche dans leur histoire une nouvelle période de violences extrêmes, les Juifs menèrent une vie plus ou moins paisible dans le cadre de l'empire perse. Imaginons-les au beau milieu de cette époque. Malachie, le dernier des prophètes, est mort depuis un siècle. Inimaginable, Alexandre ne surgira qu'un siècle plus tard. Visiblement, Dieu et Israël en sont venus à un accommodement, mais quelles en sont les modalités ?

Quiconque lit le Psautier après les prophètes en sera frappé ; alors que ceux-ci parlent de la méchanceté d'Israël, les psalmistes parlent des méchants *en* Israël. Les prophètes parlaient parfois d'un reste demeuré fidèle, qu'ils opposaient à une majorité d'apostats, mais de l'Exode à la captivité babylonienne, le contraste le plus fréquent est entre Israël et les autres nations du monde. Dans cette vision du monde religieusement collectivisée, les différences individuelles sont presque éliminées. Si le roi Manassé a entraîné Juda dans l'idolâtrie et le sacrifice d'enfants, aucun effort ne fut consenti pour faire un sort à part à ceux de ses sujets qui ne l'avaient peut-être pas suivi dans son péché. Culpabilité et innocence étaient partagées.

En ce domaine, le changement paraît clair. L'un des psaumes les plus touchants est le plus court, le psaume 131 :

> SEIGNEUR, mon cœur est sans prétentions ;
> mes yeux n'ont pas visé trop haut.
> Je n'ai pas poursuivi ces grandeurs,
> ces merveilles qui me dépassent.
>
> Au contraire, mes désirs se sont calmés
> et se sont tus,
> comme un enfant sur sa mère.
> Mes désirs sont pareils à cet enfant.
>
> Israël, mets ton espoir dans le SEIGNEUR,
> dès maintenant et pour toujours.

Dans la paix imposée de l'empire perse, Israël a cessé d'être un acteur, même mineur, sur la scène internationale. Des siècles ont passé depuis la dernière guerre menée par le Dieu d'Israël. Ses victoires sur le Pharaon, sur les trente et un rois cananéens tombés devant Josué, sur les Philistins que David a mis en déroute, sont un lointain souvenir. Pour une nation ainsi confinée dans ses frontières, les victoires et les défaites personnelles, les joies et les peines, et — surtout, semble-t-il — l'innocence et la culpabilité personnelles ont bien plus d'importance. L'ennemi est évoqué dans peut-être un tiers des Psaumes, et l'attaque qu'il a lancée contre le psalmiste, l'attaque qui inspire sa prière, est le plus souvent une accusation d'injustice.

Il est possible sinon, à vrai dire, quasiment certain que nombre de ces psaumes de supplique individuelle à Dieu fassent référence à une ancienne cour de justice et que la prière porte sur un secours légal. Même si ce n'est pas vrai, ou si ça ne l'est que métaphoriquement dans certains cas, cette préoccupation a pour effet de changer notre image de Dieu : il ressemble moins à un guerrier invincible, davantage à un puissant magistrat, dont l'« amour inébranlable » qu'il porte à l'accusé défendra celui-ci contre le plaignant et ses alliés aussi nombreux que peu scrupuleux.

Il vaut la peine de signaler que les psalmistes, pourtant aussi humbles que l'auteur du psaume cité à l'instant, ne s'excusent jamais de s'adresser directement à Dieu et ne craignent jamais de le faire. Peut-être doutent-ils de leur propre innocence. Son inattention ou sa sévérité peuvent les inquiéter. Mais ils ne craignent jamais de prendre l'initiative de l'aborder, comme les Israélites redoutaient justement d'approcher la divinité volcanique, presque imprévisible, qui donna la loi sur le mont Sinaï. Même le coupable peut venir à lui si, comme dans le célèbre exemple suivant, il arrive en implorant miséricorde :

> Des profondeurs je t'appelle, SEIGNEUR :
> Seigneur, entends ma voix ;
> que tes oreilles soient attentives
> à ma voix suppliante !
>
> Si tu retiens les fautes, SEIGNEUR !
> Seigneur, qui subsistera ?
> Mais tu disposes du pardon
> et l'on te craindra.
>
> J'attends le SEIGNEUR,
> j'attends de toute mon âme
> et j'espère en sa parole.
>
> Mon âme désire le Seigneur,
> plus que la garde ne désire le matin,
> plus que la garde le matin.
>
> Israël, mets ton espoir dans le SEIGNEUR,
> car le SEIGNEUR dispose de la grâce
> et, avec largesse, du rachat.
> C'est lui qui rachète Israël
> de toutes ses fautes. (Ps 130)

Le Psautier contient un certain nombre de psaumes qui se lisent comme des chants de guerre. Ainsi du psaume 144 :

> Béni soit le SEIGNEUR, mon rocher,
> qui entraîne mes mains pour le combat,
> mes poings pour la bataille.
> Il est mon allié, ma forteresse,
> ma citadelle, et mon libérateur,
> mon bouclier, et je me réfugie près de lui ;
> il range mon peuple sous mon pouvoir. (Ps 144, 1-2)

Et les victoires éclatantes du passé sont sans cesse et cérémonieusement rappelées : leur esprit martial est familier, voire classique, désormais. Un autre esprit inspire cependant les trente ou quarante psaumes qui ne font aucune allusion à la guerre ni à aucun ennemi national, passé ou présent. Beaucoup, on l'a dit, font allusion à des ennemis personnels, mais d'autres se contentent d'invoquer Dieu, tantôt pour être soulagés d'une détresse, tantôt pour recevoir ses faveurs et son aide en dehors de toute détresse. Et le postulat universel, que nous avons rencontré pour la première fois dans le Second Ésaïe, est que Dieu est un ami, qui a une connaissance intime du suppliant. Dans les Psaumes, tout Juif peut prier Dieu qu'il le délivre, tout comme Jacob avait prié le Dieu personnel de son père Abraham ou que David avait prié son invincible allié.

Dans le psaume 56, identifié comme chant « de David [...]. Quand les Philistins le saisirent à Gath », David imagine, dans une métaphore éclatante, que Dieu recueillera chaque larme du jeune captif :

> Tu as compté mes pas de vagabond ;
> dans ton outre recueille mes larmes.
> N'est-ce pas écrit dans tes comptes ? (56, 9)

Partout, dans le Psautier, on retrouve des affirmations comparables, mais dans des circonstances moins dramatiques. L'une des plus éloquentes figure au début du psaume 139 :

> SEIGNEUR, tu m'as scruté et tu connais,
> tu connais mon coucher et mon lever ;
> de loin tu discernes mes projets ;
> tu surveilles ma route et mon gîte,
> et tous mes chemins te sont familiers.
> Un mot n'est pas encore sur ma langue,
> et déjà, SEIGNEUR, tu le connais.
> Derrière et devant, tu me serres de près,
> tu poses la main sur moi.
> Mystérieuse connaissance qui me dépasse,
> si haute que je ne puis l'atteindre ! (139, 1-6)

Un changement subtil mais pénétrant sépare ce passage des passages comparables du Second Ésaïe sur l'inconnaissabilité du SEIGNEUR : ici, en effet, l'accent porte sur la connaissance individuelle — plutôt qu'Israël dans son ensemble —, et le psalmiste tient sans conteste la connaissance du SEIGNEUR pour un inestimable bienfait. Plus tard, dans le psaume 139, le psalmiste s'exclame :

> Dieu ! que tes projets sont difficiles pour moi,
> que leur somme est élevée !
> Je voudrais les compter, ils sont plus nombreux que le sable.
> Je me réveille, et me voici encore avec toi. (139, 17-18)

La RSV traduit « Dieu ! que tes pensées me sont précieuses ! » Le mot hébreu peut avoir l'un ou l'autre sens. Le vers suivant fait bien entendu écho à la descendance sans nombre que le SEIGNEUR a promise à Abraham. Ce sont maintenant les pensées de Dieu, plutôt que la progéniture d'Abraham, qui sont innombrables. Mais comment le psalmiste a-t-il pu connaître les pensées de Dieu ? À diverses reprises, nous avons signalé que Dieu n'a apparemment aucune vie privée ni aucune pensée intime. Il ne se lance pas dans de longs soliloques méditatifs, et, en fait, il ne dit rien qui n'ait l'humanité ou, plus souvent, Israël pour référent direct. Les mots que Dieu prononce en créant le monde sont un genre de soliloque, de même que ses paroles lorsqu'il annonce la destruction du monde sous les eaux, mais autrement tous ses propos, y compris toute sa législation, s'adressent à l'humanité. C'est vrai même de la Tora, qui n'est pas imposée à Israël au Sinaï comme une manière d'ouvrir la nation aux pensées difficiles ou précieuses de son Dieu, mais comme une façon d'établir une alliance. Et celle-ci n'est pas une récompense en soi, mais une promesse de récompenses qui, pour les deux parties, sont extrinsèques. Israël recevrait une terre et la fécondité surnaturelle promise à Abraham. Dieu, tacitement, restreindrait son don initial de fécondité à cette seule nation.

Cela étant admis, la loi demeure une extériorisation singulièrement étendue de l'esprit de Dieu. Si purement instrumentale qu'elle ait pu être lorsqu'elle a été révélée, elle se prête à une seconde sorte d'appréciation portant sur ce que le Psalmiste nomme les « précieuses pensées » de Dieu. Et cette appréciation, thème principal d'un certain nombre de Psaumes parfois appelés les « Psaumes de la Tora », est la toile de fond de douzaines d'autres psaumes. En effet, chaque fois que le psalmiste proclame son idéal de justice ou célèbre la justice de Dieu, chaque fois qu'il mentionne l'« amour inébranlable » ou qu'il prononce la phrase hébraïque scandée et lapidaire, *ki le'olam ḥasdo*, « car son amour sans fin est éternel », il redonne vie à l'alliance et exalte la loi.

Chacun des psaumes, après les deux premiers, s'accompagne d'un chapeau indiquant, diversement, son auteur, dans quelle occasion il a été récité, la mélodie sur laquelle il devait être chanté, l'accompagnement instrumental, et divers autres détails à peine déchiffrables de nos jours. Les deux premiers, qui font exception, forment très certainement une sorte d'introduction au recueil. Et le premier définit le nouveau rôle central de la loi — méditation et plaisir permettant à chaque Juif de nouer un lien personnel avec Dieu :

Heureux l'homme
qui ne prend pas le parti des méchants,
ne s'arrête pas sur le chemin des pécheurs
et ne s'assied pas au banc des moqueurs,
mais qui se plaît à la loi du SEIGNEUR
et étudie* sa loi jour et nuit !

Il est comme un arbre planté près des ruisseaux :
il donne du fruit en sa saison
et son feuillage ne se flétrit pas ;
il réussit tout ce qu'il fait.

Tel n'est pas le sort des méchants :
ils sont comme la bale que disperse le vent.
Lors du jugement, les méchants ne se relèveront pas,
ni les pécheurs au rassemblement des justes.
Car le SEIGNEUR connaît le chemin des justes,
mais le chemin des méchants se perd.

Lorsque le psalmiste dit « étudie », il faut très certainement comprendre récitation privée et publique, plutôt que contemplation silencieuse ; pourtant, « étudie » n'est pas une traduction fautive. C'était et, dans certaines synagogues, c'est toujours, une forme d'étude distincte, une communion intime, sensuelle, avec le texte par le son, sans en exclure pour autant le sens, car quand bien même on la voudrait, une exclusion totale serait impossible.

Pourquoi le psalmiste ne se plaît-il pas à la prophétie autant qu'à la loi du SEIGNEUR ? Pourquoi n'étudie-t-il pas jour et nuit Ésaïe, Jérémie, Ézéchiel et Osée ? Ce sont également les pensées difficiles de Dieu, mais le Psautier les passe totalement sous silence. Dans l'ensemble du recueil des cent cinquante psaumes, on retrouve peut-être cinq fois, au total, les mots mêmes de *prophète(s)* ou de *prophétie*. La raison de ce silence est très certainement la même qui en explique l'extinction et qui a conduit Zacharie à en attendre avec impatience la disparition : dans une très large mesure, les prophéties ne s'étaient pas réalisées. N'étant pas des prédictions, les règles et ordonnances de la loi ne pouvaient être, en tant que telles, infirmées par l'histoire comme pouvaient l'être et l'avaient été les prophéties. Certes, il est des promesses et des menaces à l'adresse de Moïse dans le Pentateuque, mais les promesses mosaïques et les menaces, les bénédictions comme les malédictions, s'étaient réalisées, les unes au commencement, les autres à la fin de la période antérieure à l'exil.

---

* Conformément à la traduction retenue par l'auteur, nous avons remplacé le « récite » de la TOB par « étudie ». *(N. d. T.)*

C'est la grande restauration prophétisée — les promesses faites à travers Ésaïe, Jérémie et Ézéchiel — qui ne s'est pas concrétisée.

Le silence des Psaumes sur les prophètes porte même sur les domaines dans lesquels, en ce qui concerne la loi, on peut penser que les prophètes avaient anticipé les Psaumes. Ainsi, qu'elle soit du pénis ou du cœur, la circoncision n'est jamais mentionnée dans les Psaumes. Lorsque Dieu parla à Jérémie de circoncision du cœur, il reprit une image qu'il avait employée en parlant par la bouche de Moïse et qui aurait bien pu paraître s'imposer aux psalmistes. À travers Jérémie, c'est « aux hommes de Juda et aux habitants de Jérusalem » qu'il s'adresse :

> Soyez circoncis pour le SEIGNEUR,
> ôtez le prépuce de votre cœur,
> hommes de Juda et habitants de Jérusalem !
> Sinon ma fureur jaillira comme un feu,
> elle brûlera sans que personne puisse l'éteindre,
> à cause de vos agissements pervers. (Jr 4, 4)

L'injonction adressée par l'intermédiaire de Moïse dans le Livre du Deutéronome a servi de modèle à Jérémie : « Vous circoncirez donc votre cœur, vous ne raidirez plus votre nuque » (Dt 10, 16). Dans les deux cas, l'image est destinée à suggérer la sincérité, la cicatrice intérieure de l'esprit étant un signe de fidélité à l'alliance au même titre que la cicatrice extérieure du pénis. Et dans les deux cas, également, la raison de la fidélité est inséparable des conséquences de l'infidélité : le SEIGNEUR récompensera l'une et châtiera l'autre. C'est même vrai quand, à travers Moïse, il demande à Israël de méditer ses paroles :

> Mes paroles que voici, vous les mettrez en vous, dans votre cœur, vous en ferez un signe attaché à votre main, une marque placée entre vos yeux. Vous les apprendrez à vos fils en les leur disant quand tu resteras chez toi et quand tu marcheras sur la route, quand tu seras couché et quand tu seras debout ; tu les inscriras sur les montants de porte de ta maison et à l'entrée de tes villes, *pour que vos jours et ceux de vos fils, sur la terre que le SEIGNEUR a juré à vos pères de leur donner, durent aussi longtemps que le ciel sera au-dessus de la terre.* (Dt 11, 18-21 ; c'est moi qui souligne)

Et pourtant, par cette insistance sur l'obéissance intérieure, la voie a été tracée d'une intériorité qui serait faite de plaisir autant que d'obéissance. C'est le « plaisir à la loi du SEIGNEUR » qui ouvre le Livre des Psaumes.

Si l'esprit du Psautier est un esprit qui détourne les yeux de la bataille et des grandes prédictions vers la vie privée et la loi, on n'en saurait rien en lisant le psaume 2, le second des deux psaumes qui, ensemble, forment une sorte de longue légende. Ce psaume n'envisage rien de moins qu'un empire mondial pour le SEIGNEUR et le roi sacré d'Israël, le messie du SEIGNEUR. Ce qui est prévu ce n'est *pas* — soulignons-le — la conversion des nations telle que les prophètes en avaient parlé, mais carrément un genre de domination militaire comme celle qui avait été promise aux tribus d'Israël au moment de la conquête de Canaan :

> Pourquoi cette agitation des peuples,
> ces grondements inutiles des nations ?
> Les rois de la terre s'insurgent,
> et les grands conspirent entre eux,
> contre le SEIGNEUR et contre son messie :
> « Brisons leurs liens,
> rejetons leurs entraves. »
>
> Il rit, celui qui siège dans les cieux ;
> le Seigneur se moque d'eux.
> Alors il leur parle avec colère,
> et sa fureur les épouvante :
> « Moi, j'ai sacré mon roi
> sur Sion, ma montagne sainte. »
>
> Je publierai le décret :
> le SEIGNEUR m'a dit :
> « Tu es mon fils ;
> moi, aujourd'hui, je t'ai engendré.
> Demande-moi,
> et je te donne les nations comme patrimoine,
> en propriété les extrémités de la terre.
> Tu les écraseras avec un sceptre de fer,
> et, comme un vase de potier, tu les mettras en pièces. » (Ps 2, 1-9)

N'était sa place, on pourrait voir dans ce psaume un héritage du passé de la nation, une célébration de sa gloire passée plus qu'un programme d'action. Mais sa place oblige à y voir l'exposé de la relation idéale entre Israël et les autres nations. À cet égard, les deux Psaumes énoncent une espèce de double idéal : Israël chez lui et Israël à l'étranger. À en juger d'après le reste du Psautier, cependant, le psaume 1 expose un idéal qui est poursuivi, le psaume 2 un rêve qui n'a pas été abandonné. Non que ce soit le seul moment où le psalmiste s'adresse au SEIGNEUR comme à un guerrier. Le psaume le plus célèbre, après le 23, est le 137 :

> Là-bas, au bord des fleuves de Babylone,
> nous restions assis tout éplorés
> en pensant à Sion.

Aux saules du voisinage
nous avions pendu nos cithares.

Là, nos conquérants nous ont demandé des chansons,
et nos ravisseurs des airs joyeux :
« Chantez-nous quelque chant de Sion. » (Ps 137, 1-3)

Mais son début plaintif débouche bientôt sur une soif de vengeance :

Fille de Babylone, promise au ravage,
heureux qui te traitera
comme tu nous as traités !
Heureux qui saisira tes nourrissons
pour les broyer sur le roc ! (Ps 137, 8-9)

Rien de ce qui apparaît une fois dans la personnalité de Dieu n'en disparaît jamais tout à fait. Tout ce qui disparaît un certain temps peut toujours resurgir. En principe, Dieu ne cessera jamais d'être un destructeur et un guerrier.

Et pourtant, dans l'ensemble, le Psautier est dominé par un climat de douce confiance en Dieu : ardente ou pressante dans les temps de lutte, dans les lamentations et suppliques personnelles qui encombrent les premières pages du Psautier, reconnaissante et lyrique en temps de paix, comme dans le psaume le mieux connu du Psautier, voire le plus célèbre poème de toute la littérature occidentale après le Notre-Père :

Le SEIGNEUR est mon berger,
je ne manque de rien.
Sur de frais herbages il me fait coucher ;
près des eaux du repos il me mène,
il me ranime.

Il me conduit par les bons sentiers,
pour l'honneur de son nom.
Même si je marche dans un ravin d'ombre et de mort,
je ne crains aucun mal, car tu es avec moi ;
ton bâton, ton appui, voilà qui me rassure.

Devant moi tu dresses une table,
face à mes adversaires.
Tu parfumes d'huile ma tête,
ma coupe est enivrante.

Oui, bonheur et fidélité me poursuivent
tous les jours de ma vie,
et je reviendrai à la maison du SEIGNEUR,
pour de longs jours. (Ps 23)

La différence d'humeur entre ce psaume et

> Heureux qui saisira tes nourrissons
> pour les broyer sur le roc !

est saisissante ; et, à la longue, toute analyse du personnage de Dieu est bien obligée d'admettre que les deux états d'esprit lui sont naturels. Aucun des deux psalmistes ne s'égare à son propos. Et il faut signaler que même le psaume 23, si souvent édité en versions illustrées pour enfants, contient cette prière : que le SEIGNEUR permette au psalmiste de faire étalage de sa bonne fortune devant ses ennemis.

> Devant moi tu dresses une table,
> *face à mes adversaires.*

Le Dieu des Psaumes n'est jamais tendre au point d'ignorer la vengeance.

Toujours est-il que, pour en revenir à l'affirmation centrale, ce qui est nouveau dans le Psautier, ce qui paraît consacrer un changement d'accent distinct et pénétrant, c'est le glissement de l'attention, du bien-être national au bien-être personnel et familial, de thèmes publics et politiques agressifs à l'étude paisible de la loi. En fait, le militarisme du psaume 2 n'est pas le prélude à une série de psaumes implorant la destruction de telle ou telle nation, en écho aux oracles dans lesquels les prophètes prédisaient une telle destruction, nation après nation. Le contexte — historique, probablement, et littéraire, certainement — dans lequel il est récité est celui de l'effacement virtuel de la prophétie par le dernier héritier de David, Zorobabel, le messie raté.

Le roi d'Israël fut, un temps, un roi qui avait soumis des peuples, confinés dans les limites auxquels le psaume 2, 1 fait allusion. Le psalmiste imaginerait-il Dieu sous les traits d'un impérialiste ? Il faudrait plutôt dire qu'il se *remémore* l'impérialiste du passé. Des rêves peuvent naître des souvenirs, et les aventures ultérieures, grandioses, et en définitive suicidaires du messianisme séculier ont bien pu se nourrir de certains psaumes. Par ailleurs, les souvenirs peuvent aussi demeurer des souvenirs. En se cantonnant au niveau de la littérature, et en notant l'ambivalence et un conflit implicite, on peut aussi raisonnablement reconnaître plus de force à ce qui, dans l'anthologie, n'est pas seulement vigoureux mais aussi nouveau. Or, dans le Livre des Psaumes, ce qui est tout à la fois vigoureux et nouveau, c'est le roman de la loi.

Tantôt explicitement, tantôt par sous-entendu, le psalmiste oppose le grand homme à l'homme de bien, et c'est de ce dernier que lui-même et son Dieu sont épris :

Fils, venez m'écouter !
Je vous enseignerai la crainte du SEIGNEUR.
Quelqu'un aime-t-il la vie ?
Veut-on voir des jours heureux ?
Garde ta langue du mal
et tes lèvres des médisances.
Évite le mal, agis bien,
recherche la paix et poursuis-la !

Le SEIGNEUR a les yeux sur les justes,
et l'oreille attentive à leurs cris.
Le SEIGNEUR affronte les malfaisants
pour retrancher de la terre leur souvenir.
Ils crient, le SEIGNEUR entend
et les délivre de toutes leurs détresses.
Le SEIGNEUR est près des cœurs brisés,
et il sauve les esprits abattus. (34, 12-19)

L'opposition n'est pas entre Israël et les nations, mais entre les justes et les malfaisants, que ce soit dans le sein d'Israël ou sans considération de leur nationalité. Les motifs de la loi, de la longévité et de la stabilité sont liés dans cette vision. Dans le psaume 1, le juste est pareil à un arbre planté près de l'eau, qui croît, mûrit et donne du fruit au fil de longues années, tandis que le méchant est la balle que chasse le vent. La Tora, la doctrine religieuse d'Israël, l'héritage séculier commun du Proche-Orient antique ne sont pas loin de fusionner dans cette vision qui devient plus complète, nous le verrons, dans les Proverbes. Et toutes les récompenses de la Tora/sagesse se situent sur une échelle manifestement humaine. Jamais aucun psalmiste ne promet au juste une progéniture aussi nombreuse que les étoiles du ciel, ni le territoire d'une longue liste de peuples voisins. Les récompenses sont plutôt celles d'une vie de famille relativement prospère. Ainsi, le roman de la loi et le roman de la famille ne font plus qu'un :

Heureux tous ceux qui craignent le SEIGNEUR
et suivent ses chemins !

Tu te nourris du labeur de tes mains.
Heureux es-tu ! À toi le bonheur !
Ta femme est une vigne généreuse
au fond de ta maison ;
tes fils, des plants d'oliviers
autour de ta table.
Voilà comment est béni l'homme
qui craint le SEIGNEUR.

> Que le SEIGNEUR te bénisse depuis Sion,
> et tu verras la prospérité de Jérusalem
> tous les jours de ta vie,
> et tu verras les fils de tes fils.
>
> La paix sur Israël ! (128)

En présence du vraiment grand, le bon paraît toujours petit. En présence du vraiment bon, le grand paraît toujours vain. Les visions contradictoires du peuple juif, telles que nous les trouvons dans les Psaumes, ont captivé l'imagination de tant d'autres peuples au fil des siècles parce que le champ des possibilités humaines y est extraordinairement large. Imaginez la rencontre de deux Juifs. Le premier est l'homme auquel s'adresse ici le psalmiste, l'homme qui préside sa tablée, ou, mieux encore peut-être, l'un des rameaux d'olivier autour de sa table, un garçon de dix-huit ans par exemple. Le second est l'autre jeune Juif dont rêvait Ésaïe :

> Car un enfant nous est né,
> un fils nous a été donné.
> La souveraineté est sur ses épaules.
> On proclame son nom :
> « Merveilleux-Conseiller, Dieu-Fort,
> Père à jamais, Prince de la paix. » (Es 9, 5)

Quelle que soit la contradiction logique ou théologique entre les deux visions, sur le plan émotionnel elles sont aussi différentes que le jour et la nuit. Mais comme chacune d'elles, en soi, est irrésistible ! Quel garçon choisir ?

Et la question biographique, plus profonde, est bien entendu : Quel garçon Dieu choisit-il ? Dans les Psaumes, tout compte fait, il choisit le rameau d'olivier plutôt que la branche de Jessé, symbole de la lignée davidique, messianique. Le roi saint est mort. Vive le pieux homme du peuple !

> Le peu qu'a le juste vaut mieux
> que la fortune de tant d'impies,
> car les bras des impies casseront,
> mais le SEIGNEUR soutient les justes. [...]
>
> J'ai été jeune et j'ai vieilli
> sans jamais voir un juste abandonné,
> ni ses descendants mendier leur pain.
> Tous les jours, le juste a pitié, il prête,
> et sa descendance est une bénédiction. (Ps 37, 16-17, 25-26)

Si la question que Dieu pose à travers les prophètes, et essentiellement à son sujet, est « Pouvons-nous recommencer ? », la question que posent les Juifs dans les Psaumes, après l'échec de la prophétie, est « Pouvons-nous de nouveau recommencer ? ». Ils y répondent par l'affirmative, non pas comme le SEIGNEUR lui-même lorsqu'il s'exprime par la bouche des prophètes, en renouant avec les victoires cosmiques et historiques du temps jadis, mais avec la loi considérée comme un bien en soi — en fait comme Dieu lui-même. Lorsque le SEIGNEUR a donné la loi au Sinaï, il ne s'y est pas assujetti en la donnant. Il se définit par la puissance, non par la loi. Mais maintenant, pour parler clair, le SEIGNEUR a été défait. Il n'a que le souvenir de la victoire. Et par un tour paradoxal, les Juifs se saisissent de la loi qui leur est imposée et la lui imposent par le plaisir même qu'ils y trouvent, en la célébrant comme s'il s'agissait de ses précieuses pensées. À ce stade, l'idée d'une morale envisagée comme une fin plutôt qu'un moyen, comme un bien en soi plutôt qu'un instrument pour atteindre quelque autre bien, est encore en gestation. Après tout, le bonheur de la vie familiale n'est pas une récompense mesquine. Et en « rétrojetant », pour ainsi dire, la projection par Dieu de lui-même, sa loi, en la personnalisant et en inscrivant leur acceptation de celle-ci dans une relation personnelle avec lui, les Juifs qui ont recueilli les Psaumes, les partageant en cinq livres, à l'image des livres de la Tora, ont accompli un grand bond en avant dans cette direction.

Dieu s'est continuellement laissé surprendre par les suites de sa création initiale d'une image de lui. Et le changement qui s'est opéré en lui — on pourrait presque dire, l'apprivoisement — qui se produit dans les Psaumes n'est pas la moindre de ces surprises. Nous savons tous comment faire sortir un acteur des coulisses par nos applaudissements. Les Psaumes ne sont pas aussi grossiers, mais le *şedeq* et le *ḥesed* sont certainement l'objet de louanges disproportionnées. La justice de Dieu et son amour sans fin, plutôt que sa vaillance dans la bataille et sa munificence. Mais si Dieu est surpris, les Juifs le sont aussi, car ils doivent cette nouvelle relation avec lui aux gentils, *via* les accommodements réalisés pour ceux-ci par les prophètes. Tacitement, cette forme de prophétie se fraie un chemin dans les Psaumes.

Alors que le monothéisme a trouvé sa formulation ultime dans le Second Ésaïe , il est apparu que les gentils se seraient accommodés d'une certaine façon de l'alliance d'Israël avec le SEIGNEUR. Mais au bout du compte, la place qui leur a été faite fut également occupée par les Juifs. L'alliance de Noé, jusqu'aux prophètes la seule alliance en bonne et due forme du Tanakh qui ne fît point de distinction entre les Israélites et les gentils, ne requérait en fait aucune espèce de culte. Peu exigeante, elle autorisait les êtres humains, les mangeurs de plantes du jardin d'Éden, à tuer et à manger des animaux, du moment qu'ils ne les mangeaient pas vivants (tel est le sens du commandement de la Genèse 9, 4 : « vous ne mangerez pas la chair avec sa vie, c'est-à-dire son sang »), mais leur interdisait de tuer leurs pareils. Dieu, pour sa part, consentait à s'abstenir de détruire à nouveau le monde ; il ne promettait rien de plus. Pour une génération bien plus tardive d'anthropologues, l'alliance de Noé a pu être un vague souvenir fascinant de la transition de l'espèce humaine, des pures cueilleurs aux cueilleurs-chasseurs, et des chasseurs dévorant leur gibier sur-le-champ, comme de simples prédateurs, aux chasseurs mangeant la chair après lui avoir laissé le temps de se vider de son sang. Mais le fait de s'abstenir de dévorer sa proie vivante ou de tuer un frère humain n'apporte pas grand-chose en guise de reconnaissance de Dieu, *a fortiori* d'expression d'une relation avec Dieu ; et en parlant aux prophètes de sa nouvelle relation avec les gentils, le SEIGNEUR ne mentionne jamais Noé.

L'alliance dans laquelle le SEIGNEUR entend — ou entendait jadis — faire entrer les gentils est l'alliance mosaïque. Pour citer à nouveau deux passages déjà cités :

> Les fils de l'étranger qui s'attachent au SEIGNEUR
> pour assurer ses offices, pour aimer le nom du SEIGNEUR,
> pour être à lui comme serviteurs,
> tous ceux qui gardent le sabbat sans le déshonorer
> et qui se tiennent dans mon alliance,
> je les ferai venir à ma sainte montagne,
> je les ferai jubiler dans la Maison où l'on me prie ;
> leurs holocaustes et leurs sacrifices
> seront en faveur sur mon autel,
> car ma Maison sera appelée :
> « Maison de prière pour tous les peuples ». (Es 56, 6-7)

Mais le SEIGNEUR s'empresse de rassurer Israël. Cette évolution ne fera qu'enrichir le partenaire originel de son alliance :

> Des gens de toute provenance prendront la garde
> et feront paître votre petit bétail,
> des fils de l'étranger seront pour vous
> laboureurs et vignerons.
> Quant à vous, vous serez appelés « Prêtres du SEIGNEUR »,
> on vous nommera « Officiants de notre Dieu » ;
> vous mangerez la fortune des nations
> et vous vous féliciterez de capter leur gloire. (Es 61, 5-6)

Autrement dit, les gentils seront tenus par les obligations de l'alliance, ce qui est manifestement considéré comme une faveur et un privilège pour eux, mais seul Israël s'enrichira matériellement. Au bout du compte, bien entendu, les gentils ne voulurent point de cette alliance, pas plus qu'ils ne consentirent à offrir des holocaustes et des sacrifices à Jérusalem. Mais c'est peut-être bien à travers la considération de la situation religieuse des gentils que s'affirma pour la première fois l'idée de la Tora comme faveur et plaisir, indépendamment des bénédictions et des malédictions du Deutéronome 28. Et après l'échec de la prophétie, après que Dieu eut manqué de rendre à Israël l'autonomie, voire l'hégémonie, qu'il avait dite, que les Juifs se trouvèrent confrontés à ce choix : la Tora comme un bien en soi ou pas de Tora du tout. Ils choisirent la première solution, pour célébrer leur choix dans les Psaumes.

Dire les choses ainsi, c'est présenter, avec autant de froideur que s'il s'agissait d'un coup sur un échiquier, un changement qui s'est certainement accompagné d'une angoisse intérieure aussi bien qu'extérieure. Quand, sous Ézékias, Jérusalem parvint à mettre en déroute l'armée de l'Assyrien Sennakérib, Juda semble en avoir tiré la conclusion tragiquement fausse que sa capitale fortifiée était imprenable. Lorsqu'ils commencèrent à entrevoir la vérité et que la chute de Jérusalem sembla non seulement possible mais inévitable, un vent de panique effroyable souffla sur eux. La Bible de Jérusalem traduit ainsi Jérémie 30, 5-7, à la veille de la catastrophe :

> Nous avons perçu un cri d'effroi,
> c'est la terreur, non la paix.
> Interrogez donc et regardez.
> Est-ce qu'un mâle enfante ?
> Pourquoi vois-je tout homme
> les mains sur les reins comme celle qui enfante ?
> Pourquoi tous les visages sont-ils devenus livides ?
> Malheur ! C'est le grand jour !
> Il n'a pas son pareil !
> Temps de détresse pour Jacob,
> mais dont il sera sauvé.

Autrement dit, il semblait presque contre nature que Jérusalem tombât. Et bien que le désastre dût aussi emporter les coupables, il n'en était pas moins désolant que les coupables eussent apparemment prospéré jusque-là. Jérémie, de nouveau, mais cette fois dans une autre traduction* :

> Tu es trop juste, SEIGNEUR,
> pour que je conteste avec toi ;
> toutefois permets que je t'adresse des réclamations ;

---

* Celle de Samuel Cohen (Belles Lettres). Nous avons ici substitué SEIGNEUR à Adonaï. (*N.d.T.*)

> Pourquoi la voie des méchants est-elle fortunée,
> Pourquoi les perfides sont-ils tranquilles ?
> Tu les plantes, ils poussent même des racines ;
> ils croissent et produisent même des fruits ;
> tu es près de leur bouche
> mais loin de leurs pensées.
> Mais toi, SEIGNEUR, tu me connais,
> tu me vois, tu sondes mon sentiment envers toi ;
> traîne-les comme les brebis pour être égorgées,
> et destine-les pour le jour du carnage. (Jr 12, 1-3)

La défaite elle-même fut telle qu'elle avait presque de quoi rendre la nation folle. Presque tout aussi déchirant était le scandale de la punition des innocents — de ceux qui, en leur for intérieur, savaient bien qu'ils étaient restés fidèles à l'alliance — en même temps que les coupables. De ce point de vue, on trouve une longue formulation explicite et, dans son contexte, choquante, dans le psaume 44 qui retrace les victoires passées de Dieu, comme maint autre psaume, et reconnaît humblement :

> Ce n'est pas leur épée qui les a rendus maîtres du pays,
> ce n'est pas leur bras qui les a fait vaincre,
> mais ce fut ta droite, ton bras, et la lumière de ta face,
> car tu les aimais. (Ps 44, 4)

Mais à ce brillant passé, le psalmiste oppose le lugubre présent dans lequel

> Tu cèdes ton peuple sans bénéfices,
> et tu n'as rien gagné à le vendre. (Ps 44, 13)

avant d'exposer le fond du problème :

> Tout cela nous est arrivé, et nous ne t'avions pas oublié,
> nous n'avions pas démenti ton alliance ;
> notre cœur ne s'était pas repris,
> nos pas n'avaient pas dévié de ta route,
> quand tu nous as écrasés au pays des chacals,
> et recouverts d'une ombre mortelle.
>
> Si nous avions oublié le nom de notre Dieu,
> tendu les mains vers un Dieu étranger,
> Dieu ne l'aurait-il pas remarqué,
> lui qui connaît les secrets des cœurs ?
> C'est à cause de toi qu'on nous tue tous les jours,
> qu'on nous traite en agneaux d'abattoir !
>
> Réveille-toi, pourquoi dors-tu, Seigneur ?
> Sors de ton sommeil, ne rejette pas sans fin !

Pourquoi caches-tu ta face
et oublies-tu notre malheur et notre oppression ? (Ps 44, 18-25)

Le langage — « Réveille-toi » et ainsi de suite — fait écho au Second Ésaïe ; mais, tout en promettant que le SEIGNEUR s'arracherait au sommeil et ouvrirait les yeux, ce prophète reconnaissait qu'Israël n'avait pas volé le châtiment qui lui avait été infligé même si, en fin de compte, il était allé trop loin. Pour une partie de la critique historique, ce psaume a dû être écrit en réponse à quelque défaite ultérieure ; peut-être est-ce effectivement le cas, mais par sa place, il ne peut que renvoyer à la défaite par Babylone et à l'état de la nation restaurée, devenue la fable et la risée de ses voisins. L'évocation du monstre marin rappelle le déluge et fait allusion à la peur viscérale, la plus indicible, de la *persona* démoniaque toujours latente dans le Dieu des précieuses pensées.

GARANT

« *Le long des avenues elle donne de la voix* »

PROVERBES

La nouvelle place centrale de la loi, en tant qu'élément de définition dans la vie de Dieu, crée en lui une nouvelle vulnérabilité — non pas, comme autrefois, aux dieux rivaux, mais aux lois ou à leurs équivalents rivaux. Tel est le drame caché dans l'un des livres les moins lus du Tanakh, le Livre des Proverbes. La loi de Dieu, que les Psaumes tiennent pour l'expression divine la plus importante et la plus durable, laisse largement place dans les Proverbes à une tradition plus large, anonyme et impersonnelle, de sagesse séculière ; et cette autre voie est « prêchée » par une remplaçante totalement inattendue des prophètes, à savoir Dame Sagesse, mariage mystérieusement allégorique de déesse, de prophétesse et d'ange.

La subtile apparition de Dame Sagesse, rivale mais aussi servante ou conjointe de Dieu, s'accompagne d'un renversement paradoxal du rôle que les Psaumes assignent à ce dernier. Dans les Psaumes, en effet, Dieu est le garant de la justice dans un monde du *karma* sans *samsara*, autrement dit, un monde dans lequel les bons sont récompensés et les mauvais punis de leur vivant ou, tout au plus, dans la personne de leurs enfants et de leurs petits-enfants. Tel n'est pas tout à fait le cas dans les Proverbes, où Dieu apparaît pour la première fois comme l'être mystérieux auquel il faut se référer, et auquel il faut recourir lorsque c'est le contraire qui se produit, c'est-à-dire lorsqu'on voit les bons punis et les méchants récompensés. On continue à honorer en Dieu le créateur, par la Sagesse, d'un monde qui jouit en général d'un ordre moral immanent : autrement dit, d'un monde où la récompense des bons et le châtiment des méchants sont, dans l'ensemble, naturels et en conséquence automatiques. On n'attend pas de Dieu qu'il veille à la bonne marche de cet ordre moral en intervenant *ad hoc* pour récompenser ou punir. Récompenses et châtiments sont le résultat intrinsèque de la culture de l'humanité ou, pour dire les choses autrement, de la sagesse humaine — une quête parfois définie comme une dévotion envers Dame Sagesse. Dieu a créé le monde à travers elle, disent les Proverbes, et c'est à elle qu'il appartient de veiller au fonctionnement normal, et normalement bienfaisant, du monde. Dieu n'intervient ou n'est censé être intervenu que dans les cas limites mal venus, imprévus et contraires à l'intuition.

Bref, quand tout va bien, comme les Proverbes imaginent que ce sera le cas, Dieu est honoré comme le créateur d'un monde où les choses se passent bien ; mais quand tout va mal, on reconnaît en lui la source aussi bien que l'explication des exceptions à la règle. Dieu est marginal, au sens où l'on peut dire d'un cadre qu'il est marginal par rapport au tableau. Il est rarement dans le tableau, mais il lui est indispensable.

Cette fonction d'encadrement quasi négative, mais nécessaire, est le sens d'un proverbe — « La crainte du SEIGNEUR est le commencement de la Sagesse » — répété presque comme un mantra : à trois reprises dans les Proverbes (1, 7, 9, 10 et 15, 33), au moins une fois dans les Psaumes (111, 10), et ailleurs dans ces livres avec des variations mineures. Dans une formulation séculière, il pourrait signifier : « La première chose qu'un homme de discernement doit comprendre, c'est que beaucoup de choses passeront à jamais son entendement. » L'humanité n'en finira jamais d'essayer de maîtriser la vie, et les Proverbes l'encouragent dans cet effort. Mais un homme qui ne s'avoue pas que beaucoup de choses lui échapperont inévitablement est voué à la frustration et au désespoir. Le bon sens n'est jamais, pour ainsi dire, qu'une éclaircie dans la forêt, et mieux vaut s'y préparer dès le début. De ce point de vue, capital pour le mariage de la Tora et de la Sagesse, les Proverbes 16 donnent un long commentaire :

> À l'homme les projets ;
> au SEIGNEUR la réponse.

> Toutes les voies de l'homme sont pures à ses yeux,
> mais c'est le SEIGNEUR qui pèse les cœurs.

> Expose ton action au SEIGNEUR
> et tes plans se réaliseront.

> Le SEIGNEUR a tout fait avec intention,
> même le méchant pour le jour du malheur. (Pr 16, 1-4)

Il n'est pas facile de transposer ce dernier vers dans une clé séculière puisque, aujourd'hui comme alors, c'est précisément en ce point que la sagesse séculière trouve sa limite. Mais force nous est tout de même de reconnaître que les Proverbes 16, 4 apportent une réponse à une supplique inédite, et fort peu traditionnelle, que l'on retrouve dans une foule de psaumes : que le SEIGNEUR remette à leur place les méchants ennemis du solliciteur, qu'il leur donne ce qu'ils méritent et qu'il accorde son dû au juste qui s'adresse à lui. À quoi le SEIGNEUR est censé répondre ici : « Non, j'ai mes desseins à leur sujet, et [le sous-entendu est clair], vous devez les supporter. »

C'est à la fois une restriction et une révision drastiques du rôle de Dieu comme protagoniste de la Bible. En un sens, l'humanité devient maintenant le protagoniste, et Dieu l'antagoniste. Les dénouements plus heureux sont attribués aux efforts des hommes, tandis que Dieu se voit attribuer la responsabilité ultime et personnelle des temps où l'opposition, humaine et circonstancielle, devient insupportable. Il devient, de façon remarquable, la personnification de tout cela ; et, à ce titre, il en devient, sinon l'explication, du moins un nom. Autrement dit, au lieu de dire : « Il n'y a pas moyen de comprendre cela », les Proverbes disent : « Il n'y a pas moyen de le comprendre, *lui.* »

Les reformulations séculières contemporaines ont tendance à rendre impersonnel ce qui, dans les Proverbes, est personnel. Ainsi, par exemple, « À chaque vie, ses nuages », ou ces versions plus récentes et plus laides : « Tu vis ta chienne de vie et tu meurs » ou « La vie n'est qu'un torrent de merde ». Mais toutes ces reformulations des Proverbes 16, 4 manquent leur objectif, car elles ne sont en aucune façon l'aveu que la vie passe l'entendement de celui qui les profère. Au contraire, elles puent la suffisance, tant elles sont assurées que tous les éléments pertinents ont été considérés, et que le résultat amer est bien celui-là. Pour éviter de prétendre à l'omniscience, il faudrait, d'une manière ou d'une autre, admettre le mystère, et ce faisant ces propos perdraient le caractère résolument séculier qu'ils ambitionnent.

Le verset « Le SEIGNEUR a tout fait avec intention, / même le méchant pour le jour du malheur » a fort bien pu être des plus réconfortants pour ceux qui l'ont écrit et préservé, parce qu'il suppose que le SEIGNEUR est bon, mais ce même verset garde une force libératrice même si l'on se contente de supposer que le SEIGNEUR est mystérieux ou, nouvelle réduction, que la vie elle-même est un mystère et pas simplement un gâchis. Bref, mieux vaut une incertitude humble mais au moins potentiellement miséricordieuse qu'une certitude fière et inévitablement masochiste. Peut-être est-ce le pari de Pascal deux millénaires avant Pascal[2]. Et pourtant, ce n'est guère une heure de triomphe pour Dieu lui-même. Maintenant que le monde suit son cours, Dieu ne doit être convoqué que lorsque les choses se passent au plus mal, à tel point qu'il est presque forcé d'apparaître toujours et uniquement sous son jour le plus noir. « Réconfortez, réconfortez mon peuple » ne sont plus des mots qu'il a beaucoup de chances de prononcer. Dans la plupart des épreuves, l'humanité se réconforte ou s'en prend à elle-même. Il n'y a pas la moindre place à la tendresse récemment découverte de Dieu. Plutôt que sous les traits d'un consolateur, il apparaît ici au mieux comme une hypothèse à demi réconfortante, au pire comme le destructeur d'antan.

Lire les Proverbes après les Psaumes, c'est un peu quitter le murmure étouffé d'un église bondée, où les angoisses cachées et les espoirs immodérés ont tous connu un épanchement parfois doulou-reux, pour se plonger dans l'animation du marché à la porte de l'église — assez proche, certes, mais tout de même extérieur. Ici, au grand jour, les enjeux sont sans doute beaucoup plus modestes ; la causticité des reparties de bas étage est la seule forme d'éloquence, mais le changement a quelque chose de tonique. Tout le monde croit encore en Dieu et l'évoque dans une phrase sur deux, mais chacun paraît avoir aussi d'autres préoccupations et s'en remettre à l'esprit maternel, si l'on peut dire, plutôt qu'au Dieu paternel ou grand-paternel, car le SEIGNEUR Dieu commence à se faire vieux : si, en principe, il est toujours le chef de famille, il n'est plus un patron très actif.

Dans le mariage de la Tora et de la Sagesse, dans les Proverbes, la Tora — ou, tout au moins, le SEIGNEUR qu'elle honore comme son auteur — approfondit la Sagesse. Mais la Sagesse élargit et éclaire aussi la Tora en abordant des questions comme la formation du caractère et la prudence — autant d'aspects de l'expérience morale de l'homme sur laquelle la Tora garde généralement le silence. Le trait le plus surprenant de cette nouvelle synthèse, cepen-dant, c'est que la prophétie, sur laquelle les Psaumes gardent un silence attristé, renaît tant bien que mal, tandis que Dame Sagesse prêche au coin de la rue. Mais quel genre de prophétie prêche-t-elle ? S'abstenant de mises en accusation véhémentes, de visions enivrées, de toute évocation de pays étrangers comme de toute prédiction de malheurs apocalyptiques, elle a les maniérismes d'une prophétesse, mais son message ne va guère au-delà de « Si tu fais l'imbécile, ne viens pas dire que je ne t'ai pas prévenu ». Cette renaissance de la prophétie est, d'une certaine façon, son enterrement :

> La Sagesse, au-dehors, va clamant,
> le long des avenues elle donne de la voix.
> Dominant le tumulte elle appelle ;
> à proximité des portes, dans la ville, elle proclame :

« Jusques à quand, niais, aimerez-vous la niaiserie ?
Jusques à quand les moqueurs se plairont-ils à la moquerie
et les sots haïront-ils la connaissance ?

Rendez-vous à mes arguments !
Voici, je veux répandre pour vous mon esprit,
vous faire connaître mon message.

Puisque j'ai appelé et que vous vous êtes rebiffés,
puisque j'ai tendu la main et que personne n'a prêté attention ;

Puisque vous avez rejeté tous mes conseils
et que vous n'avez pas voulu de mes arguments,

à mon tour je rirai de votre malheur,
je me moquerai quand l'épouvante viendra sur vous.

Quand l'épouvante tombera sur vous comme une tempête,
quand le malheur fondra sur vous comme un typhon,
quand l'angoisse et la détresse vous assailliront...

alors ils m'appelleront, mais je ne répondrai pas,
ils me chercheront mais ne me trouveront pas.

Puisqu'ils ont haï la connaissance
et n'ont pas choisi la crainte du SEIGNEUR ;

puisqu'ils n'ont pas voulu de mes conseils
et ont méprisé chacun de mes avis,

eh bien ! ils mangeront du fruit de leur conduite
et se repaîtront de leurs propres élucubrations.

C'est leur indocilité qui tue les gens stupides
et leur assurance qui perd les sots.

Mais qui m'écoute repose en sécurité,
tranquille, loin de la crainte du malheur. » (Pr 1, 20-33 ; c'est moi qui souligne.)

Dans la prophétie telle que nous l'avons vue jusqu'ici, les événements mentionnés dans les lignes en italiques auraient été présentés comme un châtiment, et non pas, comme ici, comme un juste retour des choses. Ici, le seul châtiment est celui que l'on s'impose ; il est simplement la conséquence prévisible, automatique, d'une conduite insensée.

Est-il vraiment surprenant que la voix que l'on entend, dans cette éruption la plus claire et la plus large du féminin dans la relation entre l'humanité et Dieu, soit frappée au coin du bon sens ? Tout dépend, à l'évidence, de ce qu'on entend par « féminin », mais aussi de ce qu'on attend d'une mère ou d'une femme. La critique historique n'a guère prêté attention à la possibilité que la Sagesse soit la mère de l'humanité ou l'épouse de Dieu, mais cela tient largement au fait qu'elle y a généralement vu une personnification de la sagesse du Dieu mâle et en a donc fait au fond un mâle, nonobstant les terminaisons grammaticales féminines. On y a vu une figure de rhétorique vaguement analogue à la Parole du SEIGNEUR, dans la formule inlassablement répétée : « La parole du SEIGNEUR fut adressée à... »

En réalité, cependant, son identité est bien plus compliquée, car Dame Sagesse ne parle pas seulement *pour* Dieu : elle parle aussi en son nom *de* Dieu et de sa relation avec lui. Probablement le mot *déesse* la présente-t-elle sous un faux jour ; mais même si on lui donne une dimension allégorique plutôt que mythologique, il faudrait très certainement y voir la personnification de la sagesse humaine, au sens nouvellement autonome dont nous parlions à l'instant, plutôt que la personnification de l'insondable sagesse divine. À ce titre, on peut parler d'elle, métaphoriquement, comme de la partenaire de Dieu, voire de sa femme (l'humanité coopérant avec Dieu), mais aussi de la mère de l'humanité (l'humanité prenant soin d'elle). En sa double qualité d'épouse et de mère, Sagesse réveille l'écho d'Ashéra.

Dans les Proverbes 8, 22-9, 6, Sagesse parle de ses doubles liens avec Dieu et avec l'humanité :

> Le SEIGNEUR m'a engendrée, prémice de son activité,
> prélude à ses œuvres anciennes.
> J'ai été sacrée depuis toujours,
> dès les origines, dès les premiers temps de la terre.
> Quand les abîmes n'étaient pas, j'ai été enfantée,
> quand n'étaient pas les sources profondes des eaux.
> Avant que n'aient surgi les montagnes,
> avant les collines, j'ai été enfantée,
> alors qu'Il n'avait pas encore fait la terre et les espaces
> ni l'ensemble des molécules du monde.
> Quand Il affermit les cieux, moi, j'étais là,
> quand Il grava un cercle face à l'abîme,
> quand Il condensa les masses nuageuses en haut
> et quand les sources de l'abîme montraient leur violence ;
> quand Il assigna son décret à la mer
> — et les eaux n'y contreviennent pas -
> quand Il traça les fondements de la terre.
> Je fus maître d'œuvre à son côté,
> objet de ses délices chaque jour,
> jouant en sa présence en tout temps,
> jouant dans son univers terrestre ;
> et je trouve mes délices parmi les hommes.
>
> Et maintenant, fils, écoutez-moi.
> Heureux ceux qui gardent mes voies !
> Écoutez la leçon pour être sages

et ne la négligez pas.
Heureux l'homme qui m'écoute,
veillant tous les jours à ma porte,
montant la garde à mon seuil !
Car celui qui me trouve a trouvé la vie
et il a rencontré la faveur du SEIGNEUR.
Mais celui qui m'offense se blesse lui-même.
Tous ceux qui me haïssent aiment la mort.

Sagesse a bâti sa maison,
elle a taillé ses sept colonnes,
elle a tué ses bêtes, elle a mêlé son vin,
et même elle a dressé sa table.
Elle a envoyé ses servantes, elle a crié son invitation
sur les hauteurs de la ville :
« Y a-t-il un homme simple ? Qu'il vienne par ici ! »
À qui est dénué de sens elle dit :
« Allez, mangez de mon pain,
buvez du vin que j'ai mêlé.
Abandonnez la niaiserie et vous vivrez !
Puis, marchez dans la voie de l'intelligence. »

Au point de ce discours où la Sagesse dit à l'humanité, « Et maintenant, fils, écoutez-moi », la charge de la preuve paraît incomber désormais à ceux qui nieraient qu'elle soit mère en aucune façon : à cause de l'usage du mot *banim*, « fils » ou « enfants », mais aussi à cause de ses manières, qui sont manifestement celles de parents. Mais en quel sens, s'il en est, peut-on en parler comme d'une femme ? Certes, le fait que Dieu l'ait créée n'exclut aucunement cette possibilité. En sa qualité d'épouse, le contexte du Proche-Orient antique n'exigeait pas qu'elle fût son égale incréée. Rien ne l'empêchait de la créer pour en faire sa conjointe après ou — comme elle se plaît à le souligner — avant de créer l'humanité. Non, la difficulté qu'on a à faire de Sagesse l'épouse de Dieu semble être ailleurs : dans le fait que, malgré le plaisir qu'il trouve en elle, elle paraît être autant une assistante qu'une compagne. Bâtisseuse, bouchère, boulangère et négociante en vins, elle est aussi enseignante et « confidente ». Mais toutes ces qualités en font-elles une femme ?

La première question à poser est, à l'évidence : qu'est-ce qu'une femme ? Dans toute la Bible, il n'est qu'un seul portrait de la femme, et, comme par un fait exprès, il se trouve précisément dans ce livre, dans les Proverbes 31, 10-31. En voici le début :

Une femme de valeur, qui la trouvera ?
Elle a bien plus de prix que le corail.
Son mari a pleine confiance en elle,

les profits ne lui manqueront pas.
Elle travaille pour son bien et non pour son malheur
tous les jours de sa vie.
Elle cherche avec soin de la laine et du lin
et ses mains travaillent allègrement.
Elle est comme les navires marchands,
elle fait venir de loin sa subsistance.
Elle se lève quand il fait encore nuit
pour préparer la nourriture de sa maisonnée
et donner des ordres à ses servantes.
Elle jette son dévolu sur un champ et l'achète,
avec le fruit de son travail elle plante une vigne.
Elle ceint de force ses reins
et affermit ses bras. (Pr 31, 10-17)

Dans le Proche-Orient antique, les femmes étaient tout à la fois une forme et une source de richesse pour leurs maris. Tout comme Dame Sagesse, la bonne épouse de ce portrait mêle plaisir et bonne organisation. Mais alors, si nous trouvons ce mariage chez Dame Sagesse, nous pouvons en inférer qu'il faut la considérer, au moins sur un plan métaphorique, comme l'épouse de Dieu. Elle et Dieu n'ont pas même de relation génitale analogue. Il n'y a pas la moindre allusion à cela dans le texte. Mais d'un point de vue caractérologique, elle n'est pas moins authentiquement femelle qu'il a toujours été authentiquement mâle, et dans cette mesure leur association est bien un *connubium*, une union. Et si, de surcroît, elle représente l'humanité dans son ensemble, où est la difficulté ? Dans les prophètes, Dieu s'est maintes fois présenté avec ardeur comme le mari d'Israël. Ici, il serait le mari de l'humanité, dans une relation où celle-ci est une femme exceptionnellement robuste et indépendante.

Que le Tanakh prête davantage attention aux femmes au moment d'aborder les questions pratiques ne devrait pas surprendre. Avant comme après l'exil, divers grands voisins d'Israël ont joui d'un niveau de développement matériel nettement supérieur à celui d'Israël ainsi que d'une intégration plus poussée dans le commerce mondial. C'est de Phénicie qu'on a fait venir les ouvriers qualifiés qui ont construit le palais de David et le temple de Salomon. Avant l'exil, certainement, et probablement après, les femmes étrangères furent la voie royale de la pénétration de la culture matérielle non israélite dans la vie d'Israël. Malgré la sévère restriction des mariages mixtes par la Tora, Moïse, David et, le plus notoirement, Salomon (sans parler d'Abraham, de Juda et de Joseph), tous ont eu des femmes étrangères. Ainsi le premier Livre des Rois reproche-t-il aux nombreuses épouses de Salomon d'avoir introduit en Israël une reli-

gion étrangère, mais elles apportèrent sans doute également des arts
étrangers, des langues, de la musique, des vivres, et ainsi de suite
— bref, toutes les formes étrangères d'industrie et de richesse — et
enseignèrent à leurs sœurs israélites ce qu'elles avaient apporté avec
elles. Ainsi la femme de valeur était-elle « comme les navires marchands » ; et, avec le temps, le sentiment a pu s'imposer en Israël
que les femmes, surtout les étrangères, étaient dépositaires d'une
bonne partie du savoir-faire matériel du monde.

Si tel est le cas, gardons-nous de penser que chaque fois que les
Proverbes commencent l'un de leurs discours anonymes par « Mon
fils », il faut imaginer que c'est un père qui parle. Ainsi, en substi-
tuant systématiquement « Mon enfant » à « Mon fils », le « langage
inclusif » de certaines traductions (par exemple, de la New Revised
Standard Version) s'accorde mal avec la teneur de bon nombre de
discours, qui s'adressent explicitement à des jeunes hommes ; mais
s'il est rarement facile d'imaginer une jeune femme pour auditrice,
on imagine souvent très facilement que c'est une femme plus âgée
qui parle. Non que les Proverbes soient un texte féministe : au regard
des normes contemporaines, il est sereinement sexiste, avec sa
manière de fulminer régulièrement contre la femme de mauvaise vie
sans un mot pour le débauché. Mais souvent, un examen plus attentif
révèle une intéressante ambiguïté, surtout quand il est question de
morale sexuelle.

Qui parle dans les Proverbes 7, dans ce long discours contre la
femme débauchée qui, à peine commencé, se transforme en récit de
séduction narré par un témoin oculaire qui a suivi la scène à travers
une fenêtre treillissée ? Bien entendu un homme pourrait épier une
scène de séduction à travers un treillis, mais tel est précisément le
poste d'observation duquel, dans une société proche-orientale accou-
tumée à l'enfermement des femmes, une femme respectable pourrait
être amenée à en être témoin. Dès lors, on imagine sans mal que
« Mon fils » est une mise en garde de la mère contre la femme de
mauvaise vie. Non sans audace, l'orateur imagine une femme de sa
condition sociale, une femme mariée à un homme qui a quelque
fortune, trompant son mari en son absence en séduisant un jeune
inconnu. Qui, sinon une mère, imaginerait aussi bien ce que pourrait
dire une femme d'un certain âge à un innocent pareil à son garçon ?

> Comme j'étais à ma fenêtre,
> j'ai regardé par le treillis.
> Je vis un de ces niais,
> j'aperçus, parmi les jeunes, un adolescent dénué de sens.
> Passant dans la rue marchande près du coin où elle se trouvait,
> il prit le chemin de sa maison.

Que ce soit à la brune, à la tombée du jour,
que ce soit au cœur de la nuit et de l'obscurité,
voilà cette femme qui va à sa rencontre,
mise comme une prostituée, séductrice.
Tourbillonnante et sans retenue,
ses pieds ne tiennent pas en place chez elle.
Tantôt sur la place, tantôt dans les rues,
à tous les coins elle fait le guet.
Et voilà qu'elle le saisit, le couvre de baisers,
lui dit d'un air effronté :
« Je devais des sacrifices d'action de grâce.
Aujourd'hui je suis quitte de mes vœux.
C'est pourquoi je suis sortie à ta rencontre
pour te chercher. Et je t'ai trouvé.
J'ai recouvert mon lit de couvertures,
d'étoffes multicolores, de lin d'Égypte.
J'ai aspergé ma couche de myrrhe,
d'aloès, de cinnamome.
Viens, environs-nous de volupté jusqu'au matin.
Jouissons ensemble de l'amour.
Car mon mari n'est pas à la maison.
Il est parti en voyage, bien loin.
Il a emporté l'argent dans un sac.
Il ne reviendra qu'à la pleine lune. » (7, 6-20)

Outre la fenêtre treillissée, un autre élément laisse penser qu'une femme est probablement l'auteur de ce passage. Malgré la rancœur et la réprobation dont ce passage est empreint, l'auteur ne laisse pas paraître le genre de répulsion viscérale que les prophètes semblent si souvent éprouver à la seule pensée d'une femme dans un état d'excitation sexuelle. Dans la femme dissolue, l'auteur voit, en dépit de tous ses défauts, sa semblable, et non, comme Jérémie, une bête en chaleur :

Une ânesse sauvage habituée à la steppe !
En chaleur, elle renifle le vent ;
son rut, qui peut le refouler ?
Tous ceux qui la cherchent n'ont pas à se fatiguer,
ils la trouvent en son mois. (Jr 2, 24)

Pour les prophètes, prostitution métaphorique et prostitution littérale, mâle aussi bien que femelle, sont, à bon droit, inséparables. Lorsque Jérémie se met à tancer Israël qui s'est voué au culte de Baal en disant, « Sur toute colline élevée, sous tout arbre vert, / tu t'étales en prostituée » (Jr 2, 20), il fait référence aux relations sexuelles sacralisées qui faisaient partie du culte de la fécondité de

Baal et d'Ashéra. Mais, de l'apostasie ou de la fornication, qu'est-ce qui le consterne le plus ? Pour les Proverbes, la plus impudente des prostituées n'est pas comparable à un animal impur en chaleur.

Les Proverbes ont parfois des mots cinglants sur l'inconduite sexuelle, mais bien souvent leurs auteurs témoignent simplement d'un vif intérêt pour la chose. Qui, quel genre d'homme ou de femme, peut bien avoir juxtaposé, dans notre imagination, les deux « bons mots » que voici ?

> Voici trois choses qui me dépassent
> et quatre que je ne comprends pas :
> le chemin de l'aigle dans le ciel,
> le chemin du serpent sur le rocher,
> le chemin du navire en haute mer
> et le chemin de l'homme vers la jeune femme.
>
> Telle est la conduite de la femme adultère :
> elle mange, s'essuie la bouche
> et dit : « Je n'ai rien fait de mal ! » (Pr 30, 18-20)

C'est, comme on dit, faire d'une pierre deux coups, et à chaque fois faire mouche : au morceau d'éloquence sur la merveille de l'amour charnel succède la condamnation sans appel de ce qu'il peut parfois devenir. Il n'y a aucune raison pour que « mon fils » n'ait pas pu voir les deux projectiles tirés par sa mère.

Ainsi aurait-il pu également entendre d'elle la leçon mi-figue mi-raisin, caustique, donnée en 6, 6-11 :

> Va vers la fourmi, paresseux !
> Considère sa conduite et deviens un sage.
> Elle n'a pas de surveillant,
> ni de contremaître, ni de patron.
> En été elle assure sa provende,
> pendant la moisson elle amasse sa nourriture.
> Jusques à quand, paresseux, resteras-tu couché ?
> Quand surgiras-tu de ton sommeil ?
> Un peu dormir, un peu somnoler,
> un peu s'étendre, les mains croisées,
> et comme un rôdeur te viendra la pauvreté,
> la misère comme un soudard.

C'est assurément incontestable : de tous temps, il s'est trouvé des parents juifs, comme tous les parents, pour presser leurs enfants de se remuer. Et pourtant, jusqu'aux Proverbes, l'expérience religieuse des Israélites, des Judéens ou des Juifs n'a jamais formellement ménagé la moindre place à ces sentiments. Avant les Proverbes, aucun livre du Tanakh ne contient quoi que ce soit de comparable au « Va vers la fourmi ». « Tu travailleras » ne figure pas dans le Décalogue. Et on ne compte pas les occasions où, s'adressant aux siens, Dieu s'est plu à rappeler qu'il devait compter sur sa force à lui plutôt que sur la leur. Nous avons plus d'une fois évoqué ce qui en est peut-être l'exemple le plus frappant, à savoir le Deutéronome 6, 10-12 :

> Quand le SEIGNEUR ton Dieu t'aura fait entrer dans le pays qu'il a juré à tes pères Abraham, Isaac et Jacob, de te donner — pays de villes grandes et bonnes que tu n'as pas bâties, de maisons remplies de toute sorte de bonnes choses que tu n'y as pas mises, de citernes toutes prêtes que tu n'as pas creusées, de vignes et d'oliviers que tu n'as pas plantés — alors, quand tu auras mangé à satiété, garde-toi bien d'oublier le SEIGNEUR qui t'a fait sortir du pays d'Égypte, de la maison de servitude.

Moïse n'autorise pas la paresse en soi, mais la façon agressive qu'il a de minorer l'importance de l'effort humain dans les réalisations israélites a inauguré une tradition qui s'est poursuivie sans interruption jusqu'au point que nous avons atteint ici : non pas, nous pouvons en être sûrs, dans la vie non écrite de la nation, mais très certainement dans sa littérature écrite.

Le bonheur, suivant la fameuse définition qu'en a donnée Freud, c'est *« lieben und arbeiten »*, « aimer et travailler ». Dame Sagesse, on vient de le voir, parle du sexe avec franchise et s'intéresse franchement à la sexualité ; travailleuse acharnée, elle prône vivement l'acharnement au travail. Elle n'est pas Ashéra *redux*, Ashéra de retour, mais elle fait sien l'ancien symbole de celle-ci :

> L'arbre de vie c'est elle [la Sagesse]
> pour ceux qui la saisissent,
> et bienheureux ceux qui la tiennent ! (Pr 3, 18)

Rappelons que l'arbre de vie était l'arbre vers lequel le SEIGNEUR Dieu craignait qu'Adam et Ève ne tendissent aussi la main pour « en manger et vivre à jamais » (Gn 3, 22). Cet arbre était le second dont le SEIGNEUR Dieu se fût soucié. Le premier, l'objet de son interdiction formelle, était celui de la « connaissance de ce qui est bon ou mauvais ». Après qu'Adam et Ève y ont goûté, le SEIGNEUR Dieu dit : « Voici que l'homme est devenu comme l'un de nous par la connaissance de ce qui est bon ou mauvais. » Pour Adam et Ève eux-mêmes, cependant, cet arbre ne semble pas avoir été très différent de l'arbre toujours vert d'Ashéra, car lorsqu'ils y eurent goûté, ils connurent le désir pour la première fois : « Et ils surent qu'ils étaient nus. »

Quand Dame Sagesse insiste sur sa précocité, quand elle se place dans la scène primitive de la création, proche de Dieu dans une relation de plaisir, et quand nous la voyons représentée par l'arbre de vie, illustration de la vie sexuelle et de tous les arts pratiques qui font la trame de la vie, nous percevons de multiples échos d'Ashéra. Mais on aurait tort de dire que la Sagesse féminise maintenant le personnage de Dieu en étant absorbée en lui. Elle en demeure distincte, représentant plutôt l'humanité collective, tout à la fois image et antagoniste de Dieu. Dans la Genèse 1, 28, le commandement complet de Dieu à son image était : « Soyez féconds et prolifiques, remplissez la terre et dominez-la. Soumettez les poissons de la mer, les oiseaux du ciel et toute bête qui remue sur la terre ! » Si la première moitié était une injonction à procréer et à enfanter, la seconde était l'ordre d'user de la sagesse — les forces humaines, créées, de l'esprit et du corps — pour fournir à ces enfants tout ce dont ils avaient besoin. Bien que le mot *alliance* ne soit jamais employé à ce propos, la relation de Dieu avec Adam et Ève était implicitement une alliance : à tout le moins, il n'empêcherait pas ce qu'il avait commandé.

Mais ensuite, au déluge, il l'empêcha ; et après le déluge, son alliance avec Abraham compromit son commandement. Dame Sagesse personnifie l'humanité qui, par une voie certes sinueuse, obéit au premier commandement de Dieu et réclame de lui qu'il tienne sa promesse initiale. Mais, à supposer même que ses intentions fussent des plus pures et des plus stables, Dieu a-t-il jamais été capable de tenir sa promesse ? Telle est la question que les Proverbes laissent en suspens en assignant à Dieu le rôle qu'ils lui attribuent. Et telle est précisément la question que reprend de plus belle le Livre de Job : peut-on faire confiance à Dieu ?

10

Affrontement

De tous les livres de la Bible, le Livre de Job est de longue date l'un des préférés des cercles littéraires. Aux États-Unis, et pour le seul XXe siècle, les poètes Hart Crane, Robert Frost, Archibald MacLeish, W. S. Merwin et John Ashbery, sans parler du dramaturge Neil Simon, auteur de comédies, en ont tous fait la base d'œuvres importantes. Élargissant notre champ d'investigation dans le temps et dans l'espace, on pourrait sans mal dresser une liste bien plus longue, car le spectacle d'un homme véritablement innocent, tenaillé par une angoisse imméritée — qui forme la scène centrale de ce livre —, touche les cordes philosophiques et psychologiques les plus profondes. Les exégètes profanes ont assez souvent vu dans le Livre de Job l'autoréfutation de toute la tradition judéo-chrétienne. Dans le poème de Frost, *A Masque of Reason*, Dieu appelle Job « l'Émancipateur de votre Dieu » et le remercie de son aide pour

> Ridiculiser le Deutéronomiste
> Et changer la teneur de la pensée religieuse.

William Safire, commentateur politique, a intitulé son livre sur Job *The First Dissident* (le premier dissident). Cependant, même les exégètes les plus orthodoxes ont reconnu volontiers que la demande angoissée de Job à Dieu — qu'il explique pourquoi son juste serviteur doit souffrir — remet en cause de façon singulièrement pressante l'existence et le personnage mêmes de Dieu. Dans le dessein de ce livre-ci, l'essentiel est que Dieu prenne, en même temps que nous, pleinement conscience de son côté destructeur ou démoniaque, déjà présent dans le Tanakh, grâce à un affrontement qui va *crescendo* avec un être humain. Bien qu'intéressants et émouvants à divers titres, nous y reviendrons brièvement, les derniers livres du Tanakh n'effacent jamais l'impression, il est vrai dérangeante, que laisse de Dieu cet affrontement.

315

Cela étant clairement précisé de prime abord, il faut observer que si Job est un dissident, il n'est en aucune façon le premier de la Bible, et que son auteur ne dément qu'assez indirectement le Deutéronomiste. Bien que sa poésie soit d'une éloquence incomparable, ni son énoncé du problème de l'innocent qui souffre ni la solution qu'il en propose ne sont sans précédent dans la Bible. En tant qu'énoncé du problème, le Livre de Job ne va pas au-delà du psaume 44 :

> Tout cela nous est arrivé, et nous ne t'avions pas oublié,
> nous n'avions pas démenti ton alliance ;
> notre cœur ne s'était pas repris,
> nos pas n'avaient pas dévié de ta route,
> quand tu nous as écrasés au pays des chacals,
> et recouverts d'une ombre mortelle. (Ps 44, 18-20)

Et pour ce qui est de la solution, il ne va pas au-delà des Proverbes 16, 4, de ce verset que nous avons déjà cité à maintes reprises :

> Le SEIGNEUR a tout fait avec intention,
> même le méchant pour le jour du malheur. (Pr 16, 4)

On cite souvent des parallèles extra-bibliques au Livre de Job. Mais ce qu'il importe davantage de souligner, c'est qu'il n'est rien de subversif dans ce livre — assurément rien dans les discours de Job lui-même — qui n'ait déjà été dit sous une forme ou sous une autre dans un des livres qui précèdent Job au fil d'une lecture linéaire de la Bible. En vérité, il omet même certaines idées importantes et pertinentes sur la fonction providentielle de la souffrance, formulées dans divers livres antérieurs de la Bible : par exemple, la théologie de la souffrance du Second Ésaïe. Mais en tant qu'exposé des doutes sur Dieu, ou des noires intuitions sur son côté sombre et hostile que nous avons déjà si souvent entrevu, le Livre de Job fait figure d'apogée, plutôt que d'inauguration.

Pour ce qui est du Deutéronomiste en particulier, il faut noter contre Frost que, Job n'étant pas un Israélite, ses souffrances ne violent aucunement l'alliance deutéronomique. Job n'a jamais entendu parler de Moïse. Dans la structure même du Livre de Job, il n'est rien non plus pour suggérer qu'il faille y voir une allégorie des souffrances d'Israël durant l'exil babylonien ou après. Pas plus Job que Dieu, Satan ou aucun des accusateurs de Job ne fait la moindre allusion à l'histoire d'Israël. La seule alliance que connaisse Job, c'est celle de l'Éden, si l'on peut dire, et encore n'est-ce point par le mythe israélite de la création qu'il la connaît. Il croit simplement que Dieu est le créateur et qu'il est bon, et qu'un Dieu bon ne créerait pas un monde où un innocent comme lui serait amené à souffrir sans bonne raison. Sa cosmologie est en fait celle du Livre des Proverbes qui vient de se conclure, moins la clause de sauvegarde juive ou dérivée de la Tora.

Le Livre de Job lance un nouveau défi de taille, mais il le fait, en quelque sorte, par recomposition. Ayant adopté la vision du monde généralement rassurante des Proverbes, il renoue ensuite, par implication, avec le moment le plus troublant de la Genèse. En effet, l'auteur de Job ne se bat pas avec le tout-venant. Il livre un combat singulier, et il le fait d'une façon dont les conséquences sont exceptionnellement importantes. Pour bien le mesurer, il faut s'appesantir un peu moins sur Job et son triste sort, davantage sur Dieu et ce que nous pourrions appeler son embarras. La vision du monde que l'auteur de Job entend contester, c'est la sagesse populaire radieuse dont nous venons d'apprécier l'influence sur le Livre des Proverbes. Suivant cette tradition, dans le monde que Dieu a créé, les justes sont généralement récompensés et les méchants punis. Mais dans les Proverbes, la Tora des Juifs a déjà apporté un correctif capital à cette vision qui, par ailleurs, n'est pas particulièrement juive. « La crainte du SEIGNEUR est le commencement de la Sagesse » : en d'autres termes, les justes sont récompensés et les méchants punis, *sauf quand le SEIGNEUR, pour des raisons qui lui appartiennent, en décide autrement*. Au début du Livre de Job, ni Job ni ses amis n'ont encore pris connaissance de cette version corrigée ou, à proprement parler, juive de la sagesse. À la fin du Livre, tous l'ont fait, après que le SEIGNEUR a répondu à Job, non pas en lui donnant les raisons de ses souffrances, mais en se contentant de le rembarrer pour avoir imaginé qu'un être humain puisse oser demander des comptes à Dieu, et, surtout, après que Job a fait front et en a été récompensé.

Dans la longue section centrale du Livre de Job, alors que celui-ci débat avec ses interlocuteurs de son état moral, ils évoquent la divinité sous le nom de '*elohim*, « Dieu », employant un nom commun qui désigne d'ordinaire en hébreu le Dieu d'Israël, mais qui peut tout aussi bien s'appliquer à d'autres dieux. Toutefois, la divinité qui à la fin du livre rembarre Job du sein de l'ouragan, c'est *yahweh*, « le SEIGNEUR », une divinité qui n'est généralement connue sous ce nom que du seul Israël, bien que Job, un gentil, lui donne également ce nom dans la fable qui ouvre son Livre. Quelle différence fait cette nomenclature ? Deux espèces de différence.

En premier lieu, pour n'importe quel Juif qui lirait ou entendrait la conclusion du livre en hébreu, l'effet serait analogue à celui de la soudaine intrusion de l'expression « Notre SEIGNEUR » dans une longue discussion publique de Jésus sur un auditoire européen ou américain contemporain. Le nom de « Jésus » appartient à tout le monde, alors que seuls les chrétiens parlent entre eux de « Notre SEIGNEUR ». Par analogie, le Livre de Job a pour protagoniste « Notre SEIGNEUR », dans une histoire qui se transforme très rapidement en un long dialogue philosophique sur « Jésus », ledit dialogue débouchant à son tour sur la poursuite de l'histoire lorsque « Notre SEIGNEUR » lui-même prend part à la discussion sur « Jésus » !

La seconde différence est celle que nous avons vue, pour la dernière fois, dans les récits de la création et du déluge qui ouvrent la Bible. Le monde tel que Dieu, *'elohim*, l'avait créé était presque entièrement positif. Rien n'y était interdit à l'humanité, à laquelle Dieu avait seulement enjoint d'être féconde et prolifique et d'exercer sa domination. En revanche, le monde tel que le SEIGNEUR, *yahweh,* l'a créé était porteur d'un certain danger. Il était assorti d'un interdit, dont la transgression fut aussitôt suivie d'un châtiment massif et largement inexplicable. On retrouve une différence analogue au second commencement, après le déluge. Dieu, *'elohim*, invita de nouveau l'humanité à être féconde et prolifique. Le SEIGNEUR, *yahweh*, se contenta de promettre de ne plus jamais frapper « tous les vivants comme je l'ai fait ». Le SEIGNEUR *(yahweh)* courroucé, impérieux, et littéralement orageux (qui parle du sein de l'ouragan) qui affronte Job à l'apogée du Livre de Job n'est pas un étranger pour Israël : depuis l'Exode et son cri d'exultation, « le SEIGNEUR est un guerrier », sa personnalité a été de loin la personnalité dominante dans le personnage en fusion du SEIGNEUR Dieu. Mais Job paraît d'abord dérouté par cette manifestation de Dieu, tout à la fois destructeur et créateur. Dans la théophanie qui clôt le Livre de Job, il le rencontre pour la première fois et il en est presque abasourdi.

Toutefois, l'auteur de Job ne se borne pas à opposer un homme juste mais naïf à l'ambivalence sans limite du SEIGNEUR Dieu. Il fait un pas de plus, ample et subversif. Qu'il soit Dieu ou SEIGNEUR, on l'a vu, cette divinité cache en elle un démon, un serpent, un monstre du chaos, un dragon, une déesse destructrice. L'auteur de Job extériorise ce conflit intérieur en présentant Dieu en proie à la tentation d'un vrai démon, Satan, plus clairement distinct de Dieu dans le Livre de Job que la Sagesse ne l'est de lui dans le Livre des Proverbes.

Et ce nouvel acteur est introduit pour les besoins de l'argumentation. D'après les Proverbes, le monde est généralement juste, mais quand il ne l'est pas, le SEIGNEUR est censé avoir ses raisons. L'auteur de Job accepte ce point de vue comme hypothèse de travail, puis se demande : « Fort bien, mais quelles pourraient bien être ces raisons ? » Et il y répond en racontant une histoire profondément blasphématoire sur le SEIGNEUR Dieu. L'originalité subversive du Livre de Job réside dans ce blasphème non moins que dans l'éloquence angoissée des discours de son personnage éponyme.

DÉMON

« Je tressaille de peine pour l'argile mortelle »

JOB

Le jour advint où les Fils de Dieu se rendaient à l'audience du SEIGNEUR. Le SEIGNEUR dit à l'Adversaire : « D'où viens-tu ? — De parcourir la terre, répondit-il, et d'y rôder. » Et le SEIGNEUR lui demanda : « As-tu remarqué mon serviteur Job ? Il n'a pas son pareil sur terre. C'est un homme intègre et droit qui craint Dieu et s'écarte du mal. » Mais l'Adversaire répliqua au SEIGNEUR : « Estce pour rien que Job craint Dieu ? Ne l'as-tu pas protégé d'un enclos, lui, sa maison et tout ce qu'il possède ? Tu as béni ses entreprises, et ses troupeaux pullulent dans le pays. Mais veuille étendre ta main et touche à tout ce qu'il possède. Je parie qu'il te maudira en face ! » Alors le SEIGNEUR dit à l'Adversaire : « Soit ! Tous ses biens sont en ton pouvoir. Évite seulement de porter la main sur lui. » Et l'Adversaire se retira de la présence du SEIGNEUR. (Jb 1, 6-12)

« Des mouches aux mains d'enfants espiègles, voilà ce que nous sommes pour les dieux ; ils nous tuent pour leur plaisir[*]. » Lear, le roi païen, est prévenu. Jouer est un plaisir, et le SEIGNEUR a succombé à la tentation de prendre les paris avec l'ennemi de l'humanité. Le mot que la Jewish Publication Society comme les auteurs de la TOB traduisent par « l'Adversaire » est l'hébreu *satan*, ici accompagné de l'article défini, « le *satan* », suggérant qu'il faut le lire comme un nom commun plutôt qu'un nom propre. D'autres traductions donnent à ce point « Satan ». Aux fins qui sont les nôtres, il est tout à fait suffisant que le SEIGNEUR soit accessible aux suggestions d'un être céleste hostile à un être humain. Ce seul fait rattache amplement ces chapitres introductifs du Livre de Job à tous les moments antérieurs du Tanakh où le SEIGNEUR Dieu s'est placé ou retrouvé en position d'adversaire vis-à-vis de sa créature humaine.

---

[*] Shakespeare, *Roi Lear*, IV, 1, trad. P. Leyris et E. Holland, in *Œuvres complètes*, vol. II, Paris, Gallimard, 1959, p. 926.

320

Dans le cadre de ce petit jeu, le diable (ainsi que nous sommes en droit de l'appeler) est autorisé à frapper tous les fils, les filles et les serviteurs de Job. Cependant, Job ne maudit pas Dieu, lequel croit avoir gagné le pari. Mais non, le diable continue à jouer avec lui :

> « Peau pour peau ! Tout ce qu'un homme possède, il le donne pour sa vie. Mais veuille étendre ta main, touche à ses os et à sa chair. Je parie qu'il te maudira en face ! » Alors le SEIGNEUR dit à l'Adversaire : « Soit ! Il est en ton pouvoir ; respecte seulement sa vie. »
>
> Et l'Adversaire, quittant la présence du SEIGNEUR, frappa Job d'une lèpre maligne depuis la plante des pieds jusqu'au sommet de la tête. Alors Job prit un tesson pour se gratter et il s'installa parmi les cendres. (Jb 2, 4-8)

Trois amis de Job conviennent alors « d'aller le plaindre et le consoler » (2, 11). Sept jours durant, tous quatre assis, ils ne savent que pleurer et déchirer leurs vêtements. C'est alors seulement que Job prononce l'immortel verset qui ouvre son discours. Dans la traduction de Stephen Mitchell :

> Dieu maudisse le jour où je suis né
> et la nuit qui m'a arraché à la matrice. (3, 3)

« Le monde dans lequel nous vivons, écrivait Bertrand Russell, peut se comprendre comme le fruit de l'embrouille et du hasard, mais s'il est l'aboutissement d'un dessein particulier, ce ne peut être que celui d'un démon. » Bien que l'auteur de Job s'abstienne de faire de Dieu un démon, il est certainement capable de caresser une pensée équivalente. Le monde dans lequel il imagine Job souffrant est un monde gouverné par Dieu qui joue avec un démon, lequel manipule le cours des choses et tire les ficelles. Jamais absent, le côté démoniaque du SEIGNEUR Dieu a soudain un allié démoniaque. Le Satan du Livre de Job est l'image spéculaire de la Sagesse des Proverbes. Tout comme la Sagesse assume nombre des responsabilités bienveillantes du SEIGNEUR, on voit ici l'Adversaire derrière ces cruels retournements inexpliqués que les Proverbes attribuent au seul SEIGNEUR. Les Proverbes veulent y voir des mystères, potentiellement bienfaisants ; l'auteur de Job les tient volontiers pour des horreurs.

Suivant de nombreuses interprétations, le Livre de Job oppose tant bien que mal la morale de la compensation du Deutéronome, ou la morale de la cause et de l'effet des Proverbes, à une morale supérieure où la vertu est sa propre récompense. Soit. Mais il faut signaler que c'est le démon qui introduit cette morale supérieure, et qu'il le fait en incitant le SEIGNEUR à malmener Job. C'est le démon qui insinue qu'à moins d'être pratiquée « pour rien », la vertu n'est pas authentiquement vertu. Cette norme exigeante porte sans conteste la marque de Satan. Jusqu'ici, dans toute la Bible, jamais Dieu n'a pensé un seul instant que l'humanité devrait le servir « pour rien », c'est-à-dire sans récompense. Au contraire, il semblait même au départ que Dieu n'eût pas songé que l'humanité dût le servir. Le Dieu d'Adam, le Dieu de Noé, le Dieu d'Abraham n'a jamais sollicité de culte et n'a requis qu'un minimum d'obéissance. Le Dieu de Moïse a demandé tout à la fois culte et obéissance, mais il était bien entendu qu'il ne saurait être question de service sans récompense ; jamais il n'a suggéré qu'il aurait le droit d'être servi sans contrepartie, encore moins qu'il pouvait substituer des châtiments gratuits aux récompenses. Mais le diable l'a fait changer d'avis sur ce point, et voici que le SEIGNEUR retire les récompenses et inflige un châtiment sans autre but que de prouver au démon que Job craindra Dieu « pour rien ».

À l'évidence, on ne saurait prendre ainsi au sérieux la fable qui encadre le Livre de Job sans accorder à l'épilogue l'attention qu'il mérite. Après que Job a prononcé ses derniers mots, la bonne fortune lui sourit de nouveau ; assez mystérieusement, le SEIGNEUR dit que Job a parlé de lui avec droiture, ce qui n'est pas le cas de ses amis qui ont invoqué la justice divine. En tenant ce langage, il paraît admettre qu'il n'a pas été aussi juste que le prétendaient les amis de Job ; et de manière assez frappante, dans le discours furibard qu'il adresse à Job, Dieu ne prétend jamais directement être juste : il revendique seulement la toute-puissance. Pourtant, même si le SEIGNEUR n'est pas juste, ou tout au moins n'est pas tenu de justifier ou d'expliquer sa justice à un simple être humain, il peut encore, pour des raisons qui lui appartiennent, choisir d'être aussi libéral envers Job mardi qu'il s'est acharné sur lui lundi.

Mais rien ne l'y oblige non plus, et il peut aussi procéder à l'inverse. Les Proverbes trouvent une confirmation quelque peu abstraite ; leur système tient fonctionnellement, sinon moralement. Désormais initié à la sagesse juive, Job connaît un Dieu qui ne se plie point à des règles entièrement compréhensibles des êtres humains, qui défie véritablement l'entendement. Cependant, dans le contrat implicite qui lie Dieu et l'humanité, l'inconnaissabilité de Dieu ressemble désormais à s'y méprendre, et dangereusement, à une clause de sauvegarde, dans laquelle peuvent disparaître le contrat tout entier mais aussi l'une des parties contractantes. Quand Dieu joue, il n'est de pari humain qui tienne.

Deux millénaires après l'auteur de Job, René Descartes introduira dans sa philosophie ce qu'il appelle le « doute hyperbolique » en demandant s'il n'est pas possible qu'un « malin génie », ou un démon, ait systématiquement déformé toutes les perceptions humaines en sorte que rien n'est vraiment ce qu'il paraît être. Bien qu'il n'ait envisagé cette possibilité que sur un plan théorique, Descartes ne trouva d'autre solution que de soutenir que Dieu est Dieu, et qu'il ne serait point Dieu s'il pouvait tromper ou se laisser tromper. Si l'on devait avoir l'impression contraire de Dieu au terme du Livre de Job, tout ce qui le précède et le suit se trouverait en principe infirmé. Si l'on en retirait le sentiment que c'est le diable qui détermine les actions de Dieu, décide du bien-être ou des fortunes des serviteurs de Dieu, toutes les actions de Dieu, jusqu'à ce stade de sa biographie, pourraient fort bien être celles du (ou d'un) démon. Selon l'Exode 31, 18, les tables de pierre de l'alliance ont été « écrites du doigt de Dieu », mais en vérité de qui était-ce le doigt ? De même, dans la suite de son histoire, rien de ce que Dieu pourrait faire ou dire ne mériterait d'être pris pour argent comptant. Le Dieu oisif qui frappe toute la famille de Job est-il un cas isolé ? Pourquoi pareil comportement ne serait-il pas typique ? Comment savoir ? Lorsque le sujet, fût-ce d'une quasi-biographie ou d'une mythobiographie, n'est plus lui-même mais seulement le gage d'un autre sujet dont par ailleurs on ne sait rien, il faut abandonner la biographie : il est tout bonnement impossible de l'écrire.

Ainsi, alors même que le Livre de Job n'a pas été écrit pour ridiculiser le Deutéronomiste, Ésaïe, le Psalmiste ou saint Paul, mais simplement mettre la sagesse satisfaite et schématique du Proche-Orient à genoux devant l'imprévisible SEIGNEUR des Juifs, ce livre de la Bible est en puissance infiniment plus subversif. Intuitivement, les écrivains attirés par Job comme par un gouffre béant ont eu raison. Mais la subversion disparaît ou, du moins, elle est radicalement contenue si (1), loin de se repentir, Job a résisté au discours que le SEIGNEUR lui a adressé du sein de l'ouragan, et si (2) la restauration de Job est le signe du repentir du SEIGNEUR et de sa rupture avec le démon. Suivant cette lecture, la confiance naïve de Job dans l'équité du monde au jour le jour se trouve rudement ébranlée, mais l'auteur de Job a uniquement détruit sa cible, non Dieu lui-même. Dieu est plus fort que le démon, ou, si vous préférez, sa face lumineuse triomphe de sa face plus sombre.

Dans ce pari avec le démon, l'essentiel est que le SEIGNEUR ne gagne pas, mais abandonne purement et simplement. Dans la première étape de la fable, on l'a vu, il permet au diable de s'attaquer à tout, sauf au corps de Job. Dans un deuxième temps, le SEIGNEUR consent à la torture de Job, à cette seule condition que le démon ne le tue pas. La troisième étape (les fables ont souvent trois parties) devrait reprendre le débat céleste : le SEIGNEUR tiendrait alors des propos voisins de ceux qu'il a tenus après que Job a résisté à la première offensive du démon, du genre : « Il persiste dans son intégrité, et c'est bien en vain que tu m'as incité à l'engloutir » une seconde fois. Ainsi, le SEIGNEUR ayant gagné son pari, l'histoire s'achèverait. La fable se conclurait par une scène comme celle de Zacharie 3, 1-5, dans laquelle Josué, le grand prêtre, est accusé par l'Adversaire (la JPS traduit ici « l'Accusateur », la TOB garde Satan mais précise en note « c'est-à-dire l'accusateur ») et défendu par un ange avant que le SEIGNEUR en personne ne finisse par le disculper.

En fait, dans le Livre de Job, le diable n'essuie jamais ce genre de rebuffade formelle. Après que Job défie le SEIGNEUR dans ses discours, le démon s'éclipse purement et simplement de l'histoire, comme le fou du *Roi Lear*, et le SEIGNEUR, par voie de conséquence, se dispense du pari ou de la mise à l'épreuve à la lumière de ce qu'a dit Job.

Le SEIGNEUR regrette-t-il aussi ce qu'il a fait ? Si le SEIGNEUR n'a à s'excuser de rien, et tel est assurément son propos quand il rembarre Job du sein de l'ouragan, il n'avait aucune raison non plus de « port[er] au double tous les biens de Job » (42, 10). Mais comme on l'a vu dans le Second Ésaïe, lorsque le SEIGNEUR promet double compensation, il sous-entend que ses actions sont allées trop loin. En l'occurrence, on a affaire, sinon à un repentir explicite, du moins à une incontestable expiation assortie d'un repentir implicite. S'il n'y avait pas eu d'offense de la part du SEIGNEUR, ou s'il n'y avait eu ne fût-ce qu'une légère offense de la part de Job, alors Job aurait pu être restauré, attristé mais assagi, jouissant de cette bonne fortune modeste qui a les faveurs des Proverbes :

> Mieux vaut peu de bien avec la justice
> qu'abondants revenus sans équité. (Pr 16, 8)

Mais l'objection vient aussitôt : Job n'est coupable d'aucune injustice ! À quoi la réponse hurlée de chaque ligne ou presque de la Bible serait, « Il n'est personne qui ne soit coupable d'aucune injustice ! » Les Écritures hébraïques, en tant que littérature nationale, sont absolument remarquables par leur façon de réduire leurs plus grandes figures à la taille de simples mortels ou de simples pécheurs. Le roi David, qui est le type même du messie et incarne plus qu'aucun autre la nation dans sa beauté et sa gloire, est sans cesse exposé. Pour la plus grande rage et le désespoir de Nietzsche, la littérature nationale des Juifs est une littérature sans surhomme, si bien que la vraie et bonne réponse de la sagesse juive au défi de l'auteur de Job aurait toujours pu être une simple négation de sa prémisse majeure : il *n'y a pas* d'homme juste ; nous sommes tous pécheurs. C'est précisément ce que disent les « consolateurs » de Job, mais la prémisse de l'histoire est que Job est l'exception à la règle, l'impossibilité incarnée, un homme totalement sans péché, que Dieu lui-même a reconnu tel, seul dans son cas. Et en raison de cette prémisse, le SEIGNEUR n'a pas moyen de sortir de l'impasse dans laquelle il s'est fourré. Si Job ne se repent pas, c'est au SEIGNEUR de le faire.

C'est à ce point précis que nous rencontrons l'énigme la plus profonde de l'interprétation traditionnelle du Livre de Job. Accablé de chagrin, Job a (1) persisté à protester de sa droiture, (2) demandé à Dieu d'expliquer pourquoi son serviteur devait souffrir, (3) systématiquement affirmé sa foi que le SEIGNEUR finirait par le disculper, évoquant plus d'une fois une scène de jugement comme celle de Zacharie 3, mais ensuite, d'après l'interprétation la plus courante, (4) *il s'est repenti de ce qu'il a dit*. Lorsque le SEIGNEUR déclare que Job a parlé de lui avec droiture, fait-il allusion au repentir ou aux discours ? Il ne saurait se référer de façon cohérente aux deux, si le repentir réfute les discours. Dans sa seconde adresse à Job, le SEIGNEUR le dit sans ambages :

> Veux-tu vraiment casser mon jugement,
> me condamner pour te justifier ?
> As-tu donc un bras comme celui de Dieu,
> ta voix est-elle un tonnerre comme le sien ? (Jb 40, 8-9)

Le fin mot sur le Livre de Job ne sera jamais dit, mais on peut plaider avec de bonnes raisons que, jusqu'à son tout dernier mot, Job nie que toutes les questions qui précèdent soient une seule et même question. Il n'admet pas que, si la réponse aux deux dernières est non, on ne puisse répondre par l'affirmative aux deux premières. Job se refuse à reconnaître dans la force physique pure le critère de l'intégrité morale.

Pour le prouver, il faut faire une entorse (pour la première et dernière fois) à la méthode habituelle de ce livre. Une biographie de Dieu n'est pas un vrai commentaire de la Bible ; et, d'une manière générale, nous n'avons pas décortiqué le texte ligne par ligne, comme on le doit dans un commentaire, ni débattu avec les précédents commentateurs, voire contesté le bien-fondé de leurs traductions. Si la lecture de la Bible qui en est jusqu'ici résulté est à certains égards inédite, cette nouveauté ne tient jamais à quelque lecture excentrique de tel ou tel verset, encore moins à des corrections ou à des excisions pratiquées dans le texte hébreu. Pour ce qui est de l'histoire, nous avons seulement veillé à éviter d'avancer subrepticement des thèses historiques au nom de la critique littéraire. Dans la mesure où règne un consensus autour de l'histoire d'Israël dans l'Antiquité, nous l'acceptons. La lecture présentée ici tente une réintégration à dessein post-critique ou post-moderne d'éléments mythiques, fictifs et historiques dans la Bible, afin de permettre au personnage de Dieu de se détacher plus clairement de l'œuvre dont il est le protagoniste.

Mais l'importance cruciale de la réponse de Job au SEIGNEUR impose ici de faire exception. Le discours en deux parties que le SEIGNEUR adresse à Job est son testament, ses dernières paroles. Il ne parlera plus dans le Tanakh ; mais, s'agissant du sens de son discours, tout dépend de la manière dont Job le reçoit. Malheureusement, une tradition d'interprétation fondée sur une correction silencieuse du texte hébreu (voir plus bas) a réussi à changer en repentir une repartie qui tient plus exactement de l'ironie répondant au sarcasme. D'un bras de fer rhétorique entre le SEIGNEUR et Job, cette tradition a fait une victoire bancale du SEIGNEUR. Mais comme celui-ci remporte cette victoire sous son plus mauvais jour, celui de partenaire de jeu du démon, la victoire se mue en défaite paradoxale pour le SEIGNEUR, et les pieuses intentions des interprètes tournent au blasphème. Une lecture méticuleuse peut restituer l'ironie originale, mais au prix d'une analyse de détails linguistiques parfois fastidieuse (dont les parties les plus techniques ont été cependant renvoyées en note).

Dans toute la littérature, il est peu de discours aussi irrésistibles que ceux que le SEIGNEUR adresse à Job du sein de l'ouragan (Jb 38-41). Si l'on devait les mettre en musique, il faudrait chercher du côté du *Sacre du printemps* d'Igor Stravinski, tant leur force est écrasante, invincible. Mais c'est là, précisément, que réside toute leur difficulté. Le SEIGNEUR ne se réclame de *rien d'autre* que de sa puissance. En fait, dans un passage étonnant qui suit le dernier verset cité, il subordonne explicitement sa justice à sa puissance. La force fait loi, tonne-t-il à l'adresse de Job. Le SEIGNEUR ne pourra prendre au sérieux les objections du malheureux qui racle ses plaies avec un tesson que si le pauvre hère en question peut provoquer une épreuve de force comparable à la sienne :

Allons, pare-toi de majesté et de grandeur,
revêts-toi de splendeur et d'éclat !
Épanche les flots de ta colère,
et d'un regard abaisse tous les hautains.
D'un regard fais plier tous les hautains,
écrase sur place les méchants.
Enfouis-les pêle-mêle dans la poussière,

> bâillonne-les dans les oubliettes.
> Alors moi-même je te rendrai hommage,
> car ta droite t'aura voulu la victoire. (40, 10-14)

Sarcastique et cinglant, matamore impérieux, le SEIGNEUR se présente comme une force irrésistible et amorale. Mais Job n'a jamais remis en cause sa puissance. C'est à propos de sa justice qu'il a demandé des comptes. Pour Job et la tradition qu'il illustre, Dieu est Dieu par la simultanéité de la justice et de la puissance. En aucun point de la Bible, pas plus avant qu'après ces discours du sein de l'ouragan, le SEIGNEUR ne parle de lui comme d'une pure force amorale. Alors pourquoi le fait-il ici ? Pourquoi ne rembarre-t-il pas Job en des termes semblables à ceux du Psaume 36, 6-7 ?

> Ma loyauté est dans les cieux,
> Ma fidélité va jusqu'aux nues.
> Ma justice est pareille aux montagnes divines,
> et mes jugements au grand Abîme *. (Ps 36, 6-7)

Pourquoi, au lieu d'affirmer qu'il n'y a point de justice, ne prétend-il pas que sa justice passe l'entendement de Job ? Après tout, Job ne serait pas moins remis à sa place.

Dans les Psaumes, la grandeur du SEIGNEUR en tant que créateur et maître de l'univers matériel est implicitement, toujours, et explicitement, souvent, un simple prélude à sa vraie grandeur de juge et de garant de la justice. Ainsi, dans le Psaume 98 :

> Que grondent la mer et ses richesses,
> le monde et ses habitants !
> Que les fleuves battent des mains,
> Qu'avec eux les montagnes crient de joie
> devant le SEIGNEUR, car il vient
> pour gouverner la terre.
> Il gouvernera le monde avec justice
> et les peuples avec droiture. (Ps 98, 7-9)

Pourquoi, cette fois-ci, le SEIGNEUR s'arrête-t-il au prélude ? Parce qu'il ne peut faire autrement. À cette occasion, grâce à l'ingéniosité du fabuliste de Job, les voies impénétrables du SEIGNEUR n'ont été que trop claires. La divinité a quelque chose à cacher, pour parler cru, et il le cache en se drapant dans sa majesté, dans toute la splendeur de la création, et en changeant royalement de sujet. Bien qu'il soit fort peu dans les habitudes du SEIGNEUR Dieu d'omettre sa justice quand il s'oppose à l'humanité, il n'a pas le choix. Par

---

* La traduction de la TOB est ici légèrement modifiée conformément à la solution retenue par Jack Miles : c'est le SEIGNEUR lui-même qui parle. (*N.d.T.*)

caprice, il a soumis un juste à la torture. Alors que la créature gît nue dans son angoisse, écoutant son créateur se vanter de son pouvoir de dompter des baleines, la question devient : *Job va-t-il mordre à l'hameçon ?*

Le pathétique du sort de Job, et avec lui le suspense des dernières pages du livre, est d'autant plus grand que, si l'auteur de Job nous précise que la voix qui parle du sein de l'ouragan est celle du SEIGNEUR, il n'en dit rien à Job lui-même. La voix du buisson ardent s'était présentée à Moïse en ces termes : « Je suis le Dieu de ton père... » Aucune déclaration comparable ne sort ici de l'ouragan, hormis des questions rhétoriques, sarcastiques, *suggérant*, assurément, que ladite voix est bien la voix de Dieu, mais (pour employer le langage d'une corruption bien plus tardive) se ménageant aussi la possibilité de le démentir. Sans s'interroger sur la justice ou l'injustice du sort de Job, sans daigner prétendre qu'il est un Dieu juste, sans condescendre à se présenter comme Dieu, la voix de l'ouragan ose franchement relever le défi de Job :

> Celui qui dispute avec le Puissant [Shaddaï] a-t-il à critiquer ?
> Celui qui ergote avec Dieu voudrait-il répondre ? (Jb 40, 2)

À maintes reprises, Job a demandé à Dieu de répondre à ses questions sur la justice. Et voici que le possesseur de cette voix, plutôt que de s'identifier (même la référence au *šadday*, « le puissant », est équivoque) et de répondre à ces questions, essaie de renverser le jeu et d'obliger Job à répondre à des questions, non pas sur sa justice, mais sur sa puissance.

Si le SEIGNEUR se présente avec exactitude dans ces discours, il a tout effacé de son histoire la plus récente, de l'Exode aux Psaumes, pour en revenir à l'époque du déluge, à une époque où il ne s'embarrassait guère de considérations morales. En vérité, il a accompli un pas de plus dans l'horreur, car même en tant que destructeur du monde il ne s'abaissait pas à des tortures personnelles gratuites. Toutefois, alors même qu'il prononce ces discours, le SEIGNEUR a peut-être déjà renoncé à son pari avec le démon. Peut-être se présente-t-il à dessein sous un faux jour dans le vain espoir d'amener Job à déclarer forfait et à frustrer le SEIGNEUR de sa prise la plus inattendue. Pour ce geste de désespoir, quel meilleur stratagème que la question rhétorique sans solution ? Bref, les derniers discours du SEIGNEUR peuvent être la dernière épreuve de Job, un essai de tromperie calculée dans un livre qui, considéré dans son ensemble, n'est qu'un gigantesque essai de tromperie calculée.

Au bout du compte, tout ne tient qu'à un fil : la réponse de Job à ces discours du SEIGNEUR. Et il ne s'agit bien que d'un fil : sept bref versets, deux courtes déclarations, en réponse aux cent vingt-trois versets du SEIGNEUR. Mais si brefs et abattus qu'ils soient, ces versets sont hérissés de doubles sens ironiques et de citations pseudo-déférentes [1] des paroles divines mêmes qui sont censées intimider Job.

Arrêtons-nous sur la première réponse de Job :

> Je ne fais pas le poids, que te répliquerai-je ?
> Je mets la main sur ma bouche.
> J'ai parlé une fois, je ne répondrai plus,
> deux fois, je n'ajouterai rien. (Jb 40, 4-5)

Un point c'est tout. Job ne cède rien. « Que te répliquerai-je ? » est une dérobade. « Je ne fais pas le poids » est peut-être exact, mais quand a-t-il jamais prétendu le contraire ? « J'ai parlé une fois, je ne répondrai plus, / deux fois, je n'ajouterai rien » sont des mots de défi au foudre de guerre qui lui demande de commenter ses foudres.

Il est des refus de parler merveilleusement insondables. Dans son essai sur Job du *Literary Guide to the Bible* [2], Moshe Greenberg cite un certain Saadya Gaon qui écrivait au Xe siècle : « Lorsqu'un interlocuteur dit à son partenaire, "Je n'ai rien à répondre", il peut vouloir dire qu'il acquiesce à la position de l'autre, l'équivalent de "Je ne puis nier la vérité" ; mais il peut aussi vouloir dire qu'il se sent terrassé par son partenaire, soit "Comment puis-je répondre à toi qui as le dessus ?" » Job est ici dans le second cas de figure : il reconnaît la puissance du SEIGNEUR et s'en tient là. Le silence peut être défiant aussi bien que déférent. La Bible de Jérusalem traduit ainsi la réponse de Job :

> J'ai parlé à la légère : que te répliquerai-je ?
> je mettrai plutôt ma main sur ma bouche.
> J'ai parlé une fois, je ne répéterai pas ;
> deux fois, je n'ajouterai rien.

Mais en suivant davantage la lettre du texte, nous pouvons la traduire avec une pointe de récalcitrance :

> Vois, je ne compte pour rien. Que te dirai-je ?
> Ma main est sur ma bouche.
> J'ai déjà parlé une fois : je n'insisterai pas.
> À quoi bon continuer ? Je n'ai rien à ajouter.

Structurellement, l'auteur de Job a créé une symétrie sous la forme de deux demandes et de deux refus. Job disserte longuement de la justice et somme Dieu de répondre. Dieu refuse. Dieu disserte longuement de la puissance et somme Job de répondre. Job refuse.

À des fins dramatiques, le silence pur et simple, de la part de Job, serait un peu trop ambigu. Il importe que Job réponde juste assez pour nous faire savoir qu'il refuse de répondre, assez pour répondre à notre question : « Va-t-il mordre à l'hameçon ? » Les deux réponses de Job au SEIGNEUR sont des refus de répondre. Ainsi prouve-t-il qu'il ne s'est pas laissé prendre. Ainsi ouvre-t-il clairement la voie à l'expiation du SEIGNEUR, ainsi qu'à la joie et à la réconciliation de la conclusion.

Nous avons déjà examiné le premier refus de Job. Sur ce point, Job 40, 4-5, il n'y a guère de controverse exégétique. Le second refus, cependant, est une autre paire de manches. La Septante des IIIe et IIe siècles avant Jésus-Christ interpréta Job 42, 2-6 non pas comme un refus de répondre, mais comme une abjuration pure et simple, inaugurant une tradition exégétique qui s'est prolongée pratiquement sans interruption jusqu'à nos jours. De manière assez frappante, cependant, même Stephen Mitchell et Edwin M. Good, parmi les tout derniers commentateurs à avoir brisé avec l'idée que Job se repent, paraissent incapables de renoncer à la satisfaction de voir se produire dans le personnage éponyme du livre *quelque* transformation ultime et décisive. Notre sentiment est plutôt qu'au dernier stade de son combat avec le SEIGNEUR, le triomphe de Job est précisément de ne pas bouger d'un pouce. Lui qui s'est exprimé avec tant d'éloquence n'est jamais si éloquent qu'à la fin, lorsqu'il campe sur ses positions. Le SEIGNEUR, par son silence, a torturé Job. Job, par son quasi-silence, laisse le SEIGNEUR dans un autre genre de désarroi. Le premier discours de Job, dans lequel il annonce sans conteste son silence, est le meilleur commentaire de son second discours, moins transparent, auquel nous arrivons maintenant.

Nous pouvons commencer notre interprétation en attirant l'attention sur deux versets qui citent des discours antérieurs de Dieu et d'Élihou. De nombreuses traductions — y compris la New English Bible et la Bible de Jérusalem — reformulent ces citations, au point de masquer qu'il s'agit bien de citations. Plus conservatrice, la Revised Standard Version les reprend mot pour mot et les encadre de points d'interrogation. Dans cette version, le dernier discours de Job se présente ainsi :

> ² « Je sais que tu peux tout,
> et qu'aucun projet n'échappe à tes prises.
> "Qui est celui qui voile les plans,
> sans rien connaître ?"
> ³ J'ai donc exprimé ce que je ne comprenais pas,
> des choses trop prodigieuses pour moi, que je ne savais pas.
> ⁴ "Écoute, laisse-moi parler ;

je vais t'interroger et tu m'instruiras."
⁵ Je ne te connaissais que par ouï-dire,
mais maintenant, mes yeux te voient ;
⁶ Aussi, je me fais horreur
et me repens dans la poussière et la cendre. »

Le premier verset de ce discours, dans la traduction de la RSV, ne reconnaît rien de plus qu'une puissance supérieure. Les confessions de l'Ancien Testament, dont les Psaumes sont l'exemple suprême, sont typiquement des manières de prendre acte, tout à la fois, de la justice et du pouvoir. Job, quant à lui, s'en tient prudemment à ce qui a été prétendu. Mais sa récalcitrance devient plus hardie si nous lisons le texte comme un texte *écrit* en hébreu, plutôt que traditionnellement prononcé (et donc traduit) au fil des siècles. Les annotations au texte massorétique *, ou texte hébreu normalisé, du Tanakh comportent diverses indications, dites *ketîb* ou *qeré*. En araméen, la langue qui a remplacé l'hébreu comme langue parlée des Juifs de Palestine et qui est devenue la langue de ces annotations, le premier mot signifie « écrit », le second « à lire » (impératif). Pour des raisons de sens mais aussi, à l'occasion, de révérence, ces notations marginales invitaient le lecteur de la synagogue à lire un autre mot que celui qui figurait dans le texte. Dans Job 42, 2, il avait pour consigne de changer le mot *yada¤ta*, « tu sais », en *yada¤tiy* « je sais ». Changez le verset 42, 2 de la traduction de la RSV — de « Je sais que tu peux tout » en « Tu sais que tu peux tout » — et l'air de confession et de soumission devient aussitôt ambigu et potentiellement ironique.

À deux reprises, dans le reste de ce bref discours, Job commence par citer des propos de Dieu puis les commente. Dans le discours ordinaire des hommes, ce n'est guère un affront. Si, après avoir écouté votre longue sortie contre moi, je vous renvoie posément dans les gencives vos tout premiers mots, je marque bien que j'ai gardé mon sang-froid, que vos propos ne m'ont pas fait sortir de mes gonds. C'est précisément ce que fait Job. Le premier verset qu'il cite est le gant jeté du discours initial de Dieu : « Qui est celui qui voile les plans, sans rien connaître ? » Savons-nous qu'en citant ces mots Job entend vraiment ramasser le gant jeté ? Oui, car il continue avec le mot hébreu *laken*, « donc ». Une question, « Qui est celui... ? », n'est pas une prémisse dont on puisse tirer une conclusion. Mais il suffit de rajouter les mots sous-entendus avant la question de Dieu, mainte-

---

* Les massorètes — « transmetteurs et fixateurs de la tradition textuelle », suivant la définition de la TOB) étaient un groupe de docteurs juifs des IXᵉ et Xᵉ siècles auteurs de travaux d'exégèse sur le texte biblique. *(N.d.T.)*

nant dans la bouche de Job, à savoir « Tu dis », pour qu'elle devienne aussitôt une prémisse : « Tu dis : "Qui est celui qui voile les plans, / sans rien connaître ?" Donc [c'est-à-dire, parce que tu as dit cela] je dis... » Il n'est même pas nécessaire d'ajouter expressément « Tu dis ». La seule intonation peut suggérer la citation. De manière informelle, la logique est celle-ci :

> « Comme ça, tu dis que... ?
> « Eh bien alors... »

Mais que déduit Job de la prémisse que lui donne la citation ? Que lui dit-elle ? Les mots qui suivent sont, à dessein, à double sens. Dans la traduction de la RSV :

> J'ai donc exprimé ce que je ne comprenais pas,
> des choses trop prodigieuses pour moi, que je ne savais pas.

C'est dans les mots traduits par « trop prodigieuses » que se niche l'ironie. Il peut s'agir d'une confession. Il peut aussi s'agir exactement du contraire, d'une contre-vantardise ironique. Dans toutes les langues, les comparaisons peuvent jouer ce rôle. En italien, par exemple, si je vous dis : « *Fa caldo, no ?* », « Il fait chaud, n'est-ce pas ? », vous pouvez répondre « *No* », pour signifier que, contrairement à moi, vous trouvez qu'il fait froid, mais aussi « *Anzi* », histoire de dire que, contrairement à moi, vous trouvez qu'il fait une chaleur étouffante, et que le simple mot *caldo* est très insuffisant. L'usage britannique, désormais un tantinet suranné, du *rather !* a la même fonction. Si je dis, « Ce gars est un peu mal élevé, vous ne trouvez pas », vous pouvez répondre, sans vous engager, « *Rather* », « Plutôt, oui... », pour dire que, en effet, maintenant que je le dis, c'est vrai qu'il ne brille pas par sa délicatesse ; mais vous pouvez aussi répondre, de manière plus appuyée, « *Rather !* », « Plutôt ! » ou « Je veux dire ! » : bref, c'est vraiment un ours mal léché. C'est précisément en ce sens que les mots « trop prodigieuses » de Job 42, 3 sont ambigus. En résumé, on peut traduire ainsi ce doublet du verset et du commentaire cités :

> « Tu dis bien, "Qui est celui qui voile les plans sans savoir" ?
> Eh bien donc, j'ai dit plus que je ne savais, des prodiges qui me dépassent. »

Job peut dire que, maintenant qu'il a entendu le discours irrésistible du SEIGNEUR, il sait qu'il s'est fourvoyé dans ses propos. Il peut aussi dire que, maintenant qu'il a entendu les paroles grandiloquentes du SEIGNEUR, il en conclut qu'il a dit vrai — plus encore qu'il ne pouvait le soupçonner sur le coup.

Quand on lit les commentaires de Job sur les paroles citées de Dieu, il ne faut pas perdre de vue ce que Job a demandé à plusieurs reprises, que Dieu s'avance et se révèle juste, soit en établissant son innocence, soit en le convainquant de péché. Impossible d'échapper à l'implication de tous ces discours : si Dieu ne faisait l'une ou l'autre chose, c'est lui qui serait convaincu — d'injustice. Cela étant dit, lorsque Dieu se décide enfin à parler et que, au lieu de répondre à l'une ou l'autre des requêtes de Job, il répond *ad hominem* : « Qui est celui qui voile les plans sans savoir ? », on peut dire à cet instant qu'il est allé au-delà des pires craintes de Job. Comme un homme politique aux abois, le SEIGNEUR essaie de tout mettre sur le dos de son adversaire. Mais plutôt que fâché, son adversaire est consterné. Cette lecture est plausible, que Job croie ou non que la voix de l'ouragan soit celle de Dieu.

> *I heard it in a yellow wood.*
> *If God is God He is not good.*
> *If God is good He is not God.*
>
> J'ai entendu ça dans un beau buisson.
> Si Dieu est Dieu il n'est pas bon.
> Si Dieu est bon il n'est pas Dieu.

Tel est le refrain de la pièce d'Archibald MacLeish, *J. B.* Que la Voix qui lui parle ne soit pas bonne ou ne soit pas Dieu, cela revient au même pour Job. Dans les deux cas, force lui est de conclure tristement que, lorsqu'il a défié le divin juge, il en a dit plus qu'il ne savait.

Job n'appelle jamais la voix de l'ouragan par son nom. Chaque fois qu'un subalterne s'adresse à quelqu'un qui lui est socialement supérieur, c'est l'inférieur qui est obligé de tempérer ses déclarations directes par des titres honorifiques. Non pas « oui » et « non », mais « oui, monsieur », « non, monsieur ». Le Tanakh se passe rarement, voire jamais, de ces formes quand un être humain s'adresse au SEIGNEUR, ajoutant souvent une autre formule de politesse du même genre, du style « Mon Seigneur, si j'ai trouvé grâce à tes yeux », et ainsi de suite. Il est frappant de constater que, dans ses deux réponses, Job n'appelle jamais son interlocuteur Dieu, le SEIGNEUR, ni d'aucun autre nom, et ne parle jamais de lui comme d'un être divin.

La Voix du sein de l'ouragan décline de se présenter. Job décline de préciser ce que la Voix a omis. Quelles que puissent être ses interrogations en privé, Job laisse ses propos « sans adresse ». Et peut-être est-ce précisément ce que le SEIGNEUR souhaite qu'il fasse. Le démon, on s'en souvient, est un personnage de ce livre : le

SEIGNEUR lui a mis entre les mains le corps de Job et, ce faisant, il s'est mis lui-même entre les griffes morales du diable. En parlant à Job comme si lui, Dieu, était le diable, Dieu — à dessein ou non — met Job à l'épreuve comme il avait jadis mis Abraham à l'épreuve. Autrement dit, il le tente en lui parlant avec les accents d'une force implacable. Job s'en tire exactement comme Abraham s'en est tiré. Abraham, il ne faut jamais l'oublier, *n'a pas* sacrifié Isaac et n'a jamais dit qu'il était disposé à le faire. Si Dieu n'était pas intervenu pour mettre fin à la mascarade, on ne sait pas très bien ce qu'Abraham aurait fait. Très vraisemblablement, Dieu aurait cessé de bluffer plutôt que d'obliger Abraham à relever le défi par un acte ultime de désobéissance. Abraham, qui, on l'a vu, n'a pas bien accueilli l'alliance de Dieu, s'est plié aux désirs de Dieu jusqu'au point et (n'en déplaise à Kierkegaard) uniquement jusqu'au point au-delà duquel il eût rendu hommage au démon. Il en va de même ici : Job ne fait pas de la provocation gratuitement. Il concède ce qu'il faut concéder, à savoir que son interlocuteur est tant bien que mal un être d'une puissance considérable. Mais dans le même temps, Job retient avec succès tout ce qui peut être retenu.

Avant d'en venir au verset suivant de son discours de conclusion, n'oublions pas que Job n'a pas entendu seul les propos du SEIGNEUR. Ses amis aussi les ont entendus, et ils écoutent ses réponses. En faisant fi des considérations éthiques et en dédaignant de faire d'autre grief à Job que de demander une explication, la Voix a trompé leurs attentes autant que celles de Job. Mais maintenant qu'il a reçu un coup des deux côtés, Job lui-même ne peut que se sentir assiégé. Personne, humain ou divin, ne voit les choses comme lui. S'il admet avec la Voix que force fait loi, il contredit ses amis humains ; si, en accord avec eux, il prétend que le SEIGNEUR est juste, il revendique pour la Voix une chose qu'elle-même n'a pas revendiquée. Que doit-il faire ?

Comme le suggère Edwin M. Good dans *In Turns of Tempest : a Reading of Job*[3], la première moitié de 42, 4, dans le dernier discours de Job, fait écho aux paroles qu'Élihou, l'un des interlocuteurs de Job, prononce en 33, 31. Par son choix de citations, Job retourne contre Dieu l'exaspération implicite de Dieu envers l'homme. Et son verset suivant oppose clairement les propos qu'ils tiennent sur lui à son propre témoignage.

> Je ne te connaissais que par ouï-dire [il fait allusion aux pieux sermons de ses amis],
> mais maintenant, mes yeux te voient [il entend les paroles du SEIGNEUR du sein de l'ouragan].

Bien qu'il ne soit jamais question que d'un ouragan, Good pense que Job a le regard posé sur le SEIGNEUR en disant ces mots. C'est une interprétation possible, mais dans Ésaïe 2, 1 il est question de « la parole que *vit* Ésaïe fils d'Amoç au sujet de Juda et de Jérusalem » (c'est moi qui souligne). Une parole vue est une parole reçue de première main, plutôt que de seconde main. La RSV est sage, dans ce verset, de rester littérale.

Nous en arrivons à la cheville de l'interprétation traditionnelle, le verset sibyllin qui clôt le discours de Job, et qu'un raccord logique relie aux deux versets que nous venons d'examiner. Soit, dans la traduction de la RSV :

> Aussi, je me fais horreur
> et me repens dans la poussière et la cendre.

C'est le filament auquel tient le fil auquel tient toute la lecture traditionnelle des dernières paroles de Job comme abjuration. Si l'on a généralement traduit les quatre premiers versets du discours de manière à y voir une abjuration, c'est parce qu'on les a tous interprétés à la lumière de ce verset de conclusion. En hébreu, cependant, ce verset est ambigu, et, dans la manière dont la RSV résout cette ambiguïté — mais c'est aussi vrai de la TOB —, aucun mot n'est moins justifié par l'original que le *me* du « je me repens ». Ce dernier mot, qui figure dans le grec des Septante et, d'une manière ou d'une autre, dans la quasi-totalité des traductions réalisées depuis, pourrait être décrit comme l'air raréfié dans lequel est ancré le filament duquel pend le fil auquel est suspendue l'interprétation traditionnelle. À l'encontre de celle-ci, il est probable que, même si Job, à ce stade, est bien sous l'emprise de sentiments profondément modifiés et négatifs au sujet de *quelque chose*, ce quelque chose n'est pas lui.

Good et Mitchell imputent au christianisme la fortune de cette interprétation du 42, 6 fondée sur le repentir. Tous les membres de la commission de la RSV, sauf un, étant chrétiens, écrit Good, ils « ont été marqués par la longue tradition chrétienne de contrition, qui invite le pécheur à prendre conscience de son état peccable. Le "je me repens dans la poussière et la cendre" en porte certainement la trace[4] ». Et Mitchell :

> La King James et la plupart des autres versions nous présentent un Job qui, dans ses derniers mots, « s'abomine et se repent dans la poussière et dans les cendres ». Tout cela sur les fondements philologiques les plus branlants ; ce n'en est pas moins compréhensible, parce qu'ils pensent avec des idées chrétiennes orthodoxes et *s'attendent* à trouver dans la pénitence et l'humiliation volontaire la réponse adéquate au dieu juste et sourcilleux qu'ils s'attendent à trouver[5].

Good et lui oublient tous deux que la tradition du repentir, telle qu'elle affecte ce verset, est aussi vieille que la Septante, traduction juive antérieure de plusieurs siècles au christianisme, mais aussi profondément enracinée dans les annotations *ketîb/qeré* du texte massorétique du Livre de Job, qui ne doit rien aux chrétiens. Le repentir, en soi, est une notion profondément juive que le christianisme a simplement reçue en héritage.

Quelle que soit la source de l'erreur, cependant, Good et Mitchell ont raison de la reconnaître comme telle. « Certes, il me tuera. Je n'ai pas d'espoir./ Pourtant je défendrai ma conduite devant lui », dit Job en 13, 15, dans un verset notoirement édulcoré par les *qeré* en : « Il a beau me frapper, je lui ferai tout de même confiance. » Le SEIGNEUR est maintenant sur le point de frapper Job, et celui-ci continue en fait à plaider sa cause devant lui. Si la pire crainte de Job était de trouver la mort entre les mains de Dieu, le SEIGNEUR l'a presque réalisée maintenant. Job est plus mort que vif. Cependant, ses discours antérieurs sont d'une telle richesse qu'il n'est que trop facile de l'imaginer nu, héroïque et extatique, tel que l'a peint William Blake, plutôt que sous les traits émaciés, plus appropriés, d'un malade du sida en phase terminale.

Une approche plus modeste d'un verset dont, de l'aveu commun, tant de choses dépendent requiert aussi peu de nouveauté que possible, mais juste une reformulation finale des vues que Job a professées depuis le début et auxquelles il reste accroché avec la force de l'ironie jusqu'aux versets qui précèdent celui-ci. Dans tout ce qu'il a dit au fil de ses discours de conclusion, jusqu'à cette dernière ligne, Job a répondu en refusant de répondre. En l'absence de solides preuves du contraire, on doit bien supposer que son intransigeance ne fléchit pas dans la dernière douzaine de mots qu'il prononce. S'il en était autrement, un homme de telles ressources linguistiques ne serait pas aussi bref. Au fil de ses discours antérieurs, plus longs, à ses interlocuteurs humains, Job n'a cessé de protester de son innocence. Le SEIGNEUR n'a rien dit qui puisse le faire changer d'avis sur ce point. S'il n'y a qu'un seul verset contestable pour suggérer que Job n'est plus dans les mêmes dispositions, force nous est de supposer qu'il reste tout aussi convaincu.

Naturellement, Job s'inquiétait des implications pour ses semblables d'un Dieu qui se révélerait tel qu'il lui apparaissait[6]. En lisant « poussière et cendre » comme une expression de cette inquiétude, une allusion à l'humanité dans sa fragilité mortelle, et en prenant les verbes que la RSV traduit par « je me fais horreur/ et me repens » pour des verbes transitifs, dont l'objet commun est « poussière et cendres », ou (de manière plus idiomatique) l'« argile mortelle », on obtient cette traduction :

> Maintenant que mes yeux t'ont vu,
> Je tressaille de peine pour l'argile mortelle.

Dans sa totalité, le point d'orgue des discours de Job deviendrait ainsi :

> Job répondit alors au SEIGNEUR :
> « Tu sais que tu peux tout.
> Rien ne peut t'arrêter.
> Tu demandes, "Qui est ce brouillon ignare ?"
> Bien, j'ai dit plus que je ne savais, des prodiges qui me dépassent.
> "Écoute et laisse-moi parler", dis-tu,
> "Je vais t'interroger et tu m'instruiras."
> Je ne te connaissais que par ouï-dire,
> mais maintenant que mes yeux t'ont vu,
> Je tressaille de peine pour l'argile mortelle. »

Malgré leurs différences philosophiques, Mitchell et Good ont la même vision d'un Job qui commence par admettre que ses préoccupations morales sont mesquines, puis qui est élevé, ouvert à quelque vision plus noble de la mortalité humaine et de la grandeur divine ou naturelle. Mais les préoccupations de Job sont-elles un tant soit peu plus mesquines que le pari initial du SEIGNEUR ? Et imagine-t-on Job en venir *in extremis* à une acceptation plus profonde de la mortalité que la résignation exprimée au tout début avec tant de sérénité : « Sorti nu du ventre de ma mère, nu j'y retournerai. Le SEIGNEUR a donné, le SEIGNEUR a ôté : Que le nom du SEIGNEUR soit béni ! » (1, 21) ? On imagine sans mal un éditeur rejetant ce verset à la fin du livre pour en faire le point d'orgue de l'itinéraire de Job. Si cathartique que puisse être pareille disposition, cependant, le texte que nous possédons ne finit pas, mais commence par ces mots. Leur place suggère avec force que, lorsque Job déclare en 13, 15 qu'il demandera justice jusqu'à son dernier souffle, il sait exactement ce qu'il dit.

La brièveté, en fin de parcours, de la part d'un homme aussi disert et véhément est le signe d'une défaite, c'est entendu, mais la défaite est purement physique. Moralement, Job a résisté jusqu'au bout, considérant les discours du SEIGNEUR du sein de l'ouragan comme sa dernière épreuve. Ainsi, pour en revenir à l'énigme originelle, lorsque le SEIGNEUR louange Job à la fin du livre, il loue l'obstination antérieure de Job face à ses interlocuteurs humains et la récalcitrance que cet homme à la nuque raide n'a cessé de lui opposer. Job a gagné. Le SEIGNEUR a perdu. Mais, paradoxalement, l'échec lui a épargné d'être diabolisé ou de perdre tout intérêt. Par sa récalcitrance, Job a tenu bon face au SEIGNEUR qui, avec une éloquence irrésistible, présentait une forme d'impiété à maintes reprises condamnée dans le Tanakh, avec une clarté particulière, peut-être, dans Sophonie 1, 12 :

> Eh bien en ce temps-là,
> je fouillerai Jérusalem avec des torches
> et j'interviendrai contre les hommes figés dans leur inertie
> et qui pensent :
> le SEIGNEUR ne peut faire ni bien ni mal.

Ce dernier point de vue n'est pas entièrement absent du Tanakh. Nous en trouverons une présentation morne mais par moments éloquente dans l'Ecclésiaste, mais avant, telle est l'opinion systématiquement attribuée à ceux que les Psaumes appellent les « moqueurs », les Proverbes les « fous », et les prophètes les « faux prophètes » et les « adultères ». De toute évidence, par l'entremise de l'auteur de Job, ce groupe manifestement nombreux en Israël a fait jusqu'à un certain point entendre sa voix, mais jusqu'à un certain point seulement : après tout, le Livre de Job se termine par la restauration de Job, confirmant la conception orthodoxe de la rétribution qui, en vérité, n'a jamais prétendu que la justice était parfaitement accomplie à chaque instant. Changer l'orthodoxie en franche hétérodoxie dans l'esprit de Job n'est possible qu'en saturant à outrance de nouveauté le dernier verset du dernier discours de Job.

Nous avons dit plus haut que, dans les Psaumes, les Proverbes et Job, le SEIGNEUR Dieu se caractérisait essentiellement par ce que les êtres humains avaient à dire de lui, plutôt que par ses paroles et par ses actes. Dans le Livre de Job, cela n'a été, bien entendu, que partiellement vrai. En consentant à un pari d'une cruauté insigne avec le démon, le SEIGNEUR s'est défini par son action. Il escomptait une victoire éclair. Il attendait que Job, ayant béni plutôt que maudit Dieu après la première vague de souffrances infligées par Satan, le bénisse de nouveau après la deuxième vague. Or, bien que Job se refuse explicitement à suivre sa femme qui l'invite à maudire Dieu, il choisit une troisième voie que ni Dieu ni le diable n'avaient prévue. Il harangue Dieu sans se lasser de le « contre-caractériser » : il n'est pas le genre de Dieu qui ferait ce que les lecteurs savent qu'il vient de faire. Sans bien saisir ce qu'il fait, Job change de sujet, introduisant la question de la justice de Dieu, plutôt que de la sienne, dans l'esprit du lecteur et, en définitive, dans celui de Dieu lui-même car, au bout du compte, c'est Job qui gagne : le SEIGNEUR s'incline, en un sens, devant la manière dont Job caractérise Dieu, abandonne son pari avec le diable, et après une vaine tentative pour le faire taire, expie son méfait en doublant la fortune initiale de Job.

Job a donc peut-être sauvé le SEIGNEUR de lui-même, mais après cet épisode Dieu n'apparaîtra plus jamais tout à fait à Job tel qu'il lui apparaissait auparavant. Qui plus est, le SEIGNEUR lui-même n'aura jamais plus tout à fait la même image de lui. Le diable fait désormais partie de sa réalité ; et bien qu'à la onzième heure il ait rompu avec l'Adversaire, il l'a fait au prix d'une humiliation plus profonde entre les mains d'un adversaire terrestre, Job lui-même. Certes, Job a accordé sa foi par trop naïve en Dieu à une sagesse juive bien plus nuancée et mature — autrement dit, à une vision réaliste du monde où la justice est tout à la fois garantie par le bon Dieu et à l'occasion menacée par le mauvais Dieu. Mais le Dieu que l'on voit dans cette vision n'est pas nouveau que pour Job : il l'est aussi pour Dieu lui-même.

La vision qui clôt le Livre de Job ne reconnaît pas de principe actif indépendamment de Dieu, auquel la divinité comme l'humanité devraient se soumettre. Autrement dit, il n'y a pas de synthèse supérieure, impersonnelle, au-delà du bien et du mal personnels. Le SEIGNEUR Dieu lui-même est le point ultime de cette vision : aussi, pour trouver quelque part le bien et le mal, il faut d'abord les trouver simultanément et personnellement en lui. Si Sophonie rejette comme une erreur l'idée que « le SEIGNEUR ne peut faire ni bien ni mal », l'idée contraire, la vérité scandaleuse que le Livre de Job met en évidence, n'est pas « le SEIGNEUR ne fera que le bien », mais « le SEIGNEUR fera du bien, et il fera du mal ». Dans cette vision hyper-personnalisée de la réalité ultime qui était celle de l'antique Israël, la « fronde et les flèches de la fortune outrageante », comme dit Hamlet, sont le fait de Shaddaï lui-même.

Qu'est-ce qui rend Dieu divin ? Qu'est-ce qui rend le protagoniste de la Bible si étrangement irrésistible, si repoussant et séduisant à la fois ? Nous avons déjà posé cette question, mais nous pouvons donner maintenant une réponse plus complète. En tant que personnage littéraire, Dieu garde sa force singulière parce qu'en lui — à travers la fusion d'antiques divinités sémitiques qu'il représente — ce que l'existence humaine a de plus radicalement et inexplicablement terrifiant est pourvu d'une voix et d'une intention en même temps que de caprices et de silences. Dans la confrontation entre Job et la Voix du sein de l'Ouragan, le processus par lequel cette condition incontournable devient ce personnage impérieux trouve son apogée.

L'apogée est un apogée pour Dieu lui-même, et pas simplement pour Job et pour le lecteur. Après Job, Dieu sait sa propre ambiguïté comme il ne l'a encore jamais sue. Il sait maintenant que, même s'il n'est pas le démon de Bertrand Russell, il a un côté vulnérable au démon, et que l'humanité peut avoir une conscience plus belle que la sienne. Avec l'aide de Job, son moi juste et bon a triomphé de son moi cruel et capricieux de même qu'il avait triomphé après le déluge. Mais le prix de la victoire a été considérable. Job sera le père d'une nouvelle famille, mais la famille qu'il a perdue au cours du pari ne sera pas arrachée au séjour des morts ; pas plus que les serviteurs que le démon a frappés ; et pas plus que l'innocence même de Dieu. Le monde paraît encore plus juste qu'injuste ; et Dieu plus bon que mauvais ; pourtant, alors que se termine cette œuvre extraordinaire, l'atmosphère dominante n'est pas à la rédemption, mais à la rémission.

11

Occultation

La quasi-totalité des commentateurs du Livre de Job s'accordent à penser que, d'une manière ou d'une autre, le SEIGNEUR a pratiquement réduit Job au silence. Ce qui passe inaperçu, c'est que de la fin du Livre de Job à la fin du Tanakh, Dieu ne reparle jamais plus. Son discours du sein de l'ouragan représente, en fait, ses dernières volontés, son testament. Job a réduit le SEIGNEUR au silence. Le Livre des Chroniques reprendra des discours antérieurs du SEIGNEUR, généralement en citant mot pour mot les Livres de Samuel et des Rois. Des exploits et des évasions miraculeux lui seront attribués dans Daniel où, lointain et silencieux, on le verra pour la dernière fois assis sur un trône et évoqué comme le « Vieux de jours ». Bien qu'il soit moins question de lui dans le Cantique des cantiques et dans Esther, il sera assez souvent évoqué dans les Lamentations et dans l'Ecclésiaste, et même prié avec ferveur de Néhémie. Mais jamais plus il ne reparlera.

Dans le dernier chapitre de Job, le SEIGNEUR, sans dire à Job qu'il entend mettre un terme à ses tortures, déclare à Élifaz : « Ma colère flambe contre toi et contre tes deux amis, parce que vous n'avez pas parlé de moi avec droiture comme l'a fait mon serviteur Job » (Jb 42, 7). Puis, de manière assez stupéfiante, le SEIGNEUR demande à Job de prier pour ses trois amis, car, poursuit-il à l'adresse d'Élifaz, « par égard pour lui [...] je ne vous traiterai pas selon votre folie ». Job obtempère, et les amis qui l'ont inlassablement accusé de méfaits sont épargnés. C'est alors seulement que le SEIGNEUR restaure la santé et la fortune de Job.

Pouvons-nous imaginer comment se serait déroulée la prière de Job ? Comment il se serait conduit à cet instant lourd de conséquences, après la prière mais avant la restauration de ses fortunes ? Et qu'aurait pu lui dire le SEIGNEUR après la restauration de ses fortunes ? Lui aurait-il touché un mot du pari ? Tout est bien qui finit bien ? Même libéré de la douleur, qu'aurait pensé Job des souffrances qui lui avaient été précédemment infligées ? Le Livre de Job compte quarante-deux chapitres. « *Ici finit le chapitre quarante-trois de Job* », indique la dernière ligne du poème de Robert Frost, *A Masque of Reason*, où le SEIGNEUR et Job réunis méditent. Frost donne un champ exceptionnellement riche et réfléchi à un élan qui en a poussé plus d'un à poursuivre et achever le Livre de Job. Celui-ci est un exemple hors pair de la « capacité négative », comme dit John Keats, d'un auteur ou d'une œuvre. Un poète de capacité négative, écrit-il, est un poète « capable d'être dans les incertitudes, les Mystères, les doutes, sans s'irriter au point de les vouloir arraisonner après coup ». Pour Keats, Shakespeare est l'exemple suprême de capacité négative par sa faculté sans pareille de s'incliner devant ses personnages. Les personnages d'une pièce de Shakespeare suivent leurs voies diverses, et le dramaturge a cette capacité négative de les laisser emporter sa pièce avec eux. Il ne lui impose pas davantage de cohérence qu'ils n'en admettent.

L'auteur du Livre de Job laisse Job et le SEIGNEUR emporter leur livre avec eux, mais ce qu'ils en font, c'est, dans une très large mesure, ce que le Tanakh finit par faire de lui. Job, on l'a vu, reste lui-même jusqu'au bout, mais, malgré tout ce que nous avons dit, le SEIGNEUR aussi. Il suspend son pari avec Satan, il raille la récalcitrance de Job et fait amende honorable, mais il paraît imprévisible, et malgré tout ce que dit le Psalmiste, il semble se tenir au-dessus de la loi. Le SEIGNEUR peut bien élever le juste et l'humble au-dessus du méchant, mais, encore une fois, il peut très bien n'en rien faire. Rien de ce qu'il dit ou fait n'implique davantage que « Je suis qui Je suis ».

L'auteur de Job ne ressemble guère à l'esthète qu'était Keats. Ses passions sont morales, plutôt qu'esthétiques. Pourtant, les discours de Job et de Dieu ont tant de force et de beauté rivales que chacun acquiert une puissance écrasante. Levez les yeux vers l'ouragan et les cieux, vers la vision de toute réalité dans laquelle, suivant l'expression mémorable de Stephen Mitchell, la « mort est une épingle », et les doléances de Job paraissent terre à terre et triviales. Abaissez les yeux sur les plaies et le tas de cendres de Job, et les vantardises du SEIGNEUR sonnent creux au point d'en devenir répugnantes. Comme le veut le grand art, chaque voix, à son heure, réduit tout au silence ; et la capacité négative de l'auteur de Job est telle que, surtout quand nous passons du Livre de Job au reste du Tanakh, il est presque impossible de dire qui a eu le dernier mot. Si, du silence qu'observe Dieu de la fin du Livre de Job à la fin du Tanakh, nous déduisons que Job a réduit Dieu au silence, est-ce une victoire pour Job ? Peut-être, mais, après tout, Job a toujours voulu que Dieu parle ; notamment après la restauration de ses fortunes, ne persiste-rait-il pas dans ce désir ? Assurément, Israël ne souhaite pas que Dieu reste silencieux.

Israël. À ce stade, le nom même sonne assez étrangement à l'oreille. L'épouse de Dieu et son principal antagoniste humain est restée un certain temps en coulisses, silencieuse, pendant que son SEIGNEUR affrontait ce gentil. Et pourtant, malgré son apparent isolement du reste du Tanakh, le Livre de Job peut être rattaché à celui-ci et à Israël si on le lit comme ce que la tradition juive allait plus tard connaître sous le nom de « midrash haggadique » — une légende au lieu d'un commentaire discursif — sur un étrange passage du Livre d'Ézéchiel.

Dans Ézéchiel 20, un groupe d'« anciens d'Israël » vient con-sulter le SEIGNEUR, et, comme dans le Livre de Job, le SEIGNEUR refuse de répondre. S'adressant à l'homme que nous avons plus tôt appelé le prophète psychotique, le SEIGNEUR dit :

> « Fils d'homme [mortel], parle aux anciens d'Israël. Tu leur diras : Ainsi parle le Seigneur DIEU : Est-ce pour me consulter que vous venez ? Par ma vie ! Je ne me laisserai pas consulter par vous ! — oracle du Seigneur DIEU. Ne dois-tu pas les juger, oui, les juger, fils d'homme ? Fais-leur connaître les abominations de leurs pères. » (Ez 20, 3-4)

Dans la diatribe qui suit, le SEIGNEUR accuse Israël de n'avoir pas marché « selon mes lois... mes coutumes... c'est grâce à elles que l'homme vit en les pratiquant ». La formule des coutumes dont la pratique fait vivre est répétée plus tard dans son acte d'accusation, mais survient alors un étrange renversement :

> De nouveau, je leur jurai, la main levée, dans le désert : je les disperserai parmi les nations et les disséminerai parmi les pays. C'est qu'ils n'avaient pas pratiqué mes coutumes, qu'ils avaient méprisé mes lois, qu'ils avaient profané mes sabbats et avaient suivi des yeux les idoles de leurs pères. En plus, je leur donnai moi-même des lois qui n'étaient pas bonnes et des coutumes qui ne font pas vivre. Je les souillai par leurs offrandes : les sacrifices de tous les premiers-nés [littéralement, quand ils ont fait passer au travers du feu tout ce qui ouvre le sein] ; c'était pour les frapper de désolation, afin qu'ils recon-naissent que je suis le SEIGNEUR. (Ez 20, 23-26)

Des lois qui n'étaient *pas* bonnes ? Des coutumes qui ne font *pas* vivre ? Est-ce ainsi qu'il démontre que « je suis le SEIGNEUR » ?

Par des expressions comme « tout ce qui ouvre le sein » et « je les souillai par leurs offrandes », le SEIGNEUR fait allusion au sacrifice d'enfants. Quoique condamnée par le Lévitique 18, 21, qui fait expressément référence à Molek*, l'immolation des premiers-nés, brûlés vifs dans le cadre d'un sacrifice propitiatoire à ce dieu cananéen, était une pratique bien connue de l'antique Israël. Le IIᵉ Livre des Rois y fait souvent allusion. C'était l'une des expressions familière de l'apostasie.

Parce que les anciens d'Israël continuent à se livrer à de telles abominations, le SEIGNEUR refuse maintenant de leur parler :

> Quand vous apportiez vos dons, quand vous faisiez passer vos fils par le feu, vous vous êtes souillés avec toutes vos idoles jusqu'à ce jour ! et moi, je me laisserais consulter par vous, maison d'Israël ? Par ma vie — oracle du Seigneur DIEU — je ne me laisserai pas consulter par vous. (Ez 20, 31)

Mais si l'esprit historique est satisfait dès lors qu'Ézéchiel 20 est situé dans la polémique yahviste contre le culte de Molek, tel n'est pas le cas de l'esprit philosophique et théologique. Les Israélites sacrifient-ils leurs enfants pour apaiser Molek ou, comme paraissent l'indiquer les propos antérieurs du SEIGNEUR, pour lui plaire ? Et si c'est le SEIGNEUR qui le leur demande, est-il Dieu ou le diable ? Telle est, bien entendu, la possibilité que Sören Kierkegaard a envisagée avec tant de sérieux à propos de la Genèse 22, où Dieu demande à Abraham de sacrifier Isaac.

L'intérêt des questions philosophiques est indéniable. S'il arrive que Dieu soit un démon, l'humanité éthique lui est dans ces occasions supérieure et doit lui désobéir. Si Dieu est capable de mettre l'humanité à l'épreuve en se travestissant en démon, l'humanité ne peut, paradoxalement, lui plaire et réussir le test qu'en défiant Dieu. Pour la critique littéraire, cependant, l'essentiel n'est ni le combat historique entre yahvistes et molekistes, ni le problème spéculatif de la tromperie divine, mais simplement le personnage de Dieu en tant que tel. Dans Ézéchiel 20, le SEIGNEUR se qualifie tour à tour de bienveillant et de malveillant, se présentant tantôt comme un dieu de vie, tantôt comme un dieu de mort. Si l'on s'intéresse non pas à ce qu'il veut dire, mais à ce qu'il est, il faut tenir compte des deux facettes de son personnage.

La Bible de Jérusalem se risque à une traduction hautement interprétative d'Ézéchiel 20, 25-26 de manière à intégrer les deux :

> Et j'allai jusqu'à leur donner des lois qui n'étaient pas bonnes et des coutumes dont ils ne pouvaient pas vivre, et je les souillai par leurs

---

* Moloch, suivant la transcription latine du nom dans la Vulgate. *(N.d.T.)*

offrandes, en leur faisant sacrifier tout premier-né, pour les frapper d'horreur, afin qu'ils sachent que je suis Yahvé.

Et dans une note, elle ajoute :

La théologie primitive attribue à Yahvé les institutions et les déformations dont les hommes sont en réalité responsables. Ézéchiel semble viser ici le commandement d'offrir les nouveau-nés (Ex 22, 28-29), dont les Israélites donnèrent souvent une interprétation d'un matérialisme scandaleux.

Or le texte ne dit pas qu'Ézéchiel a ceci à l'esprit. Il dit que c'est le SEIGNEUR lui-même. Ce n'est pas Ézéchiel qui caractérise le SEIGNEUR : celui-ci s'en charge lui-même. Si, de la façon littéraire la plus ordinaire, on admet que le SEIGNEUR est le protagoniste de la Bible, on ne saurait exciser la fibre démoniaque de son personnage, même si en définitive elle n'est jamais dominante.

Le Livre d'Ézéchiel évoque la possibilité, sans la développer, que les souffrances historiques d'Israël soient le crime de Dieu. L'auteur consent à imaginer, ne serait-ce que fugitivement, que Dieu a séduit Israël, l'incitant à commettre les péchés mêmes qu'il a ensuite punis — tout cela pour prouver que « je suis Yahvé », c'est-à-dire pour révéler son personnage, pour s'afficher.

Mais aux yeux de qui ? La victime de sa séduction, Israël, l'épouse abusée, ne saurait être facilement la cible de la démonstration. Au moins aussi longtemps que dure la tromperie, l'action du SEIGNEUR requiert quasiment un autre témoin au bénéfice duquel la séduction d'Israël puisse servir de leçon. Peut-être est-ce à ce scandale ou à cette énigme que s'attaque le Livre de Job, car Job est en effet un juste que son créateur malmène pour les besoins de sa démonstration.

En tant que personnage littéraire, Job a une perfection abstraite et impossible, au point que ses souffrances font figure d'histoire extérieure. Ézéchiel et la nation souffrante à laquelle le SEIGNEUR s'adresse à travers lui se situent carrément dans l'histoire. À l'extrême fin du Livre de Job, la question est la suivante : comment le SEIGNEUR — tel que nous le connaissons désormais, tel qu'il se connaît désormais — va-t-il agir à nouveau, si tant est qu'il le fasse, dans la vie d'Israël ? Cette question finit par recevoir une réponse, mais celle-ci se fait attendre.

DORMEUR

« N'éveillez pas, ne réveillez pas mon Amour »
CANTIQUE DES CANTIQUES

Cycle de poèmes sur de jeunes amants, le Cantique des cantiques pourrait presque se comparer aux ébats de satyres grecs à la
suite de la tragédie de Job. Avec son heureux dénouement, le Livre
de Job, d'un point de vue formel, relève plus de la comédie que de
la tragédie. Mais l'atmosphère qui règne après lui est sombre et
lourde de questions. Aussi est-on tout à la fois surpris et soulagé
d'entendre résonner quelque chose d'aussi sensuel, ludique et exempt
de douleur, voire d'effort, que le Cantique des cantiques. Les jeunes
amants entrent en scène presque comme des enfants obligeant les
adultes à changer de sujet. Ce dont Job et le SEIGNEUR pouvaient
débattre est le cadet de leurs soucis :

Qu'il m'embrasse à pleine bouche !
Car tes caresses sont meilleures que du vin,
meilleures que la senteur de tes parfums.
Ta personne est un parfum raffiné.
C'est pourquoi les adolescentes sont amoureuses de toi. (Ct 1, 2-3)

Qui sont le garçon et la fille, mais aussi le groupe de filles dont
il est si souvent question ? Le cycle contient un poème pour les noces
du roi Salomon ; il fait allusion au roi Salomon et commence par les
mots « Le chant des chants — de Salomon ». Et pourtant, le plus
clair du temps, le garçon ne semble pas être un prince, ni la fille une
princesse.

Je suis un narcisse de la Plaine [du Sharôn],
un lis des vallées.

Comme un lis parmi des ronces,
telle est ma compagne parmi les filles.

Comme un pommier au milieu des arbres de la forêt,
tel est mon chéri parmi les garçons.

346

À son ombre, selon mon désir, je m'assieds ;
et son fruit est doux à mon palais. (Ct 2, 1-3)

Ces poèmes dissipent l'atmosphère du Livre de Job, et portant sur toute femme et tout homme énamourés, ils instaurent la leur plus efficacement qu'ils ne pourraient jamais le faire s'ils chantaient les amours d'un roi et d'une reine.

Le Cantique des cantiques ne mentionne jamais Dieu ni ne semble contenir la moindre allusion que ce soit aux traditions religieuses d'Israël ni, au demeurant, à aucune espèce de traditions religieuses. Pour cette raison, d'aucuns, dans l'Antiquité, ont prétendu qu'il n'appartenait point à la Bible. Mais ils ont dû s'incliner devant les autres, qui n'ont pas manqué de signaler les mentions du roi Salomon et ont en outre soutenu que les poèmes étaient une allégorie de l'amour entre le SEIGNEUR et Israël. Quasi unanime, la critique historique contemporaine tient le Cantique des cantiques pour de la poésie érotique profane : un chant lyrique des amours humaines, non une allégorie de l'amour divin. Pourtant, quand on lit ces poèmes au fil de la lecture du Tanakh, ils ne sauraient manquer de nous rappeler les seuls chants d'amour du recueil jusqu'ici, à savoir les scènes de réconciliation ardentes, quoique blessées, imaginées dans Ésaïe et Osée :

Car, telle une femme abandonnée et dont l'esprit est accablé,
le SEIGNEUR t'a rappelée :
« La femme des jeunes années,
vraiment serait-elle rejetée ? »
a dit ton Dieu.
Un bref instant, je t'avais abandonnée,
mais, sans relâche, avec tendresse, je vais te rassembler.
Dans un débordement d'irritation, j'avais caché
mon visage, un instant, loin de toi,
mais avec une amitié sans fin je te manifeste ma tendresse,
dit celui qui te rachète, le SEIGNEUR. (Es 54, 6-8)

Eh bien, c'est moi qui vais la séduire,
je la conduirai au désert
et je parlerai à son cœur.
Et de là-bas, je lui rendrai ses vignobles
et je ferai de la vallée de Akor [douleur]
une porte d'espérance,
et là elle répondra comme au temps de sa jeunesse,
au jour où elle monta du pays d'Égypte. (Os 2, 16-17)

Cependant, Ésaïe et Osée comparent Israël et le SEIGNEUR non pas à de jeunes amants, mais à un couple de vieux que les ans ont rendus profondément étrangers l'un à l'autre et qui retrouvent le chemin de leurs amours de jeunesse. On est loin de l'amour évoqué dans le Cantique des cantiques, et pourtant, dans toute la poésie du Tanakh, il n'est rien de plus proche du Cantique des cantiques que ces chants de réconciliation. Un lecteur qui a vu poindre la tendresse dans le personnage du SEIGNEUR, puis vu oublier ou abandonner cette qualité dans les prophètes d'après l'exil, comme dans les Psaumes, les Proverbes et Job, ne peut manquer de s'en souvenir quand il aborde le Cantique des cantiques. La vue d'un jeune couple ne rappelle-t-il pas naturellement ses amours à un vieux couple ?

Le SEIGNEUR avait ordonné à Osée d'épouser une prostituée, afin que les enfants qu'elle lui donnerait ne fussent pas incontestablement siens. Elle eut trois enfants, qui tous reçurent des noms symboliques, le troisième étant « Lo-Ammi — c'est-à-dire : Celui qui n'est pas mon peuple —, car vous n'êtes pas mon peuple et moi je n'existe pas pour vous » (TOB), ou, suivant certaines traductions fondées sur les manuscrits grecs, « et moi je ne suis pas votre Dieu » (Os 1, 9). Mais dans la scène de réconciliation imaginée, Dieu reconnaît en Lo-Ammi son enfant (comme en réalité Osée accepta très probablement l'enfant de la prostitution) :

et je dirai à Lo-Ammi : « Tu es mon peuple »,
et lui, il dira : « [Tu es] Mon Dieu ». (Os 2, 25)

Si l'on devait mettre cette scène en musique, il faudrait un compositeur pareil au Arnold Schönberg de la *Nuit transfigurée*, traduction musicale d'une œuvre d'un petit poète allemand. Dans le poème de Richard Dehmel, une femme accablée de chagrin confesse à son amant qu'elle est enceinte d'un autre, et il répond :

Que cet enfant que tu portes
Ne soit pas un poids sur ton âme.
Regarde ! comme l'univers scintillant est clair !
Toute chose est baignée de lumière.
Tu traverseras avec moi une mer de glace,
Mais réchauffés par un feu, le nôtre,
De moi à toi, de toi à moi,
Nous transformerons l'enfant de l'étranger. Le tien
Mais tu le porteras maintenant de moi, pour moi. Le nôtre
Pour la splendeur que tu éveilles en moi
Et pour l'enfant que tu crées en moi.

Il étreint sa taille alourdie,
Dans l'air leurs souffles se mêlent,
Deux êtres marchent dans la grande nuit étoilée [1].

Dans la composition de Schönberg, l'instant où ces paroles sont « dites », où la force cède à la tendresse, et l'agitation au calme, en l'espace de quelques mesures, est l'un des sommets artistiques du XXᵉ siècle ; et c'est à un moment de transfiguration de ce genre que semblent avoir atteint le Second Ésaïe et Osée. Dans les prophètes d'après l'exil, cependant, il semble que ce moment ait été oublié. Ou y en a-t-il un substitut dans les Psaumes, les Proverbes ou Job ?

Par une étrange *via negativa*, ou mysticisme de la soustraction, le Livre de Job devient un livre sur l'amour entre Job et Dieu. Le mot *amour* ne figure pas dans ce livre. Mais le démon, en leurrant le SEIGNEUR pour l'amener à demander un service gratuit à Job, en forçant Job à prouver qu'il craindra Dieu « pour rien », réduit la relation entre Dieu et un homme à sa plus simple expression. À moins que, en un sens, Job apprécie Dieu en et pour lui-même, comment peut-il dire, alors qu'il a tout perdu et que sa femme l'invite à maudire Dieu et à mourir, « Tu parles comme une femme sans vergogne pourrait le faire ! Ne faudrait-il accepter de Dieu que le bien, et refuser le mal * ? » (2, 10). Et à moins que Dieu n'en fasse autant avec Job, au lieu de le considérer comme un trophée à brandir face au diable, pourquoi ne peut-il simplement se passer de Job lorsque commencent les harangues intempestives ?

Nous avons comparé le SEIGNEUR du Second Ésaïe au mari affligé d'une femme séduite et abandonnée. Le SEIGNEUR du Livre de Job ressemble davantage au mari d'une femme qui, tout en protestant de son attachement et de sa vertu, n'en récite pas moins une litanie de doléances qui justifieraient le divorce aux yeux de n'importe quel jury. Et par sa réponse à la Voix du sein de l'Ouragan, Job se sépare du SEIGNEUR : sommé de choisir entre la justice et Dieu, il choisit la justice, un choix dont le SEIGNEUR finit par reconnaître qu'il était le bon. La réconciliation finale du Livre de Job renverse la *via negativa* initiale, le processus de dépouillement : Job reçoit de nouveau de nombreuses raisons extrinsèques de craindre/d'aimer le SEIGNEUR. Mais si, de cette étrange façon, le Livre de Job peut se lire comme une comédie, une histoire d'amour avec sa forme propre d'heureux dénouement, tendresse et plaisir y sont assurément réduits à la portion congrue. Elle ne marche pas sur les brisées d'Osée et d'Ésaïe, pas plus qu'elle ne nous remet en mémoire leur langage ou la richesse de leur promesse.

Le Cantique des cantiques fait tout cela. Si l'on accorde aux exégètes modernes qu'il s'agit bien de poésie érotique profane, il n'en est pas moins facile d'imaginer comment un éditeur antique a pu désirer en faire davantage que cela et l'inclure à défaut de poèmes d'amour

---

* Nous nous sommes écarté ici de la TOB pour rester au plus près de la traduction retenue par l'auteur. *(N.d.T.)*

plus authentiquement religieux. Mais si tel est l'espoir, le Cantique des cantiques ne peut que décevoir. Certes, rien n'empêche de prendre des poèmes érotiques profanes pour exprimer en termes allégoriques l'amour qui lie Dieu et Israël, mais ce cycle-ci s'y prête mal. Quelque lecture qu'on en fasse, la relation entre Dieu et Israël charrie son content de souffrances de part et d'autre. La poésie érotique peut faire une place à la douleur, mais le Cantique des cantiques n'en a cure. Peut-être les jeunes amants qui disent ces poèmes feront-ils un jour connaissance avec la douleur, mais cette heure n'est pas encore arrivée. Et le seul et unique verset qui, par son caractère un tantinet sibyllin et sa répétition, semblerait inviter à une lecture symbolique aurait un effet d'un comique malencontreux dans une allégorie :

> Je vous en conjure, filles de Jérusalem,
> par les gazelles ou par les biches de la campagne :
> N'éveillez pas, ne réveillez pas mon Amour
> avant son bon vouloir. (Ct 2, 7 et *passim*)

Pour dire la crainte d'Israël que le SEIGNEUR ne quitte sa femme ou, pour une raison ou pour une autre, ne la délaisse, l'image biblique classique est celle du sommeil : « Réveille-toi, pourquoi dors-tu, Seigneur ? » (Ps 44, 24). Inversement, le langage classique de la consolation et des nouveaux départs, surtout dans le Second Ésaïe, est « Réveille-toi ! Réveille-toi ! » Le Cantique des cantiques ne se conforme pas à ces conventions, mais il n'y échappe pas non plus tout à fait. Une partie de son charme vient de ce qu'il baigne dans l'amour, mais aussi la luxure et la sécurité, pour ainsi dire, d'un grand jardin secret : imagine-t-on sécurité plus grande, plus profonde que celle d'un sommeil protégé, amoureusement surveillé ? Mais ce que nous avons entrevu de la communauté juive nouvellement installée à Jérusalem nous a donné des indices assez clairs du contraire : manque, amertume naissante et angoisse, perpétuel qui-vive. Si la jeune fille est Sion, et Dieu le jeune homme, elle ne saurait, à cette heure, le désirer endormi. En conséquence, le Cantique des cantiques n'est pas et ne saurait être une allégorie.

En même temps, si Dieu est désormais absent du Tanakh, ce n'est pas pour avoir fait clairement sa sortie. Il n'a pas annoncé sa retraite. Il ne s'est pas retiré dans les cieux en bénissant une dernière fois Israël. Si son discours du sein de l'ouragan est *de facto* son testament, on ne peut en avoir la certitude qu'en laissant passer un certain temps littéraire. Quand il l'a prononcé, il n'a pas dit que c'était son dernier discours. Son silence, fût-ce à cette première heure, commence à nous peser. Le charme de ces versets peut nous détourner de cette préoccupation lancinante, mais le souci nous distrait du charme : *Où est-il ? Qu'est-il arrivé ?*

PASSANT

« Retournée vers son peuple et vers ses dieux »

RUTH

Dans le canon juif, le Cantique des cantiques est suivi par un autre livre sur l'amour et le mariage, le Livre de Ruth. Bien qu'il fasse assez pieusement allusion au SEIGNEUR à diverses reprises, attribuant du bon ou du mauvais à ses interventions, ce livre donne un commentaire oblique mais choquant sur ce thème : comment ressent-on sa présence, avec quelle intensité ou dans quelles dispositions, lorsque, pour la première et dernière fois du Tanakh, une Israélite probe suggère innocemment d'adorer un faux dieu ? Certes, le contexte suffit amplement à nous éclairer : cette suggestion est avant tout dictée par la prudence, et dans un second temps seulement blasphématoire ; mais ce qui est supposé, plutôt que déclaré, lorsque la suggestion est faite est plus remarquable encore, à savoir qu'il n'est pas nécessaire de prendre le temps de demander si le SEIGNEUR s'offusquera de pareils conseils. C'est aux êtres humains concernés qu'il appartient d'en décider.

Cette suggestion d'un culte étranger est faite par l'Israélite Noémi à sa belle-fille veuve, Ruth la Moabite. Ses deux fils ont récemment trouvé la mort, et Noémi est elle-même veuve. La famine qui sévissait en Israël avait poussé sa famille à s'établir dans la campagne de Moab, où ses fils avaient tous deux épousé des Moabites, Orpa et Ruth. La famine ayant maintenant reculé en Israël, Noémi s'apprête à regagner sa maison de Bethléem. Elle presse ses belles-filles de rester derrière et de se trouver des maris à Moab : « Allez, retournez chacune chez sa mère. » En pleurs, elles protestent qu'elles veulent la raccompagner dans son pays, mais Noémi réitère son conseil, et Orpa finit par consentir à rester. C'est alors que Noémi dit à Ruth : « Vois, ta belle-sœur s'en est retournée vers son peuple et vers ses dieux. Retourne, à la suite de ta belle-sœur » (Ruth 1, 15). Dans son contexte, cette suggestion n'a rien de choquant : ce n'est

351

jamais qu'une façon de dire que ledit contexte a changé du tout au tout. Le Livre des Juges a pour cadre déclaré les « jours du juger des juges », une époque de guerre sanglante entre Moab et Israël, où il eût été impensable qu'un Israélite invitât quiconque adorait déjà le SEIGNEUR à adorer Kemosh, le dieu moabite. Mais l'action de Ruth ne se déroule que pour la forme dans cette contrée lointaine. Par sa place dans le canon, son temps littéraire, elle est beaucoup plus tardive : elle se situe après l'essor et la chute de la monarchie, après l'exil et le retour. Le Livre de Ruth porte en effet sur les relations entre Juifs et Moabites après le rétablissement d'une communauté juive à Jérusalem.

Si les Moabites n'étaient pas des Juifs, sans doute parlaient-ils hébreu, et les Juifs voyaient en eux à juste titre des proches parents. L'auteur du Livre de Ruth laisse deviner (d'un ton approbateur) l'existence de relations de tolérance, voire d'entraide mutuelle, entre les deux nations. Or, le SEIGNEUR n'est jamais revenu sur son implacable hostilité à cette forme précise de tolérance et de promiscuité. L'auteur de Ruth implique donc nécessairement que le SEIGNEUR est alors à ce point inactif que, à tout le moins, il n'y a pas de représailles à craindre si l'on méprise ses vœux.

De retour à Bethléem avec Ruth, Noémi conseille à sa belle-fille de séduire en douceur un dénommé Booz, notable fortuné apparenté à son défunt mari. Une nuit, après qu'on a rentré la moisson et que Booz a bu pour fêter la fin des travaux, Ruth doit se rendre secrètement sur l'aire de vannage, où il sera endormi, et découvrir « ses pieds » — euphémisme qui désigne les parties génitales. Elle le fait, il se réveille, et elle lui demande : « Étends ton aile sur ta servante. » Autrement dit, elle le prie de la prendre en pitié et de l'épouser. À ce point de l'histoire, l'auteur a l'art de ralentir le récit, mais Booz et Ruth finissent par se marier : parmi leur descendance, on retrouve le roi David, dont on a ainsi une nouvelle preuve de l'ascendance partiellement moabite. L'histoire est racontée avec beaucoup d'affection et de délicatesse, les femmes de Bethléem finissant par attribuer son heureux dénouement au SEIGNEUR, mais avec plus d'un salut à l'adresse de Ruth elle-même :

> Aussi les femmes dirent à Noémi :
> « Béni soit le SEIGNEUR
> qui ne te laisse plus manquer aujourd'hui d'un racheteur
> dont le nom soit proclamé en Israël !
> Il ranimera ta vie
> et il assurera tes vieux jours,
> puisque ta belle-fille qui t'aime l'a enfanté,
> elle vaut mieux pour toi que sept fils. » (Rt 4, 14-15)

Entre le Livre de Ruth et le Cantique des cantiques, le contraste est piquant. Si au nombre des difficultés de la vie conjugale que le Cantique des cantiques passe allégrement sous silence figurent la pauvreté, la stérilité, le deuil et la belle-famille, Ruth peut assez clairement se lire comme un livre sur les difficultés du mariage. Mais entre les mains de cet auteur, toutes ces difficultés sont affrontées et surmontées : l'amour qui règne parmi les femmes, par-delà les générations et les appartenances nationales, triomphe de tout. La dévotion pure qui transpire des propos de Ruth à Noémi, « Ne me presse pas de t'abandonner, de retourner loin de toi ; car où tu iras j'irai, et où tu passeras la nuit je la passerai ; ton peuple sera mon peuple et ton dieu mon dieu » (1, 16), est justement célèbre et emporte sans réserve la conviction au moment où elle les prononce. On retrouve pourtant dans le Livre de Ruth le même réalisme typiquement féminin qu'on a rencontré dans certains passages des Proverbes, une sagacité piquante au sujet des hommes, ce que l'on peut ou non attendre d'eux. Comme pratiquement aucun autre récit de la Bible, celui-ci parle de femmes qui ont de la ressource et des relations qui prévalent entre elles. Les femmes ont tous les premiers rôles, et toutes les actions décisives sont de leur initiative. Acteur voué à seconder les premiers rôles, Booz est un homme de bien, mais il a besoin qu'on l'aide à bien faire, et Noémi — envoyant Ruth au plus noir de la nuit — sait exactement le genre d'aide qu'il lui faut. Dans le Livre de Ruth, on a surtout affaire à des hommes qui meurent, laissant les femmes se débrouiller par elles-mêmes ; et l'acclamation de Ruth — belle-fille qui « vaut mieux que sept fils » (écho des propos d'Elqana à Anne en 1 S 1, 8) — est plus que simple rhétorique. Le soulier va, et les femmes le portent avec une certaine élégance.

Pour ce qui est du SEIGNEUR, cependant, ou plutôt de ses sensibilités traditionnelles, on peut dire que si le Livre de Ruth les caractérise, c'est uniquement pour suggérer un changement. Le changement serait implicite dans une allusion du livre à la femme anonyme qui fut la mère de tous les Moabites. Lors de la destruction de Sodome, seuls furent épargnés Loth, sa femme et leurs deux filles. Tous les hommes de Sodome ayant péri, il ne restait personne que les filles de Loth pussent épouser. Les deux jeunes femmes abreuvent leur père de vin et couchent avec lui :

> Les deux filles de Loth devinrent enceintes de leur père. L'aînée donna naissance à un fils qu'elle appela Moab ; c'est le père des Moabites d'aujourd'hui. La cadette, elle aussi, donna naissance à un fils qu'elle appela Ben-Ammi ; c'est le père des fils d'Ammon d'aujourd'hui. (Gn 19, 36-38)

Booz n'est pas le père de Ruth, juste un parent de son beau-père. Elle ne l'enivre pas ; elle se contente d'aller vers lui quand il a bu. Et, à s'en tenir à la lettre du récit, il ne couche pas avec elle cette nuit-là, alors qu'elle a découvert ses parties génitales ; il ne le fait qu'après leur mariage — mariage qu'il ne contracte qu'après s'être dûment occupé de diverses propriétés. Mais cette version honorable de la séduction de Loth par la mère de tous les Moabites ne sert qu'à transformer d'autant plus efficacement une histoire célébrant la dignité, l'attachement mutuel et l'initiative des femmes en général en une réhabilitation des femmes moabites en particulier.

À propos des Proverbes, nous avons observé que c'est presque invariablement par des femmes de l'étranger que la culture étrangère a pénétré en Israël. Il ne pouvait en aller autrement, compte tenu d'une culture de guerre qui traitait les femmes d'une nation défaite comme un bien et exterminait les hommes. Les femmes étaient porteuses de culture par-delà les frontières des nations du seul fait qu'elles survivaient. Naturellement, elles adoptaient très souvent la culture dans laquelle elles se mariaient, mais dans quelle mesure ont-elles jamais été convaincantes dans ce rôle ? Après la séduction de Loth, l'autre pan de l'histoire ou de la légende israélite mettant en scène des femmes moabites est l'infâme orgie impliquant le Baal de Péor, lorsque Pinhas gagna la faveur du SEIGNEUR en transperçant d'un seul coup de lance un Israélite qui copulait avec une prêtresse-prostituée moabite (Nb 25). Telle est, en général, l'image de la femme moabite : idolâtre, prostituée, suborneuse d'hommes plus âgés.

À tout ceci, l'auteur très certainement féminin et peut-être moabite du Livre de Ruth répond en célébrant l'amour chaste de Ruth pour sa belle-mère et son ardente fidélité au SEIGNEUR d'Israël, puis en suggérant, finalement, que tout amour entre une jeune femme et un homme plus âgé n'est pas débauche. Mais qu'en pense Dieu ? Également sujets de la Perse après la chute de Babylone, Juifs et Moabites n'eussent pas été en position de s'exterminer ; mais ils étaient certainement à même de consentir à des mariages mixtes. De toute évidence, l'auteur du Livre de Ruth n'est pas hostile aux unions de cette nature. Toutefois, s'exprimant par la bouche de Malachie, le dernier des prophètes, le SEIGNEUR signifia clairement son désaccord avec son point de vue quand il déclara :

> Juda a trahi. Une abomination a été commise en Israël et à Jérusalem. Oui, Juda a profané le lieu saint cher au SEIGNEUR, en épousant la fille d'un Dieu étranger. L'homme qui agit ainsi, que le SEIGNEUR lui retranche fils et famille des tentes de Jacob, et même

celui qui présente l'offrande au SEIGNEUR, le tout-puissant. (Ml 2, 11-12)

Dans Ruth, le peuple de Bethléem invoque le SEIGNEUR contre le SEIGNEUR et compare la Moabite aux plus grands noms d'entre les femmes israélites, lorsqu'il déclare à Booz le jour de ses noces :

> « Que le SEIGNEUR rende la femme qui entre dans ta maison comme Rachel et comme Léa qui ont bâti, elles deux, la maison d'Israël. Fais fortune en Éphrata et proclame un nom en Bethléem : qu'ainsi, par la descendance que le SEIGNEUR te donnera de cette jeune femme, ta maison soit comme la maison de Pèrèç que Tamar enfanta à Juda ! » (Rt 4, 11-12)

Non sans audace, le peuple fait publiquement allusion à une autre veuve non israélite, Tamar, qui, plutôt que de rester sans enfant, séduisit Juda, son beau-père.

On pourrait tout à fait voir, dans cette caractérisation implicite du SEIGNEUR comme un Dieu qui approuve les mariages mixtes, une nouvelle étape dans le développement de son personnage. Ce qui en ferait un moment de changement de caractère pour lui en même temps qu'un changement de discipline, si l'on peut dire, pour Israël, c'est que cela le ramènerait à la bienveillance universelle envers la fécondité humaine qu'exprimait son « Soyez féconds et prolifiques » des origines. Si cette bienveillance est de retour, il semblerait que le SEIGNEUR ait gagné un round contre le destructeur qui est dans son personnage. Mais une telle lecture serait abuser d'une technique légitime. Bien entendu, un personnage peut toujours être caractérisé en son absence par ceux qui ont commerce avec lui. Mais on n'a pas, dans le Livre de Ruth, les copieuses caractérisations du SEIGNEUR que l'on trouve dans les Psaumes ou dans les longs discours véhéments de Job. Même dans les Proverbes, et malgré son caractère fréquemment profane et son éloignement des soucis propres à Israël, le texte assigne au SEIGNEUR un rôle clair et incontestablement nouveau.

En vérité, le Livre de Ruth ne prête qu'une attention des plus modestes au SEIGNEUR Dieu. Il se préoccupe bien davantage d'un changement touchant la dignité et le respect mutuel des femmes. La polémique sous-jacente sur la décence et l'orthodoxie des étrangères ne se traduit pas sans mal en constat de la plus grande tolérance de Dieu envers elles. Que le SEIGNEUR Dieu soit tolérant ou intolérant, il est, s'agissant de l'action de cette histoire, presque oisif. Dans la distribution des personnages du Livre de Ruth, il est un passant. Par routine, on lui attribue des issues heureuses ou malheureuses, on formule des bons vœux en se référant à lui, mais les références, les déclarations, paraissent de pure forme. Le SEIGNEUR Dieu, on l'a vu, ne dit rien ; et, à toutes fins utiles, il ne fait rien non plus.

RECLUS

« Tu te retranches dans ton nuage »

LAMENTATIONS

Beaucoup de journalistes, sinon la plupart, ont eu l'occasion d'assister à une conférence de presse dont la vedette — le président, dirons-nous — n'arrive jamais. La concentration et la dissipation d'énergie avant et après un non-événement de ce genre sont riches en enseignements. À quel moment précis le grand homme commence-t-il à ne pas arriver ? À quel moment sa non-arrivée est-elle pleinement accomplie ? Au départ, l'observateur sent une attention soutenue, une présence à l'absence, une focalisation émotionnelle et physique sur la place éclairée que le président va occuper sous l'œil de la caméra. Et puis... le relâchement de cette même énergie, la fébrilité croissante et le léger désarroi physique de la foule, les têtes qui se tournent, quelqu'un qui se lève à moitié, salue peut-être, puis les voix qui s'élèvent au-dessus du murmure d'abord respectueux, et enfin le mince filet qui se mue en flot de départs tandis que la présence absente devient une absence présente.

Un climat transitoire de ce genre imprègne les six livres qui suivent le Livre de Job dans le canon juif : le Cantique des cantiques, Ruth, les Lamentations, l'Ecclésiaste, Esther et Daniel. Au figuré, le Cantique des cantiques est un couple de journalistes énamourés l'un de l'autre au point d'oublier ce qui se passe autour d'eux ; Ruth est une merveilleuse histoire qu'une élégante au teint passablement basané, toujours assise, raconte à une autre femme tout en gardant un œil distrait sur la porte au cas où le président finirait tout de même par arriver ; l'Ecclésiaste est un vieil éditorialiste qui se prend pour le doyen de sa profession et qui saisit l'occasion de se mettre en avant un peu trop bruyamment, dans une veine qu'il veut cynique mais qui, à plus d'un, paraît simplement confuse ; Esther est une bouillante journaliste de la presse écrite, plus soucieuse de remettre les gens de télévision à leur place que de tout ce que le président a jamais dit ou dira ; Daniel est un jeune gauchiste un peu trouble auquel la rumeur prête des contacts privés avec le président.

Voilà qui est fort intéressant. Sur chacun de ces journalistes, on pourrait écrire un livre. Et pourtant, qu'en est-il du gouvernement ? Et qu'en est-il de ceux qui se soucient encore de ce que le président pourrait dire, qui pensent encore que ce que le président fera ou ne fera pas est d'une immense importance ?

Imaginez les Lamentations sous les traits d'un journaliste à la mine sombre assis au premier rang, son bloc-notes sur les genoux, et dans la poche de sa veste un magnétophone miniature qui se déclenche au son de la voix : l'absence du président l'attriste bien davantage qu'elle ne l'irrite ou qu'elle ne l'incline à passer à autre chose. *Comment pouvez-vous prendre tout ceci avec autant de légèreté ?* songe-t-il en pensant à la nonchalance de ses confrères. *Tout fout le camp !*

Les Lamentations forment un mini-psautier de cinq chapitres seulement, tout entier consacré à pleurer la destruction du temple de Jérusalem. Nulle part on ne retrouve ici le ton de défi qu'on entend à l'occasion dans le Livre des Psaumes et qui débouche sur un genre de guerre entre Dieu et un homme dans le Livre de Job. L'auteur, que nous pouvons appeler l'Élégiste, plaide coupable au nom d'Israël. Le SEIGNEUR, insiste-t-il, a maintes fois averti Israël que tel serait le résultat d'une apostasie nationale. La nation a quand même apostasié. Le SEIGNEUR a tenu parole :

> Le SEIGNEUR fait ce qu'il a projeté ;
> il accomplit sa parole
> qu'il a mandée depuis les jours de l'ancien temps ;
> il démolit sans pitié.
> Il fait exulter l'ennemi à tes dépens ;
> il rehausse la puissance de tes adversaires. (Lm 2, 17)

Les Lamentations empruntent l'imagerie du Serviteur souffrant du Second Ésaïe pour la mêler à un langage plaintif qui rappelle Job. Le premier vers du chapitre 3 rappelle l'« homme de souffrance » d'Ésaïe, tout comme un peu plus tard l'allusion à la chair et à la peau rongée de l'auteur rappelle Job :

> Je suis l'homme qui voit l'humiliation
> sous son bâton déchaîné ;
> c'est moi qu'il emmène et fait marcher
> dans la ténèbre et non dans la lumière ;
> oui, contre moi il recommence à tourner
> son poing toute la journée.

> Il ronge ma chair et ma peau,
> il brise mes os ;
> il amoncelle contre moi et il met tout autour
> poison et difficulté ;
> dans les ténèbres il me fait habiter
> comme les morts de la nuit des temps.
>
> Il m'emmure pour que je ne sorte pas ;
> il alourdit ma chaîne.
> J'ai beau crier et appeler au secours,
> il étouffe ma prière.
> Il mure mes chemins avec des pierres de taille ;
> il brouille mes sentiers. (3, 1-9)

Mais les versets intermédiaires du même long poème, qui suit l'ordre alphabétique hébreu à raison d'un verset pour chaque lettre, offrent une explication claire de ce qui s'est passé et du pourquoi ; même pour ce qui est des souffrances individuelles, tout fait partie des desseins du SEIGNEUR :

> Il est bon d'espérer en silence
> le salut du SEIGNEUR ;
> il est bon pour l'homme de porter
> le joug dans sa jeunesse.
>
> Il doit s'asseoir à l'écart et se taire
> quand le SEIGNEUR le lui impose ;
> mettre sa bouche dans la poussière
> — il y a peut-être de l'espoir ! —
> tendre la joue à qui le frappe ;
> être saturé d'insultes.
>
> Car le Seigneur
> ne rejettera pas pour toujours ;
> car s'il afflige, il est plein de tendresse,
> selon sa grande bonté. (3, 26-32)

Ce qui est remarquable, dans les Lamentations, c'est cette juxtaposition d'un atroce sentiment de perte et de l'aveu impassible que la perte était méritée, et, pour finir, d'un appel à la vengeance empreint d'une confiance désespérée contre ceux qui ont infligé le châtiment mérité :

> Tu leur rendras la pareille, SEIGNEUR,
> selon leurs actions ;
> tu vas les hébéter :
> sur eux sera ta malédiction !
> Plein de colère, tu les persécuteras et les extirperas
> de dessous les cieux du SEIGNEUR. (3, 64-66)

Bien que Dieu ait fait de leur péché son instrument, il reste un péché.

Psychologiquement, l'Élégiste est encore pleinement présent au SEIGNEUR, encore profondément engagé dans la problématique traditionnelle du péché d'Israël et de la réconciliation et, à travers la douleur, il refuse encore de désespérer d'une grande intervention divine. Il y a de l'intégrité aussi bien que du pathétique dans cette position. L'auteur refuse de souffrir simplement : il entend souffrir en tant que Juif. Ce qui advient n'advient pas simplement : tout fait partie d'une transaction inaperçue. Pour en faire cela, il doit en faire le résultat de ses péchés et des péchés de la nation. Cela fait, libre à lui de croire ensuite que le SEIGNEUR peut y mettre fin et le fera, alors même que, comme il le dit :

> Tu te retranches dans la colère et tu nous persécutes,
> tu massacres sans pitié ;
> tu te retranches dans ton nuage [2]
> pour que la prière ne passe pas. (3, 43-44)

Pour le lecteur qui aborde les Lamentations à ce point du Tanakh, il est malheureusement une autre espèce de pathétique. À travers l'impression de première main péniblement vive que procurent ses descriptions, le Livre des Lamentations est censé avoir été dit après la chute de Jérusalem et avant la restauration. Autrement dit, au temps de son auteur imaginé, l'Élégiste essuie de plein fouet l'impact de la destruction de la ville et du cruel début de la captivité et de l'oppression nationales. Mais aussi horrible que fût cette époque, elle fut éclairée par l'espoir d'une grande restauration. La restauration s'est maintenant produite et, tristement, ce que déplorait l'Élégiste se poursuit très largement, y compris, si l'on en croit le témoignage des prophètes d'après l'exil, la soumission, la pénurie et un douloureux sentiment de perte. Le lecteur sait ce que l'Élégiste paraît ignorer, à savoir que même après la restauration Jérusalem pouvait encore dire :

> Des esclaves dominent sur nous :
> personne pour nous arracher de leurs mains !
> Nous faisons rentrer notre pain au péril de notre vie,
> à cause des brigands de la steppe.
> Notre peau est fiévreuse comme au four
> à cause des affres de la faim. (5, 8-10)

Cette connaissance ramène au-devant de la scène la question du silence de Dieu et bousculerait la nouvelle synthèse qui semblait presque accomplie dans le Livre des Psaumes même si le Livre de Job ne l'avait point bousculée d'une autre manière.

Sans être absents des Psaumes, des propos comme ceux de l'Élégiste sur le triste état de la nation étaient rares. Le SEIGNEUR des cieux magnifiques et de la loi merveilleuse était devenu l'intime de l'âme et le fondement solide de la prospérité familiale. La toile de fond de la contemplation de la Tora/Sagesse était de plus en plus la splendeur de la nature, plutôt que la gloire de l'histoire israélite. Et sur cette toile de fond, les soucis personnels et familiaux semblaient largement avoir remplacé l'espoir antérieur d'une authentique et massive justification nationale. En conséquence, les conditions de vie des Juifs en marge de tout changement de grande ampleur étaient supportables. À l'Élégiste, cependant, elles paraissent tout à fait insupportables. Et peu importe qui a raison, le SEIGNEUR garde le silence. Aucune autre réponse, aucune réponse meilleure ne paraît imminente. Pour en revenir à notre comparaison prosaïque, dans la salle où devait se dérouler la conférence de presse présidentielle, voici qu'on plie les sièges et qu'on retire les drapeaux, presque comme si l'on craignait de déranger le dernier authentique journaliste encore en place, le seul assis si tranquille et si droit, son bloc-notes sur les genoux et son crayon à la main, refusant d'abandonner tout espoir, refusant d'entendre le silence.

ÉNIGME

« Qui donc pourra réparer ce qu'il a courbé ? »

ECCLÉSIASTE

Le mot grec *ekklesiastes*, qui traduit l'hébreu *qohelet,* signifie « membre d'une assemblée » ou « assembleur », et peut désigner soit un rassemblement d'êtres humains, soit des propos réunis dans un livre. Comme le Livre des Proverbes, le Livre de l'Ecclésiaste contient à la fois de longs discours et des propos brefs ; et comme les Proverbes, l'Ecclésiaste offre des dictons dans un sens ou dans l'autre sur bon nombre de questions. La sagesse populaire, en effet, est généralement peu systématique et contradictoire. À chaque « Regarde avant de sauter », répond un « Hésite et tu es perdu ». Ainsi, en 3, 19-21, l'Ecclésiaste dit :

> Car le sort des fils d'Adam, c'est le sort de la bête,
> c'est un sort identique :
> telle la mort de celle-ci, telle la mort de ceux-là,
> ils ont tous un souffle identique :
> la supériorité de l'homme sur la bête est nulle,
> car tout est vanité.

> Tout va vers un lieu unique,
> tout vient de la poussière
> et tout retourne à la poussière.
> Qui connaît le souffle des fils d'Adam
> qui monte, lui, vers le haut,
> tandis que le souffle des bêtes
> descend vers le bas, vers la terre ?

Mais en 12, 7, il dit, en conclusion d'un poème mélancolique sur le naufrage de la vieillesse :

> La poussière [...] retourne à la terre, selon ce qu'elle était,
> et [...] le souffle [...] retourne à Dieu qui l'avait donné.

Pour ce qui est des conseils pratiques sur la manière de vivre sa

362

vie, l'Ecclésiaste est également partagé. La première citation précédente aboutit à cette conclusion pratique :

> Je vois qu'il n'y a rien de mieux pour l'homme
> que de jouir de ses œuvres, car telle est sa part.
> Qui en effet l'emmènera voir ce qui sera après lui ? (Qo 3, 22)

Ailleurs, pourtant, évoquant ses efforts pour jouir de ce qu'il possède, il dit :

> Mais je me suis tourné vers toutes les œuvres
> qu'avaient faites mes mains
> et vers le travail que j'avais eu tant de mal à faire.
> Eh bien ! tout cela est vanité et poursuite de vent,
> on n'en a aucun profit sous le soleil.
>
> Je me suis aussi tourné, pour les considérer,
> vers sagesse, folie et sottise.
> Voyons ! que sera l'homme qui viendra après le roi ?
> Ce qu'on aura déjà fait de lui ! (2, 11-12)

Toutefois, l'Ecclésiaste est plus qu'un philosophe de Café du Commerce. Son inconséquence n'est pas simplement l'inconséquence de la sagesse populaire, qui est toujours *ad hoc* et qui a besoin d'être complétée au gré de la situation particulière à laquelle on applique ses richesses. Plus exactement, c'est un proto-philosophe, un chercheur de sagesse, qui a considéré avec scepticisme nombre des poursuites ordinaires de l'humanité et s'est mis à considérer avec scepticisme la sagesse traditionnelle elle-même, sans exclure ce genre bien particulier de sagesse qui tâche de faire face au scepticisme en se rabattant sur cette activité soi-disant sous-philosophique qui consiste à simplement vivre sa vie. Certains discours de l'Ecclésiaste trahissent une résignation tranquille et séduisante, mais il juge ses propres discours futiles, et l'on croit qu'il ne feint pas son abomination assez souvent exprimée de la vie (2, 17).

Pour ce qui est de Dieu, on peut dire qu'ici aussi, certes, l'Ecclésiaste est partagé, mais il a clairement commencé à remettre en cause ce qu'on pourrait appeler les prémisses cachées du monothéisme juif. La notion de récompense comme récompense, quoi qu'il advienne, de l'action humaine — qu'il s'agisse d'une récompense de l'alliance ou simplement de la récompense de la diligence — est gravement compromise par la notion quasi platonicienne de prescience divine totale de l'éternel retour d'un même cycle d'événements :

> Je sais que tout ce que fait Dieu, cela durera toujours ;
> il n'y a rien à y ajouter, ni rien à en retrancher,
> et Dieu fait en sorte qu'on ait de la crainte devant sa face.

Ce qui est a déjà été, et ce qui sera a déjà été,
et Dieu va rechercher ce qui a disparu.

J'ai encore vu sous le soleil
qu'au siège du jugement, là était la méchanceté,
et qu'au siège de la justice, là était la méchanceté.
Je me suis dit en moi-même :
Dieu jugera le juste et le méchant,
car il y a là un temps
pour chaque chose et pour chaque action. (3, 14-17)

Si tout cela a un ton fataliste, il faut observer que le fatalisme a ses consolations. En 9, 7, l'Ecclésiaste écrit : « Va, mange avec joie ton pain et bois de bon cœur ton vin, car déjà Dieu a agréé tes œuvres. » (Ce qui donne dans la King James Version : « Va ton chemin, mange ton pain avec joie, et bois ton vin d'un cœur allègre », ce qui rend bien la bonhomie du verset.)

Si le non-retour du temps est un des présupposés de la croyance en Dieu dans le Tanakh, l'interdépendance des générations en est un autre. L'abondance de la descendance constitue une récompense aux yeux du Deutéronomiste, et pour tous les auteurs plus anciens, les autres récompenses — ainsi que les châtiments — qui pleuvent sur sa descendance valent aussi pour soi. L'Ecclésiaste a une vision des choses bien plus moderne et individualiste, pour ne pas dire un tantinet envieuse. Tu ne l'emporteras pas avec toi, et si tu dois le laisser derrière, à quoi bon ?

Il y a un mal que j'ai vu sous le soleil,
et il est immense pour l'humanité.
Soit un homme à qui Dieu donne richesse, ressources et gloire,
à qui rien ne manque pour lui-même de tout ce qu'il désire,
mais à qui Dieu ne laisse pas la faculté d'en manger,
car c'est quelqu'un d'étranger qui le mange :
cela aussi est vanité et mal affligeant.

Soit un homme qui engendre cent fois
et vit de nombreuses années,
mais qui, si nombreux soient les jours de ses années,
ne se rassasie pas de bonheur
et n'a même pas de sépulture.
Je dis : L'avorton vaut mieux que lui. (6, 1-3)

À cet égard, il est frappant de comparer la vision de l'Ecclésiaste avec celle de Job. Elle commence par faire écho à son langage avant de s'engager dans sa direction singulière :

Comme il est sorti du sein de sa mère,
nu, il s'en retournera comme il était venu :

il n'a rien retiré de son travail
qu'il puisse emporter avec lui.
Et cela est aussi un mal affligeant
qu'il s'en aille ainsi qu'il était venu :
quel profit pour lui d'avoir travaillé pour du vent ? (5, 14-15)

Le « sorti nu... » de Job se terminait par « Que le nom du SEIGNEUR soit béni ! » Ce n'est plus le cas dans l'Ecclésiaste.

L'Ecclésiaste ne maudit ni ne bénit Dieu, il se contente de le trouver incompréhensible et fait de son mieux pour couvrir tous ses paris, y compris tout pari sur la sagesse ou la justice :

Regarde l'œuvre de Dieu :
qui donc pourra réparer ce qu'il a courbé ?
Au jour du bonheur, sois heureux,
et au jour du malheur, regarde :
celui-ci autant que celui-là, Dieu les a faits ;
en conséquence, l'homme ne peut
le prendre en défaut*.

Dans ma vaine existence, j'ai tout vu :
un juste qui se perd par sa justice,
un méchant qui survit par sa malice.
Ne sois pas juste à l'excès,
ne te fais pas trop sage ;
pourquoi te détruire ?
Ne fais pas trop le méchant
et ne deviens pas insensé ;
pourquoi mourir avant ton temps ?

Il est bon que tu tiennes à ceci
sans laisser ta main lâcher cela.
Car celui qui craint Dieu
fera aboutir l'une et l'autre chose. (7, 13-18)

Ici aussi, il est révélateur de comparer l'Ecclésiaste à Job, qui disait à sa femme, « Nous acceptons le bonheur comme un don de Dieu. Et le malheur, pourquoi ne l'accepterions-nous pas aussi ? » (Jb 2, 10), ce qui ne l'empêchait certainement pas, ensuite, de « le prendre en défaut ». L'idée scandaleuse que Dieu est tout à la fois ami et ennemi, créateur et destructeur, est avancée ici comme en passant, comme si elle ne tenait guère plus que du sens commun théologique, du moins si nous suivons la traduction de la Jewish

---

* Nous avons modifié la traduction de la TOB conformément à la solution retenue par Jack Miles, remplaçant « de façon que l'homme ne puisse rien découvrir de ce qui sera après lui » par « en conséquence, l'homme ne peut le prendre en défaut ». *(N.d.T.)*

Publication Society à la suite du commentateur médiéval Rachi. Les mots traduits par « en conséquence, l'homme ne peut le prendre en défaut » sont rendus par « afin que l'homme ne trouve rien derrière soi » dans la Bible de Jérusalem, et « en sorte que les mortels ne puissent rien découvrir de ce qui viendra après eux » dans la New Revised Standard Version. La lecture de Rachi est tout à la fois plus pieuse et plus audacieuse que ces versions plus modernes.

Le conseil de l'Ecclésiaste — sois bon mais pas *trop* bon, sois habile mais pas *trop* — est le bon sens éthique qu'il tire de son bon sens théologique. De l'aveu le plus large des exégètes, l'Ecclésiaste est le mouton noir, le livre qui normalement n'aurait pas dû figurer dans le canon. Plus encore que Job, c'est une espèce d'inversion de tout ce qui s'est produit avant. Pourtant, un passage tel que celui-ci est probablement plus proche de ce que les parents ont enseigné à leurs enfants, y compris les parents juifs et chrétiens qui vont à la synagogue ou à l'église avec leurs enfants depuis des millénaires. L'Ecclésiaste est le Polonius de la Bible [*].

Mais Dieu a-t-il quelque chose à dire de ce scepticisme blasé concernant sa justice et sa maîtrise du cours des événements ? Le ciel va-t-il s'assombrir d'un autre ouragan, va-t-on entendre à nouveau cette voix tonitruante ?

> Qui est celui qui dénigre la providence
> par des discours insensés ? (Jb 38, 2)

Non, Dieu laisse passer l'Ecclésiaste en silence, de même que l'Ecclésiaste laisse généralement passer Dieu en silence. Les versets les plus connus de l'Ecclésiaste comptent parmi les plus célèbres de toute la Bible :

> Je vois encore sous le soleil
> que la course n'appartient pas aux plus robustes,
> ni la bataille aux plus forts,
> ni le pain aux plus sages,
> ni la richesse aux plus intelligents,
> ni la faveur aux plus savants,
> car à tous leur arrivent heur et malheur.
>
> En effet, l'homme ne connaît pas plus son heure
> que les poissons qui se font prendre au filet de malheur,
> que les passereaux pris au piège.
> Ainsi les fils d'Adam sont surpris par le malheur
> quand il tombe sur eux à l'improviste. (Qo 9, 11-12)

---

[*] Voir *Hamlet*, acte I, scène 3, les conseils de Polonius, le chambellan, à son fils Laertes : « Sois familier, mais nullement vulgaire... etc. » *(N.d.T.)*

On ne saurait imaginer vision du monde plus séculière que celle que présentent ces versets. Que la course ne soit pas au plus rapide est un genre de version infra-morale, aux enjeux modestes, de la complainte juive que font entendre les Psaumes : les justes souffrent, les méchants sont récompensés. Ce que l'Ecclésiaste renverse avec sa sombre éloquence, ce n'est pas l'alliance entre Israël et Dieu, mais la vision des Proverbes : à tout effort (du moins en général), sa récompense (« Va vers la fourmi... »). Et le vers qui suit aussitôt — où la mort n'est pas vue comme le lot commun à la fin de la vie, mais comme un piège soudain et cruel au milieu de la vie — n'est pas non plus une attaque des croyances religieuses. Tout comme l'auteur de Job, l'Ecclésiaste ne prend pas pour cible les traditions propres à Israël, mais le fonds commun de la sagesse proche-orientale. Toutefois, il diffère sensiblement de Job en ce que même Dieu ne lui paraît pas être un sujet d'une importance capitale. Et si Dieu en disconvient, il n'en dit rien.

12

Incorporation

À quel stade le sentiment d'une pause débouche-t-il sur une impression de fin ? Le Livre de Job est l'apogée du Tanakh en même temps que le point d'orgue dans la biographie de Dieu. Les livres qui suivent — le Cantique des cantiques, Ruth, les Lamentations et l'Ecclésiaste — sont en effet un dénouement. Dans un drame, une fois fondamentalement résolu le conflit que le dramaturge a créé, suit toujours un autre dénouement, une ultime recomposition, avant que la pièce ne trouve une fin satisfaisante. Au moins faut-il laisser passer un peu de temps pour que soit assimilé l'impact de l'apogée.

C'est en ce sens que les quatre livres étudiés dans le chapitre 11 ont la fonction d'un dénouement. À l'occasion, il est en effet des points de contact entre eux et le Livre de Job : le ton angoissé des Lamentations, la résignation de l'Ecclésiaste et quelques autres. Mais l'écheveau dans lequel Job et Dieu se trouvent pris n'en est pas démêlé pour autant. S'ils permettent un dénouement, c'est avant tout en ménageant une pause entre le Livre de Job et les livres qui terminent le Tanakh. Ils changent de sujet. Ils marquent le temps. Ils bercent.

Puis l'impression de pause débouche sur autre chose, une impression fugitive mais finalement envahissante de mouvement et d'aboutissement. La biographie de Dieu, on l'a vu, a plusieurs commencements. Dieu, *'elohim*, crée le monde d'une manière ; le SEIGNEUR, *yahweh*, d'une autre. Mais n'était le récit de la création, le Tanakh aurait pu commencer avec Noé ; n'était le récit du déluge, il aurait pu commencer avec Abraham ; n'était l'alliance patriarcale, alors avec Moïse. Dans les livres que nous abordons maintenant, le Tanakh, avec ses multiples commencements, trouve de multiples fins. À chaque fois, la vie de Dieu touche à sa fin, sans que jamais il ne meure.

En gardant l'objectif braqué sur lui, on peut dire qu'il s'efface ; mais en ouvrant un peu le diaphragme, on peut dire qu'il est incorporé à la nation juive. Dans la théologie chrétienne, l'acte par lequel Dieu est devenu un homme sous le nom de Jésus-Christ est appelé l'incarnation — du latin *carnis* qui veut dire « chair ». L'esprit de Dieu est devenu chair en la personne de Jésus. L'incorporation — du latin *corpus*, « corps » — est un concept similaire, mais qui n'est pas porteur d'un pareil poids théologique : le judaïsme ne revendique même pas pour la nation juive dans son ensemble la relation avec Dieu que le christianisme revendique pour Jésus.

Néanmoins, toute spéculation théologique mise à part, il semble que dans les Livres d'Esther, de Daniel, d'Esdras, de Néhémie et des Chroniques s'opère un transfert pragmatique de fonctions et d'attentes. Des actions que Dieu aurait jadis accomplies au nom des Juifs, des propos qu'il leur aurait adressés, voici qu'ils les accomplissent et qu'ils les tiennent eux-mêmes. Dieu est encore Dieu, et le seul Dieu. Ils ne sont encore rien de plus que des êtres humains. Et pourtant, d'une étrange manière, lui et eux s'échangent leurs rôles.

ABSENCE

« Il leur avait révélé qu'il était juif »

ESTHER

La transformation de la religion de l'antique Israël en judaïsme, et de la nation d'Israël en communauté juive mondiale, n'est pas le sujet de ce livre, et, en tout état de cause, seules les toutes premières étapes de ce processus sont consignées dans la Bible. Les livres d'Esther et de Daniel, qui ne contiennent aucune chronique historique que ce soit, n'en présentent pas moins tous deux un intérêt pour les historiens comme témoignages du changement de la conscience nationale. Ils racontent, respectivement, l'histoire d'une femme et d'un homme qui se distinguent à la cour impériale d'un empire dans lequel les Juifs ne sont qu'un peuple parmi d'autres. Esther, qui devient reine de l'empire perse, use de son pouvoir pour armer les Juifs contre leurs ennemis. Daniel, qui devient courtisan, conseiller et « magicien en chef » auprès du roi de Babylone, triomphe lui aussi dans la violence, quoique de justesse, de ses ennemis avant d'avoir une série de visions apocalyptiques dans lesquelles Babylone et les empires successifs sont détruits tandis que sa nation triomphe.

Bien que l'attitude d'Esther envers l'empire perse soit bien plus clémente que celle de Daniel envers les empires babylonien, perse et grec, les deux livres tiennent les empires pour un fait acquis. Et dans les deux livres, le schéma qui se reproduira d'innombrables fois en deux mille cinq cents ans d'histoire juive est déjà opératoire. Dans cette configuration, les Juifs forment une minorité identifiable et vulnérable, que d'aucuns haïssent, mais prospèrent par leur talent (Esther par sa beauté, Daniel par son brio) et leur intégrité. Leur survie dépend de leur empressement à prendre des risques les uns pour les autres, de leur habileté à obtenir la protection des plus hautes instances, et de leur aptitude à déterminer de façon opportune le cours probable des événements — en particulier des événements dangereux. La fidélité à la religion juive n'est pas toujours un élément obligé de l'identité ni de l'autodéfense juives.

371

À peine moins remarquable que le Livre de l'Ecclésiaste pour son inclusion dans la Bible, le Livre d'Esther marque une sorte d'extrême dans la séparation de la destinée et de la religion juives. Dieu n'est pas mentionné dans ce livre ; et lorsqu'il y est question des Juifs comme d'une minorité distincte au sein de l'empire perse, leur religion ne l'est pas davantage, fût-ce comme un trait secondaire de leur identité. Ils ne sont qu'un groupe ethnique, et le Livre d'Esther retrace un épisode triomphal de leur histoire. La reine de Perse a bafoué son mari, et le roi a décidé de prendre une nouvelle épouse. Les plus belles jeunes filles du royaume sont conduites à Suse-la-citadelle, la capitale. Esther, orpheline adoptée par son cousin Mardochée, est celle qui lui plaît le plus et devient reine. Qu'elle la dissimule au roi Xerxès laisse penser que son identité juive est un handicap, mais elle n'a aucune componction à l'idée d'épouser un Perse, et visiblement elle ne fait aucun effort pour pratiquer sa religion, fût-ce secrètement. Pendant ce temps — c'est la seconde intrigue du livre —, Mardochée décline de s'agenouiller ou de se prosterner devant Haman, qui vient d'être promu au-dessus de tous les ministres et qui jouit de cet hommage en vertu d'un édit royal. Les courtisans importunent Mardochée — qui vient de sauver le roi d'un assassinat en alertant Esther — pour le forcer à obtempérer, mais « il leur avait révélé qu'il était juif » ; on chercherait en vain dans ce livre allusion plus directe à un engagement religieux ou à Dieu.

Haman explique alors à Xerxès :

> « Il y a un peuple particulier, dispersé et séparé [« est dispersé un peuple à part », suivant la traduction de la Bible de Jérusalem] au milieu des peuples dans toutes les provinces de ton royaume. Leurs lois sont différentes de celles de tout peuple et ils n'exécutent pas les lois royales. Le roi n'a pas intérêt à les laisser tranquilles. S'il plaît au roi, on écrira pour les anéantir. Et je compterai dix mille pièces d'argent entre les mains des fonctionnaires pour les faire rentrer au Trésor. » (Est 3, 8-9)

Haman se procurera vraisemblablement cet argent en pillant les Juifs qui seront massacrés. Parmi les Juifs, la réaction à cet édit est remarquable :

> Apprenant tout ce qui s'était passé, Mardochée déchira ses habits ; il se revêtit d'un sac et de cendre. [...]
> Or, en chaque province où l'ordonnance du roi et son décret étaient parvenus, c'était un grand deuil pour les Juifs : jeûne, larmes, lamentations ; sac et cendre étaient le lit de beaucoup. (4, 1-3)

Jeûne, sac et cendre étaient parfois des signes de repentir dans l'ancien Israël, mais Mardochée ne signale aucun péché ; il n'invite pas les Juifs au repentir, pas plus qu'il ne parle du décret royal comme d'un acte de Dieu. Jeûne, sac et cendre étaient aussi des signes de deuil, et apparemment ils ne sont rien de plus dans ce cas. Enfin, on pouvait aussi y recourir en conjonction avec la prière dans les temps de crise personnelle ou, surtout, de grande crise nationale. Or, omission saisissante, ni Mardochée ni aucun des Juifs qui craignent désormais pour leur vie n'invoquent le SEIGNEUR en prières.

L'omission est d'autant plus stupéfiante que ce décret d'extermination ressemble à s'y méprendre au décret antérieur du Pharaon contre les enfants mâles des Israélites. Que les Israélites d'Égypte aient sciemment ou non invoqué Dieu dans leurs cris, « leur appel à l'aide s'éleva jusqu'à Dieu » : il l'entendit et vint à leur secours. Le cri des Juifs de Perse ne s'élève pas jusqu'à Dieu, Dieu n'agit pas en leur nom, et ils ne laissent paraître aucun signe qu'ils attendent cela de lui.

Au contraire, c'est par leur courage et leurs ressources qu'ils se tirent du péril. Alors qu'Esther redoute d'aller près du roi sans être appelée — crime capital contre les règles de la cour —, Mardochée la presse :

> « Ne t'imagine pas qu'étant dans le palais, à la différence de tous les Juifs tu en réchapperas. Car si en cette occasion tu persistes à te taire, soulagement et délivrance surgiront pour les Juifs d'un autre endroit, tandis que toi et ta famille vous serez anéantis. Or, qui sait ? Si c'était pour une occasion comme celle-ci que tu es arrivée à la royauté... ? » (4, 13-14)

Le conseil de Mardochée à Esther est énergique mais matériel, tout comme le conseil plus général de l'Ecclésiaste sur le même point :

> Deux hommes valent mieux qu'un seul,
> car ils ont un bon salaire pour leur travail.
> En effet, s'ils tombent, l'un relève l'autre.
> Mais malheur à celui qui est seul !
> S'il tombe, il n'a pas de second pour le relever.
> De plus, s'ils couchent à deux, ils ont chaud,
> mais celui qui est seul, comment se réchauffera-t-il ?
> Et si quelqu'un vient à bout de celui qui est seul,
> deux lui tiendront tête ;
> un fil triple ne rompt pas vite. (Qo 4, 9-12)

L'Ecclésiaste, on l'a vu, se réfère souvent à Dieu, même s'il le fait distraitement ; Esther jamais. Mais nous pouvons imaginer que dans des circonstances pareilles à celles décrites dans le Livre d'Esther, l'Ecclésiaste se conduirait plus ou moins comme Esther et

Mardochée. Lui non plus ne passerait guère de temps à parler à Dieu ou de lui. Certains passages de l'Ecclésiaste se lisent en fait comme des conseils un peu blasés à un courtisan :

> Ne maudis pas le roi en ton for intérieur,
> ne maudis pas le riche même en ta chambre à coucher,
> car l'oiseau du ciel en emporte le bruit,
> et la bête ailée fera connaître ce qu'on dit. (Qo 10, 20)

Un petit oiseau m'a raconté....., comme dit le proverbe. Le Livre d'Esther est, jusqu'à un certain point, une application pratique du Livre de l'Ecclésiaste.

Esther court le risque auquel la convie Mardochée et gagne gros. Toujours captivé par elle, le roi lui offre la moitié de son royaume. Mais elle préfère le prévenir que Haman prépare l'exécution publique de Mardochée, qui, ainsi que le roi l'a découvert fortuitement dans les archives du palais, l'a naguère mis au courant d'un projet d'assassinat. Esther explique en outre à son mari le plan de Haman pour exterminer les Juifs, qui, révèle-t-elle maintenant, forment le peuple de ses ancêtres. Révolté, le roi donne la fortune de Haman à Mardochée, exécute Haman au gibet même que ce dernier avait fait dresser pour Mardochée, et décrète officiellement un jour d'immunité au cours duquel les Juifs pourront se venger de tous leurs ennemis :

> « Le roi octroie aux Juifs qui sont dans chaque ville de s'unir, de se tenir sur le qui-vive, d'exterminer, de tuer et d'anéantir toute bande armée, d'un peuple ou d'une province, qui les opprimerait, enfants et femmes, et de piller leurs biens, en un seul jour, dans toutes les provinces du roi Xerxès, le 13 du douzième mois, c'est-à-dire "Adar". » (Est 8, 11-12)

Esther demande un deuxième jour, et le roi accède à sa requête. Les Juifs massacrent soixante-quinze mille personnes et « à ceux qui les détestaient, ils firent selon leur bon plaisir » (9, 5). Plus tard, en mémoire de leur délivrance et de cette vengeance, ils créent un banquet de deux jours, les *Pourim,* du mot assyrien *pour,* ou « sort », que Haman avait tiré pour décider que les Juifs mourraient le mois d'Adar : ainsi fut instituée « la célébration annuelle du 14 du mois d'"Adar", ainsi que du 15 — comme jours où les Juifs avaient obtenu de leurs ennemis le repos et mois où il y avait eu pour eux le renversement de situation, le passage du tourment à la joie et du deuil à la fête » (9, 21-22).

L'absence de toute allusion, même rapide, à Dieu dans le Livre d'Esther a suggéré à plus d'un commentateur une exclusion délibérée. La fête des Pourim — ajout tardif au calendrier juif et très probablement emprunté aux Babyloniens avant que le Livre d'Esther ne fût écrit — devint un genre de bacchanales juives : peut-être est-ce pour cela qu'on a jugé préférable d'en tenir à l'écart le nom divin afin de le préserver d'une possible profanation. Suivant cette interprétation, le Livre d'Esther est une fiction historique délibérée, écrite pour le divertissement, et sa violence n'est pas plus déshonorante (sinon moins) que celle des films d'« aventure » à l'américaine dans lesquels le héros fauche avec son fusil mitrailleur des centaines de sales types caricaturaux. En revanche, la traduction des Septante fait référence à Dieu, et, entre autres ajouts substantiels, le Livre d'Esther, dans cette version, compte des prières de Mardochée et d'Esther. Bien que certaines de ces allusions et additions, qui ont pour effet de rendre l'histoire plus digne, à première vue, de figurer dans le Tanakh, aient pu être l'œuvre de Juifs hellénisants de la Diaspora occidentale, d'autres renouent peut-être avec un original hébreu non corrigé ; autrement dit, elles dateraient d'avant que le récit ne fût entièrement expurgé de toute référence à Dieu. Tout ceci demeure de l'ordre de la spéculation historique. Ce qui reste, c'est l'effet activement, plutôt que passivement, séculier du texte hébreu tel qu'il est placé dans le canon juif.

Le Tanakh est un recueil de livres traitant, pour l'essentiel, des liens entre Dieu et Israël. La crise suprême, pour ce qui est de cette relation, s'est produite lorsque Israël a massivement apostasié et que Dieu lui a infligé un châtiment dévastateur sous la forme de la défaite et de l'exil. Inaugurée le jour où il l'a libéré de l'esclavage et d'un génocide imminent en Égypte, leur alliance sembla effectivement toucher à sa fin alors que des envahisseurs étrangers mirent la main sur la terre qu'il leur avait donnée de longue date. C'est à ce point que s'interrompt le récit formel de la relation entre Dieu et Israël, qui va de l'Exode au IIᵉ Livre des Rois. Certes, fût-ce en l'absence de récit, il y a beaucoup de choses à tirer des prophètes de l'exil ou d'avant quant aux espoirs humains et divins d'un nouveau départ ; et beaucoup à tirer également des prophètes d'après l'exil sur le nouveau départ effectif. Pourtant, dans les prophètes comme dans les écrits d'Ésaïe jusqu'à l'Ecclésiaste, on chercherait en vain un récit formel de la vie ultérieure de la nation dans son ensemble. De surcroît, après le dernier prophète (Malachie), le centre d'intérêt a nettement dérivé vers les préoccupations individuelles plutôt que collectives.

Pour toutes ces raisons, la reprise du récit dans Esther, et le fait que le récit repris traite de la destinée collective de la nation dans sa Diaspora, donne à ce livre un indiscutable impact. De toutes les occurrences des mots *Juif* et *les Juifs* dans le Tanakh, la grande majorité se trouve dans ce livre-ci. Dans les livres précédents, les mots correspondants sont *Israélite* et *Israël,* le nom de la nation (et de son ancêtre éponyme) désignant collectivement tous ceux qui y appartenaient. Israël était l'union de douze tribus, dont les Juifs, les fils de Juda. Mais rarement il était fait allusion aux fils de Juda sous le nom de Judaïtes, de Judéens ou de Juifs. Leur nom collectif était celui de *Juda* et il était rarement fait allusion à eux sous un autre nom. Que la reprise du récit de l'histoire nationale coïncide avec ce changement décisif d'autodésignation ne donne que plus d'importance à Esther, le livre de la reprise. Israël est de retour, pourrait-on dire, sous le nom des « Juifs » : il parle encore hébreu, il reste encore impossible de le confondre avec aucune autre nation, mais, chose stupéfiante, il n'a plus son Dieu.

Cette dernière inférence ne serait pas nécessaire si le Livre d'Esther avait une forme un tant soit peu différente : autrement dit, s'il ne s'agissait pas d'une histoire de génocide conjuré, de parodie du mythe même de la fondation de la nation. La force du souvenir de l'Exode, en tant que paradigme de rédemption divine du génocide, est telle que lorsque la menace qui a conduit à l'Exode est à deux doigts de se renouveler, Dieu ne saurait être simplement absent de l'histoire. Son absence ne saurait être neutre. S'il n'intervient pas pour sauver son peuple ou, à tout le moins, si les siens ne vont même pas jusqu'à l'invoquer à l'heure du péril, il semble agressivement congédié de leur histoire. Quelle que soit l'intention du Livre d'Esther, l'effet est celui-là. Il est des familles où certains mots ne peuvent être prononcés. Des années passent sans qu'il soit permis de discuter du pourquoi de cet interdit, mais le silence persiste et « s'entend » à chaque instant. Quelle que soit l'intention du silence sur Dieu dans le Livre d'Esther, tel en est l'effet. Esther et Mardochée ne sont pas Dieu incarné. Pour les appeler ainsi, il faudrait au moins prononcer le mot *Dieu.* Mais ils ne sont pas loin d'être l'action rédemptrice de Dieu incarnée. Sous Xerxès, ils font pour les Juifs ce que le SEIGNEUR a fait pour Israël sous le Pharaon. Ils font ce que l'oint du SEIGNEUR était jadis censé faire pour un Israël restauré. Il va sans dire qu'il n'est pas question de l'oint du SEIGNEUR, du Messie, dans le Livre d'Esther, et que le mot même d'*Israël* ne sort jamais de la bouche des protagonistes.

Littérairement, on associe parfois le Livre d'Esther aux livres de Judith et de Tobit, œuvres originellement écrites en hébreu ou en araméen, mais uniquement conservées dans la traduction grecque des « Septante ». Dans les trois cas, il s'agit de fictions historiques édifiantes sur les Juifs qui vivent sous domination étrangère. Mais dans cette manière de les caractériser, le mot clé est *édifiante,* car l'édification de l'un peut toujours être le scandale d'un autre. Judith et Tobit sont d'une piété bien supérieure à celle d'Esther. Outre la valeur du protagoniste humain, l'aide continue à venir au nom du SEIGNEUR, mais aucun de ces deux livres ne figure dans le canon juif, alors que tel est le cas d'Esther. S'interroger un tant soit peu sur le pourquoi de cet état de faits nous entraînerait trop loin dans l'histoire de la Diaspora juive, mais, à titre de minimum absolu, on ne saurait exclure que le Livre d'Esther ait été précisément inclus parce qu'il n'attend *pas* la rédemption du SEIGNEUR. Quelqu'un, jadis, a fort bien pu l'apprécier justement pour cette raison. Et il est tout à fait frappant de rattacher son autosuffisance à l'autosuffisance de Néhémie, autre Juif perse, qui fait de la défense des Juifs sa responsabilité personnelle, plutôt que celle de Dieu. Les historiens ont raison de lire Esther comme une fiction, et Néhémie comme de l'histoire, mais il existe entre les deux un lien spirituel important.

Cependant, même si personne n'avait goûté Esther pour aucune de ces raisons (et dès le début, il ne devait point manquer d'objections tant juives que chrétiennes), même si l'effet littéraire de sa place est purement accidentel, l'effet demeure. Quand, dans le Livre d'Esther, des méchants complotent contre les Juifs de Suse, et que les Juifs ne prient pas Dieu de les délivrer de l'injustice comme le fait le Psalmiste, quelque chose change. Bien que les Juifs soient accablés et presque paniqués par la menace qui pèse sur leur vie, leur sentiment d'accablement s'arrête aux êtres humains concernés, et leur sentiment de panique ne les empêche pas d'agir de manière décisive et autonome. Cela aussi change quelque chose. « De l'Inde à la Nubie », l'étendue de l'empire de Xerxès suivant le Livre d'Esther, les Juifs sont devenus, pour ainsi dire, l'ex-femme de Dieu, désormais responsable de ses seules dettes, une ancienne cliente de Dieu qui dorénavant se représente toute seule, l'enfant adulte de Dieu qui a quitté la maison. Le monde des Juifs est parfois hostile, mais avec talent, courage et un peu de chance, ils y réussissent. Quant à Dieu, en toute apparence, il est devenu le cadet de leurs soucis.

VIEUX DE JOURS

« *Scelle le Livre jusqu'au temps de la fin* »

DANIEL

Bien que quelque chose se termine dans le Livre d'Esther, ce n'est pas le dernier livre du Tanakh, et son dernier mot, ou son silence étudié, au sujet de Dieu n'est pas non plus définitif. Dans le Livre de Daniel, Dieu et Israël sont de nouveau réunis, au moins par des intermédiaires. Daniel, comme Esther, est un Juif qui vit dans une cour impériale, mais Dieu est aussi présent dans le Livre de Daniel en tant que source reconnue de réussite, tel qu'il ne l'est en aucune façon dans le Livre d'Esther. Esther forme un récit unique et continu, tandis que Daniel consiste en une série d'histoires tirées de la vie du héros à la cour de Babylone (Dn 1-6), suivie d'un ensemble de visions (Dn 7-12). Mais on peut considérer au moins la première moitié du Livre de Daniel comme une espèce de version religieuse d'Esther.

À cet égard, le contraste de loin le plus clair entre Esther et Daniel se rapporte aux deux épisodes dans lesquels des ennemis particulièrement retors des Juifs sont pris à leur propre piège. En Esther 5-7, Haman finit pendu au gibet de cinquante coudées qu'il avait fait dresser pour l'exécution de Mardochée. En Daniel 6, les persécuteurs de Daniel meurent dans la fosse aux lions qu'ils avaient préparée pour son exécution. Le crime de Mardochée ne dépassait guère, s'il le dépassait, le manque de respect personnel envers Haman, tandis que celui de Daniel est un crime spécifiquement religieux : il a bafoué un décret — promulgué pour le piéger — ordonnant que trente jours durant, il ne devait y avoir de prière adressée qu'au roi. De même, la justification de Mardochée est un triomphe purement personnel (ou personnel et national), tandis que celle de Daniel profite au crédit universel de Dieu. Dans le Livre de Daniel, le roi écrit « aux gens de tous peuples, nations et langues qui demeurent sur toute la terre » :

« Que votre paix soit grande ! J'ai donné ordre que, dans tout le domaine de mon royaume, on tremble de crainte en présence du Dieu de Daniel :

Car c'est lui le Dieu vivant, et il subsiste à jamais.

Son règne est indestructible, et sa souveraineté durera jusqu'à la fin.

Il délivre et il sauve ;

il opère des signes et des prodiges dans le ciel et sur la terre,

puisqu'il a délivré Daniel de la main* des lions. » (Dn 6, 26-28)

Le Livre de Daniel commence après le sac de Jérusalem, lorsque le protagoniste et trois jeunes Juifs — Hananya, Mishaël et Azarya — sont conduits en captivité à la cour de Nabuchodonosor, roi de Babylone. L'atmosphère de ces premiers chapitres est proche de celle des derniers chapitres du Livre de la Genèse, où Joseph, conduit en Égypte en captivité, accède au pouvoir à la cour du Pharaon. Comme Joseph en son temps, Daniel et ses amis sont plus malins que les autres gens de la cour : « En toute affaire de sagesse et de discernement dont le roi s'enquit auprès d'eux, il les trouva dix fois supérieurs à tous les magiciens et conjureurs qu'il y avait dans tout son royaume » (1, 20).

À l'instar de Joseph, Daniel est un devin hors pair, expert en interprétation des rêves, mais il est des différences. Lorsque Joseph interpréta le rêve des sept vaches grasses et des sept vaches maigres, etc., du Pharaon, Dieu l'aida à lire le cours des événements, lequel n'était pas en soi le fruit de ses desseins. Le Dieu qui assistait Joseph n'était pas un si grand dieu que ça : il était assez grand pour savoir ce qui se passait, mais pas assez pour savoir ce qui viendrait. Comme nous l'avons dit à propos de Joseph, c'était un dieu personnel avec un mandat limité. Et bien que Joseph ait bénéficié de l'amour inébranlable de Dieu et ait pris acte de son aide, il ne s'adressait à Dieu ni pour le solliciter ni pour lui rendre grâces. En revanche, Daniel pousse l'extravagance jusqu'à remercier le « Dieu du ciel », qui est aussi le « Dieu de mes pères » de lui avoir révélé le sens du rêve de Nabuchodonosor dans une vision nocturne ; et ce faisant, il honore dans ce Dieu la cause des événements mêmes dont il a maintenant révélé le cours :

« Que le nom de Dieu soit béni, depuis toujours et à jamais !

Car la sagesse et la puissance lui appartiennent.

C'est lui qui fait alterner les temps et les moments ;

---

* Osty dit plus prudemment « du pouvoir des lions », et Samuel Cahen, plus justement, « de la fosse aux lions ». La main des lions mérite bien un coup de griffes ! *(N.d.T.)*

il renverse les rois et élève les rois ;
il donne la sagesse aux sages,
et la connaissance à ceux qui savent discerner.
C'est lui qui révèle les choses profondes et occultes ;
il connaît ce qu'il y a dans les ténèbres,
et avec lui demeure la lumière.
À toi, Dieu de mes pères, mon action de grâces et ma louange,
car tu m'as donné la sagesse et la force !
Et maintenant, tu m'as fait connaître ce que nous t'avions demandé ; puisque tu nous a fait connaître l'affaire du roi. » (2, 20-23)

Le fruit de cette révélation est, dans l'esprit d'Ésaïe, que les gentils reconnaissent le vrai Dieu et que, d'un même mouvement, les Juifs prospèrent. Daniel explique le rêve de Nabuchodonosor en faisant bien valoir au roi qu'il peut le faire uniquement parce qu'il « y a un Dieu dans le ciel qui révèle les mystères », et que ce Dieu choisit d'ouvrir l'avenir à Nabuchodonosor par son intermédiaire. Et le roi de répondre : « En vérité, votre Dieu est le Dieu des dieux, le Seigneur des rois et le révélateur des mystères, puisque tu as pu me révéler ce mystère-là » (2, 47) ; puis il fait pleuvoir les cadeaux sur Daniel et le nomme, lui et ses compagnons, à de hautes fonctions publiques. En coulisse, Dieu semble être devenu à nouveau très actif et, une fois encore, nous le verrons, il est un changement subtil.

L'effet littéraire du Livre d'Esther vient en partie de ce qu'il se déroule entièrement au présent, comme un film, et en fait un film qui n'aurait guère de trame. En l'occurrence, le contraste est on ne peut plus tranché avec le reste du Tanakh, car l'histoire et la mémoire sont sans conséquence dans ce livre, ce qui n'est sans doute pas un hasard : la mémoire juive était, au fond, la mémoire des actes forts de Dieu, et les Juifs du Livre d'Esther ne tournent plus les yeux vers Dieu. Daniel diffère d'Esther en ce qu'il est plus typiquement juif : tourné vers le passé non moins que vers l'avenir, il continue à attendre une action divine.

Pour Daniel, cependant, l'histoire est davantage un théâtre où l'on est spectateur qu'une arène où l'on prend part à l'action, et il semble qu'il en aille parfois de même pour le Dieu de Daniel. L'Ecclésiaste, rappelons-le, croyait que, certes, le passé et l'avenir ne pouvaient être connus, mais qu'ils étaient entièrement prédéterminés et récurrents. Daniel ne va pas jusqu'à affirmer une prédétermination, encore moins une récurrence complète, pour réserver davantage d'autonomie à Dieu. Nous n'en discernons pas moins un sens naissant de l'histoire alors que, pour employer une image anachronique, est projetée une bobine de pellicule dont on ne saurait connaître le contenu à l'avance. Que Dieu ait pu réaliser le film importe moins que le fait que lui et ses anges puissent organiser des avant-premières à leur discrétion ou, comme nous le verrons sous peu, ajourner indéfiniment sa sortie.

Pour humilier les gentils et les amener à adorer le vrai Dieu, c'est sur le miracle de la prédiction — la bonne aventure au niveau international — plutôt que sur un quelconque miracle de champ de bataille que l'on compte. Ainsi en Daniel 4, Daniel prédit un temps d'humiliation et de misère personnelles pour Nabuchodonosor ; et après que la prédiction s'est accomplie et que le temps des épreuves est derrière lui, Nabuchodonosor « béni[t] le Très-Haut, [...] célèbr[e] et glorifi[e] l'éternel Vivant » (4, 31). C'est « par sa main forte et son bras étendu » que Dieu avait amené le Pharaon à le reconnaître. Alors même qu'un désastre d'origine divine s'abat sur un ennemi gentil, comme sur Belshassar, dans la nuit où la fameuse « écriture sur le mur » apparaît au cours d'un festin, c'est moins la défaite même de Belshassar que le fait qu'elle avait été prédite qui prouve la puissance de Dieu. Lorsque Darius le Mède renverse Belshassar le Babylonien, les Juifs ne troquent peut-être qu'un souverain contre un autre ; mais si, à travers leur Dieu, ils ont un accès intellectuel à ce changement-ci comme aux changements futurs de même nature, ils ont une autre forme de maîtrise de leur condition. De plus en plus, savoir, c'est pouvoir, et presque plus encore que pouvoir.

Dans les six derniers chapitres de Daniel, qui n'ont pas de parallèle chez Esther, cette insistance sur la connaissance ne fait que s'accentuer. Naturellement, la connaissance était également importante pour le Psalmiste, qui trouvait « difficiles » ou « précieuses » les « pensées de Dieu » telles qu'elles étaient exprimées dans la Tora. L'évaluation immuable de la loi, à la fois comme guide dans la vie et voie d'accès à l'intimité avec Dieu, a permis d'une certaine façon de sortir de l'échec de la prophétie. Mais, après tout, seule s'était révélée décevante la seconde moitié de la prophétie, celle de la restauration. La première — celle du jugement — avait été une réussite dans la mesure où les châtiments prédits par les prophètes d'avant l'exil — les défaites, l'exil — s'étaient bel et bien abattus. Paradoxalement, on pouvait continuer à compter ces désastres au nombre des puissants actes de Dieu, des preuves de sa puissance.

Mais un nouveau type de désastre a défié ce genre de conceptualisation. La vraisemblance du lien antérieur reposait sur le fait que le désastre avait suivi une indéniable apostasie collective. Par la suite, cependant, on se mit à persécuter les Juifs *parce qu'*ils étaient fidèles à leur Dieu. Les visions de Daniel font allusion à des persécutions de ce genre (qui, historiquement, se déroulèrent lorsque les Grecs succédèrent aux Perses comme maîtres du Proche-Orient). Dans ces visions, l'auteur puise dans l'expérience désormais abondante qu'ont les Juifs de l'essor et de la chute des empires pour inscrire leurs infortunes du jour dans une vision apocalyptique élargie venant à bout d'une longue série d'empires jusqu'à ce que Dieu et son peuple soient enfin victorieux. Malgré la terreur qu'elle inspire à courte échéance, la vision est consolante parce qu'elle élimine ce qui rend la douleur la moins supportable : à savoir que la souffrance s'abat sur soi sans raison. « Garçons et filles, *toute* la jeunesse dorée doit mordre la poussière comme les ramoneurs », écrivait Shakespeare. Dans la vision apocalyptique de Daniel, la jeunesse dorée se nomme Sargon et Nabuchodonosor, Cyrus et Alexandre. Qu'Israël, à l'heure où le texte est écrit, ressemble à un ramoneur est d'autant plus supportable que tous, sans exception, sont appelés à mordre la poussière.

En définitive, bien entendu, le plus consolant, ce n'est pas la chute des empires en tant que telle, mais la victoire glorieuse d'Israël. Daniel 7 est une vision de bêtes inhumaines qui se suivent, plus hideuses les unes que les autres, jusqu'à ce qu'apparaisse enfin un « fils d'humanité ». Les bêtes infra-humaines sont les empires des gentils, dont la domination est temporaire ; l'être humain triomphant, ce sont les Juifs, dont la domination, lorsqu'elle viendra, sera éternelle.

> Quant au reste des Bêtes on fit cesser leur souveraineté, et une prolongation de vie leur fut donnée jusqu'à une date et un moment déterminés. Je regardais dans les visions de la nuit, et voici qu'avec les nuées du ciel venait comme un Fils d'Homme [litt. « fils d'humanité »] ; il arriva jusqu'au Vieillard [litt. « Vieux de jours »], et on le fit approcher en sa présence. Et il lui fut donné souveraineté, gloire et royauté : les gens de tous peuples, nations et langues le servaient.
> Sa souveraineté est une souveraineté éternelle qui ne passera pas,
> et sa royauté, une royauté qui ne sera jamais détruite. (7, 12-14)

Avant qu'elle ne lui soit expliquée, Daniel ne sait pas ce que cette vision signifie. Toutefois, ce qui est remarquable, c'est que cette explication ne vienne pas du Vieux de jours — Dieu lui-même —, mais d'un assistant qui raconte à Daniel que la dernière bête de la série, le quatrième royaume

> proférera des paroles contre le Très-Haut et molestera les Saints du Très-Haut ; il se proposera de changer le calendrier et la Loi, et les Saints seront livrés en sa main durant une période, deux périodes et une demi-période. Puis le tribunal siégera, et on fera cesser sa souveraineté, pour l'anéantir et le perdre définitivement. Quant à la royauté, la souveraineté et la grandeur de tous les royaumes qu'il y a sous tous les cieux, elles ont été données au peuple des Saints du Très-Haut :

Sa royauté est une royauté éternelle ;
toutes les souverainetés le serviront et lui obéiront. (7, 25-27)

Le plus remarquable, dans cette explication, ce sont ces mots, « Puis le tribunal siégera ». Nous avons déjà aperçu fugitivement un tribunal céleste, ou nous en avons entendu parler : lors de la création, dans la vision inaugurale d'Ésaïe, dans la description par Michée de l'arbitrage céleste des guerres entre la Syrie et Israël, dans le Livre de Job et dans quelques autres occasions. Mais il était extrêmement rare de voir passer à l'action un autre membre de la cour céleste que Dieu. Ici, l'« assistant » qui explique la vision à Daniel ne semble pas être une simple manifestation de Dieu, comme tel est le cas à plusieurs reprises dans le Livre de la Genèse, mais un être distinct membre d'une assemblée céleste agissant collectivement.

Cette impression est tout à la fois renforcée et compliquée en Daniel 8 lorsque, après une nouvelle vision de la fin, Daniel surprend la conversation de deux « êtres saints ». Puis il voit « comme une apparence d'homme » et entend crier une voix, qui n'est pas néces-sairement ni même vraisemblablement la voix de Dieu : « Gabriel, fais comprendre la vision à celui-ci ! » (8, 16). Le fameux ange Gabriel fait ici sa première apparition biblique, et il explique à Daniel que la vision qu'il a eue était une représentation de la fin du temps. Terrifié, Daniel reçoit l'ordre de garder la vision secrète puisqu'elle touche à des jours lointains.

En Daniel 9, Daniel a lu Jérémie, et en Jérémie 25, 12 il est tombé sur la prédiction que, soixante-dix ans après la chute de Jéru-salem entre les mains de Nabuchodonosor, Babylone elle-même tombera. Ayant lu ce passage, Daniel adresse une longue prière à Dieu « avec jeûne, sac et cendre », confessant servilement et à maintes reprises que le désastre est la conséquence directe de la déso-béissance d'Israël mais implorant l'intervention de Dieu. Puis...

> Je parlais encore, priant et confessant mon péché et le péché de mon peuple Israël, déposant ma supplication devant le SEIGNEUR mon Dieu, au sujet de la montagne sainte de mon Dieu ; je parlais encore en prière, quand Gabriel, cet homme que j'avais vu précédem-ment dans la vision, s'approcha de moi dans un vol rapide au moment de l'oblation du soir. Il m'instruisit et me dit : « Daniel, maintenant je suis sorti pour te conférer l'intelligence. Au début de tes supplica-tions a surgi une parole et je suis venu te l'annoncer, car tu es l'homme des prédilections ! Comprends la parole et aie l'intelligence de la vision ! » (Dn 9, 20-23)

Les visions de Daniel sont datées, par le Livre de Daniel lui-même, de juste avant et après la chute de Babylone entre les mains des Perses ; mais par leur place dans la séquence littéraire du Tanakh, elles sont effectivement lues à une date ultérieure. La Perse, comme on l'a vu dans le Livre d'Esther, est de longue date établie, et un groupe de Juifs est même retourné à Jérusalem. C'est à leur bénéfice que Gabriel réinterprète les « soixante-dix ans » de Jérémie en « soixante-dix septénaires », sauvant ainsi le texte et restaurant l'espoir d'une victoire définitive encore à venir pour les saints de Dieu, ainsi que ce livre les nomme parfois. Gabriel divise ces quatre cent quatre-vingt-dix ans pour Daniel, faisant allusion à divers événements passés ou futurs. Cependant, les détails de la vision importent moins que le fait que les écritures telles qu'on peut les consulter ont désormais une importance divinatoire à la mesure de celle des rêves ou des visions et que, encore une fois, Dieu lui-même demeure inactif et silencieux. La Bible de Dieu remplace le Dieu de la Bible.

En Daniel 10, Gabriel revient sous l'apparence d'un « homme vêtu de lin ; il avait une ceinture d'or [...] autour des reins. Son corps était comme de la chrysolite, son visage, comme l'aspect de l'éclair, ses yeux, comme des torches de feu, ses bras et ses jambes, comme l'éclat du bronze poli, le bruit de ses paroles, comme le bruit d'une foule » (10, 5-6). Gabriel apporte des nouvelles de la guerre dans le ciel. Il explique qu'il aurait bien voulu voler au plus vite au secours de Daniel. Cependant,

> « le Prince du royaume de Perse s'est opposé à moi pendant vingt et un jours, mais voici que Michel, l'un des Princes de premier rang, est venu à mon aide, et je suis resté là auprès des rois de Perse. Je suis venu te faire comprendre ce qui arrivera à ton peuple dans l'avenir, car il y a encore une vision pour ces jours-là. [...] Sais-tu pourquoi je suis venu vers toi ? Je reprendrai maintenant le combat contre le Prince de Perse, et je vais sortir, et voici que va venir le Prince de Grèce. Mais je t'annoncerai ce qui est inscrit dans le Livre de la vérité. » (10, 13-14, 20-21)

La suite est un long récit codé, mais déchiffrable, de l'essor et de la chute de divers empires au Proche-Orient. L'action de Dieu n'y est pour rien, et leur destin ne fait pas même partie de ses immenses desseins. Bien que Gabriel en sache l'issue à l'avance, il prétend n'exercer sur elle aucun contrôle, fût-ce au nom de Dieu, jusqu'à l'extrême fin :

> En ce temps-là se dressera Michel, le grand Prince,
> lui qui se tient auprès des fils de ton peuple.

> Ce sera un temps d'angoisse
> tel qu'il n'en est pas advenu depuis qu'il existe une nation
> jusqu'à ce temps-là.

> En ce temps-là, ton peuple en réchappera,
> quiconque se trouvera inscrit dans le Livre.
> Beaucoup de ceux qui dorment dans le sol poussiéreux se réveilleront,
> ceux-ci pour la vie éternelle,
> ceux-là pour l'opprobre, pour l'horreur éternelle.
> Et les gens réfléchis resplendiront, comme la splendeur du firmament,
> eux qui ont rendu la multitude juste, comme les étoiles à tout jamais.
> Quant à toi, Daniel, garde secrètes ces paroles et scelle le Livre jusqu'au temps de la fin. (12, 1-4)

Si, dans le Livre d'Esther, Dieu paraît avoir abdiqué en faveur d'Esther et de Mardochée, dans le livre de Daniel, il paraît avoir abdiqué en faveur de Gabriel et de Michel, le conseiller et le prince guerrier qui, respectivement, guideront et défendront la nation jusqu'à sa victoire nationale. De toute évidence, le combat sera rude. S'il y a au ciel un « prince de Perse » et un « prince de Grèce », il y en a vraisemblablement d'autres. Le temps où il y avait un battement d'ailes anonyme autour du trône du Dieu unique, dominant sans partage, semble révolu. En jouant de sa puissance maligne contre Job, Satan semble n'avoir été qu'un avant-courrier d'autres êtres angéliques à venir. La victoire ultime est encore assurée aux justes, mais en attendant il n'y a guère plus à espérer que l'intelligence des diverses étapes de la tribulation :

> J'entendis mais ne compris pas et je dis : « Monseigneur, quel sera le terme de ces choses ? » Il dit : « Va, Daniel, car ces paroles sont tenues secrètes et scellées jusqu'au temps de la fin. Une multitude sera purifiée, blanchie et affinée. Les impies agiront avec impiété. Aucun impie ne comprendra, mais les gens réfléchis comprendront. » (12, 8-10)

Cette vision a quelque chose de froid. Il s'agit certes d'une vision de victoire, mais guère de réconciliation, de paix mondiale, de lion couché au pied de l'agneau, ou de nations accourant à Sion pour y apprendre la loi, etc. Ce n'est pas même une vision de prospérité idyllique dans un pays où coule le lait et le miel. En fait, l'imagination des étapes a appauvri celle de la fin de la route. Les justes peuvent espérer être pareils aux étoiles du ciel, mais manque l'effroi qui, chez le Psalmiste, accompagnait chaque mention des étoiles. Dieu a fait sa dernière apparition en silence, et l'histoire qui commençait avec sa création de la lumière, du firmament et des étoiles s'est terminée avec les étoiles. « Au commencement » a été projeté à la fin, la victoire finale. Et c'est précisément ici, sur cette note en apparence triomphale mais étrangement sourde, que la biographie de Dieu touche une deuxième fois à sa fin.

Jusqu'à la fin du Livre de Daniel, subsistait la vague possibilité d'un retour de Dieu. La voilà envolée. Dieu a fait ce qu'il devait faire. D'autres, d'une manière ou d'une autre, poursuivront son œuvre. Il y a eu des moments de triomphe ; les livres des Chroniques sont précisément annexés pour les rappeler avant que le Tanakh ne s'achève. Il y a eu des moments de confiance aveugle, resplendissante. Il y a eu aussi des moments de colère noire, ou peut-être de repentance tout aussi impétueuse, et au moins une fois quelque chose de voisin de la honte.

Mais c'en est fini de ces moments : il n'y aura plus d'autres maillons à cette chaîne. Le Vieux de jours, ou le Vieillard, comme Daniel l'appelle désormais, n'est pas mort, mais il est vieux et, implicitement, il est las. Invaincu, indétruit, il s'est tant bien que mal retiré de la scène. La multiplicité qui le caractérisait du temps de sa splendeur ne se réduit pas à l'unité puis à la nullité dans sa disparition progressive, mais le fait même qu'il ne s'effondre pas définitivement et proprement le rend d'autant plus réel, jusqu'à en être poignant. Après tout, en littérature, rien n'est jamais si artificiel que la fin. Dans la réalité, la vie ne prend jamais fin avec une finalité artistique. Soit elle est brutalement interrompue, comme dit l'Ecclésiaste, soit elle s'achève par un lent effacement qui est loin d'avoir la perfection d'une dernière page bien travaillée. Une vraie vie se termine exactement, pourrait-on dire, comme la vie de Dieu : un suprême effort qui manque de justesse son objectif (la Voix du sein de l'Ouragan), une longue période dans laquelle on a progressivement moins à dire, et le silence des amis qui finit par rattraper leur attachement ; une ultime affirmation que l'on risque : ses conseils ont toujours importé davantage que ses prouesses, ce qui aide, mais juste un peu. Puis les lumières s'éteignent.

ROULEAU

« *Nous nous engageons par écrit* »

ESDRAS ET NÉHÉMIE

Les Livres d'Esdras et de Néhémie reprennent le récit interrompu à la fin du IIe Livre des Rois, et l'histoire qu'ils narrent est celle d'une réconciliation entre le SEIGNEUR et son peuple élu. Ce qui est frappant, cependant, c'est que dans ces livres les rôles sont pratiquement renversés. Du temps d'Abraham, de Moïse, de Josué et de David, le SEIGNEUR agissait en force au nom d'Israël. Au temps d'Esdras et de Néhémie, c'est Israël qui agit énergiquement au nom du SEIGNEUR. Ils redeviennent alliés, mais sur une base nettement différente.

Historiquement, l'empire babylonien se révéla éphémère, et l'empire perse, qui lui succéda, dépêcha un groupe d'exilés judéens à Jérusalem pour y bâtir un temple sur le site de celui que les Babyloniens avaient détruit. À cette époque, l'intention des Perses n'était sans doute pas de détacher la Judée de la province occidentale à laquelle elle appartenait. Tel fut cependant le résultat final ; et si les Livres d'Esdras et de Néhémie sont loin d'offrir un récit complet de la résurgence de la Judée en tant qu'unité politique distincte, quoique toujours subordonnée, ils n'en fournissent pas moins des scènes prises sur le vif de l'époque où ce changement était en cours.

Historiquement, encore, on peut voir les Livres d'Esdras et de Néhémie comme un métrage tiré de la petite enfance des Juifs en tant que peuple distinct du reste de ce qui avait été le Grand Israël ainsi que des autres nations du monde. Dans ces livres, nous les voyons prendre pour la première fois le caractère durable d'une nation dont l'importante Diaspora soutient la population plus réduite restée au pays. Hommes d'influence au siège du pouvoir mondial, des Juifs nobles commencent à assumer un rôle crucial en assurant la survie et le bien-être de la nation. Nous avons vu des expressions légendaires de cet idéal : Joseph avertissant le Pharaon d'une famine prochaine, puis évitant à son père et à ses frères de mourir de faim, Esther et Mardochée déjouant le complot de deux eunuques qui projetaient d'assassiner le roi de Perse, puis déjouant un complot de plus grande ampleur contre les Juifs de l'empire, Daniel se distinguant à la cour de Babylone. Mais, échanson du roi de Perse, Néhémie est le premier en qui cet idéal s'incarne dans un cadre indubitablement historique.

Une troisième évolution, religieusement aussi bien qu'historiquement fatidique, est l'acceptation de la domination étrangère par le parti politiquement dominant à Jérusalem, qui fit de la ségrégation socio-religieuse volontaire le substitut d'une authentique souveraineté politique. Dans les Livres d'Esdras et de Néhémie, ceux qui imposent cette philosophie se heurtent clairement à une opposition mesurable. Certains Judéens de l'intérieur refusent la stricte observance de l'endogamie et du repos sabbatique comme signes obligés d'affirmation de l'identité collective. Sans doute la Diaspora se résigne-t-elle à l'hégémonie étrangère, mais dans le pays proprement dit, d'aucuns — on pourrait presque dire les Judéens par opposition aux Juifs — restent attirés par la vision messianique des nations du monde affluant à Jérusalem pour y adorer Dieu, voire par la vision apocalyptique de l'Armageddon comme prélude à cette gloire. On trouve même ici des allusions à ces points de vue. Mais la voie religieusement pieuse et politiquement pragmatique que suivront les exilés de retour, Esdras et Néhémie, sera le judaïsme tel que nous le connaissons, et c'est elle qui assurera le salut des Juifs. À ce titre, il faut y reconnaître une réponse extraordinairement créatrice et sagace au genre de traumatisme national qui a conclu la vie d'une multitude de petites nations.

Reste que la hardiesse de ces initiatives juives ne s'accompagne d'aucun regain de hardiesse de la part du SEIGNEUR Dieu. L'accent même mis dans ces livres sur la dévotion des chefs juifs envers le SEIGNEUR et l'empressement du peuple à lui complaire, se repentant sitôt qu'on attire son attention sur un péché, a un effet paradoxal : le SEIGNEUR ressemble moins au créateur, suzerain, père ou roi des Juifs qu'à leur pupille affaibli mais chéri. Peut-être a-t-il l'honneur pour lui, mais la vigueur est à eux.

Dans le Tanakh, vertu humaine et vigueur divines sont inversement proportionnels. Jamais le SEIGNEUR Dieu n'a paru plus invincible qu'en faisant sortir d'Égypte les Israélites « à la nuque raide », récalcitrants, gémissant sans cesse, pour les conduire à travers le désert au pays de Canaan. La génération de migrants que nous rencontrons dans Esdras et Néhémie est en revanche un modèle de piété. Mais en leur compagnie, lui-même ne parle ni n'agit. Ainsi ce prélude à leur histoire apparaît-il comme la coda de la sienne. Jadis, il semblait les créer pour en faire son peuple ; désormais, ce sont eux qui semblent le préserver comme leur Dieu.

Esdras

Le Livre d'Esdras s'ouvre de façon prometteuse, pour ainsi dire, lorsque « le SEIGNEUR éveill[e] l'esprit de Cyrus, roi de Perse, afin que dans tout son royaume il fît publier une proclamation » autorisant une délégation de Juifs à retourner à Jérusalem et à y reconstruire le temple détruit. Mais le roi agit-il de son propre chef, et l'action est-elle juste attribuée à l'éveil du SEIGNEUR ? La question peut sembler désobligeante ou « moderne », mais rappelons que cette situation — les Israélites captifs sur le départ pour la terre promise — fait très exactement pendant à l'exode d'Égypte. Et rappelons qu'à cette occasion le SEIGNEUR était si impatient de faire une démonstration de force incontestable qu'il endurcit le cœur du Pharaon, amenant délibérément le roi d'Égypte à refuser d'autoriser les Israélites à partir. Il ne pouvait se satisfaire d'une victoire sans opposition.

Quoi qu'il en soit, les Juifs accueillent la proclamation dans de bonnes dispositions. Une forte délégation part pour Jérusalem, et ceux qui restent à Babylone prêtent main-forte aux émigrants « à l'aide d'objets en argent et en or, de biens et de bétail, de cadeaux précieux... » (Esd 1, 6). Le roi lui-même leur rend la garde des objets précieux du temple que Nabuchodonosor avait confisqués.

Sous Zorobabel, le gouverneur juif nommé par les Perses, et Josué, le prêtre, commencent des sacrifices réguliers sur le site de l'ancien temple, avant même que les fondations du nouveau ne soient posées. Mais à la cérémonie de consécration des nouvelles fondations, les sentiments sont douloureusement mélangés :

> Alors beaucoup de prêtres, de lévites et de chefs de famille parmi les plus âgés — ceux qui avaient vu la Maison d'autrefois — pleuraient à haute voix, tandis qu'on posait sous leurs yeux les fondations de cette Maison-ci. Mais beaucoup aussi élevaient la voix en joyeuses ovations. Aussi le peuple ne pouvait-il distinguer le bruit des ovations joyeuses du bruit des pleurs populaires... (3, 12-13)

C'est l'heure dont le prophète Zacharie disait :

> Ce sont les mains de Zorobabel qui ont posé les fondements de cette Maison,
> ce sont elles aussi qui l'achèveront,
> et vous reconnaîtrez que c'est le SEIGNEUR,

le tout-puissant qui m'a envoyé vers vous.
Qui donc dédaignait le jour des modestes débuts ?
Qu'on se réjouisse en voyant la pierre de fondation
dans la main de Zorobabel ! (Za 4, 8-10)

En fait, le fil à plomb a tôt fait de tomber des mains de Zorobabel, car l'opposition locale s'empresse d'interrompre le chantier.

Paradoxalement, l'opposition vient de gens qui désirent prendre part à la construction du temple, de non-Israélites que le roi assyrien a établis dans le pays et qui ont adopté le culte du SEIGNEUR. « Nous voulons bâtir avec vous ! disent-ils. Comme vous, en effet, nous cherchons Dieu, le vôtre, et nous lui offrons des sacrifices, depuis le temps d'Asarhaddon, roi d'Assyrie, qui nous a fait monter ici » (Esd 4, 2). Il faut supposer qu'une partie des Israélites restèrent au pays après la conquête assyrienne du royaume septentrional d'Israël en 722 avant notre ère. Sans quoi, comment les nouveaux venus auraient-ils adopté le culte du SEIGNEUR israélite ? Et il faut supposer en outre que l'offre vient des descendants des autochtones aussi bien que d'immigrés de Samarie, ainsi qu'on appelle désormais la région, du nom de sa capitale. Mais les Juifs déclinent cette offre des « gens du pays » (l'expression employée dans le Livre de Josué pour désigner les indigènes cananéens qu'Israël devait déplacer) :

> « Nous n'avons pas à bâtir, vous et nous, une Maison à notre Dieu : c'est à nous seuls de bâtir pour le SEIGNEUR, le Dieu d'Israël, comme nous l'a ordonné le roi Cyrus, roi de Perse. » Les gens du pays en arrivèrent pourtant à rendre défaillantes les mains du peuple de Juda et à effrayer les bâtisseurs. (4, 3-4)

Les Samaritains dénoncent alors les Juifs au roi de Perse, affirmant que la reconstruction de Jérusalem se terminera en sédition : « Nous faisons savoir au roi que si cette ville est rebâtie et si ses murs sont relevés, par là même tu n'auras plus de possession en Transeuphratène » (4, 16) — c'est-à-dire à l'ouest du Jourdain. Un successeur de Cyrus se laisse convaincre et abroge le décret de restauration : « Que cette ville ne soit pas rebâtie jusqu'à ce que l'ordre en soit donné par moi » (4, 21). Armés de ce décret, les Samaritains forcent les Juifs à cesser le travail.

Un peu plus tard, poussés par les prophéties d'Aggée et de Zacharie, Zorobabel et Josué reprennent le chantier. Le gouverneur perse demande alors au roi s'ils en ont reçu l'autorisation et se voit signifier une confirmation du premier décret. Sans tarder, « selon la prophétie d'Aggée le prophète et de Zacharie fils de Iddo [,] ils achevèrent la construction... » (6, 14).

La consécration du temple est une occasion de joie sans larmes, mais quel a été le rôle du SEIGNEUR Dieu dans la reconstruction ? Il « éveilla l'esprit du roi Cyrus », au départ, mais le texte en parle-t-il uniquement comme d'un geste ? Si le SEIGNEUR est le véritable agent, pourquoi le chantier est-il interrompu quand le successeur de Cyrus l'ordonne, et reprend-il lorsque le successeur du successeur souhaite qu'il redémarre ? Apparemment, le SEIGNEUR n'a plus le pouvoir qui était le sien face au Pharaon pour imposer sa volonté à son peuple en triomphant de toute opposition.

On peut aussi se demander s'il a abandonné l'ambition jadis exprimée que toutes les nations le reconnaissent à son temple de Jérusalem. Si le roi perse, un non-Juif, peut décréter la reconstruction du temple, pour en faire dans une certaine mesure son propre projet, pourquoi les non-Juifs du pays, pour certains israélites, ne peuvent-ils également y prendre part ? Sur le plan pratique tout au moins, il semblerait que le roi de Perse ait plus d'autorité que le SEIGNEUR Dieu. Quand les « gens du pays » offrent leur aide, les Juifs ne disent pas que le SEIGNEUR Dieu l'a interdit, pas plus que le SEIGNEUR n'apparaît en personne pour dire : « Je m'y oppose. » C'est plutôt la Perse qui est invoquée : « C'est à nous seuls de bâtir pour le SEIGNEUR, le Dieu d'Israël, comme nous l'a ordonné le roi Cyrus, roi de Perse » (4, 3). La dévotion au SEIGNEUR Dieu d'Israël est sûrement sincère, mais ces mots suggèrent immanquablement que le SEIGNEUR est désormais le pupille d'Israël, non l'inverse.

Lorsque Moïse a conduit les Israélites hors d'Égypte, il les a amenés au mont Sinaï. À aucun moment de sa vie, telle que la raconte le Tanakh, le SEIGNEUR Dieu n'a semblé exercer une puissance aussi écrasante qu'au moment de donner sa loi à Israël par l'intermédiaire de Moïse. La loi est un signe et un mémorial capital de sa volonté irrésistible et de la violence redoutable qui la mit ensuite en œuvre. Aussi est-il surprenant de constater à ce point que la loi, comme le temple, est désormais placée sous le patronage du roi de Perse. Esdras, « scribe expert dans la loi de Moïse », dont la lignée remonte au frère de Moïse, Aaron, reçoit une mission du roi Artaxerxès :

> En effet, tu es envoyé de la part du roi et de ses sept conseillers : pour faire une enquête au sujet de Juda et de Jérusalem, suivant la Loi de ton Dieu qui est dans ta main. [...] Quant à toi, Esdras, avec la sagesse de ton Dieu qui est dans ta main, établis des juges et des magistrats qui rendent la justice à tout le peuple de Transeuphratène, à tous ceux qui connaissent les lois de ton Dieu — et vous les ferez connaître à qui ne les connaît pas. Quiconque n'accomplira pas la Loi de ton Dieu et la loi du roi exactement, que la sentence lui soit appli-

quée : soit la mort, soit la bastonnade, soit une amende ou la prison. (Esd 7, 14, 25-26)

Dans le reste de la lettre de mission d'Esdras, dans les versets non cités, le roi détaille son aide matérielle au temple ; mais c'est l'aval qu'il donne à la loi qui est le plus notable. D'après les historiens, la loi « qui est dans ta main » était un document écrit : soit la Tora, soit le Livre du Deutéronome. Tout suggère que le roi a examiné ledit document et l'a simplement annexé à la loi de l'empire. La loi d'Esdras, du point de vue d'Artaxerxès, en « réfère » à la loi d'Artaxerxès, de même qu'Esdras lui-même rend des comptes au roi.

La conception juive de la relation n'est que légèrement différente. « Béni soit le SEIGNEUR, dit Esdras, le Dieu de nos pères qui a mis au cœur du roi d'honorer ainsi la Maison du SEIGNEUR à Jérusalem. Face au roi, aux conseillers et à tous les plus hauts ministres du roi, dans sa fidélité il s'est penché sur moi » (7, 27). Le texte du Livre d'Esdras commençait par poser brièvement les fondations du récit : « Le SEIGNEUR éveilla l'esprit du roi Cyrus... » Il n'est pas de fondation narrative de ce genre à l'imposition de la loi juive. Nous ne lisons pas : « Alors le SEIGNEUR Dieu mit au cœur du roi d'imposer la loi du SEIGNEUR... » Nous avons plutôt affaire à une action du roi, dont Esdras donne une interprétation théologique.

Dès le tout début du Tanakh, c'est de cette façon que les Israélites pieux ont interprété leur vie. Ainsi lisons-nous à propos de la naissance de Siméon, l'un des fils de Léa : « Elle devint à nouveau enceinte, enfanta un fils et s'écria : "Oui, le SEIGNEUR a perçu que je n'étais pas aimée et il m'a aussi donné celui-ci", et elle l'appela Siméon » (Gn 29, 33). Mais dans le récit antérieur, ces interprétations étaient étayées par les actions que rapportait le narrateur. « Quand le SEIGNEUR vit que Léa n'était pas aimée, il la rendit féconde », lit-on deux versets plus haut. Dans les livres d'Esdras et de Néhémie, aucune fondation narrative de ce genre n'est posée : du coup, ces livres acquièrent un caractère singulièrement moderne. Bien qu'il n'y soit jamais question d'incroyance, ils ne présentent jamais non plus la croyance comme chose inévitable face aux puissants actes de Dieu.

Esdras 8 contient à ce sujet un moment de candeur et de lucidité peu communes. Une forte délégation — en fait, une seconde vague d'émigration — de Juifs de Babylone accompagne Esdras, ce qui promet des renforts considérables à la communauté juive de Jérusalem. Avant de se mettre en route, Esdras ordonne aux émigrants de jeûner et d'implorer Dieu qu'ils cheminent sans encombre.

Car j'avais honte de demander au roi une force de cavalerie pour nous protéger de l'ennemi en cours de route ; en effet, nous avions dit au roi : « Bonne est la main de notre Dieu sur tous ceux qui le recherchent ; mais forte est sa colère sur tous ceux qui l'abandonnent. » Nous jeûnâmes donc, demandant cette faveur à notre Dieu, et il nous exauça. (Esd 8, 22-23)

Quelle est la part de la bienveillance de Dieu, quelle est celle de la bienveillance du roi ? Esdras a une conscience aiguë de cette question.

Sa conscience constitue en soi la principale présence de Dieu dans l'action. Dans Esdras et Néhémie, au contraire de plusieurs des livres examinés dans le chapitre 10, Dieu n'est aucunement passé sous silence. Souvent évoqué, la dévotion qu'il inspire suscite des actions, parfois même audacieuses ; et en cours de route, il continue à compter. Par ailleurs, la réalité qui est la sienne est une réalité attribuée, à mille lieues de la réalité démontrée d'antan. Ce changement, profond et à l'occasion poignant, est ce qui fait des livres d'Esdras et de Néhémie la troisième fin du Tanakh. Il continue à vivre, certes, mais la vitalité des Juifs dépasse sensiblement la sienne.

Si les interprétations d'Esdras marquent la retraite définitive du SEIGNEUR Dieu, d'une puissance démontrée à une puissance attribuée, la longue prière que récite Esdras en 9, 6-15 marque un retrait parallèle, de la prophétie à la prédication. Dans la prophétie israélite classique, le SEIGNEUR s'adresse à Israël pour lui demander d'agir. En Esdras 9, 6-15, nous avons affaire à un mélange des deux : Esdras s'adresse ostensiblement à Dieu, pourtant ce n'est pas Dieu mais Israël qu'il invite à l'action. Sous le regard des exilés de retour, Esdras déchire ses vêtements, s'arrache les cheveux et confesse l'abominable péché de ceux d'entre eux qui ont épousé des femmes du cru, en sorte que la « race sainte s'est mêlée aux gens du pays » (9, 2). Mais à ce stade de sa prière, au point où le prophète aurait annoncé le châtiment de Dieu, Esdras exhorte l'assistance en posant une question rhétorique qui, par-delà Dieu, s'adresse en fait à elle :

Et maintenant, notre Dieu, que dire après cela ? Car nous avons abandonné tes commandements que, par tes serviteurs les prophètes, tu as prescrits en ces termes : « La terre où vous entrez pour en prendre possession est une terre souillée, souillée par les gens du pays et par les abominations dont ils l'ont remplie d'un bout à l'autre dans leur impureté. Et maintenant, ne donnez pas vos filles à leurs fils, ne prenez pas leurs filles pour vos fils, ne cherchez jamais à avoir la paix et le bien-être qui sont leurs, afin que vous deveniez forts, mangiez des biens du pays et les laissiez en possession à vos fils, à jamais. » Or, après tout ce qui nous est advenu de par nos mauvaises actions et notre grande culpabilité — bien que toi, notre Dieu, tu aies laissé de côté quelques-unes de nos fautes et nous aies gardé le reste de réchappés que voici — pourrions-nous recommencer à violer tes commandements et à nous lier par le mariage à ces abominables gens ? (9, 10-14)

On trouve ici divers échos verbaux des Psaumes, mais les Psaumes s'adressent réellement à Dieu. Sans aller jusqu'à la dire insincère, cette prière s'adresse, par-delà Dieu, aux Juifs eux-mêmes. Mais il ne faut jamais sous-estimer un grand prédicateur. La « prière » d'Esdras a un effet spectaculaire :

> Comme Esdras priait et confessait ses péchés en pleurs et prosterné devant la Maison de Dieu, une très nombreuse assemblée d'Israélites, hommes, femmes et enfants, se réunit auprès de lui, car le peuple versait d'abondantes larmes. Alors, Shekanya fils de Yehiël, l'un des fils de Élam, déclara à Esdras : « Nous avons été infidèles à notre Dieu en épousant des femmes étrangères, parmi les gens du pays. Mais, à ce sujet, il y a maintenant un espoir pour Israël : Concluons, maintenant, une alliance avec notre Dieu en vue de renvoyer toutes les femmes et leurs enfants, suivant le conseil de mon Seigneur et de ceux qui craignent le commandement de notre Dieu. [...] Lève-toi, car l'affaire te regarde ; nous sommes avec toi ; sois fort et au travail ! » (10, 1-4)

S'ensuit alors, dans ce dixième et dernier chapitre du Livre d'Esdras, un divorce en masse[1] et l'expulsion des enfants. Une longue liste donne le nom des Juifs qui ont épousé des femmes étrangères et qui, pour certains, en ont eu des enfants. Ces femmes et ces enfants sont tous chassés.

Au regard de la morale d'autres peuples et d'autres temps, le repentir qu'Esdras a prôné est moralement mauvais, tandis que le péché condamné ne l'est pas. Mais si l'on prend la morale du Tanakh comme on la trouve, il faut s'étonner, non pas que les pécheurs soient châtiés, mais qu'ils le soient avec tant de clémence. Après la fornication/apostasie massive d'Israël avec les prêtresses du Baal de Péor (Nb 25), le SEIGNEUR frappa vingt-quatre mille Israélites de son fléau et demanda à Moïse d'exécuter tous ceux qui avaient couché avec des femmes étrangères : que tous fussent empalés ou pendus, face au soleil. Quant au châtiment infligé aux Madianites coupables d'avoir débauché les Israélites, il avait le caractère d'un génocide. On ne trouve rien ici d'une telle violence, et Esdras ne suggère point dans sa prière qu'il devrait en aller autrement. Tels quels, les mots des « prophètes » qu'il cite ne figurent nulle part dans le Tanakh, mais leurs plus proches équivalents sont les injonctions qu'adresse le SEIGNEUR dans le Deutéronome par Moïse interposé :

> Lorsque le SEIGNEUR ton Dieu t'aura fait entrer dans le pays dont tu viens prendre possession, et qu'il aura chassé devant toi des nations

nombreuses, [...] lorsque le SEIGNEUR ton Dieu te les aura livrées et que tu les auras battues, tu les voueras totalement à l'interdit. Tu ne concluras pas d'alliance avec elles, tu ne leur feras pas grâce. Tu ne contracteras pas de mariage avec elles, tu ne donneras pas ta fille à leur fils, tu ne prendras pas leur fille pour ton fils, car cela détournerait ton fils de me suivre et il servirait d'autres dieux ; la colère du SEIGNEUR s'enflammerait contre vous et il t'exterminerait aussitôt. (Dt 7, 1-4)

Esdras ne parle que de récompenses ou, plus précisément, de résultats souhaitables. L'action décidée répond aux souhaits du SEIGNEUR, mais l'effet heureux de l'obéissance est automatique ; quant à l'effet malheureux de l'insoumission, il n'en est tout simplement pas question.

Le contraste entre l'attitude récalcitrante des Israélites sous Moïse et la docilité des réchappés juifs sous Esdras est frappante. En la personne de Shekanya, les réchappés exhortent le nouveau Moïse Esdras à les soumettre, et ils acceptent sa mesure disciplinaire — l'expulsion de leurs femmes et leur « semence mêlée » — sans la moindre objection. Jusqu'à un certain point, ils s'imposent ce que Dieu leur aurait jadis imposé, reprenant à leur compte son rôle de juge. Mais l'action décidée est une correction, plutôt qu'un véritable châtiment.

L'effet sur la réalité éprouvée du SEIGNEUR est négatif pour peu que nous comparions celui-ci à ce qu'il était dans les Nombres. Mais peut-être n'est-ce pas la bonne comparaison. Car au fil des derniers livres, il était certes infiniment moins qu'il n'était dans les Nombres, mais il l'était aussi sensiblement moins qu'il ne l'est ici en tant que destinataire de la prière d'Esdras et source de l'idéal de pureté ethnique qu'il prêche. En termes humains, le moment est vaguement analogue à ce qui se passe dans une longue conversation à plusieurs lorsque tous ceux qui y ont participé remarquent quelqu'un — appelons-le Francis — qui, non content de rester coi, est passé totalement inaperçu. Le partenaire silencieux garde le silence, mais il est maintenant associé à la discussion par des formules de politesse du style, « Je suis sûr que Francis en conviendrait » ou « comme Francis l'a souvent observé ».

En termes purement sociologiques, ou dans ceux de la *Realpolitik*, Esdras avait sûrement raison : de la part des Juifs, cette ségrégation sans compromis était directement liée à la jouissance « des biens du pays » afin qu'ils les laissent « en possession à [leurs] fils à jamais ». C'est vrai même si on prend le « pays » au sens métaphorique de cohésion sociale ou de « situation » ethnique des Juifs dans le monde. Quelles étaient au juste les « abominations » des femmes chassées ? Le Livre d'Esdras ne le dit pas. Historiquement, on peut tout à fait imaginer que, pour ce qui est de leurs croyances et de leurs pratiques, les divorcées étaient pareilles aux hommes qui, en Esdras 4, proposent d'aider les exilés juifs de retour à reconstruire le temple, autrement dit des adorateurs du SEIGNEUR non ou partiellement israélites. Plutôt que les pratiques d'une religion rivale, leurs « abominations » seraient alors vraisemblablement des déviations syncrétistes touchant leur pratique de la religion israélite reçue, auquel cas la réponse appropriée serait une réforme plutôt qu'un divorce collectif.

Mais si telle avait été la réponse effective, les Juifs auraient pu se laisser démographiquement noyer à brève échéance dans une population multi-ethnique accrue et adorant le Dieu juif. Ils auraient été dans la situation d'une famille d'entrepreneurs après que la maison familiale s'est constituée en société anonyme : honorée jusqu'à un certain point, mais dépossédée des leviers de commande. C'est assez exactement ce qui arriva cinq cents ans plus tard aux Juifs qui fondèrent le christianisme comme une forme de judaïsme ouverte aux non-Juifs. Tout commentaire théologique ou autre plus chargé de valeur mis à part, nous pouvons créditer Esdras d'avoir eu la prescience d'agir ainsi qu'il l'a fait. Sans lui, une religion monothéiste universelle ouverte à tous aurait sans doute vu le jour cinq siècles plus tôt, mais les Juifs, en tant que nation, auraient disparu.

Attribuer à Esdras l'adaptation des Juifs à leur position de minorité dans la Diaspora, et de vassal politique au pays, c'est simplement évoquer ce processus historique complexe dans les termes simplifiés et personnalisés qui sont ceux du Tanakh lui-même. La tradition juive ultérieure devait honorer en Esdras un second Moïse : « Si Moïse ne l'avait précédé, Esdras eût été digne de recevoir la Tora[2]. » La science historique contemporaine n'est pas certaine qu'Esdras ait jamais existé, mais rétrospectivement il est clair que, quoi qu'on dise de lui, il y eut bel et bien un changement semblable à celui dont on lui attribue la paternité. Autrement dit, les Juifs formèrent une nation endogame en choisissant à dessein la ségrégation. Des règles que des siècles durant le roi comme l'homme du peuple avaient manifestement transgressées commencèrent à être strictement observées, non sans rencontrer au départ une résistance initiale considérable.

Au sein du Tanakh envisagé comme une œuvre littéraire, quelle fonction joue ce changement en tant que chapitre de la vie de Dieu ? On a déjà suggéré la réponse : avec le Livre d'Esdras, d'un point de vue littéraire, la vie de Dieu touche à sa fin. Une place d'honneur, sûre — une pension décente, pourrait-on dire —, lui est aménagée au cours d'une phase de créativité dynamique dans la vie de son peuple. Dans la fin de Dieu se trouvent les débuts de son peuple.

Néhémie

Néhémie, le dernier livre du Tanakh qui poursuive le récit (les deux Livres des Chroniques rapportent des événements d'avant la chute de Jérusalem), est aussi le premier et dernier livre du Tanakh qui soit presque entièrement écrit comme un récit historique à la première personne. Esdras 8-9 est aussi à la première personne, mais ces chapitres se trouvent dans un livre qui en compte dix et qui est autrement composé à la troisième personne. Du fait de sa place terminale, le passage de la troisième à la première personne dans Néhémie est lourd de sens. Dans l'alliance entre le SEIGNEUR Dieu et Israël, le premier était manifestement au départ l'associé principal. Dans le Livre de Néhémie, quand celui-ci se met à parler en son nom au moment même où il commence à contrôler le flux des événements, le changement de forme du récit trouve un parallèle dans un changement touchant le personnage même de son protagoniste divin :

> Paroles de Néhémie, fils de Hakalya.
> Il arriva qu'au mois de Kislew de la vingtième année, alors que j'étais à Suse, la ville forte, Hanani, l'un de mes frères, vint de Juda, lui et quelques hommes, et je les interrogeai au sujet des Juifs réchappés, le reste survivant de la captivité, et au sujet de Jérusalem. Ils me dirent : « Ceux qui sont restés de la captivité, là-bas dans la province, sont dans un grand malheur et dans la honte ; la muraille de Jérusalem a des brèches et ses portes ont été incendiées. » Lorsque j'entendis ces paroles, je m'assis, je pleurai et je fus dans le deuil pendant plusieurs jours. Puis je jeûnai et priai en face du Dieu des cieux. (Ne 1, 1-4)

Suit une fervente prière dont la fin est un peu surprenante : « Je dis : "Ah ! SEIGNEUR, Dieu des cieux, Dieu grand et redoutable. [...] Accorde à ton serviteur de réussir aujourd'hui et fais-lui trouver miséricorde en face de cet homme !" J'étais alors échanson du roi » (1, 5, 11).

L'échanson du roi ! Même si l'on se garde d'en déduire que Néhémie est le Ganymède du roi, son giton, il est vraisemblablement un jeune homme chez lui parmi les intimes du roi. En ceci, le Livre de Néhémie a des points communs avec les derniers chapitres de Daniel, également à la première personne. Mais ces chapitres présentent les rêves où Daniel a la vision du Vieux de jours et de l'avenir secret du monde. Bien qu'ils soient à la première personne, ils ne sont guère narratifs et aucunement historiques. Lorsque Néhémie parle à la première personne, c'est pour nous entretenir de ses actions nettement prosaïques et pratiques, non de ses visions mystiques.

Ce qui rend ce changement si important, c'est qu'il donne au seul Néhémie, un être humain, la charge de l'histoire partagée — la condition, si vous préférez — de Dieu et d'Israël. Jusqu'à ce point tardif du Tanakh, personne, pas même le roi David, ne maîtrise le cours des événements comme le fait Néhémie. Et fait également sans précédent dans tous les livres du Tanakh, Néhémie, respirant la confiance, nous révèle ses desseins à nous, ses lecteurs, tout en les dissimulant, tout au moins dans leurs implications ultimes, à ses contemporains.

Au roi, il indique que son projet est limité : il désire reconstruire la muraille de Jérusalem, sans plus, et à la demande du roi il donne la date de son retour. Les gouverneurs perses de Transeuphratène (la province à l'ouest du Jourdain) se méfient, mais Néhémie arrive muni de lettres de protection du roi. À peine arrivé à Jérusalem, il prend sa bête de somme et, à une heure avancée de la nuit, s'en va discrètement inspecter les murailles ébréchées de la ville. À ce stade, les chefs juifs locaux ignorent ce qu'il a en tête.

En fait, son projet n'est pas simplement d'amener les Jérusalémites eux-mêmes à réparer peu à peu les dommages que les Babyloniens ont infligés à leur ville, mais de recruter à travers la campagne judéenne une main-d'œuvre qui, presque du jour au lendemain, transformera Jérusalem en une ville fortifiée qui pourra servir de citadelle régionale tout en affaiblissant la domination de Sânballat le Horonite sur la Judée. Depuis Samarie, Sânballat exerce sa juridiction sur toute la région au nom du roi perse, et ce n'est pas sans raison qu'il demande à Néhémie : « Qu'allez-vous donc faire ? Vous révolter contre le roi ? » (2, 19). La réponse honnête, jamais donnée, est à la fois non et oui. Non, Néhémie n'est pas sur le point de se révolter contre le roi, mais oui, il est sur le point de présenter au roi une révision administrative irréversible de son domaine transjordanien.

Dans son extrême spécificité, Néhémie 3 se lit comme un plan de travail du chantier de reconstruction. Des détachements venus des différentes parties de la Judée sont assignés aux divers secteurs des murailles à reconstruire. Rapportant l'un des brocards de ses ennemis — « Ils bâtissent ! Qu'un renard y monte, et il ébréchera leur muraille de pierres ! » —, Néhémie interrompt son récit par une brève prière de vengeance : « Écoute, ô notre Dieu, car nous sommes méprisés. Fais retomber leur insulte sur leur tête ! » (3, 35-36). Un instant plus tard, Néhémie a le ton reconnaissable entre tous du chef naturel :

« Nous avons donc bâti la muraille, et toute la muraille fut réparée jusqu'à mi-hauteur. Le peuple eut à cœur de le faire » (3, 38).

Située sur un promontoire élevé avec ses propres sources d'eau, Jérusalem était un site idéal pour une forteresse. Du temps des Jébusites, la ville avait résisté aux Israélites longtemps après que ceux-ci se furent rendus maîtres du reste du pays. Après que David l'eut prise, elle résista des siècles durant aux ennemis des Israélites, repoussant même une tentative de conquête assyrienne. Avec des murailles dignes de ce nom, elle pourrait redevenir une puissance locale significative.

Faute d'avoir pu contrecarrer les projets de Néhémie, Sânballat forme une coalition locale pour interrompre le chantier par la force, mais Néhémie a prévu le coup :

> Mais à partir de ce jour-là, la moitié de mes serviteurs faisait l'ouvrage, et l'autre moitié tenait en main les lances, les boucliers, les arcs et les cuirasses. Les chefs se tenaient derrière toute la maison de Juda. Ceux qui bâtissaient la muraille et ceux qui portaient et chargeaient les fardeaux travaillaient d'une main et de l'autre tenaient une arme. Quant à ceux qui bâtissaient, chacun bâtissait, une épée attachée à ses reins. Le sonneur de cor était à côté de moi. Je dis aux notables, aux magistrats et au reste du peuple : « L'ouvrage est considérable et étendu, et nous, nous sommes dispersés sur la muraille, loin les uns des autres. À l'endroit où vous entendrez le son du cor, rassemblez-vous là vers nous. Notre Dieu combattra pour nous. » Nous faisions l'ouvrage — la moitié d'entre nous tenant à la main des lances — depuis le lever de l'aurore jusqu'à l'apparition des étoiles. (4, 10-15)

Suivant la formule distraite mais révélatrice de Néhémie, la main-d'œuvre tout entière est devenue « mes serviteurs ». « Notre Dieu combattra pour nous », promet-il avec emphase. Mais il est autrement plus précis quand il expose sa solution concrète pour faire d'une équipe de maçons une armée et mobiliser au plus vite ses troupes contre une incursion ennemie en concentrant ses forces sur un seul point.

Confiance en Dieu ou sûreté de soi ? Pour le Deutéronomiste, Ésaïe et le Psalmiste, l'aplomb israélite est répréhensible. C'est dans le SEIGNEUR qu'Israël doit avoir confiance, non dans sa bravoure ou son habileté. Mais malgré sa piété, Néhémie se tient un peu à l'écart de cette tradition. On le voit, par exemple, à sa réaction à un dernier essai d'intimidation le concernant. Sânballat lui adresse une lettre amicale assortie d'une menace voilée :

> Il y était écrit : « Parmi les nations, on entend dire — et Gashmou le dit — que toi et les Juifs, vous avez la pensée de vous révolter et

que, pour cette raison, tu bâtis la muraille pour devenir leur roi, selon ces dires. Tu as même mis en place des prophètes à Jérusalem pour proclamer à ton sujet : Il y a un roi en Juda ! — Et maintenant, on va l'apprendre au roi, d'après ces dires. Viens donc à présent, et tenons conseil ensemble. » Je lui envoyai dire alors : « Il n'y a rien qui corresponde aux paroles que tu dis ; c'est toi qui les inventes ! » Eux tous, en effet, voulaient nous effrayer en disant : « Leurs mains vont lâcher l'ouvrage, qui ne se fera jamais ! » (6, 6-9)

Dans le même temps, un autre faux ami au sein de la ville laisse entendre qu'une formidable attaque contre Jérusalem se prépare, et que Néhémie doit se réfugier dans le sanctuaire du temple. Néhémie répond :

« Un homme comme moi prendrait-il la fuite ? Et quel homme tel que moi pourrait entrer dans le Temple et vivre ? Je n'y entrerai pas ! » Je reconnus en effet que ce n'était pas Dieu qui l'avait envoyé, car s'il avait prononcé une prophétie sur moi, c'est que Toviya, ainsi que Sânballat, l'avaient payé... (6, 11-13)

En tant que laïque, Néhémie n'avait pas le droit de mettre les pieds dans le sanctuaire. La fausse alarme était une manière de le prendre en flagrant délit de sacrilège.

Les deux parties de la réponse de Néhémie ont leur importance. D'un côté, il est, selon ses lumières, un Juif pieux qui respecte les règles du temple. Mais de l'autre, il est un combattant qui s'en remet à sa vaillance pour se défendre alors même qu'il attribue son succès au SEIGNEUR. Et sa sûreté de soi est à l'évidence bien méritée :

La muraille fut achevée le vingt-cinq du mois d'Eloul, en cinquante-deux jours.

Lorsque tous nos ennemis l'apprirent, toutes les nations qui nous entourent furent dans la crainte, et furent humiliées à leurs propres yeux. Ils reconnurent que cet ouvrage fut exécuté par la volonté de notre Dieu. (6, 15-16)

La sécurité nationale étant désormais pour l'essentiel assurée, Néhémie s'attaque aux affaires intérieures de Jérusalem, réglementant l'endettement et organisant un recensement, avec son énergie dorénavant familière. Au passage, il déclare (5, 14) : « Depuis le jour même où l'on me donna l'ordre d'être leur gouverneur dans le pays de Juda, depuis la vingtième année jusqu'à la trente-deuxième année du roi Artaxerxès, pendant douze ans, moi et mes frères nous n'avons pas mangé le pain du gouverneur. » En sa qualité d'échanson du roi, Néhémie possédait sans doute une grande fortune personnelle, servant sans solde à la manière de ces milliardaires américains qui assument de hautes fonctions civiques sans salaire. Cela mis à part, la mission qu'il avait reçue d'Artaxerxès au début de ce récit n'était pas vraiment de devenir gouverneur. Comme on l'a vu, son mandat était limité : reconstruire les murailles et rentrer à Suse. Mais de Suse à Jérusalem, la route est longue. Concrètement, Artaxerxès a-t-il encore le pouvoir de faire rentrer Néhémie ? Sitôt que Jérusalem est redevenue une ville fortifiée, il n'est plus question de la Perse ni de son roi.

Le récit opère plutôt un retour à Esdras et partant, de manière inédite, à Dieu. En Néhémie 8-10, Esdras, du haut d'une tribune de bois, lit le « livre de la Loi de Moïse [3] [...] en face des hommes, des femmes et de ceux qui pouvaient comprendre ». Pendant ce temps, les lévites postés au milieu de la foule « lisaient dans le livre de la Loi de Dieu, de manière distincte, en en donnant le sens, et ils faisaient comprendre ce qui était lu » (8, 1, 3, 8). Toute la population juive de la Jérusalem renée ne comprend pas l'hébreu ; d'aucuns, vraisemblablement, ne connaissent que l'araméen, *lingua franca* de l'empire perse (et, avant lui, de l'empire assyrien).

La lecture effraie le peuple, qui se met à pleurer. Mais les chefs religieux les rassurent : « Allez, mangez de bon plats, buvez d'excellentes boissons, et faites porter des portions à celui qui n'a rien pu préparer, car ce jour-ci est consacré à notre Seigneur. Ne soyez pas dans la peine, car la joie du SEIGNEUR, voilà votre force ! » (8, 10). Puis — pour la première fois depuis bien longtemps sinon tout à fait, comme le dit le texte, pour la première fois depuis le temps de Josué — les chefs invitent le peuple à célébrer la fête des tabernacles ou des huttes : des abris de fortune pareils à ceux dans lesquels la nation avait vécu en plein désert, au cours de ses errances après avoir reçu la loi et conclu l'alliance, mais avant d'avoir pénétré en terre promise.

Après la lecture de la loi, sept lévites récitent une longue prière (9-10), répétant l'histoire de la nation et ratifiant la Loi de Dieu telle qu'elle vient d'être lue au nom du peuple. En voici la conclusion :

> Aujourd'hui, voici que nous sommes des esclaves, et dans le pays que tu as donné à nos pères afin d'en manger les fruits et les biens, voici que nous sommes des esclaves ! Ses produits abondants sont pour les rois que tu as établis sur nous, à cause de nos péchés ; ils dominent sur nos corps et sur notre bétail, selon leur bon plaisir ; et nous, nous sommes dans une grande détresse.
>
> En conséquence, nous concluons un accord ferme et nous le mettons par écrit. Sur ce texte scellé [figurent*] nos chefs, nos lévites et nos prêtres. (9, 36-10, 1)

---

* Le mot entre crochets est un ajout des traducteurs de la TOB, cette phrase n'ayant pas de verbe. (*N.d.T.*)

Suit une nomenclature. Puis le petit peuple prête serment oralement :

> Le reste du peuple [...], tous ceux qui pouvaient comprendre [...] donnent leur soutien à leurs frères les plus considérés et s'engagent par promesse et serment à marcher selon la Loi de Dieu donnée par l'intermédiaire de Moïse, serviteur de Dieu, afin de garder et de mettre en pratique toutes les ordonnances du SEIGNEUR — notre Seigneur [littéralement, *yahweh* notre Seigneur] — ses commandements et ses prescriptions.
> En conséquence... (Ne 10, 29-31)

Suit enfin une liste de diverses rubriques qui doivent faire l'objet d'une ratification explicite : interdiction des mariages mixtes, interdiction de commercer le jour du sabbat, instauration d'une septième année — année sabbatique — de relâche et de remise des dettes de toutes sortes, sans oublier une série de dispositions pour l'entretien du temple de Jérusalem qui se terminent par ces mots, « Ainsi, nous n'abandonnerons pas la Maison de notre Dieu » (10, 40).

Maintenant que les Juifs se sont engagés à observer la loi de Dieu et ont ratifié leur alliance avec lui, comment le SEIGNEUR signifie-t-il qu'il a accepté leur ratification ? Il vaut la peine de rappeler ici comment, dans le Livre de l'Exode, il a signifié qu'il acceptait leur ratification au mont Sinaï après la première lecture de la loi :

> Moïse [...] se leva de bon matin et bâtit un autel au bas de la montagne, avec douze stèles pour les douze tribus d'Israël. Puis il envoya les jeunes gens d'Israël ; ceux-ci offrirent des holocaustes et sacrifièrent des taureaux au SEIGNEUR comme sacrifices de paix. Moïse prit la moitié du sang et la mit dans les coupes ; avec le reste du sang, il aspergea l'autel. Il prit le livre de l'alliance et en fit lecture au peuple. Celui-ci dit : « Tout ce que le SEIGNEUR a dit, nous le mettrons en pratique, nous l'entendrons. » Moïse prit le sang, en aspergea le peuple et dit : « Voici le sang de l'alliance que le SEIGNEUR a conclue avec vous, sur la base de toutes ces paroles. »
> Et Moïse monta, ainsi qu'Aaron, Nadav et Avihou, et soixante-dix des anciens d'Israël. Ils virent le Dieu d'Israël et sous ses pieds, c'était comme une sorte de pavement de lazulite, d'une limpidité semblable au fond du ciel. Sur ces privilégiés des fils d'Israël, il ne porta pas la main ; ils contemplèrent Dieu, ils mangèrent et ils burent.
> Le SEIGNEUR dit à Moïse : « Monte vers moi sur la montagne et reste là, pour que je te donne les tables de pierre : la Loi et le commandement que j'ai écrits pour les enseigner. » Moïse se leva, avec Josué son auxiliaire, et Moïse monta vers la montagne de Dieu, après avoir dit aux anciens : « Attendez-nous ici, jusqu'à ce que nous revenions

à vous. Mais voici Aaron et Hour qui sont avec vous ; celui qui a une affaire, qu'il s'adresse à eux. » Moïse monta sur la montagne ; alors, la nuée couvrit la montagne, la gloire du SEIGNEUR demeura sur le mont Sinaï et la nuée le couvrit pendant six jours. Il appela Moïse le septième jour, du milieu de la nuée. La gloire du SEIGNEUR apparaissait aux fils d'Israël sous l'aspect d'un feu dévorant, au sommet de la montagne. Moïse pénétra dans la nuée et il monta sur la montagne. Moïse resta sur la montagne quarante jours et quarante nuits. (Ex 24, 4-18)

Le SEIGNEUR est menaçant et, ne serait-ce que pour cette seule raison, son personnage est d'une irrésistible réalité dans ce long passage. Bien qu'Israël se soit écrié à l'unisson, « Tout ce que le SEIGNEUR a dit, nous le mettrons en pratique, nous l'entendrons », nul ne sait si les anciens d'Israël seront en danger lorsqu'ils se retrouveront en sa présence. Toujours est-il qu'ils s'en sortent sans mal, qu'ils le contemplent, puis mangent et boivent. Le caractère concret de leurs actions, sans parler des paroles que prononce le SEIGNEUR, de la nuée ou du feu — tout souligne sa réalité concrète. Pas une seconde il n'est permis de douter qu'il soit un partenaire actif dans la conclusion de l'alliance.

À la lecture de la loi en Néhémie 8-10, cependant, le SEIGNEUR ne dit ni ne fait quoi que ce soit en réponse à son acceptation par le peuple. Dès lors, en quel sens peut-on dire que, pour eux, il est réel, si tant est qu'il le soit ? En quel sens peut-on dire qu'il est présent ?

Les Livres d'Esdras et de Néhémie présentent, en effet, une objectivation et une incarnation fonctionnelle du SEIGNEUR Dieu. L'esprit de Dieu est objectivé dans sa loi, laquelle est maintenant couchée par écrit en de multiples copies, interprétée et traduite, suivant les besoins, pour chaque Juif. Après la lecture du livre — du rouleau —,

Esdras ouvrit le livre aux yeux de tout le peuple, car il était au-dessus de tout le peuple, et lorsqu'il l'ouvrit tout le peuple se tint debout. Et Esdras bénit le SEIGNEUR, le grand Dieu, et tout le peuple répondit : « Amen ! Amen ! » en levant les mains. Puis ils s'inclinèrent et se prosternèrent devant le SEIGNEUR, le visage contre terre. (Ne 8, 5-6)

Le rouleau n'est pas une idole, mais quand Esdras le présente au peuple, le peuple s'incline comme devant le SEIGNEUR. Le peuple n'est pas au temple. Esdras lui fait la lecture du haut d'une « tribune de bois ». C'est la vue du rouleau saint qui provoque cette réaction. Le divin rouleau enferme tout ce que Dieu a besoin de dire. Il n'a plus besoin de parler et s'en abstient.

Quant à ses actions, les chefs juifs qui connaissent sa loi connaissent donc son esprit et, en conséquence, peuvent faire office de vicaires. Du haut du ciel (désormais, on parle routinièrement de lui comme du Dieu des cieux, qui est au ciel), il conserve le pouvoir d'infléchir le cours des événements humains. Mais il a transmis à Esdras et à Néhémie, ainsi qu'à leurs associés, la responsabilité de prendre des dispositions civiles et militaires pour son peuple sur terre, c'est-à-dire les Juifs. Entre autres pouvoirs délégués *de facto*, figure celui d'accepter en son nom la ratification par le peuple juif de la nouvelle alliance.

La nouvelle alliance étant ainsi « auto-ratifiée », une nouvelle marche sur Sion se produit en Néhémie 11 sous la forme d'une réinstallation dans la capitale reconstruite d'un dixième de la population de chaque village de la province. En Néhémie 12, le chef énergique procède à un recensement des prêtres et des lévites chargés de l'administration du temple — désormais clairement appelé à être le centre commercial autant que religieux de Judée — et les entraîne dans un grand spectacle inaugural, divisant l'immense corps du temple en deux chœurs avant de les envoyer en procession, avec force harpes, lyres et cymbales, au sommet des nouvelles murailles puis au temple.

Puis Néhémie finit tout de même par rentrer en Perse. Mais au treizième et dernier chapitre du livre, il regagne Jérusalem pour châtier ceux qui ont fait des entorses à la nouvelle alliance. Il chasse un Ammonite qu'il trouve installé dans une chambre du temple, fait appliquer avec plus de rigueur les interdits sabbatiques et s'en prend une fois de plus aux mariages mixtes :

> C'est aussi dans ces jours-là que je vis des Juifs qui avaient épousé des femmes ashdodites, ammonites et moabites ; la moitié de leurs fils parlaient l'ashdodien et aucun d'eux ne se montrait capable de parler le juif, mais la langue d'un peuple ou d'un autre. Je leur fis des reproches et les maudis ; je frappai quelques hommes parmi eux et leur arrachai les cheveux ; puis je leur fis jurer au nom de Dieu : « Ne donnez pas vos filles à leurs fils, et ne prenez pas de leurs filles pour vos fils et pour vous ! N'est-ce pas à cause de cela qu'a péché Salomon, roi d'Israël ? Parmi les nombreuses nations il n'y eut pas de roi comme lui ; il était aimé de son Dieu et Dieu l'avait établi roi sur tout Israël. Pourtant c'est lui que les femmes étrangères ont entraîné dans le péché ! Et pour vous aussi, doit-on apprendre que vous commettez cette faute si grave d'être infidèles à notre Dieu, en épousant des femmes étrangères ? » (13, 23-27)

Le sermon de Néhémie à l'adresse des malheureux scalpés et flagellés qui ont eu le tort d'épouser des étrangères est très exactement le reflet du sermon/prière d'Esdras en Esdras 9. Et sur cette note, après l'ultime cri de Néhémie, « Souviens-toi de moi, mon Dieu, pour le bien ! » (13, 31), l'histoire d'Israël atteint le point le plus tardif rapporté dans le Tanakh. Ainsi s'achève cette troisième fin de la biographie de Dieu.

RONDE PERPÉTUELLE

« Qu'il monte »

1 ET 2 LIVRES DES CHRONIQUES

Néhémie, l'échanson qui serait roi, devint hargneux et tyrannique à la fin de sa carrière. Sa conduite — flageller les contrevenants, leur arracher les cheveux — était sans précédent. Et de voir le roi Salomon à nouveau mis en avant comme le paradigme du pécheur a eu l'effet d'un choc. Quoique pécheur, a-t-il été finalement un grand roi ? Ou, bien que grand roi, a-t-il été finalement un pécheur ? On soupçonne que Néhémie penchait du côté de la seconde solution. Mais cette question n'est pas de celles qu'on peut laisser en suspens. Il y a autre chose à en dire. Et cet autre chose se trouve dans les Livres des Chroniques.

Le Iᵉʳ Livre des Chroniques s'ouvre par neuf chapitres préliminaires de généalogies commençant par Adam et s'achevant avec les exilés de Babylone. La suite, du Iᵉʳ au IIᵉ Livre des Chroniques, récapitule l'histoire israélite de l'ascension de David à la chute de Jérusalem. Le IIᵉ Livre se termine par une coda d'un verset et demi signalant le retour des exilés juifs à Jérusalem sous le règne du roi Cyrus de Perse. Mais ces mots, les tout derniers du Tanakh, sont presque mot pour mot ceux qui ouvrent le Livre d'Esdras :

> Or, de la première année de Cyrus, roi de Perse — afin que s'accomplisse la parole du SEIGNEUR, sortie de la bouche de Jérémie —, le SEIGNEUR éveilla l'esprit de Cyrus, roi de Perse, afin que dans tout son royaume il fît publier une proclamation, et même un écrit pour dire : « Ainsi parle Cyrus, roi de Perse : Tous les royaumes de la terre, le seigneur, le Dieu des cieux, me les a donnés, et il m'a chargé lui-même de lui bâtir une Maison à Jérusalem qui est en Juda. Parmi vous, qui appartient à tout son peuple ? Que son Dieu soit avec lui, et qu'il monte... (Esd 1, 1-3a ; 2 Ch 36, 22-23)

Cependant, Esdras 1 ne s'arrête pas là, mais continue :

... à Jérusalem, en Juda, bâtir la Maison du SEIGNEUR, le Dieu d'Israël — c'est le Dieu qui est à Jérusalem ! En tous lieux où réside le reste du peuple, que les gens de ce lieu apportent à chacun de l'argent, de l'or, des biens et du bétail, ainsi que l'offrande volontaire pour la Maison du Dieu qui est à Jérusalem ! (Esd 1, 3b-4)

Que les événements relatés dans Esdras et Néhémie soient chronologiquement postérieurs à ceux des Chroniques et qu'un fragment de l'introduction de Esdras reste accroché à la fin des Chroniques a fortement suggéré aux historiens que les Livres d'Esdras et de Néhémie suivaient à l'origine les Chroniques (comme tel est encore le cas dans la Septante et dans l'Ancien Testament), et qu'une raison éditoriale avait conduit à les déplacer pour leur donner la position qui est la leur dans la Bible hébraïque, le Tanakh. Quant à la nature de cette raison, elle relève de la spéculation historique. Indépendamment de leur lien avec les Chroniques, les Livres d'Esdras et de Néhémie sont un puzzle éditorial et un labyrinthe historique. Écrits pour partie en araméen, et pour partie en hébreu, ils mêlent les matériaux originaux et les citations de documents perses, avec force signes de désassemblage et de réassemblage. La répétition des premiers mots du Livre d'Esdras à la fin du IIe Livre des Chroniques tient peut-être du hasard, mais son effet n'en est pas moins de faire de ces quatre derniers livres du Tanakh l'équivalent littéraire d'une ronde en musique. Une ronde est une composition qui, du simple fait que ses dernières notes sont identiques aux premières, peut en principe se poursuivre éternellement. (*Three Blind Mice*[*] en est l'exemple le plus familier, mais on pourrait en citer de plus nobles.)

La ronde classique est faite pour être chantée à trois ou quatre voix simultanément ; et quand toutes les voix chantent, il est impossible de distinguer le début du milieu ou de la fin. De même qu'un cercle, à la différence d'une ligne, n'a ni début ni milieu ni fin, cette forme de chant circulaire, dans le meilleur des cas grisante, paraît vaincre la mort. Ainsi peut-on dire du Tanakh qu'il vainc sa propre mort et celle de Dieu en se terminant par une ronde littéraire lue indéfiniment — depuis Adam, au début des Chroniques, jusqu'à David, au milieu, puis au « Qu'il monte » à la fin, et « à Jérusalem, en Juda », au début d'Esdras, en passant par Esdras et Néhémie, pour en arriver de nouveau à Adam au début des Chroniques, puis à David, au « Qu'il monte » et « à Jérusalem, en Juda », et ainsi de suite, *ad infinitum*.

Cela paraît-il un peu forcé ? Commençons donc par suggérer,

---

[*] « Trois souris aveugles », ronde anglaise du XVIe siècle, publiée pour la première fois en 1609 par Thomas Ravenscroft dans son recueil *Deuteromelia*. (*N.d.T.*)

d'abord, que toute appréciation littéraire du Tanakh dans son ensemble doit tant bien que mal s'accommoder de cette anomalie, à savoir de cette fin qui ramène le lecteur au milieu de son histoire. On peut la considérer comme un simple accident, qui se passe donc de commentaires ; on peut prétendre avoir deviné l'intention théologique ou religieuse qu'elle cache ; ou — suivant une voie médiane — on peut s'abstraire de l'intention et rationaliser l'accident, si accident il y a, en se penchant sur son effet littéraire *de facto*. La première solution fait de la place des livres un simple bruit ; la deuxième en fait de la musique ; la troisième, pour revenir à une comparaison antérieure, en fait de la musique aléatoire, c'est-à-dire une ronde littéraire accidentelle. Étant donné que le judaïsme, la religion qui a édité les livres dans cet ordre, se livre, dans le cycle de ses fêtes religieuses, à une répétition toujours recommencée de l'histoire israélite, il était tout à fait approprié de conclure le Tanakh par une ronde, que cela fût ou non intentionnel. Des écritures éditées de manière à pivoter éternellement autour des mots charnière « Qu'il monte » s'accordent à la perfection à un calendrier liturgique qui revient chaque année à la formule « l'an prochain à Jérusalem ».

Esthétiquement, cette conclusion est-elle satisfaisante ? John Keats l'aurait peut-être pensé, du moins le Keats qui écrivit dans son *Ode sur une urne grecque* :

> Bel éphèbe, sous ces arbres, tu ne peux quitter
> Ta chanson, pas plus que les arbres ne quittent leurs feuilles ;
> Audacieux amoureux, jamais, jamais tu n'obtiens les baisers,
> Quoique tu sois proche du but — cependant, ne te chagrine pas ;
> Elle ne peut se flétrir ; quoique tu n'atteignes pas ton bonheur,
> À jamais tu aimeras, et elle sera belle ![*]

La relation entre Dieu et Israël, tout comme celle du bel éphèbe et de son amour, se trouve préservée parce que gelée. Le langage est un instrument qui va de l'avant. Arrêtez-le, retenez une syllabe, et il devient simple bruit. Pour créer dans ce médium de phrases l'équivalent de la belle frustration que crée un instant saisi sur un vase peint, il faut transformer une histoire continue en éternel recommencement. C'est précisément ce que rend possible la fin unique des Livres des Chroniques.

Naturellement, l'effet esthétique ne tient pas à la seule manière d'arrêter l'action. Il faut aussi se demander quel genre d'action on interrompt. Sans baiser interrompu, l'urne grecque n'aurait jamais

---

[*] John Keats, *Poèmes et poésies*, trad. Paul Gallimard, Paris, Gallimard, 1996, p. 196.

plongé Keats dans de pareilles transes. Où est le baiser dans les Livres des Chroniques ?

Le baiser — l'instant de beauté et de tendresse exquises, que l'esprit peut revisiter à jamais sans lassitude — intervient aux chapitres 28-29 du Ier Livre des Chroniques, avec les derniers mots du roi David qui abandonne le trône à son fils Salomon. Tout est prêt, désormais, pour la construction d'un grand temple au SEIGNEUR, mais David explique que le SEIGNEUR lui a dit : « Tu ne bâtiras pas une Maison pour mon nom car tu es un homme de guerre et tu as répandu le sang. » David rapporte alors la scène de 2 Samuel 7 sur laquelle nous avons déjà lourdement insisté et où, pour la première fois, le SEIGNEUR Dieu parle de lui comme d'un père : il sera le père de Salomon, édifiant une maison, une dynastie, pour David, plutôt que d'obliger David à bâtir pour lui une maison, un temple. David s'incline devant la volonté du SEIGNEUR, mais il avait fait dessiner les plans d'un temple et mettre de côté les matériaux nécessaires à sa construction. Voici qu'il les confie solennellement à son fils en présence de Dieu et dit :

> Et toi, mon fils Salomon, connais le Dieu de ton père, et sers-le d'un cœur intègre et d'une âme empressée, car le SEIGNEUR sonde tous les cœurs et discerne toute forme de pensée. Si tu le cherches, il se laissera trouver par toi, mais si tu l'abandonnes, il te rejettera pour toujours. Regarde maintenant : le SEIGNEUR t'a choisi pour bâtir une Maison comme sanctuaire ; sois ferme et agis ! (1 Ch 28, 9-10)

Survenant juste après son allusion à la paternité de Dieu, le ton paternel de David avec son fils baigne cet instant d'amour familial. Après avoir remis les plans à Salomon, David poursuit :

> Agis avec fermeté et courage ! Sois sans crainte et ne t'effraie pas, car le SEIGNEUR Dieu, mon Dieu, est avec toi. Il ne te laissera pas et ne t'abandonnera pas, jusqu'à l'achèvement de tout travail pour le service de la Maison du SEIGNEUR. Voici les classes des prêtres et des lévites pour tout ce service de la Maison de Dieu ; et avec toi, en toute cette œuvre, il y aura des hommes de bonne volonté et remplis de sagesse en tout travail ; et les chefs et tout le peuple seront à tes ordres. (1 Ch 28, 20-21)

Le long discours de David est remarquable par sa manière de parler tour à tour et avec une sincérité attendrissante à ses sujets, à son fils et à son Dieu. Historiquement, s'il faut en juger d'après les Livres des Rois, l'accession de Salomon au trône après la mort de David fut une sale affaire sanglante, où Salomon dut moins son triomphe ultime à son père qu'à sa mère, Bethsabée, qui déjoua les intrigues de palais et élimina implacablement les rivaux de son fils.

Les Chroniques rapportent une histoire de succession bien différente. David abdique en faveur de Salomon, lequel est oint aux yeux de son père. Après avoir construit le temple, Salomon récitera ses propres prières dédicatoires, qui répètent, mot pour mot, les prières du IIe Livre des Rois. Dans une certaine mesure, les huit chapitres qui traitent de la succession et de la consécration du temple (1 Ch 28-2 Ch 7) forment le cœur du récit.

Mais le cœur des cœurs, l'instant que nous pouvons appeler « le baiser », c'est l'adieu de David, sa prière de séparation au SEIGNEUR, qui n'est pas consignée dans les Livres des Rois :

> Béni sois-tu, SEIGNEUR, Dieu d'Israël, notre père depuis toujours et pour toujours. À toi, SEIGNEUR, la grandeur, la force, la splendeur, la majesté et la gloire, car tout ce qui est dans les cieux et sur la terre est à toi. À toi, SEIGNEUR, la royauté et la souveraineté sur tous les êtres. La richesse et la gloire viennent de toi et c'est toi qui domines tout. Dans ta main sont la puissance et la force ; dans ta main, le pouvoir de tout élever et de tout affermir. Et maintenant, notre Dieu, nous te rendons grâce et nous louons le nom de ta splendeur ; car qui suis-je et qui est mon peuple pour que nous ayons le pouvoir d'offrir des dons volontaires comme ceux-ci ? Tout vient de toi, et ce que nous t'avons donné vient de ta main. Car nous sommes des étrangers devant toi, des hôtes comme tous nos pères ; nos jours sur la terre sont comme l'ombre, et sans espoir. SEIGNEUR notre Dieu, toute cette masse de choses que nous avons préparée pour te bâtir une Maison pour ton saint nom, tout cela vient de ta main et t'appartient. Je sais, mon Dieu, que tu sondes le cœur et que tu agrées la droiture : pour moi, c'est dans la droiture de mon cœur que j'ai offert volontairement tout cela, et maintenant ton peuple qui se trouve ici, je le vois avec joie t'offrir aussi des dons volontaires. SEIGNEUR, Dieu d'Abraham, d'Isaac et d'Israël, nos pères, garde pour toujours les dispositions du cœur de ton peuple et dirige fermement son cœur vers toi. À mon fils Salomon, donne un cœur intègre pour garder tes commandements, tes exigences et tes décrets afin de tout exécuter et de bâtir le palais que j'ai préparé. (1 Ch 29, 10-19)

Tel est le final du choral auquel la ronde qui clôt le Tanakh revient sans cesse : Dieu est père, David est roi, Salomon est prince régent, et dans un pays où l'on observe la loi à la perfection, mais aussi dans l'allégresse, toutes les mains sont prêtes à entamer la construction d'un magnifique temple.

La dernière fois que nous l'avons vu, à la fin du Livre de Daniel, le SEIGNEUR Dieu considérait les choses de loin, le Vieux de jours, assis sur son trône céleste, omniscient, peut-être, mais silencieux et impassible. En sa qualité de Vieillard, le SEIGNEUR Dieu ne prononce pas de dernier discours. Ses derniers mots restent le discours qu'il adresse à Job du sein de l'ouragan. Cependant, la prière que lui adresse David, si nous la mettons dans la bouche même du SEIGNEUR Dieu, a une similitude rhétorique frappante avec ce discours, à ceci près, bien entendu, qu'elle en retourne miséricordieusement l'état d'esprit. Dit par Dieu plutôt que par David, le discours commencerait ainsi : « À moi, la grandeur, la force, la splendeur, la majesté et la gloire, car tout ce qui est dans les cieux et sur la terre est à moi. » Dans la seconde moitié, on retrouverait largement la manière du Dieu qui a humilié Job : « Car qui es-tu et qui est ton peuple pour que vous ayez le pouvoir d'offrir des dons volontaires comme ceux-ci ? Tout vient de moi, et ce que nous m'avez donné vient de ma main. »

Mais c'est David qui parle à Dieu et lui offre des dons, et il le fait en confiance et avec amour. Comme le Tanakh s'achève, l'esprit de Dieu a été objectivé dans la loi, l'action de Dieu s'est incarnée dans les chefs, et pour finir, la voix de Dieu est transférée à la prière. La dernière prière de David est le discours d'adieu du SEIGNEUR Dieu. La voix est celle du vieux roi, mais le désir est celui du Dieu éternel.

13

POSTLUDE

Dieu perd-il tout intérêt ?

Les tragédies grecques classiques sont toutes des versions de la même tragédie. Toutes présentent la condition humaine comme un affrontement entre le personnel et l'impersonnel, où l'impersonnel est inévitablement victorieux. Si l'une quelconque des circonstances qui mènent inexorablement Œdipe à sa chute dans *Œdipe roi* de Sophocle avait été différente — si le petit enfant avait été abandonné sur une autre route, si Jocaste, sa mère, était morte avant de retourner à Thèbes, si un maillon de la chaîne avait été brisé —, sa volonté de savoir la vérité, sa « faille tragique », n'eût point été sa ruine. Mais il était écrit que les événements suivraient ce cours, et ce cours seulement, et que sa fin serait donc inéluctablement ce qu'elle est. Le spectacle est cathartique pour autant qu'il réussit à suggérer que toutes les vies humaines sont des variations de la collision qu'elle présente. Sophocle nous invite, en pleurant sur Œdipe, à pleurer sur nous.

Hamlet est un autre genre de tragédie. Bien que nous voyions Hamlet dans un ensemble de circonstances qui, tout comme *Œdipe roi*, impliquent une vérité voilée et révélée ainsi qu'une relation embrouillée et passionnée entre le protagoniste et ses parents, l'issue tragique ne paraît jamais inévitable. De surcroît, la faille de Hamlet, inlassablement débattue, se trouve d'une manière ou d'une autre dans son personnage ; en d'autres circonstances, elle resterait une faille. La singularité des circonstances dans lesquelles nous le voyons ne joue pas le rôle que joue l'ensemble comparable dans la tragédie grecque. L'affrontement ne ressemble pas à celui d'Œdipe, noble et condamné, aux prises avec la chaîne d'airain des événements. Le conflit se trouve plutôt dans le personnage même de Hamlet, entre la « verdeur première des résolutions » et l'« ombre pâle de la pensée* ».

---

* *Hamlet*, III, 1, trad. André Gide

413

On ne saurait réduire à un paragraphe chacun des siècles de commentaire sur ces deux classiques. Mais un exposé plus long ne changerait rien au point vers lequel tend la comparaison : si différent qu'il soit des deux tragédies, le Tanakh, dans son esprit, est bien plus proche de *Hamlet* que d'*Œdipe roi*. Son action trouve son origine dans le personnage de son protagoniste ; et même quand il s'abstient d'agir, son abstention perdure telle une réalité qui a plus d'importance que n'importe quel événement ou chaîne d'événements. Aucune *anankè,* aucune marche inexorable du destin qui progresserait de manière autonome sans lui, ne lui succède jamais comme moteur du Tanakh. Même dans les Livres d'Esdras et de Néhémie, où à toutes fins utiles il cède l'initiative aux chefs de son peuple élu, ceux-ci pensent accomplir sa volonté. Et que leur prétention soit ou non convaincante, on ne saurait nier l'absence, dans la conclusion du Tanakh, de tout substitut impersonnel au Dieu personnel. Jusqu'à la dernière page du recueil, l'action commence toujours avec Dieu ou avec les êtres humains. Il n'y a pas de troisième solution : point de Destin ni de Nature, point de Cosmos ni de Fondement de Tout Être.

IMAGINER LE DIEU UN COMME UN DIEU MULTIPLE

Ainsi le Tanakh est-il un classique dominé par son personnage. Pour mieux le mesurer, imaginons comment son action se déroulerait si les diverses personnalités qui ont fusionné dans le personnage du SEIGNEUR Dieu reprenaient leur liberté pour devenir des personnages séparés. Lorsque le personnage du SEIGNEUR Dieu est ainsi éclaté, l'histoire qui en résulte prend aussitôt les contours familiers d'un mythe plus « ordinaire ». Au prix d'un léger changement de nom, le Tanakh se déroulerait plus ou moins ainsi :

Au commencement, le Dieu Eloh créa le monde matériel. Puis Eloh et son frère Yah entreprirent de créer l'espèce humaine. Eloh, calme et doux, proposa à Yah de créer l'humanité « à notre image ». Pour Eloh, la créature humaine devait être le couronnement et le faîte de la création. Mais Yah n'avait pas envie que l'homme fût « comme l'un de nous ». Il voulut s'en charger personnellement, et choisit de faire l'humanité à partir de la poussière, bien que, animé d'une soudaine impulsion, il insufflât son esprit à sa créature. Dès le début, Eloh avait voulu une espèce humaine mâle et femelle. Yah, dont l'action semblait toujours précéder son entendement, se contenta de faire d'abord un mâle, mais comprit peu à peu qu'une compagne était nécessaire. Eloh avait proposé de lâcher les hommes dans la nature. Yah préféra les confiner dans un jardin et leur imposa des règles destinées à les maintenir dans l'ignorance.

C'est alors que Mot, la déesse reptilienne, incita la femme à désobéir à Yah, et la femme, à son tour, convainquit son mari de se joindre à son péché. Furieux, Yah humilia Mot, l'obligeant désormais à ramper, tel un serpent, sur le ventre, mais le châtiment qu'il lui infligea était moins sévère que celui qu'il réservait à l'homme et à la femme : labeur ingrat, enfantement dans la douleur et mort prématurée. Ils furent ensuite chassés du jardin, mais comme ils partaient, Yah, dans un accès de tendresse, recouvrit leur nudité de vêtements de peau qu'il avait confectionnés pour eux.

Malgré les châtiments de Yah, le premier couple humain fut fécond, et l'espèce humaine se multiplia et essaima à travers la terre comme Eloh l'avait voulu. Mais leur fécondité fit enrager Mot, laquelle transforma son corps sinueux et limoneux en un déluge qui engloutit le monde. Tout ce qui vivait — tous les animaux, toutes les plantes ainsi que toute l'humanité — périt. Heureusement, Eloh et Yah refusèrent à Mot une victoire totale. Quelques jours à peine avant son attaque, ils prévinrent Noé de construire un vaisseau et d'y embarquer un échantillon de toute la création. Leur bataille avec Mot dura quarante jours, mais ils finirent par remporter la victoire. Les eaux se retirèrent, et la création commença à neuf. Eloh déclara que l'arc-en-ciel serait dorénavant le signe que Mot ne serait jamais plus autorisée à noyer la terre sous un déluge. Mot elle-même fut temporairement amadouée par la fragrance de l'holocauste que Noé offrit à Yah.

Plusieurs générations passèrent. Dans un monde où les humains avaient de nouveau essaimé, Abram, nomade qui vivait péniblement et qui restait sans enfant, reçut un visiteur divin, le mystérieux mais bon Magen. Magen promit de l'aider à devenir père et de le guider vers une terre fertile où sa progéniture pourrait former une puissante tribu. Abram suivit les instructions de Magen, se rendit où il lui dit d'aller, et se prêta à la circoncision en signe de son lien avec Magen. Magen encouragea les mariages et les naissances dans la tribu d'Abram, assista les femmes aussi bien que les hommes, et intervint dans les temps de famine et d'autres menaces ; ainsi déjoua-t-il le projet de Mot, lorsqu'elle tenta de se faire passer pour Eloh et d'exiger d'Abram qu'il sacrifiât son fils Isaac. Les pouvoirs de Magen étaient modestes, mais ses intentions étaient la bonté même. Il veillait tranquillement, tandis que la tribu d'Abram grandissait en nombre et en prospérité.

Le jour venu, la tribu d'Abram, rebaptisée Israël, émigra en Égypte, où elle devint plus nombreuse que les Égyptiens eux-mêmes.

C'est alors que Mot monta Pharaon, le roi des Égyptiens, contre les Israélites. Pharaon les asservit et commença à massacrer leurs nouveau-nés mâles. Les gémissements des Israélites opprimés finirent par arriver aux oreilles d'Eloh et de Yah, qui dépêchèrent le féroce Sab à la rescousse. Sab apparut à Moïse l'Israélite sous la forme d'un feu inextinguible et lui ordonna de défier Pharaon. S'ensuivit une débauche de violences contre l'Égypte, les châtiments succédant aux châtiments : le fleuve fut empoisonné, la terre dévastée, et tous les nouveau-nés mâles du pays passés par l'épée. Au plus fort de la bataille, Sab trancha en deux le corps aquatique de Mot, et les armées de Pharaon se noyèrent dans ses restes.

Désormais libéré du Pharaon, arraché à la servitude, Israël se retrouva dans l'obligation de servir Sab à perpétuité. Sab conduisit la horde des esclaves affranchis à travers le désert, jusqu'à un volcan où il élit domicile, et du sein de la fumée et des flammes il dicta d'une voix tonnante les conditions dans lesquelles, dorénavant, ils le serviraient. Par peur autant que par gratitude, ils se soumirent. Puis il leur fit retraverser le désert jusqu'au pays auquel Magen avait auparavant conduit Abram. À la différence du peu belliqueux Magen, Sab leur commanda d'exterminer tous les habitants de la région centrale du pays, de crainte qu'ils ne fussent tentés d'adorer un autre dieu.

Dans un premier temps, ils suivirent ses instructions, mais par la suite ils flanchèrent et se mirent à frayer avec les autochtones. Il leur avait promis richesse et puissance s'ils lui demeuraient fidèles, et les avait prévenus des abominables souffrances qui les attendaient en cas d'infidélités. Après la mort de leurs grands rois, David et son fils Salomon, Sab se retourna implacablement contre eux. Se servant de Babylone et de l'Assyrie comme d'instruments de son courroux, il détruisit leur capitale, Jérusalem, les chassa du pays qu'il avait conquis pour eux, puis les envoya en exil et en esclavage.

Eloh, Yah, Mot et Sab rivalisaient, à qui offrirait la vision la plus grandiose de ce qui se passerait ensuite. Sab enrageait, parce que les nations dont il avait fait ses instruments pour punir Israël étaient allées trop loin : il voulait les détruire comme il avait détruit Israël. Eloh voulait rétablir un ordre mondial pacifique au sein duquel Jérusalem, magnifiquement reconstruite, serait la ville-sanctuaire de toutes les nations. Yah estimait que Sab était allé trop loin avec Israël et souhaitait réconforter la nation, qu'il prétendit soudain aimer comme un enfant, voire une épousée. Quant à Magen, il était au supplice : comment tout cela avait pu se passer restait pour lui un cruel mystère. Il demanda à Yah de voler en son nom au secours d'Israël. Mot, qui somme toute n'était pas tout à fait morte, resurgit pour réclamer un nouvel anéantissement spectaculaire du monde entier.

Finalement, aucune des menaces de Sab ou de Mot ne fut suivie d'effet. Eloh décida le roi de Perse à autoriser une délégation de Juifs à retourner à Jérusalem et à y bâtir un modeste temple en l'honneur d'Eloh, mais renonça tranquillement à l'idée que toutes les nations vinssent l'y adorer. Sab ayant quasiment disparu de la scène, on redécouvrit la loi qu'il avait imposée et on célébra en elle les précieuses pensées d'un dieu. Commença alors à régner parmi les Israélites un climat serein, tonique et positif, que devaient illustrer les apparitions brèves mais mémorables de Shéra, déesse de la créativité, de la sagesse et de l'habileté.

Alors qu'une stabilité, certes modeste, mais bien réelle commençait à prendre forme, Mot monta une dernière offensive désespérée. Toujours aussi soupçonneux et influençable, Yah avait vanté à Mot les mérites de Job, homme exemplaire dans sa conduite et par la sincérité de sa dévotion envers Yah. Mais Mot mit Yah au défi : Job ne lui était dévoué qu'à cause des soins dont Yah l'entourait, prétendit la maléfique déesse. Piqué au vif, Yah décida d'éprouver la dévotion de Job en lui infligeant de grandes souffrances. Comme prédit, Job persévéra dans sa dévotion : « Yah donne, Yah reprend, béni soit le nom de Yah ! » Ainsi Yah triompha-t-il une fois de plus de Mot, mais Job remporta une victoire morale sur Yah en dévoilant le rôle que la déesse avait joué dans les malheurs du serviteur de Yah. Yah restaura les fortunes de Job, mais un grand silence s'ensuivit. Aucun des dieux ne devait plus jamais parler, et Eloh excepté, aucun ne devait plus jamais se faire voir ; on ne l'entraperçut qu'une seule fois, monarque aux cheveux blancs et taciturne, assis sur son trône lointain.

Les Israélites finirent par prendre leur vie en main. Eloh et Yah étaient encore honorés, mais il était désormais bien entendu que leur demeure était le ciel ; sur terre, on n'attendait pas grand-chose d'eux. La loi de Sab fut codifiée et recopiée, mais elle était désormais à la garde des hommes. Chaque année, on célébrait un drame religieux rappelant l'épopée d'Israël et des dieux. Le point d'orgue en était la promesse de Yah à David — il ferait de Salomon son fils adoptif —, et la promesse de David à Yah — Salomon bâtirait un temple pour honorer tous les dieux et préserver la paix qui régnait maintenant parmi eux.

Cette version polythéiste du Tanakh possède ce qui manque à l'original, à savoir la clarté et un sentiment de relative inéluctabilité. Ce qui lui manque en revanche, c'est un protagoniste central, unique.

Ainsi remanié, le cours des événements, qui joue *grosso modo* le rôle qu'il jouerait dans un mythe grec bien peuplé, importe plus que n'importe quel acteur. Alors que chacun des dieux mentionnés se réduit à un trait ou deux, qui en sont la signature, le récit acquiert, nonobstant la turbulence de l'action, un certain calme sous-jacent : ce qui sera sera.

En comparaison, l'angoisse diffuse est bien l'atmosphère la plus caractéristique du Tanakh : ce qui sera peut aussi bien ne pas être — tout dépend d'un Dieu effroyablement imprévisible. Dans ce classique unique et toujours influent, l'intrigue est, pour ainsi dire, prise au piège du personnage principal. La clarté disparaît sous la confusion des personnalités et des fonctions réunies en lui. On ne sait jamais ce qu'il fera ; plus troublant encore, on ne sait jamais s'il fera quelque chose, et les événements ne suivent pas leur cours, majestueux et impersonnel, sans lui. Le cri du Psalmiste, « pourquoi dors-tu, Seigneur ? », nomme une angoisse religieuse, qui est aussi le suspens littéraire qui imprègne le Tanakh, en particulier sa troisième partie. Quand le SEIGNEUR Dieu se décidera-t-il à agir ? Agira-t-il jamais ? Massivement, au départ, et de manière résiduelle, même à la fin, telle est la question décisive. La gueule divine qui avale et régurgite le récit.

LA CRÉATION COMME TRAGÉDIE

Mais, au fond, pourquoi cet intérêt angoissé est-il si envahissant au début, et n'est-il qu'un résidu à la fin ? Dans le Tanakh, la vie du SEIGNEUR Dieu commence dans l'activité et le discours pour finir dans la passivité et le silence. Cela devrait être parfaitement clair désormais. Ce qui l'est moins, c'est le pourquoi de tout cela. Pourquoi cette œuvre prend-elle la forme d'un long decrescendo jusqu'au silence ? Pourquoi commence-t-elle, pour ainsi dire, par l'apogée avant d'amorcer un déclin ?

Notre indice, c'est que le cours de la vie de Dieu ne le conduit pas seulement de la toute-puissance à l'impuissance relative, mais aussi de l'ignorance à une relative omniscience. Le Dieu que nous avons vu dans les premiers versets de la Genèse était aussi sûr de lui qu'actif, mais sa confiance est vite apparue aveugle tant il se laissait surprendre par les conséquences de son action. Pour commencer, savait-il vraiment ce qu'il faisait ? Le Dieu que nous voyons dans les derniers chapitres de Daniel est un Dieu qui sait jusque dans le moindre détail la suite de l'histoire. Si taciturne que soit le Vieillard, il *sait*. Alors que le savoir du SEIGNEUR Dieu n'a cessé de croître, il faut poser la question : qu'a-t-il donc appris qui l'a réduit au silence ?

Nous pouvons partir de la confession implicite qu'il fait, dès l'origine, de son mobile : « Faisons l'homme à notre image, selon notre ressemblance. » On a généralement lu ce vers comme une déclaration sur la noblesse de l'humanité, mais on peut aussi y voir l'aveu que, au départ, Dieu manque de transparence à ses propres yeux. Il désire une image parce qu'il a besoin d'une image.

En posant plus haut la question : « À quoi tient la divinité de Dieu ? », nous observions que, dès le début, sa vie semble avoir toujours été liée à sa créature humaine. Parce qu'il n'y a pas d'autres dieux, il ne peut avoir de vie sociale divine. La mythologie israélite ne connaît pas d'Olympe, ni même de *country club* où une divinité puisse folâtrer avec ses pareilles. Certes, dès le début ou presque, Dieu est présenté comme « le Dieu du ciel ». La toute première fois qu'Abraham parle *de* son Dieu, plutôt qu'il ne parle *à* son Dieu, il choisit cette appellation. Mais le SEIGNEUR Dieu est aussi le Dieu de la terre. Bien qu'il n'y ait de place qui ne soit sienne, il n'y a pas non plus de place qui soit uniquement sienne. Lors de la dédicace du temple, Salomon demande à Dieu d'entendre les prières du peuple depuis le « lieu où tu habites, au ciel ». Au début de sa longue prière, cependant, le même Salomon a commencé par dire : « Les cieux eux-mêmes et les cieux des cieux ne peuvent te contenir ! Combien moins cette Maison que je t'ai bâtie ! » (1 R 8, 27). Dieu est omniprésent, c'est vrai, mais son omniprésence n'est jamais qu'un autre nom de sa solitude.

Il semble qu'il n'y ait en effet personne pour lui tenir compagnie, hormis la créature qu'il a faite à son image. On dit qu'à l'article de la mort Honoré de Balzac demanda que l'on fît venir les personnages de fiction qu'il avait créés. Mais si, de son vivant, Balzac n'avait eu d'autre compagnie que ces personnages ? Son état serait, de manière analogue, celui dans lequel, selon toute apparence, Dieu semble être au début de sa vie. Cependant, pour que l'analogie tienne, il faut comprendre un Balzac divin qui est tout à la fois l'unique écrivain au monde et un écrivain qui n'a encore jamais écrit. La première fois qu'il prend la plume, comment est-il préparé à ce qui va suivre ?

Au début du Tanakh, le SEIGNEUR Dieu est un être en qui l'ignorance de soi s'accompagne d'un pouvoir immense — ou d'un talent immense, pourrions-nous risquer, histoire de filer l'analogie balzacienne. Parmi toutes les choses qu'il ne sait pas encore, l'une des clés c'est que son ignorance de lui n'est pas sans rapport avec sa volonté de créer. Crée-t-il l'humanité par désir d'être connu, aimé ou servi ? Avec le temps, son commerce avec sa créature lui laissera supposer que, en effet, il désire tout ceci, mais au départ il ne sait pas ce qu'il souhaite, et il ne sait pas non plus qu'il a besoin de sa créature pour le découvrir.

Le savoir ne précède l'action inaugurale de Dieu qu'à une seule occasion : lorsqu'il décide de créer une image de soi. C'est la seule et unique fois où il commence par dire ce qu'il va faire, puis le fait. Jusque-là, les fameux mots de Goethe, « Au commencement était l'action ! », le définissent à merveille. C'est à ce point seulement qu'il se départ de l'assurance parfaite mais illusoire du somnambule. Et inévitablement, il dote sa créature du seul pouvoir sur lequel il exerce cette once de contrôle conscient. À l'homme et à la femme, au couple fait à son image, il donne le pouvoir de faire à leur tour des images d'eux-mêmes. Il en fait une espèce reproductrice, dont la progéniture sera et ne sera pas, tout à la fois, une réplique d'eux-mêmes.

Par ce geste inaugural, Dieu met en branle la chaîne d'actions et de réactions que nous avons déjà passées en revue. Nous revenons à ce commencement parce qu'il nous rapproche au plus près d'une explication du silence dans lequel se termine l'histoire de Dieu. Bref, du jour où Dieu comprend ce qui l'a motivé au début, sa motivation pour continuer s'en trouve compromise. C'est ce qui explique pourquoi, en un mot, il s'efface.

LE TANAKH OU LE REFUS DE LA TRAGÉDIE

Le désir d'avoir une image de soi est gros de potentialités tragiques. Du jour où l'on se sera vu dans son image, aura-t-on encore envie de regarder ? La connaissance de soi ne se révélera-t-elle pas fatale à l'amour de soi ? Va-t-on perdre tout intérêt pour soi, *a fortiori* pour une image de soi, dès lors que l'image aura joué son rôle et qu'on saura qui on est ?

Si le Tanakh était une tragédie, Dieu, ayant appris la vérité sur lui-même à travers son commerce avec l'humanité, et surtout ses liens avec Job, finirait par sombrer dans le désespoir. Mais le Tanakh n'est pas une tragédie, et le SEIGNEUR Dieu ne finit pas dans le désespoir. La tragédie se distingue par sa clarté et sa finalité. Le refus de la tragédie ne possède typiquement ni l'une ni l'autre. Le Tanakh refuse la tragédie et finit, en conséquence, dans un genre de confusion qui lui est propre, mais son protagoniste en sort vivant, non mort. Considéré dans son ensemble, le Tanakh est une divine comédie, mais une comédie qui échappe de justesse à la tragédie.

Job, en étant l'image la plus parfaite de Dieu, est à deux doigts de le détruire. Il paraît offrir au SEIGNEUR non seulement une conduite irréprochable, mais un cœur ouvert et adorant :

> Lorsqu'un cycle de ces festins était achevé, Job les faisait venir pour les purifier. Levé dès l'aube, il offrait un holocauste pour chacun d'eux, car il se disait : « Peut-être mes fils ont-ils péché et maudit Dieu dans leur cœur ! » Ainsi faisait Job, chaque fois. (Jb 1, 5)

Le SEIGNEUR eut la fantaisie de croire qu'en le faisant souffrir gratuitement, il obtiendrait de Job une démonstration d'adoration désintéressée d'autant plus grande et glorieuse. Job est pur et innocent ; il consentira à tout, pense le SEIGNEUR. Mais à sa grande horreur, Job se révèle être une image du SEIGNEUR plus parfaite encore que celui-ci ne l'avait prévu. Le SEIGNEUR veut voir de quel bois Job est fait. Fort bien, Job le lui montrera, mais Job verra aussi de quel bois est fait le SEIGNEUR. Job est l'image suprême du désir qu'a Dieu de connaître Dieu, car il accepte sa souffrance, mais il ne l'accepte point en silence. Il ne se résigne pas à l'absence d'explication. Et dès lors que Dieu, dans son apothéose, essaie de le réduire au silence par un étalage de puissance, Job a entendu ce qu'il avait besoin d'entendre. Il ne demande pas d'autre révélation à Dieu. En fait, il se désintéresse de lui. Par la suite, et en conséquence, le SEIGNEUR ne retrouve plus jamais l'intérêt qu'il se portait.

La fin du Livre de Job où Dieu est démasqué devrait être l'instant de vérité, qui devient l'heure de la mort. Se sachant tel que Job lui dit qu'il est, le SEIGNEUR devrait estimer impossible de continuer ; et c'est presque ce qui se passe.

Presque, mais pas tout à fait. Dans la section du chapitre 9 intitulée « Femme », nous avons dit que le féminin n'était pas simplement absent du personnage pleinement développé de Dieu, mais qu'il en avait été activement exclu. À ses débuts de créateur, Dieu parlait de lui au pluriel, et il se voyait réfléchi dans un couple humain plutôt que dans le seul mâle. Mais par la suite la part femelle du divin mâle a été refoulée, et en vérité refoulée bien plus systématiquement que le destructeur dans le créateur divin. Lorsqu'une déesse fut introduite dans le temple de Dieu, sa réaction fut d'une violence quasi suicidaire, car lorsqu'il détruisit Jérusalem, on l'a vu, il faillit se détruire. Passé ce point, on l'a vu également, le Tanakh perd sa continuité narrative de surface : l'histoire de Dieu tourne court. Mais récit et personnage sont interdépendants. Nous pouvons dire également que, passé ce point, le personnage de Dieu s'effondre lui aussi. Ce qui sauve l'histoire de Dieu et Dieu lui-même, c'est ce qui n'entre ni dans l'une ni dans l'autre.

Dans le Cantique des cantiques, qui vient juste après le Livre de Job, le reste — non israélite — de l'humanité rentre dans l'histoire, et un esprit séculier repousse en marge Israël, mais aussi Dieu lui-même. La chanteuse non identifiée du Cantique des cantiques est une jeune femme débordante d'allégresse et de joie. Si elle a un tel effet dans la vie du SEIGNEUR Dieu, c'est précisément parce qu'elle lui donne une intensité par ailleurs fatale. Si aucune carte ne vient couper, d'une manière ou d'une autre, l'apogée tragique de la fin du Livre de Job, c'en sera fini de la vie de Dieu. Cet atout, c'est le Cantique des cantiques. Il brise l'atmosphère, change de sujet et sauve la vie du SEIGNEUR.

Au Cantique des cantiques succède le Livre de Ruth, qui confirme et consolide le nouvel état d'esprit. Noémi, qui n'est pas du genre à épouser l'orthodoxie, invite ses deux belles-filles restées veuves à retourner chez elles, dans la campagne de Moab, pour y adorer Kemosh, se marier et être heureuses. Mais l'une des deux, Ruth, veut à tout prix retourner en Israël avec sa belle-mère. Noémi acquiesce, mais sitôt rentrée elle cherche les moyens d'amener un parent fortuné à épouser la jeune femme.

Ainsi, le silence par ailleurs mortel du SEIGNEUR Dieu est couvert par le bourdonnement de plus en plus fort de la vraie vie. Tout au long des Lamentations, de l'Ecclésiaste, du Livre de Daniel et du Livre d'Esther, le silence de Dieu peut continuer ; mais grâce aux Proverbes, au Cantique des cantiques et à Ruth, le *silence* continue *purement et simplement*. Il n'acquiert pas de nouvel élan. Il ne devient pas assourdissant. Les liens entre Dieu et l'humanité ne retrouvent pas l'intensité fatale des derniers chapitres du Livre de Job.

Puis soudain, comme la marée montante peut se mettre à ballotter un bateau échoué de longue date, nous nous retrouvons dans un récit historique. Le SEIGNEUR Dieu y occupe la place d'honneur mais, plutôt qu'un acteur, il est maintenant une force de motivation. Ses « précieuses pensées » — si chères au Psalmiste qui les rattachait à son rôle reconnu et encore inoublié de maître de l'univers matériel — sont objectivées et confiées à la garde de chaque membre de la communauté : elles en deviennent la constitution, la loi écrite à laquelle tous jurent une solennelle allégeance et sur laquelle certains apposent leur paraphe. Les proches voisins d'Israël sont hostiles, mais au moins reconnaissent-ils qu'il n'est d'autre dieu que le SEIGNEUR Dieu, et le roi de Perse est tout près de faire pareil. De manière significative, Néhémie fait la navette entre Jérusalem et Suse, la capitale perse. En terre promise, la communauté juive mondiale a succédé aux fils d'Israël.

On peut dire de Néhémie qu'il est le premier jour de repos personnifié dans la vie du SEIGNEUR Dieu. Bien que de sexe masculin, Néhémie possède l'énergie et le sens pratique de Dame Sagesse au matin de la création. Mais il lui manque un peu de réflexion. Il est enclin à agir d'abord, pour réfléchir ensuite (si tant est qu'il réfléchisse). Il a tendance à ne reconnaître un péché qu'après coup. En tout ceci, cependant, il rappelle simplement ce qu'était son créateur au temps de sa splendeur. Néhémie n'est pas divin. Il n'est pas le fils de Dieu. Mais par certains côtés essentiels, il est le reflet parfait, l'image de soi la plus complète, la quasi-incarnation du jeune *yahweh 'elohim*.

DIEU DIVISÉ, HOMME DIVISÉ

Nous avons commencé ce postlude en expliquant que le Tanakh est plus proche de *Hamlet* que d'*Œdipe roi*. On pourrait se demander pourquoi. Après tout, les auteurs des dernières parties du Tanakh étaient, chronologiquement, contemporains des tout premiers tragédiens grecs. Et, abstraction faite des relations directes entre les sociétés, ils furent les uns et les autres marqués indépendamment par des réalités sociales et matérielles communes. Les deux sociétés pratiquaient l'esclavage, par exemple, cultivaient des oliviers, s'enduisaient d'huile le corps et les cheveux, sacrifiaient des animaux, et ainsi de suite. La liste des points communs serait longue. À deux millénaires de distance, dans une société qui ne faisait plus rien de tout cela, *Hamlet* n'en est pas moins, spirituellement parlant, plus proche parent du Tanakh que d'*Œdipe roi*, parce que la société élisabéthaine *a lu* la Bible avec infiniment plus de sérieux qu'elle n'a lu les Grecs, et qu'elle était l'héritière d'une société anglaise médiévale dont on peut dire, en exagérant à peine, qu'elle ne lisait pas grandchose d'autre. C'est précisément l'effet profond de la Bible sur la société européenne qui explique pourquoi la tragédie shakespearienne est à ce point différente de la tragédie grecque.

Les manuels d'histoire se plaisent ordinairement à souligner que la Bible était l'encyclopédie populaire du Moyen Âge, mais la Bible fut aussi une école pour l'imagination médiévale, et, au sein de cette école, le personnage du SEIGNEUR Dieu était la leçon la plus importante, la plus écrasante et la moins oubliable. Quand on discute du monothéisme, on est en droit d'observer que, souvent, les cultures polythéistes abritent en leur sein une élite intellectuelle qui épouse le monothéisme ou quelque forme de monisme philosophique. Malgré sa couleur et sa diversité, le polythéisme, suivant cette thèse bien connue, appartiendrait en fait à la culture populaire. L'élite en a connaissance, assurément, elle peut en faire ses délices et, à l'occasion, s'y référer, mais elle ne lui accorde guère d'importance intellectuelle, voire aucune.

Peut-être tout ceci est-il vrai. Mais les historiens des religions qui défendent typiquement cette thèse ont tendance à négliger l'impact psychologique d'un monothéisme qui est imaginatif autant que conceptuel. Un monothéisme dans lequel le divin n'est pas simplement conçu mais aussi imaginé comme unique ne saurait avoir le même effet sur ses adeptes qu'un monothéisme où le divin est conçu unique mais imaginé — et représenté dans l'art, au théâtre, dans le folklore — multiple. Toutes choses égales par ailleurs, la fréquentation prolongée d'un Dieu en qui coexistent plusieurs personnalités et à côté de qui aucun autre dieu n'est jamais portraituré, fût-ce à des fins d'amusement folklorique, doit encourager une façon de voir le soi comme une réalité pareillement composite et pareillement seule. Certes, il ne faut pas imaginer les dieux des panthéons polythéistes comme des êtres simples. Ce ne sont pas des nigauds monochromes à côté de la coalition arc-en-ciel du dieu un qu'est le SEIGNEUR Dieu. Chacun d'entre eux — Vishnu, par exemple — peut inclure dans son personnage des pans entiers de l'expérience humaine, de l'expérience amoureuse dans le cas de Vishnu, qu'omet le personnage du SEIGNEUR Dieu. Mais quelle que soit la complexité ou le conflit intérieurs de Vishnu, la possibilité est toujours ouverte, pour le dévot, d'une échappatoire imaginative aussi bien que conceptuelle. Autrement dit, il existe toujours un autre dieu sur lequel on peut, à volonté, transférer l'incompatible. Tel n'est pas le cas pour l'adepte du SEIGNEUR Dieu. Tout est porté au crédit de ce dernier. Tout est également retenu contre lui. Il n'a d'autre adversaire cosmique que lui-même. Nul ne peut lui échapper, pas même lui. Pour autant qu'on puisse parler du Tanakh comme d'une tragédie, c'est une tragédie — comme *Hamlet*, et expliquant *Hamlet* — dont l'inévitabilité est cette inévitabilité de personnage. Le personnage du SEIGNEUR Dieu est contradictoire, et il est pris au piège de ses contradictions.

S'il était, par exemple, le tout-puissant Seigneur du ciel ou l'Ami des Pauvres attentionné, mais pas les deux à la fois, il pourrait se tirer du piège. Mais il est bel et bien les deux, et il ne saurait s'échapper. Ce qui est un problème de théodicée pour le pauvre homme dont la souffrance n'est pas soulagée (« Comment un Dieu bon peut-il... ? ») devient un conflit d'identité pour le Dieu qui ne la soulage pas. Encore une fois, s'il était juste le mari tendre et attentionné du Second Ésaïe, mais pas le boucher sabre au clair de Josué, il pourrait s'en tirer. Mais il est les deux, et il ne saurait s'échapper. Il est piégé comme Hamlet est piégé — en lui.

La civilisation occidentale est également héritière d'Athènes et de Jérusalem, et nous parlons par routine de deux types de tragédie. L'incinération en plein air de la navette spatiale *Challenger*, résultat horrifiant d'un joint défectueux, fut une tragédie à la manière grecque. Le tourment d'un homme qui est déterminé à être un père aimant pour ses enfants en même temps qu'un athlète de compétition est une tragédie juive. La première tragédie est d'origine extérieure, la seconde d'origine intérieure. La première suit son cours jusqu'à son inévitable résolution ; la seconde n'a pas forcément de résolution ; du coup, elle peut toujours être brouillée (au pire) ou déjouée (au mieux) par quelque intrusion comique : les jeunes amants du Cantique des cantiques, la joyeuse intrigante du Livre de Ruth, le constructeur affairé du Livre de Néhémie.

Les deux formes de tragédie sont occidentales, mais c'est sans conteste la seconde forme qui nous touche le plus profondément. « L'intelligence de l'homme est forcée de choisir/ La perfection de la vie, ou de l'œuvre », écrivait W. B. Yeats. Par leur caractère poignant, ces vers paraissent foncièrement modernes, mais ils sont à tous égards liés à l'antique mémoire enfouie d'un Dieu qui avait besoin de choisir, mais ne le pouvait pas. Ce Dieu est l'original divisé dont nous restons l'image divisée. La respiration troublée que nous entendons encore dans notre sommeil, c'est la sienne.

Remerciements

On croit être seul. Puis on lève les yeux, et on se découvre entouré. J'ai écrit ce livre grâce à une généreuse bourse de la John Simon Guggenheim Foundation. Les premiers chapitres ont été composés au Gould Center for Humanistic Studies de Claremont McKenna College, les derniers au cours d'une série de week-ends, où j'ai pu me retirer au Humanities Center de la Claremont Graduate School. Entre autres dettes institutionnelles, je reconnais pleinement celles qui me lient à la bibliothèque de la School of Theology de Claremont, et au *Los Angeles Times*, en particulier en la personne de son rédacteur en chef, Shelby Coffey III, qui, suivant la belle formule de James Agee, était prêt à me permettre le voyage. Chez Alfred A. Knopf, Jonathan Segal s'est montré patient mais vigilant, tandis qu'il attendait un manuscrit qui ne cessait de gagner en longueur, chaleureux mais rigoureux, quand il l'a reçu : bref, un allié autant qu'un éditeur. Georges Borchardt a su me donner confiance, à plusieurs moments critiques, comme seul peut le faire quelqu'un qui est plus sceptique que soi, sur à peu près tout. Mon épouse, Jacqueline, et ma fille, Kathleen, m'ont souvent exhorté à cesser de faire les choses qu'une épouse et une fille pourraient naturellement attendre d'un mari et d'un père, pour m'enfermer en, ou plutôt, avec Dieu. Je garde un souvenir ému de ces admonitions.

D'autres m'ont aidé d'autres manières, corporelles et spirituelles, majeures et mineures, passives et actives — trop diverses pour que j'entre dans les détails. Je suis profondément reconnaissant à Martha Andresen, Elazar Barkan, Daniel Boyarin, Janet Brodie, Susan Brown, Joel Conarroe, Frank Moore Cross, Dieu, Mary Douglas, Richard Drake, Richard Eder, Howard Eilberg-Schwartz, Nicholas Goodhue, Donald Hall, K. C. Hanson, Holly Hauck, Michael Heim, Herman Hong, William LaFleur, Thomas O.

427

Remerciements

Lambdin, Herb Leibowitz, Jon Levenson, William Loverd, Peter Machinist, Burton Mack, John Maguire, Frank McConnell, Ruth Mellinkoff, Mary J. Miles et la League of Irish Fatalists, Thomas Plate, Robert Polzin, Ricardo Quinones, Alex Raksin, Martin Ridge, Philip Roth, Murray Schwartz, Stanislav Segert, Elisabeth Sifton, Jack Stark et — le dernier cité n'étant pas le moins important, il s'en faut de beaucoup — Mark C. Taylor.

LES LIVRES DU TANAKH

La Torah : les cinq Livres de Moïse

Genèse (Gn)
Exode (Ex)
Lévitique (Lv)
Nombres (Nb)
Deutéronome (Dt)

Les Nebi'im : les prophètes

LES PROPHÈTES PREMIERS
Josué (Jos)
Juges (Jg)
Samuel I & II (1 et 2 S)
Rois I & II (1 et 2 R)

LES PROPHÈTES DERNIERS
Ésaïe (Es)
Jérémie (Jr)
Ézéchiel (Ez)
Osée (Os)
Joël (Jl)
Amos (Am)
Abdias (Ab)
Jonas (Jon)
Michée (Mi)
Nahoum (Na)
Habaquq (Ha)
Sophonie (So)
Aggée (Ag)
Zacharie (Za)
Malachie (Ml)

Les Ketubim : les Écrits

Psaumes (Ps)
Proverbes (Pr)
Job (Jb)
Cantique des cantiques (Ct)
Ruth (Rt)
Lamentations (Lm)
Ecclésiaste (Qo)
Esther (Est)
Daniel (Dn)
Esdras (Es 1)
Néhémie (Ne)
Chroniques I & II (1 et 2 Ch)

NOTES

CLÉ

1. Désormais, le verset rendu par « Écoute, ô Israël, le Seigneur est notre Dieu, le Seigneur est un » est plus généralement traduit, à la lumière des recherches historiques, « le Seigneur est notre Dieu, le Seigneur un ». L'hébreu ignorant la copule être, une traduction littérale donnerait « Écoute Israël Seigneur notre Dieu Seigneur un ». Suivant l'endroit où l'on insère le *est*, la traduction prend un sens différent.

Les théologiens ont souvent vu dans ce verset une formulation emblématique du monothéisme, comparable au « Il n'est de dieu que Dieu » de l'islam. Mais, selon les historiens, il exprimait à l'origine la dévotion exclusive d'Israël au Seigneur, plutôt que le statut ontologique du Seigneur considéré comme l'unique divinité. D'après eux, les mots « le Seigneur » traduisent un nom propre, *yahweh,* porté par une divinité qu'aucun Israélite de l'Antiquité n'aurait pris pour deux divinités ou plus. Bref, dans son cadre original, la déclaration « *yahweh* est un » eût été soit superflue, soit absurde.

Ma conviction est qu'à l'origine ce verset avait en quelque sorte un double sens. Le sens premier aurait été, assurément, celui que les historiens ont identifié, et dont la plupart des traductions se font aujourd'hui l'écho. Le sens second, cependant, même au départ, aurait été « ... le Seigneur notre Dieu, le Seigneur est seul », c'est-à-dire sans le conjoint dont la plupart des divinités sémitiques étaient pourvues. Ainsi auraient été simultanément affirmées la dévotion exclusive d'Israël au Seigneur, et l'absence de tout objet, autre que l'homme, à la dévotion du Seigneur. Bref, tout compte fait, la fidélité mutuelle qu'implique le verset fait un bon emblème de l'intégrité et de l'unité intérieure de Dieu, que la Bible met tant d'insistance à souligner.

CHAPITRE 1

1. William Kerrigan, *Hamlet's Perfection*, Baltimore et Londres, Johns Hopkins University Press, 1994, p. 31-33.

2. L'épître aux Hébreux cite le seul passage du Tanakh qui, à mon sens, se rapproche au plus près de l'idée d'un Dieu immuable :

> Autrefois tu as fondé la terre,
> et les cieux sont l'œuvre de tes mains.

Ils périront, toi tu resteras.
Ils s'useront tous comme un vêtement,
tu les remplaceras comme un habit,
et ils céderont la place.
Voilà ce que tu es, et tes années ne finissent pas.
(Ps 102, 26-28)

Dans le reste du Psaume 102, cependant, qui commence par « Prière du malheureux qui défaille et se répand en plaintes devant le SEIGNEUR », le souci dominant est non pas celui de l'immuabilité ontologique du Seigneur, mais celui de sa fiabilité morale. L'idée que le Seigneur qui a fait les cieux doit être encore plus inchangeable qu'ils ne le sont n'a d'intérêt, pour le psalmiste, que comme image de la constance morale du Seigneur. Pareillement, la seule forme de mutabilité qu'exclut résolument le Tanakh à propos de Dieu est l'infidélité.

Il faut mettre en garde les traducteurs contre les à-peu-près à cet égard. Dans la King James Version, Malachie 3, 6 est rendu par « Car je suis le Seigneur, je ne change pas ; donc vous, fils de Jacob, vous n'êtes pas consumés. » [*N.d.T.* : « Non ! moi, le SEIGNEUR, je n'ai pas changé. Mais vous, vous ne cessez d'être fils de Jacob » dans la TOB.] « Parce que je suis encore le Seigneur, vous, fils de Jacob, vous n'avez pas péri ! » serait une meilleure traduction. L'intégrité et la fidélité du Seigneur garantissent la survie d'Israël. À des fins pratiques, le thème de sa constance ou de son inconstance à d'autres égards n'est pas traité.

3. Robert Alter, *The World of Biblical Literature*, New York, HarperCollins, Basic Books, 1992, p. 22-23.

4. *Cf.* Harold Bloom, « "Before Moses Was, I Am" : The Original and the Belated Testaments », *Notebooks in Cultural Analysis*, 1, 1984, p. 3. Dans les paragraphes introductifs de *The Book of J*, New York, Grove Weidenfeld, 1990, p. 3, Bloom s'étend davantage sur ce point :

Il ne faut pas confondre la Bible hébraïque [...] avec la Bible chrétienne, qui se fonde sur elle mais qui équivaut à une très sévère révision de la Bible des juifs. À leurs Écritures saintes, les juifs donnent le nom de Tanakh, acronyme correspondant aux trois parties de la Bible : la Tora (l'Enseignement ou la Loi, également connu sous le nom des Cinq livres de Moïse ou Pentateuque), les Néviim (les Prophètes) et les Kétouvim (les Écrits). Les chrétiens, en revanche, donnent à la Bible hébraïque le nom d'Ancien Testament, ou d'Ancienne Alliance, afin de la remplacer par leur Nouveau Testament, une œuvre qui demeure absolument inacceptable pour les juifs, pour qui leur Alliance n'est ni ancienne, ni périmée. Comme les chrétiens sont obligés de continuer à appeler Ancien Testament le Tanakh, je suggère, quant à moi, que les critiques juifs et leurs lecteurs parlent de leurs Écritures comme du Testament originel, et du livre chrétien comme du Testament tardif, car c'est, somme toute, ce qu'il est : une entreprise de révision qui tente de remplacer un livre, la Tora, par un homme, Jésus de Nazareth, que les chrétiens annoncent comme le Messie de la Maison de David.

Bloom a raison : les chrétiens sont obligés de croire qu'à côté de l'alliance avec les juifs existe désormais une nouvelle alliance, celle à laquelle ils appartiennent, avec toute l'espèce humaine. En revanche, rien ne les oblige à donner le nom d'« Ancien Testament » à la première partie de leurs Écritures.

J'ai appris le mot *Tanakh* au printemps 1966, alors que je suivais mes premiers cours d'hébreu à la grande synagogue de Rome. (Séminariste, j'appartenais alors à la Compagnie de Jésus, que je devais quitter quelques années plus tard.) Ma première réaction à cet acronyme fut « Comme c'est malin ! » Ma seconde fut « Comme c'est pratique ! » : comme c'est pratique d'avoir un mot qui ne froisse pas les juifs tout en étant parfaitement acceptable par les chrétiens. Je passai l'année universitaire suivante, 1966-1967, à l'Université hébraïque de Jérusalem, où je fis la connaissance d'un certain nombre de chrétiens qui vivaient en Israël depuis de longues années et parlaient désormais couramment hébreu. Quand ils parlaient hébreu, même entre eux, ils n'employaient jamais d'autre mot que *Tanakh* pour parler de la Bible hébraïque, bien qu'il soit parfaitement possible de traduire en hébreu l'expression « Ancien Testament ».

Beaucoup de juifs anglophones, ai-je observé, ne connaissent pas le mot *Tanakh*, et j'ai eu l'occasion d'en initier plus d'un à son usage. Pour ces raisons et d'autres, je suis moins enclin que Bloom à croire le Tanakh sur la défensive, mais peut-être est-ce pour m'être mis à étudier sérieusement le recueil là où je l'ai fait, et avec qui je l'ai fait. C'est au moment où, dans la synagogue romaine, on m'a expliqué le mot *Tanakh* que je me suis aperçu que les juifs ne lisaient pas les livres de l'Ancien Testament dans le même ordre que nous. À l'époque, je n'y ai vu que simple curiosité, mais je me suis surpris à y revenir au fil des ans — distraitement, pour ainsi dire. La question me trottait dans la tête. C'est progressivement que je me suis rendu compte que cette différence faisait du Tanakh et de l'Ancien Testament deux classiques littéraires intimement apparentés, mais en définitive distincts.

Le Nouveau Testament est, au sens que Bloom donne à ce mot, une lecture extrêmement « forte » du Tanakh, peut-être la lecture la plus forte qui ait jamais été faite d'un classique dans toute l'histoire de la littérature. Mais, à bonne distance de cette lecture, le Tanakh est là, et bien là, pas plus captif du Nouveau Testament que toute autre œuvre « lue fortement » n'est captive de ses lecteurs « forts ». C'est surtout vrai si on prête attention — ce que Bloom ne fait pas — à l'ordre définitif du Tanakh. Dans la critique de la littérature anglaise, d'aucuns estiment que Milton est enchaîné depuis que Blake en a fait une lecture forte. Pour d'autres, cependant, Milton reste à jamais déchaîné : un poète anglais d'une grandeur invincible, à côté duquel Blake n'est qu'un petit talent excentrique. Rien de ce que peuvent dire les blakéens enragés ne pourra faire changer d'avis les nobles miltoniens : la situation est la même entre le noble Tanakh et le Nouveau Testament, enragé.

Les choses seraient assurément différentes si les chrétiens avaient supprimé ou révisé — c'est-à-dire, littéralement récrit — les Écritures juives. Or il est assez remarquable peut-être, au vu de tous les autres torts qu'ils ont faits aux juifs au fil des siècles, qu'ils s'en soient abstenus. En l'occurrence, il semblerait que l'influence des fondateurs juifs — qui fondèrent la nouvelle religion sur leur interprétation de la mort d'un juif à la lumière des Écritures juives — ait été décisive.

5. Sur le codex et les débuts du christianisme, voir T. Keith Dix :

> Le christianisme s'accompagna d'un changement saisissant dans la fabrication antique du livre, à savoir l'essor du codex ; voir Colin H. Roberts et T.C. Skeat, *The Birth of the Codex*, Londres, Oxford University Press, 1983. Un codex — la

forme des livres modernes — est un recueil de feuilles attachées au dos, généralement protégé par des couvertures. Au IIe siècle de notre ère, le codex de papyrus était devenu la forme exclusive pour les livres de la Bible chrétienne. Pour les Écritures juives, en revanche, le rouleau resta la seule forme acceptable ; dans le cas de la littérature grecque, le codex arriva à parité avec le rouleau aux alentours de l'an 300 de notre ère, puis le surpassa en popularité.

Des considérations pratiques de commodité et d'économie — le rouleau est écrit d'un seul côté, le codex des deux — auraient imposé à tout le monde la nouvelle forme de stockage des textes,

> mais elles ne semblent pas suffire à expliquer l'adoption « instantanée et universelle » (pour citer Roberts et Skeat) du codex par les chrétiens dès l'an 100 de notre ère. [...] Cependant, quelle que soit la manière dont le codex de papyrus a vu le jour et a été utilisé pour les textes chrétiens, les chrétiens l'ont sans doute favorisé parce que son usage les différenciait des juifs et autres non-chrétiens. Cf. Bruce M. Metzger et Michael D. Coogan, eds., *The Oxford Companion to Bible*, New York, Oxford University Press, 1993, p. 94-95.

La dernière observation de Dix est l'objet de longs développements de C.H. Roberts, qui croit aussi que les seules considérations pratiques ne sauraient expliquer l'« étrange penchant » de l'Église primitive pour le codex. Mais quoi qu'il en soit, un nouveau pas fut franchi lorsque la forme de stockage des textes jugée exceptionnellement appropriée aux textes sacrés chrétiens fut étendue aux écritures dont les chrétiens avaient hérité :

> C'est cette évolution ultérieure qui est la plus frappante, car elle marque l'indépendance de l'Église vis-à-vis des traditions et des pratiques juives et ouvre la voie à la formation du canon chrétien. Nous possédons des codices des livres de l'Ancien Testament, ou de fragments, datant de la première moitié du IIe siècle. L'adoption du codex pour des textes spécifiquement chrétiens (dont, par exemple, le Troisième Évangile et les Actes des apôtres, qui, s'adressant au monde judéo-grec et ayant quelque prétention littéraire, auraient été naturellement publiés sous forme de rouleaux) serait intervenue un peu plus tôt, les textes chrétiens jouissant d'une telle autorité qu'ils déterminèrent le format des Livres de l'Ancien Testament employés dans l'Église, plutôt que l'inverse. Cf. P.R. Ackroyd et C.F. Evans, eds., *The Cambridge History of the Bible,* vol. 1, *From the Beginnings to Jerome*, Londres, Cambridge University Press, 1970, p. 59-60.

6. En comptant toutes les langues et en considérant aussi bien le Tanakh que le Nouveau Testament, il est plus de deux canons bibliques attestés. Aux fins qui sont celles de ce livre, nous n'en considérons que deux : le canon protestant de l'Ancien Testament et le canon juif du Tanakh. Pour la thèse suivant laquelle le canon de la Septante, dont l'ordre du canon protestant est dérivé, est antique et d'origine juive, voir Harry M. Orlinsky, prolégomènes à C.D. Ginsburg, *Introduction to the Masoretico-Critical Edition of the Hebrew Bible*, New York, Ktav, 1966, p. XIX-XX. Suivant une opinion également répandue, tous les codices antiques de la Septante qui nous sont parvenus trahissent une influence chrétienne. Ainsi, Sid Z. Leiman, *The Canonization of Hebrew Scripture : The Talmudic and Midrashic Evidence*, Hamden, Conn., Transactions, the Connecticut Academy of Arts and Sciences ; Archon Books, 1976, p. 150 :

> Que [la Septante] place le recueil des prophètes à la fin des livres bibliques est manifestement artificiel : cette disposition ne peut qu'accréditer l'idée que les livres prophétiques annoncent les Évangiles (qui suivent aussitôt dans toutes les Bibles chrétiennes) — idée qui n'aurait pu surgir avant la naissance du christianisme. Observez en particulier que dans les deux manuscrits onciaux de [la Septante] — le Codex Alexandrinus et le Codex Sinaiticus — les livres prophétiques précèdent les livres poétiques !

Je me range du côté de Leiman contre Orlinsky.

7. Tanakh : techniquement, le nom devrait être *Tinkan (torah, nebi'im, ketubim, nebi'im)*, car la Septante est divisée en quatre parties, non en trois : (1) la Torah, (2) les prophètes premiers, (3) les écrits, et (4) les prophètes derniers, ou, pour reprendre les catégories de la Septante : (1) Pentateuque, (2) histoire, (3) sagesse et (4) prophétie. Ces détails mis à part, ce qui importe, pour la biographie de Dieu, c'est que l'Ancien Testament rejette à la fin ce qui est au centre du Tanakh.

8. *Tanakh : A New Translation of the Holy Scriptures According to the Traditional Hebrew Text*, éditeur en chef Harry M. Orlinsky ; éditeurs H.L. Ginsberg et Ephraim A. Speiser, Philadelphie, Jewish Publication Society, publication 5746, 1985.

9. Le vieux débat entre critiques et érudits *(scholars)* qui, comme le montre William Kerrigan, a si bien structuré l'intelligence collective des études shakespeariennes n'a commencé que dernièrement à produire un effet analogue dans les études bibliques. Pendant le plus clair de ce siècle, les spécialistes laïques de la Bible se sont présentés *exclusivement* comme des savants — des *scholars*. Il n'y a pas eu de querelle des critiques et des érudits, parce qu'il n'y avait pas de critiques. L'expression un peu gauche de « science historique critique » a été employée pour désigner l'étude des données extra-bibliques (c'est-à-dire historiques) mises au jour par l'archéologie associée à un examen du texte sans parti pris religieux (c'est-à-dire critique). C'est aux praticiens de cette discipline que je me réfère moi-même à l'occasion, en parlant de « critiques historiques », mais au sein de la corporation on préfère de loin parler tout simplement de *scholars*.

Suivant le praticien, l'histoire peut bien sûr être un art plutôt qu'une science. Elle peut être aussi philosophiquement inspirée, voire déterminée. Au tournant du siècle, les historiens hégéliens de la Bible dominaient les études bibliques britanniques et américaines, de même que des critiques hégéliens de Shakespeare comme A. C. Bradley dominaient les études shakespeariennes britanniques et américaines. Mais dans le monde américain des études vétéro-testamentaires, la tendance — parallèle à la tendance illustrée par la carrière de William Foxwell Albright dans les études shakespeariennes — était à une répudiation explicite de l'élément hégélien dans l'historicisme allemand. Bien que la première langue d'Albright fût l'allemand (il était né dans une communauté émigrée de l'Iowa rural, où l'on parlait encore cette langue), il était, sur le plan religieux, un protestant d'une espèce typiquement américaine et, intellectuellement, un empiriste anglo-américain. Albright lisait les Allemands pour leur philologie, non pour leur philosophie. Ses élèves et les élèves de ses élèves ont fait exactement pareil. Dans la terminologie de Kerrigan, Albright était un pur savant : un historien par opposition — et en l'occurrence l'opposition était assez franche — à un philosophe ou à un critique littéraire.

Le fait que les études historiques de la Bible n'aient longtemps rencontré aucune opposition intellectuelle sérieuse (même en Allemagne) s'est soldé, comme on pouvait s'y attendre, par une hypertrophie extrême de la science historique. Dans les termes de l'ancien historicisme, l'érudition mise au service de l'interprétation du Tanakh écrase absolument tout ce dont on a jamais rêvé en matière d'interprétation des classiques profanes, y compris les pièces de Shakespeare. Le plus curieux et le plus exigeant des critiques de Shakespeare n'a jamais dû maîtriser une langue non indo-européenne, *a fortiori* plusieurs langues de ce genre, une écriture non alphabétique ou des disciplines annexes aussi mystérieuses que la dendrochronologie et l'épigraphie. Un peu de latin et un soupçon de grec feront en général fort bien l'affaire. Les nécessités objectives de l'interprétation historique de la Bible, en particulier de l'Ancien Testament, peuvent exiger ces prodiges du bibliste ; mais que, à la différence de l'étude des classiques grecs et latins, les études bibliques n'aient jamais été contrebalancées par une critique esthétique *profane* n'en reste pas moins de la plus haute importance. La critique esthétique ne pouvait en effet se faire entendre d'un large public que du haut de la chaire ; hors de l'église, elle était résolument ignorée.

Le « nouvel historicisme » biblique est plus marquant encore dans les extrêmes baroques de son évolution que l'« ancien historicisme » biblique. (Les biblistes eux-mêmes, précisons-le, n'emploient jamais ces expressions.) Kerrigan tient Stephen Greenblatt pour un radical parce qu'il croit, dans les mots mêmes de Kerrigan, qu'« il n'y a pas d'auteurs », et que, dans la formulation même de Greenblatt, les « œuvres d'art [...] sont les produits de négociations et d'échanges collectifs ». Mais si radicaux que puissent être de tels points de vue dans les études shakespeariennes, ils forment la base des cours de première année d'études bibliques. Il est acquis depuis au moins un siècle que Moïse n'a pas écrit les livres de Moïse, et que le Moïse qui apparaît dans quatre des livres de Moïse n'est pas le Moïse historique — si tant est qu'il y ait jamais eu de Moïse historique. Le Livre d'Ésaïe est routinièrement divisé en trois, Ésaïe, Deutéro-Ésaïe et Trito-Ésaïe, sans qu'aucune des divisions en question ne passe pour l'œuvre du Ésaïe historique, c'est-à-dire du prophète qui apparaît dans le IIᵉ Livre des Rois.

On pourrait multiplier à l'infini les exemples de ce genre, mais le triomphe des « négociations et échanges collectifs » est sans doute particulièrement apparent dans un exemple tiré des études néo-testamentaires contemporaines. Voici le « Notre Père » (Mt 6, 9-13), dans sa version la plus familière :

> Notre Père qui es au cieux,
> Que ton nom soit sanctifié,
> Que ton règne vienne,
> Que ta volonté soit faite sur la terre comme au ciel.
> Donne-nous aujourd'hui notre pain de ce jour,
> et pardonne-nous nos offenses
> comme nous pardonnons à ceux qui nous ont offensé.
> Ne nous soumets pas à la tentation
> et délivre-nous du mal.

Or le « Jesus Seminar », réunion de spécialistes reconnus du Nouveau Testament, pense que, de tous les mots qui composent le Notre-Père, le Jésus historique n'a prononcé que les deux premiers : c'est-à-dire, uniquement *Notre* et *Père*. Passé ce point, chacun des mots a été collectivement négocié par l'Église chrétienne primitive. Greenblatt, en comparaison, est le conservatisme même.

Parce qu'elles se fondent sur une érudition durement acquise, les conclusions des études bibliques « néo-historicistes » sont en elles-mêmes irréfutables. Ou plus exactement, on ne peut les réfuter que pièce par pièce, et encore faut-il que quelqu'un soit prêt à accomplir le travail intimidant de difficulté qui est nécessaire pour entrer dans la mêlée historiographique. Mais le cadre historiciste n'est aucunement le seul cadre de référence disponible. Il est d'autres combats tout aussi dignes d'être menés, et d'autres cadres de référence pour aborder un classique de la littérature tel qu'on l'a reçu.

Pour en revenir au Tanakh, la science historique pense que Josué n'a jamais livré la bataille de Jéricho, parce que l'archéologie a prouvé que le site de Jéricho était inhabité à l'époque. Le fondamentalisme pourrait contester cette conclusion, mais la critique littéraire est libre de l'accepter et de continuer, annexant à la littérature le récit de la bataille de Jéricho ainsi sauvé de son relatif naufrage historique.

À la bataille de Jéricho, le SEIGNEUR Dieu apparaît en personne sous les traits d'un homme en armes, épée à la main, prêt à engager le combat :

> Or, tandis que Josué était près de Jéricho, il leva les yeux et regarda : voici qu'un homme se tenait en face de lui, son épée dégainée à la main. Josué alla vers lui et lui dit : « Es-tu pour nous ou pour nos adversaires ? » — « Non, dit-il, mais je suis le chef de l'armée du SEIGNEUR. Maintenant je viens. » Alors Josué se jeta face contre terre, se prosterna et lui dit : « Que dit mon seigneur à son serviteur ? » Le chef de l'armée du SEIGNEUR dit à Josué : « Retire tes sandales de tes pieds, car le lieu où tu te tiens est saint. » Ainsi fit Josué. (Jos 5, 13-15)

« Retire tes sandales de tes pieds, car le lieu où tu te tiens est une terre sainte » : c'est ce que le SEIGNEUR dit à Moïse lorsqu'il s'adresse à lui depuis le buisson ardent (Ex 3, 5). Ayant alors promis la victoire, le SEIGNEUR vient maintenant la donner. La victoire sera sienne, paraît-il insister, et pas seulement celle de Josué. Je propose cet incident en emblème : il ne saurait avoir valeur d'histoire, mais dans la vie du SEIGNEUR Dieu, c'est un moment fort et palpitant qui mérite d'être étudié en tant que tel. En somme, si la critique de *Hamlet* est prête à redécouvrir le Prince, peut-être est-il temps que la critique biblique redécouvre le SEIGNEUR Dieu.

10. Voir Frank Kermode, au cours d'une discussion avec Michael Payne, in *Poetry, Narrative, History : The Bucknell Lectures in Literary Theory*, Londres, Blackwell, 1990, p. 70-71. Payne explique :

> Voilà une attitude que l'on retrouve de Moulton à Helen Gardner, peut-être : si un critique littéraire a un week-end de libre, il ou elle peut mettre de l'ordre dans nos problèmes d'études bibliques que des savants vieux jeu n'ont pas su résoudre.

Et Kermode, critique littéraire, de répondre :

> Je crois que vous avez raison. Il y a deux choses à dire à ce sujet. La première, c'est que la qualité professionnelle des études bibliques techniques est souvent très grande ; beaucoup plus grande, je crois, que nous n'y sommes normalement

habitués dans notre profession. Il est impossible de ne pas en être frappé. Et comme ces textes sont soumis à un examen minutieux depuis fort longtemps, cette érudition a créé une tradition très forte. Cette tradition a ses mauvais côtés comme elle en a de bons, je crois, ce qui me conduit à ma seconde observation. Très récemment encore, la formation aux études bibliques était immensément approfondie. Par exemple, les biblistes savent beaucoup mieux le grec que la plupart de leurs collègues non biblistes, et ils possèdent l'hébreu, l'araméen et bien d'autres choses encore, dont le manque handicape les non-professionnels. La force de cette tradition a un autre effet, à savoir qu'il est très difficile d'aller voir dehors.

11. William Foxwell Albright, *Yahweh and the Gods of Canaan*, Garden City, N.Y., Doubleday, 1968 ; Frank Moore Cross, *Canaanite Myth and Hebrew Epic : Essays in the History of the Religion of Israel*, Cambridge, Harvard University Press, 1973 ; Mark S. Smith, *The Early History of God : Yahweh and the Other Deities in Ancient Israel*, San Francisco, Harper Collins, 1991.

12. C'est dans *Ulysse*, de Joyce, que se trouve la version la plus célèbre de cette ritournelle sur Jésus :

> Un type aussi cocass' que moi où trouver ça ?
> Ma mère était un' juive, un oiseau mon papa.
> Avec le Charpentier jamais ça ne bich'ra
> À la santé d'mes Douze et de mon Golgotha.

James Joyce, *Ulysse*, trad. A. Morel, revue par V. Larbaud, St. Gilbert et l'auteur, Paris, Gallimard, coll. Folio, 1981, I, p. 31.

CHAPITRE 2

1. Le « SEIGNEUR Dieu », *yahweh 'elohim*. Alors qu'on pourrait croire à la combinaison de deux noms, *'elohim*, dans l'expression *yahweh 'elohim*, ne sert qu'à identifier *yahweh*, à souligner son caractère incontestablement divin. Je m'en tiendrai à la traduction traditionnelle, « le SEIGNEUR Dieu », mais, en hébreu, l'effet de *yahweh 'elohim* est « le SEIGNEUR (Dieu) » ou « Yahvé (Dieu) », ou mieux encore, peut-être, « divin Yahvé ». Sitôt passé le second récit de la création — c'est-à-dire au début de la Genèse 4 — le texte du Tanakh évoque simplement *yahweh 'elohim* sous le nom de *yahweh,* « le SEIGNEUR » ayant clairement établi sa divinité.

La traduction de *yahweh* par « le SEIGNEUR » est consacrée par un usage fort ancien — en quoi les chrétiens ont respecté la tradition juive séculaire. J'entends déférer à cette tradition. Mais pour comprendre comment le personnage de Dieu prend forme d'un livre du Tanakh à l'autre, il importe de prendre note de ce que cache l'usage classique.

Un exemple ou deux tirés de passages légèrement plus tardifs du Tanakh sont de nature à éclairer mon propos. Comparons l'Exode 20, 1, traduit littéralement par « Je suis le SEIGNEUR, ton Dieu, qui t'ai fait sortir du pays d'Égypte », à la Genèse 45, 4, « Je suis Joseph, votre frère, que vous avez vendu en Égypte ». Grammaticalement, ces deux phrases ont une structure quasiment identique. Dans les deux cas, on a un nom commun apposé à un nom propre, mais le nom commun n'apparaît en tant que tel dans la traduction que dans la seconde phrase. Pour qu'il apparaisse dans la première, il faudrait traduire : « Je suis Yahvé, ton dieu, qui t'ai fait sortir du pays d'Égypte. »

On ne compte pas les passages du Tanakh où *'elohim* est employé comme un nom commun apposé à des fins explicatives au nom de *yahweh* dans diverses expressions telles que, pour reprendre la traduction consacrée, « le SEIGNEUR ton Dieu », « le SEIGNEUR, le Dieu d'Abraham » et « le SEIGNEUR, le Dieu du ciel ». Dans les trois cas, le D majuscule de « Dieu » dissimule que *'elohim*, en l'occurrence, est un nom commun plutôt qu'un nom propre. De même, le recours aux capitales pour le nom commun « SEIGNEUR » masque le fait que *yahweh* est, ici comme toujours, un nom propre plutôt qu'une espèce de nom commun. Techniquement, il serait plus juste de traduire ces expressions par « Yahvé, ton dieu », « Yahvé, le dieu d'Abraham », et « Yahvé, le dieu du ciel ». Mais, pour les Occidentaux, l'effet sémantique de « Yahvé » est de donner soudain à Dieu l'apparence non pas d'un étranger cosmique, mais simplement d'un étranger au sens ethnique du terme : autrement dit, il ne s'agit plus du Dieu auguste de notre tradition, mais de quelque étranger difficile à comprendre. Mon souci d'éviter cet écueil explique pourquoi, toute déférence mise à part, je préfère ordinairement traduire *yahweh* par « le SEIGNEUR ».

Toute l'affaire se trouve bien entendu compliquée par le fait que l'antique Israël avait commencé à croire à l'unicité de Dieu avant même d'avoir une culture intellectuelle monothéiste pleinement développée pour étayer sa croyance. Le polythéisme persiste à divers égards dans le langage du Tanakh parce que, intellectuellement, sa domination était presque écrasante dans la culture de l'époque. À l'opposé, la culture intellectuelle de l'Occident moderne, y compris toutes les langues occidentales modernes, est profondément, habituellement monothéiste. En conséquence, il est presque impossible aux traductions en langues occidentales modernes de saisir ces échos antiques du polythéisme — et l'impression qu'ils donnent d'un monothéisme qui ne s'impose pas sans lutte.

Le mot hébreu *yahweh* est un verbe qui fonctionne comme un nom, très probablement l'abréviation d'une ancienne phrase nominale. Les Américains sont familiers de ces phrases typiquement américaines, comme la désormais célèbre *Danses with Wolves* (Danse avec les loups). Si l'on abrégeait *Danses with Wolves* en *Dances*, il fonctionnerait en anglais comme *yahweh* fonctionne en hébreu. Comme *Dances*, le nom verbal *yahweh* a un sens lexical (non que son sens ait quelque rapport que ce soit avec la danse). Nous aurons l'occasion, au fil de la biographie, de revenir sur le sens lexical de *yahweh*. Pour l'heure, il suffira d'observer que ce nom propre, comme tous les noms propres, pourrait être raisonnablement translittéré plutôt que traduit. Dans une traduction espagnole, on ne change pas *Woods*, patronyme anglais courant, en *Bosque* : on garde *Woods*. Moyennant l'ajout d'une capitale (l'alphabet hébreu n'a pas de lettres capitales), on pourrait opérer une traversée analogue avec *yahweh*. De fait, tel est le cas dans les traductions qui écrivent « Yahvé » où nous mettons « le SEIGNEUR ». Mais s'il est raisonnable de retenir cette solution plus récente, il est aussi raisonnable, on l'a dit, de s'en tenir à la traduction plus ancienne.

« Le SEIGNEUR » prête le flanc à une autre objection qui requiert un commentaire préliminaire. Certains théologiens féministes ont objecté que « le

SEIGNEUR » est une désignation patriarcale et ont proposé de le remplacer par d'autres noms secondaires donnés à Dieu dans la Bible, comme « le Tout-Puissant » ou « le Saint ». À des fins religieuses, ces substitutions peuvent être parfaitement légitimes, ce qu'elles ne sont pas aux fins littéraires propres à ce livre. Je ne m'intéresse pas ici — comme pourrait le faire un théologien — à ce qu'est la divinité. Autrement dit, ce n'est pas la déité connue par tous les moyens possibles comme réalité présente qui m'intéresse, mais uniquement le personnage qui prend corps de page en page dans la Bible. Dans cette évolution, la féminité arrive tardivement, quoique juste un peu plus tard, je m'empresse de l'ajouter, que la paternité ou la royauté. Le mot *patriarcal* — dérivé des mots grecs *pater*, « père », et *archè*, « pouvoir » — ne lui convient pas, d'un point de vue descriptif, tel qu'il apparaît dans les premiers chapitres de la Genèse, parce qu'à ce stade il n'est ni père ni souverain. Dans un esprit polémique, pour qui voudrait polémiquer, le mot le plus juste serait *masculiniste* (machiste). Sans arrière-pensée polémique, on se contenterait simplement de *masculin*. Les mots hébreux *yahweh* et *ʾelohim* sont tous deux morphologiquement masculins ; et quand la divinité paraît sous une forme humaine, ainsi qu'elle le fait à diverses reprises dans le Livre de la Genèse, c'est sous une forme mâle. Évasivement, la déité ne semble ni asexuée, ni célibataire, ni neutre. Son identité sexuelle est une affaire complexe, sur laquelle nous aurons diverses occasions de revenir au cours de ce livre. Pour ce qui est de la seule nomenclature, il suffira de dire qu'on ne servirait pas l'exposé de *l'évolution* de son personnage en lui attribuant, dès le tout début, un nom sexuellement neutre qui aurait pour effet d'en dissimuler le genre.

2. En hébreu, le nom qui désigne la *femme* et l'autre nom infléchi qui signifie *son homme* ou *son mari* sont quasiment homonymes.

3. En comparant le SEIGNEUR ou Dieu à une fusion de Marduk et de Tiamat, je n'entends pas suggérer que l'histoire du monothéisme israélite commence à Babylone. L'histoire que raconte la Bible, beau sujet de critique littéraire, et l'histoire de la narration de la Bible, qui relève plutôt de l'histoire ancienne, sont deux choses bien différentes. Les étapes historiques par lesquelles est passé le monothéisme sur la voie de sa formulation pleine et entière ne correspondent pas nécessairement aux périodes de la vie du SEIGNEUR Dieu telles qu'on peut les suivre dans les pages de la Bible. Ce qui arrive au début de la vie a pu être pensé tardivement dans l'histoire, et inversement. D'un point de vue littéraire, s'agissant du protagoniste de l'épisode du déluge dans la Genèse, l'essentiel est que, après avoir été un créateur, il devient maintenant aussi un destructeur. Une comparaison du récit biblique du déluge et d'un récit babylonien peut éclairer utilement cette question de l'ambiguïté radicale du personnage divin, mais le constat en soi ne doit rien à cette comparaison.

Historiquement parlant, les personnalités de plusieurs divinités sémitiques antiques ont contribué à celle du SEIGNEUR Dieu d'Israël. L'apport de Marduk ne fut ni précoce ni particulièrement important. Quant à Tiamat, il est à l'évidence difficile de prouver, historiquement, qu'une déesse du chaos aquatique et de la destruction a contribué au personnage du dieu d'Israël en signalant son *absence* de l'histoire du déluge dont il est le protagoniste. Mais mon propos n'est pas d'ordre historiographique : il est de caractériser un personnage. Quelles que soient les étapes historiques par lesquelles le texte est passé pour prendre la forme sous laquelle nous le lisons aujourd'hui, on peut dire que la divinité qu'on trouve dans ses pages est *pareille* à un Marduk qui aurait fusionné avec sa Tiamat. Le faire, c'est, je l'espère, tirer un certain bénéfice littéraire de l'histoire, non pas écrire l'histoire.

4. El, dieu suprême connu sous ce nom à travers tout le monde sémitique, n'était pas en tous points identique dans chaque région. Le El cananéen avait certaines responsabilités personnelles vis-à-vis de l'humanité. Par exemple, il participait au deuil. Mais le caractère interpersonnel ou intime plus large de la *relation* qu'Abraham et sa progéniture ont avec leur dieu suprême trouve son analogue le plus proche en Mésopotamie. C'est surtout la combinaison de ces éléments qui est unique. Sur le El cananéen, voir John Gray, *Near Eastern Mythology : Mesopotamia, Syria, Palestine*, Londres, Hamlyn, 1969, p. 70-71, 86.

5. Les lecteurs intéressés par le dieu personnel mésopotamien se reporteront à Thorkild Jakobsen, *Treasures of Darkness : A History of Mesopotamian Religion*, New Haven, Conn., Yale University Press, 1976.

6. Où le Tanakh de la Jewish Publication Society et la TOB écrivent « Dieu de mon père Abraham, dieu de mon père Isaac », je préfère « dieu de mon père Abraham, dieu de mon père Isaac » *(N.d.T : la traduction de la TOB, ici citée, a été modifiée en conséquence.)* L'hébreu, je l'ai déjà noté, n'a pas de lettres capitales. J'emploie donc les minuscules ici comme en divers autres points afin de suggérer le caractère plus humble de la déité en question.

7. Bien entendu, l'héritier présomptif de Jacob n'était pas Juda ni Joseph, mais son fils aîné, Ruben. Jacob retire sa bénédiction à son aîné parce que Ruben a un jour couché avec Bilha, l'une des concubines de son père. L'épisode n'est mentionné que dans un seul verset, Gn 35, 22. La relation entre les trois garde son intérêt juqu'à la fin du Tanakh. I Chroniques 5, 1-2 explique :

> Fils de Ruben, premier-né d'Israël — il était le premier-né, mais quand il eut profané la couche de son père, son droit d'aînesse fut donné aux fils de Joseph, fils d'Israël, et il fut considéré comme ayant perdu son droit d'aînesse. En effet, Juda fut le plus grand parmi ses frères et, de lui, est issu celui qui devint prince, mais le droit d'aînesse était à Joseph.

CHAPITRE 4

1. La JPS et le RSV rendent le mot hébreu *miškan* par « tabernacle », conformément à la traduction traditionnelle directement issue du latin. Le mot vient en effet du latin *tabernaculum*, qui veut dire « tente ». Avec le temps, le mot « tabernacle » a hérité du caractère sacral de son occupant, mais c'est bien une tente qui est ici dressée pour le SEIGNEUR Dieu : une tente semblable, quoique plus élaborée, aux tentes du peuple qui campait avec lui dans le désert. On perd de vue le sens de la construction si l'on n'a pas présente à l'esprit sa finalité résidentielle.

2. Dt 10, 16 est rendu par « Vous circoncirez donc le prépuce de votre cœur, vous ne serez plus obstinés » dans la RSV, et par « Vous retrancherez donc le durcissement de votre cœur, vous ne raidirez plus votre nuque » dans

la traduction de la JPS. Il est intéressant de constater que la RSV conserve la métaphore dans la première moitié du verset et donne une traduction interprétative, non métaphorique, de la seconde moitié, tandis que la JPS fait précisément l'inverse. Pour ma part je préfère conserver les deux métaphores (*N.d.T. :* ce que fait la TOB, ici citée), mais surtout la première : dans le contexte israélite, retrancher le prépuce a une signification morale que n'a pas « retrancher le durcissement du cœur », quoi que puisse évoquer cette expression. De toute évidence ce verset fait référence à un changement d'attitude. Si l'on abandonnait la métaphore du prépuce, il faudrait aussi renoncer à tout « découpage ». Ainsi faudrait-il écrire : « Ouvrez vos cœurs, ne soyez plus obstinés. »

3. À maintes reprises est affirmée l'idée que l'amour de l'alliance a été précédé par l'amour gratuit, plus mystérieux, qui a établi le pacte en premier lieu. Par exemple :

> Si le SEIGNEUR s'est attaché à vous et s'il vous a choisis, ce n'est pas que vous soyez le plus nombreux de tous les peuples, car vous êtes le moindre de tous les peuples. Mais si le SEIGNEUR, d'une main forte, vous a fait sortir et vous a rachetés de la maison de servitude, de la main du Pharaon, roi d'Égypte, c'est que le SEIGNEUR vous aime et tient le serment fait à vos pères. (Dt 7, 7-8)

Entre parenthèses, on ne saurait manquer d'être frappé par la façon dont la littérature nationale des Juifs rabat l'orgueil juif. Cette question mise à part, notons que la traduction de la JPS met un bémol en traduisant à juste titre l'expression « c'est que le SEIGNEUR vous aime » par « c'est que le SEIGNEUR vous a favorisés ».

Pourquoi est-ce une meilleure traduction ? On pourrait objecter que, en faisant valoir combien la faveur du SEIGNEUR est gratuite, Moïse était certainement tout prêt de lui donner le nom d'amour. Mais il y a une différence entre la fidélité à un engagement et la tendresse, et le contexte fait une grande place à l'engagement, mais aucune à la tendresse. Dans le passage cité à l'instant, l'amour ou la faveur du SEIGNEUR est aussitôt lié au « serment fait à vos pères ». On retrouve le même lien dans le Deutéronome 10, 12-16, le passage cité plus haut, où Moïse exhorte les Israélites à circoncire leur cœur. Pourquoi doivent-ils le faire ? En raison de ce que le SEIGNEUR a commencé par faire : « C'est à tes pères... que le SEIGNEUR s'est attaché pour les aimer ; et après eux, c'est leur descendance, c'est-à-dire vous, qu'il a choisis.... Vous circoncirez *donc* votre cœur... »

Mais ce lien même ne laisse-t-il pas penser que c'est par un acte d'amour que le SEIGNEUR a initialement porté son choix sur Abraham ? Si, dans la circoncision littérale, les Israélites perdent une partie de leur pénis (symboliquement, leur autonomie reproductive) au profit du SEIGNEUR, ne sont-ils pas ici exhortés à perdre une partie de leur cœur (symboliquement, leur autonomie émotionnelle) ? Et cette perte n'est-elle pas de l'amour ? De surcroît, si le lien est aussi réciproque qu'il y paraît, le SEIGNEUR n'a-t-il pas, par voie de conséquence, perdu son cœur au profit d'Israël ? Bref, la circoncision du cœur ne donne-t-il pas un indice des émotions du SEIGNEUR ?

La réponse est non. Si l'on considère que le cœur représente ici ce que nous appellerions l'esprit, la métaphore de la circoncision implique une dévotion spontanée, sans réserve au fil des générations — une dévotion qui ne se donne pas le temps de la réflexion mais qui agit immédiatement. En aucune façon, elle n'implique une communion d'émotions entre amants. Parce que le choix d'Israël par le SEIGNEUR est gratuit, la dévotion que lui rend Israël doit être pareillement gratuite. Et pourtant, précisément du côté du SEIGNEUR, la relation est dépourvue de l'intériorité de l'amour au sens le plus plein du terme. Bien que Moïse dise aux Israélites, « Vous circoncirez le prépuce de votre cœur », jamais il ne cite des propos du SEIGNEUR qui équivaudraient à « J'ai circoncis le prépuce de mon cœur ». Le SEIGNEUR parle à travers ses actions et *uniquement* à travers ses actions. Certes, il a choisi Israël, et Moïse déduit de cet acte qu'il aime Israël. Mais le SEIGNEUR lui-même, s'étant ainsi exprimé en son nom personnel, par Moïse interposé, dans le Livre de l'Exode, ne dit jamais « Je vous aime » à travers lui dans le Deutéronome — où l'on entend si souvent le mot *amour*.

Voyez combien l'effet du Deutéronome 7, 7 serait différent si c'était le SEIGNEUR, non Moïse, qui parlait, et que ces mots étaient dits à la première personne : « Si je me suis attaché à vous et si je vous ai choisis, ce n'est pas que vous soyez le plus nombreux de tous les peuples, car vous êtes le moindre de tous les peuples. C'est que je vous aime... » Bref, Moïse peut en inférer la faveur divine, mais seul Dieu peut déclarer son amour divin. Dans le Deutéronome, Dieu n'en fait rien, et cette omission ne saurait être un accident.

Une pareille sensibilité au SEIGNEUR vu de l'intérieur et de l'extérieur conduit la Jewish Publication Society à une traduction relativement froide d'un verset souvent cité, le Deutéronome 10, 18-19 : « Le SEIGNEUR secourt l'étranger en lui donnant du pain et un manteau. Vous aussi vous devez secourir l'étranger, car vous avez été des étrangers au pays d'Égypte. » La NRSV traduit ainsi le même verset : « Le SEIGNEUR aime les étrangers en leur donnant du pain et un manteau. Vous aussi vous aimerez l'étranger, car vous avez été des étrangers au pays d'Égypte. »

Alors que j'ai reproché à la JPS d'avoir à demi édulcoré en l'interprétant la formule « vous circoncirez le prépuce de votre cœur », ici le choix de *secourir*, de préférence à *aimer*, n'est pas le choix d'un mot abstrait de préférence à un mot concret, mais celui d'un mot suggérant une conduite concrète de préférence à un mot suggérant une émotion. Dans ma lecture du Livre du Deutéronome, *secourir* possède exactement les bonnes connotations. Le SEIGNEUR Dieu finira par être une sorte d'amant, mais il n'est pas encore un amant.

CHAPITRE 5

1. Je n'entends pas avancer une thèse historique, à savoir que, du temps de la monarchie israélite jusqu'à la chute de Jérusalem, on n'ait jamais parlé de Dieu comme d'un roi. La terminologie royale est omniprésente dans le Livre des Psaumes, dont beaucoup datent vraisemblablement du temps de la monarchie. Cependant, ce constat ne rend que d'autant plus frappante l'absence de vocabulaire royal appliqué à Dieu dans l'histoire deutéronomique (de Josué au IIe Livre des Rois). Dans une lecture linéaire du Tanakh, la première apparition de Dieu sous l'aspect d'un roi ne survient que dans le Livre d'Ésaïe — le premier livre d'*après* la chute de la monarchie israélite.

CHAPITRE 7

1. Sur les liens entre le judaïsme philonien et le christianisme, voir Daniel Boyarin :

> Je suggérerai que, dès le Ier siècle, il y avait des tendances qui, sans être bien définies, séparaient les populations de langue grecque, relativement acculturées à l'hellénisme, des populations de langues sémitiques, qui étaient moins acculturées. Suivant mon hypothèse, ces tendances devaient se polariser avec le temps, pour déboucher *finalement* sur une division bien tranchée entre les hellénisants, qui se firent absorber par les groupes chrétiens, et les anti-hellénisants, qui formèrent le mouvement rabbinique naissant. L'annexion de Philon par l'Église et le fait que les rabbis l'aient ignoré sont symptomatiques de cette relation, à travers laquelle le mouvement chrétien devait être largement caractérisé par son lien avec le moyen et néo-platonisme. En fait, cette association (entre judaïsme philonien et christianisme) fut également reconnue dans l'Antiquité : suivant une légende chrétienne populaire, en effet, Philon s'était converti au christianisme. (*Carnal Israel : Reading Sex in Talmudic Culture*, Berkeley, University of California Press, 1993, p. 4-5.)

2. Avec des sentiments mélangés, j'ai choisi, pour la version anglaise, de citer dans ce chapitre la traduction de la Revised Standard Version, plutôt que celle du Tanakh de la Jewish Publication Society. Lisant les livres du Tanakh dans l'ordre juif, j'ai procédé ailleurs à l'inverse. Je tiens cependant Ésaïe pour le plus grand poète de la Bible, égal en éloquence à l'auteur du Livre de Job, et le surpassant même par son ampleur. Parmi les diverses traductions anglaises existantes, la RSV me paraît être celle qui, sur le plan poétique, laisse le moins à désirer.

Parce que le Nouveau Testament insiste lourdement sur le prophète Ésaïe prophétisant le Christ, on peut me soupçonner d'avoir préféré, en tant que chrétien, une traduction faite sous des auspices chrétiens. Tel n'est pas le cas. Dans le Ésaïe de la RSV, j'entends des échos du *Messie* de Haendel que je ne puis entendre dans le Ésaïe de la JPS, mais ce n'est rien de plus qu'une distraction plaisante. Pour ce qui est de l'interprétation du texte hébreu, les deux traductions diffèrent assez peu. Et surtout, on chercherait en vain le moindre parti pris polémique dans leur traduction de versets qui pourraient sembler se prêter, polémiquement, à des lectures messianiques ou non messianiques. C'est là l'un des grands acquis, trop peu remarqués, de la science biblique contemporaine : dans ces domaines, le résultat est dicté par la science, plutôt que par l'affiliation religieuse.

Annoncer une nouvelle traduction d'un grand classique de la littérature, ainsi que l'écrivit jadis le regretté John Ciardi en annonçant sa formidable traduction de la *Divina Commedia* de Dante, c'est annoncer une défaite. Puisque tous les traducteurs de la Bible partent défaits, nul ne saurait prétendre à la victoire. Le Ésaïe de la JPS a parfois une force merveilleuse ; mais ne voulant faire affront à personne, et implorant plutôt une certaine indulgence, je change ici de monture pour parcourir Ésaïe avec la RSV.

3. Sur la manière dont les Assyriens exploitèrent leur prouesse de conducteurs de char pour effacer « les frontières des peuples », voir John Keegan :

> ... les Assyriens résolurent le problème lancinant de la civilisation mésopota-

mienne — l'encerclement par des prédateurs de ses terres riches mais naturellement sans défense — en passant à l'offensive, et en repoussant progressivement les frontières de ce qui devint le premier empire ethniquement éclectique de manière à inclure des parties du territoire actuel de l'Arabie, de l'Iran et de la Turquie, ainsi que la totalité du territoire actuel de la Syrie et d'Israël. Ainsi, l'héritage du char fut la guerre elle-même, le char lui-même devenant le noyau dur de l'armée en campagne. (*A History of Warfare*, New York, Alfred A. Knopf, 1993, p. 16 ; *Histoire de la guerre*, Paris, Éditions Dagorno, 1996.)

4. Ésaïe 56, 6-9 est cité dans la traduction de la Bible de Jérusalem. La RSV, comme la version de la JPS, en fait une introduction de la section qui suit (56, 9-12), une mise en accusation des chefs d'Israël, ses bergers, auxquels il est reproché de laisser la nation, le troupeau, sans défense devant ses ennemis, les bêtes sauvages. Les deux interprétations sont cohérentes, et toutes deux sont ironiques : dans les deux cas les nations sont des bêtes. On peut tout à fait imaginer que ce verset a reçu à dessein cette place ambivalente.

CHAPITRE 8

1. Le thème des points communs entre le SEIGNEUR Dieu et Frédéric Moreau est d'un intérêt potentiel considérable dans la mesure où Flaubert a pu calquer sa propre personnalité sur celle de Dieu, créant dans ses personnages des créateurs pareils à lui, puis leur pardonnant leurs transgressions créatrices. Voir aussi mon analyse de *Hamlet* et de la tragédie du personnage dans le postlude de ce livre.

CHAPITRE 9

1. En fait, deux des neuf premiers petits prophètes, Joël et Jonas, ont été aussi écrits après l'exil ; c'est du moins la conviction de la plupart des critiques historiques. Mais parce qu'ils ne donnent aucune date explicite dans leurs versets introductifs, ils semblent s'exprimer en contemporains des livres prophétiques d'avant l'exil, explicitement datés, qui les précèdent et les suivent.

2. Blaise Pascal pensait qu'il n'y avait pas de manière absolument convaincante de déterminer si l'espèce humaine était l'œuvre d'un Dieu bon, d'un mauvais démiurge ou du hasard. Personnellement, il choisit de répondre en pariant sur la première solution. Pour citer Richard H. Popkin :

> S'il y a un Dieu, soutenait Pascal, il nous est infiniment incompréhensible. Mais de deux choses l'une : ou Dieu existe ou il n'existe pas, et de cette alternative nous ne pouvons dire quelle solution est la bonne. Reste que celle que nous retenons est de nature à affecter grandement notre vie présente et notre éventuelle vie future. En conséquence, affirmait Pascal, puisqu'à la clé de l'un des choix (si Dieu existe), il y a la vie éternelle et le bonheur, et que nous ne perdons rien si nous nous fourvoyons concernant l'autre choix (si Dieu n'existe pas, et que nous choisissions de croire qu'il existe), le pari raisonnable, compte tenu de l'enjeu, est de choisir la solution théiste. Qui demeure incroyant court un risque infiniment déraisonnable pour la simple raison qu'il ne sait pas laquelle solution est juste. *The Encyclopedia of Philosophy*, New York, Macmillan, 1967, vol. 6, p. 54.

Notes

CHAPITRE 10

1. La parodie de déférence dont je parle est à plus d'un titre semblable à la soumission feinte que David Robertson perçoit dans « The Book of Job : a literary study », *Soundings*, 56, 1973, p. 446-469 — une étude qui, malgré sa brièveté, a occupé à juste raison une place centrale dans toute la discussion ultérieure sur les versets-charnière du livre charnière du Tanakh.

2. Greenberg, *The Literary Guide to the Bible*, ed. Robert Alter et Frank Kermode, Cambridge, Harvard University Press, 1987, p. 298.

3. Edwin M. Good, *In Turns of Tempest : a Reading of Job*, Stanford, Stanford University Press, 1990, p. 371.

4. Sur Job 42, 6, *idem*, p. 26.

5. Stephen Mitchell, *The Book of Job*, Berkeley, North Point Press, 1987, p. xxv.

6. Job 42, 6 : Dans le verset contesté, c'est le verbe hébreu *'em'as* qui est traduit par « je me méprise ». Ce verbe implique un rejet assorti d'une touche particulière de répulsion physique. En 19, 18, Job emploie le même verbe pour caractériser la répulsion instinctive qu'éprouvent les enfants quand ils voient son corps répugnant. Le contexte indique donc clairement que la racine *m's* est un mot chargé de connotations profondément physiques :

> Mon haleine répugne à ma femme,
> et je dégoûte les fils de mes entrailles.
> Même des gamins me méprisent [*ma'asu*] ;
> quand je me lève, ils jasent sur moi. (Jb 19, 17-18)

La forme *'em'as* est transitive, ce qui veut dire qu'elle appelle un objet pour en compléter le sens. Plutôt que de prendre *'apar wa'eper*, « la poussière et la cendre », pour objet sous-entendu, cependant, les auteurs de la Septante ont décidé que l'objet de l'abomination viscérale de Job à ce point n'était autre que « moi-même » (« je *me* méprise »). Ils ont donc ajouté à leur version le pronom grec approprié, *bien qu'il ne figure pas dans le texte*. La plupart des autres traductions, depuis lors, ont fait quelque chose d'équivalent. Ainsi, la traduction de la Jewish Publication Society, « J'abjure » *(I recant)* implique pour objet « mes paroles » (« Je méprise mes paroles » = « J'abjure »). On ne peut faire du mot *'em'as* le prédicat d'une formule d'abjuration ou de repentir qu'en introduisant un objet de ce genre. On a traditionnellement rajouté un objet réfléchi tel que « moi-même » ou « mes paroles », parce que les traducteurs ont cru que le sens du verset l'exigeait.

En réalité, cependant, *en dehors de* l'ajout purement gratuit d'un objet réfléchi, le verset ne suggère aucunement le repentir. Autrement dit, à moins que l'objet réfléchi et, avec lui, le repentir ne sortent de l'esprit du traducteur, ils ne figureront pas dans la traduction. Sans l'ajout, à ce point précis, d'un objet tel que « moi-même » ou « mes paroles », toute trace d'abjuration disparaît de ce passage. En déclinant simplement de compléter le sens de *'em'as* dans la direction traditionnelle, nous laissons le reste de ce bref discours entaché d'une ambiguïté radicale ; et partant, il retrouve son ironie d'origine. D'une manière générale, les traducteurs doivent s'efforcer d'éliminer l'ambiguïté. Or l'ironie les oblige à relever un défi singulier car elle nécessite l'ambiguïté.

Dans la *New Oxford Annotated Bible* de Samuel Terrien, maintenant révisée par Roland E. Murphy, la note du verset 42, 6 admet que l'usage de *myself* — moi-même — dans la traduction est totalement injustifié : « Le sens n'est pas clair. *Je me méprise (I despise myself)*, mais l'hébreu ne fait suivre le verbe d'aucun objet. » Malgré la note, la NRSV maintient malheureusement la traduction traditionnelle.

L'introduction de *moi-même*, qui ne traduit rien qui soit dans le texte, a un effet secondaire, également destructeur, pour l'intelligence du verset. En insérant un objet sous-entendu après *'em'as*, la tradition a brisé le lien entre *'em'as* et le verbe qui suit juste après, *wenihamtiy*, que la RSV traduit par « et je me repens ». Le lien entre les deux est plus fort qu'il n'y paraît en traduction, parce que le second verbe est syntaxiquement lié au premier moyennant une « conversion » de la forme imparfaite à la forme parfaite : ce changement n'affecte pas le sens lexical de l'un ou l'autre verbe, mais place le couple dans une suite narrative. C'est de la poésie, bien entendu, non du récit en prose, mais Job ne nous raconte pas moins ce qui lui est arrivé en conséquence de l'apparition du SEIGNEUR. Les deux verbes doivent être lus comme un hendiadys : autrement dit une seule et même action est exprimée par deux verbes. (*N.d.T.* : ou deux noms ; Ainsi quand Lamartine dit : « un temple rempli *de voix et de prières* », pour des « *voix qui prient* » ; *Cf.* Marouzeau, cité dans le Grand Robert.) Lorsqu'on lit les deux verbes de cette façon, *'em'as* le premier verbe, ne manque plus d'objet ; il n'est plus nécessaire d'ajouter un objet réfléchi sous-entendu. En fait, il a le même objet que *wenihamtiy*, à savoir « poussière et cendre ». La poésie hébraïque procède par parallélisme. En l'occurrence, les deux verbes étroitement apparentés de la première moitié du verset se trouvent équilibrés par les deux noms étroitement apparentés de la seconde moitié. La *Biblia Hebraica* de Stuttgart, édition critique classique du texte hébreu du Tanakh, divise 42, 6 de cette manière : les deux verbes dans la première moitié du verset, les deux noms dans la seconde. Les traductions qui s'obstinent à donner à *'em'as* un objet sous-entendu sont obligées de faire fi de la forme poétique du verset traduit.

Quant au second verbe, *nihamtiy* (le préfixe *we-* est la conjonction « et »), il peut signifier — lorsqu'il est suivi de la proposition *'al*, ce qui est ici le cas — soit « Je suis navré *de* », et donc aussi « Je me ravise » (d'où « repens »), soit « Je suis navré *pour* ». C'est le nom qui suit la préposition qui indique d'ordinaire le sens le plus approprié. Si ce nom désigne une personne, il faut traduire le verbe par « navré pour » ; sinon, par « navré de ». L'expression qui suit la préposition *'al* en Job 42, 6, *'apar wa'eper*, « poussière et cendre », peut représenter les deux types d'objet. Il peut désigner l'être humain en tant qu'il est corruptible — c'est-à-dire voué à une décomposition physique — au même titre que le français *argile*. Lorsque Abraham tient tête au SEIGNEUR à propos de la destruction de Sodome, il dit (Gn, 18, 27, TOB) : « Je vais me décider à parler à mon Seigneur, moi qui ne suis que poussière et cendre. » Si l'on prend ici *'apar wa'eper* en ce sens, *nihamtiy 'al 'apar wa'eper* peut se traduire par « Je suis porté à m'apitoyer sur l'argile mortelle ». Quant à l'effet de *'em'as* placé avant *nihamtiy*, il intensifie cette compassion en attribuant à Job la même réaction profondément physique qu'il avoue en 9, 21 : *'em'as hayyay*, « J'abomine ma vie » (RSV), ou « Vivre me répugne » (TOB) ; et, encore une fois, la même réaction physique que 19, 18 attribue aux enfants devant le corps en putréfaction de Job. La répulsion et la compassion ne s'excluent pas l'une l'autre. Qui n'a ressenti les deux au vu de photographies de camps de concentration nazis ? Sachant ce qu'il sait maintenant de Dieu, Job ressent les deux à l'égard de ses semblables.

Cependant, la Bible associe également la poussière et la cendre au péché dont on se repent, ce qui ouvre un autre axe d'interprétation. Si on considère que *'apar wa'eper* désigne, par métonymie, le repentir, Job pourrait dire, « Je suis navré au sujet de la poussière et de la cendre » ou, en fait, « Je me repens du repentir ». Edwin M. Good préfère ce dernier sens et accompagne son interprétation du commentaire suivant :

> À ceux qui pensent que Job se repent de quelque péché, j'accorderai ceci. Si interpréter sciemment le monde à contre-sens est un péché, Job s'en repent. Si penser que la question du péché a son importance dans l'interprétation du monde est un péché, Job s'en repent. Si l'essence de la religion est de résoudre le problème du péché, Job se repent de la religion. (*In Turns of Tempest*, p. 378.)

Terrien et Murphy, dans la *New Oxford Annotated Bible* de 1991, préfèrent rendre *'apar wa'eper* par « argile mortelle », tout en convenant avec Good que le repentir ne porte pas sur un péché ordinaire.

> *Repentir* est un verbe qui est souvent employé pour indiquer un changement d'avis de la part du SEIGNEUR (Ex 32, 14 ; Jr 18, 8, 10). Ici, il ne signifie pas le repentir du péché (voir les v. 7-8, où il est dit que Job a parlé *avec droiture*). *Dans la poussière et la cendre*, en ce sens que cette image exprime sa faiblesse et son humanité « puisque je ne suis que poussière et cendre » (voir aussi Gn 18, 27 ; Job 30, 19).

Dans *The Book of Job* (cité plus haut, note 5), Stephen Mitchell est d'accord avec Terrien et Murphy au sujet de « poussière et cendre », mais il préfère retenir un autre sens attesté de *niḥamtiy* : « Je suis réconforté », c'est-à-dire, « je ressens de la compassion *pour moi-même* ». La traduction de la Jewish Publication Society est proche de ce dernier sens, quand elle rend *niḥamtiy* par « attendri » *(relent)*. Ce qui conduit Mitchell à traduire le dernier vers de la conclusion de Job par « Je serai donc tranquille, *réconforté* d'être poussière ». Dans l'interprétation en vérité bouddhiste que Mitchell donne du Livre de Job, la défaite de Job est une reddition paradoxale qui coïncide avec l'éveil. Job renonce à insister de manière par trop rigoureuse sur la morale et, dans un accès de libération extatique, accepte sa propre finitude et sa mortalité :

> Sitôt qu'on abdique la volonté personnelle, futur et passé disparaissent, les étoiles du matin se mettent à chanter, et la volonté profonde, contemplant le monde qu'elle a créé, dit, « Vois, c'est très bon ».
>
> A la fin, Job trouve un réconfort dans sa mortalité. Le corps physique est reconnu comme poussière, le drame personnel comme illusion. Tout se passe comme si le monde que nous percevons à travers nos sens, cette pompe toute entière magnifique et terrible, était la surface volatile d'une bulle, et que tout le reste, à l'intérieur comme à l'extérieur, était pur rayonnement. La souffrance et la joie font figure de bref reflet, et la mort, d'épingle (p. XXVIII).

Dans cette traduction, *'em'as*, le mot que Mitchell rend par « Je serai tranquille », plutôt que par quelque équivalent de « Je méprise », vacille dangereusement sous son poids d'interprétation. Mais Moshe Greenberg, dans le *Literary Guide*, le rejoint dans son interprétation parfaitement défendable de *niḥamtiy*.

Comme Good se donne la peine de le reconnaître à l'avance, aucune traduction de 42, 6 ne saurait exclure des solutions sensiblement différentes. Pour Good et Mitchell, Job opère une sorte de percée intellectuelle dans les tout derniers mots de son ultime discours. Étant donné les circonstances, il semble que ce soit beaucoup demander. Terrien les rejoint dans la note du 42, 5 dans l'*Oxford Annotated Bible* de 1962 :

> Dieu n'a pas justifié Job, mais il est venu personnellement à lui ; le patron de l'univers se soucie si profondément d'un homme esseulé qu'il lui offre la plénitude de sa communion. Job n'est pas innocenté, mais il a obtenu bien davantage qu'une reconnaissance de son innocence : le maître d'œuvre présent de toute éternité l'a accepté, et l'intimité avec le Créateur rend superflue toute justification. Le problème philosophique n'est pas résolu, mais il est transfiguré par la réalité théologique du rapport divin-humain.

L'« intimité avec le créateur » de Terrien, le « pur rayonnement » de Mitchell, Good et le repentir qui porte sur la « pensée que la question du péché est importante pour interpréter le monde » : trois solutions qui paraissent exiger quelque chose de presque surhumain d'un homme qui gît encore nu sur son tas de cendres, d'un homme encore couvert de plaies abominables « depuis la plante des pieds jusqu'au sommet de la tête », et — l'emportant sur toutes les autres considérations — d'un homme qui vient d'apprendre la terrible nouvelle que son état est incurable. Dieu ne le sauvera ni ne le justifiera ; il se moquera si bien de lui qu'à la longue il le tuera.

En ne supposant aucune épiphanie dans le verset final, mais juste une persévérance ultime, en lisant ʿ*apar waʾeper* comme une allusion à l'humanité dans sa fragilité mortelle, en lisant les deux verbes *ʾemʾas weniḥamtiy* ʿ*al* comme un hendiadys connotant, conjointement, la répulsion et la pitié, et qui a pour objet ʿ*apar waʾeper,* se référant à l'homme mortel, nous pouvons proposer cette traduction gauche et littérale du dernier verset, « Maintenant mes yeux t'ont vu ; donc, j'éprouve de la répulsion et de la compassion au sujet de la poussière et de la cendre », ou, de manière plus idiomatique, « Maintenant que mes yeux t'ont vu, je tressaille de peine pour l'argile mortelle ».

Dans mon interprétation de Job 42, 6, je suis redevable à une lettre de Stanislav Segert, professeur émérite de langues sémitiques, à l'UCLA (janvier 1988). Commentant la plus ancienne traduction qui nous soit parvenue de ce verset, un fragment de targum (de traduction en araméen), retrouvé parmi les manuscrits de la mer Morte, Segert écrit :

> ... le plus ancien targum de la grotte 11 de Qoumrân indique *ʾtnsk wʾtmhʾ* (avec *h* au-dessus du vers). Van der Ploeg et Van der Woude, dans leur édition de 1971, le traduisent par « je suis épanché et dissolu » ; Sokoloff (1974), par « je suis épanché et vidé », tout en indiquant dans son glossaire (216) le sens de « dissoudre » pour *mhy* ; Pope (1973), p. 349, donne le texte du Targum 11Q accompagné de la traduction « Je suis épanché et dissolu/frappé (?) ».

Toutes ces traductions, suggère Segert, reflètent le lien syntaxique et sémantique des deux verbes dans le targum — un lien qu'à mon sens une tradition ultérieure, obéissant à des motivations extrinsèques (et encore dominante), a eu le tort de rompre en traduisant « (me) méprise » d'un côté, et « repens dans la poussière et la cendre », de l'autre.

L'hébreu difficile du Livre de Job tranche quelque peu sur l'hébreu du reste du Tanakh, et les savants du XXᵉ siècle ont été particulièrement attentifs à la lumière que peuvent jeter sur Job des comparaisons entre sa prosodie et la prosodie de l'ougaritique, langue apparentée récemment déchiffrée (1930). Émigré tchèque auteur d'une grammaire classique de l'ougaritique, Segert commente plus longuement la structure de Job 42, 6, le divisant de la manière habituelle en 42, 6a et 42, 6b :

> Les deux modificateurs adverbiaux coordonnés de 6b étant des noms fonction-nellement synonymes, on peut supposer une synonymie fonctionnelle correspondante pour les deux prédicats verbaux coordonnés de 6a. Les perons *[sic]* sont identiques ; le parfait conversif (qui n'est pas marqué par l'accent *ultima* en raison de la position en pause) correspond à l'imparfait, la différence de forme verbale tient au fait que *nḥm* n'a pas de *qal**.
>
> [Cependant], la division en cola comme dans la BHS [*Biblia Hebraica Stuttgar-tensis*] — 6a deux verbes, 6b deux noms — est suivie par une minorité de traductions modernes [seulement]... La division actuellement préférée [d'ordi-naire] laisse le premier verbe isolé et rattache le second à des noms de matières employées pour exprimer le repentir. Reste que le sens général des deux verbes va dans la même direction. (À propos de 6b, *cf.* Job 30, 19 [verset dans lequel « poussière et cendre » renvoie non pas au repentir, mais à la vulnérabilité phy-sique humiliante de Job].)

Segert ne pense pas que l'on puisse exclure l'interprétation traditionnelle du « repentir » ou du « changement de disposition » sur des bases exclusive-ment linguistiques ou prosodiques, mais il confirme mon point de vue, à savoir qu'on peut mobiliser des arguments techniques pour justifier l'autre interpréta-tion de 42, 6 que je propose.

Segert soulève cependant une question sur mon interprétation des vers parallèles dans le verset précédent 42, 5. J'ai fait de ce que Job *voit* de Dieu l'antithèse de ce que — dans l'hémistiche parallèle qui suit — il a *entendu* au sujet de Dieu. Ce genre de parallélisme antithétique est courant dans la poésie hébraïque, mais Segert observe qu'on ne semble pas le retrouver ailleurs dans le Livre de Job. Il cite M. Pope : « Il est difficile de trouver un cas patent de parallélisme antithétique dans le Livre de Job. » Segert commente : « La valeur d'une telle antithèse dans le tout dernier verset de la section poétique de Job serait significative en tant que surprise totalement inattendue (cette technique a été étudiée par les surréalistes de Prague). »

Je signale que si 42, 5b est une antithèse ou une accentuation de 42, 5a, on peut toujours lire 42, 6 comme l'expression de la consternation de Job face à Dieu, plutôt qu'une manière de s'avouer vaincu. Nous pouvons donc traduire soit :

— 42, 5b soulignant 42, 5a

42, 5a Je te connaissais par ouï-dire,

---

* C'est-à-dire pas de « forme simple ». Il y en a possiblement sept en hébreu pour chaque verbe, mais toutes ne sont pas usitées ; la forme *qal* du second verbe étant inconnue, il est à la forme *nif'al* (au « passif »). *(N.d.T.)*

42, 5b et maintenant que mes yeux t'ont vu,
42, 6a Je tressaille de peine
42, 6b pour l'argile mortelle.

soit :

— 42, 5b renversant 42, 5a

42, 5a Je ne te connaissais que par ouï-dire,
42, 5b mais maintenant que mes yeux t'ont vu,
42, 6a Je tressaille de peine
42, 6b pour l'argile mortelle.

Avec le changement du « et » en « mais » dans ces deux traductions (le même mot hébreu peut se rendre par l'une ou l'autre conjonction en français), seule change notre compréhension de ce que Job pensait auparavant de Dieu. Dans la première traduction, Job laisse entendre que ses doutes de toujours se trouvent maintenant confirmés. Dans la seconde, il fait allusion à des on-dit plus souriants, désormais réfutés. La distinction est importante, mais secondaire. L'essentiel est de savoir si Dieu parvient ou non à forcer Job à détourner son regard de lui pour s'intéresser à soi. Si Dieu oblige tant bien que mal Job à cesser de le blâmer pour ne s'en prendre qu'à lui-même, Dieu gagne. S'il n'y parvient pas, Dieu perd. Dans le langage politique contemporain, toute la question est de savoir si Dieu peut mettre son adversaire sur la sellette.

Malgré des efforts spectaculaires, Dieu, à mon sens, y échoue et, de ce fait, Job marque un tournant dans la vie de Dieu — laquelle apparaît comme un mouvement de l'ignorance de soi vers la connaissance de soi.

Bref, si Dieu défait Job, ce dernier cesse d'être un événement décisif dans la vie de Dieu, et Dieu peut oublier ce parvenu loquace. Mais si c'est Job qui défait Dieu, Dieu ne peut plus jamais oublier Job, pas plus que nous ne le pouvons. La créature ayant pris une telle part à la création de son créateur, les deux sont dorénavant définitivement liés.

CHAPITRE 11

1. *Nuit transfigurée :*

> *Das Kind, das du empfangen hast,*
> *sei deiner Seele keine Last,*
> *o sieh, wie klar das Weltall schimmert !*
> *Es ist ein Glanz um Alles her,*
> *du treibst mit mir auf kaltem Meer,*
> *doch eine eigne Wärme flimmert*
> *von dir in mich, von mir in dich ;*
> *dir wird das fremde Kind verklären,*
> *du wirst es mir, von mir gebären,*
> *du hast den Glanz in mich gebracht,*
> *du hast mich selbst zum Kind gemacht.*
> *Er fasst sie um die starken Hüften,*

ihr Atem mischt sich in den Lüften,
zwei Menschen gehn durch hohe, helle Nacht.

Ces vers, qui forment la conclusion du poème, en représentent juste un peu moins de la moitié. Pour le texte intégral et une étude de ses liens avec la composition de Schönberg, voir Walter Frisch, *The Early Works of Arnold Schönberg 1893-1908*, Berkeley, University of California Press, 1993, p. 109 *sq.*

2. Sur les conséquences de la dissimulation ou de l'affaiblissement progressif de Dieu, voir Samuel S. Balentine, *The Hidden God : The Hiding of the Face of God in the Old Testament*, New York, Oxford University Press, 1983 ; Richard Elliott Friedman, « The Hiding of the Face : An Essay on the Literary Unity of Biblical Narrative », p. 207-222, *in* Jacob Neusner, Baruch A. Levine et Ernest S. Frerichs, eds., *Judaic Perspectives on Ancient Israel*, Philadelphie, Fortress Press, 1987 ; et surtout Jon D. Levenson, *Creation and the Persistence of Evil : The Jewish Drama of Divine Omnipotence,* San Francisco, Harper & Row, 1989.

CHAPITRE 12

1. La polarité qui a préoccupé les auteurs du Livre d'Esdras, et qui n'a cessé depuis de préoccuper les commentateurs, est le couple juif/gentil. Mais on peut difficilement lire cet épisode de divorce massif sans penser à une autre opposition : la polarité mâle/femelle. La critique féministe se manifeste désormais à chaque fois qu'on lit un passage de ce style. Et la critique féministe n'est peut-être que la toute première forme en voie d'élaboration d'une vague de critique centrée sur le lecteur. Ainsi lit-on sous la plume de Ellen Van Wolde, de la Theologische Faculteit de Tilburg, aux Pays-Bas :

> L'étude de la littérature au XXe siècle a suivi un cours dont on trouve un reflet indirect dans l'exégèse de la Bible. L'idée que le sens, dans un texte biblique, est déterminé par l'auteur (critique de la tradition et de la rédaction) a d'abord laissé place à la conviction que le texte lui-même était la source principale (lecture serrée, stylistique, structuralisme). Par la suite, on a eu tendance à accorder aussi au lecteur une certaine importance (analyse rhétorique, critique de la réponse du lecteur, études considérant la place du narrateur ou du lecteur). On admet aujourd'hui que le lecteur est dans une large mesure responsable de la détermination du sens (déconstruction, post-structuralisme, critique idéologique). Alors que l'intérêt se focalisait d'abord sur l'objet (le texte), par la suite il s'est de plus en plus déplacé en direction du sujet de la signification (le lecteur). De nos jours, beaucoup considèrent le sujet dans sa définition idéologique, dans son contexte social spécifique (lire en tant que femme, Noir de sexe masculin, ou femme chinoise) comme le facteur central qui détermine le sens d'un texte. (« A Text-Semantic Study of the Hebrew Bible, Illustrated with Noah and Job », *Journal of Biblical Litterature*, vol. 113, n° 1, printemps 1994, p. 19.)

L'histoire en résumé de Van Wolde se termine par une version laïque de l'interprétation individuelle des Écritures issue du protestantisme, une tradition qui est bien vivante aux États-Unis à travers les milliers de groupes d'études bibliques, où l'objectif de chaque participant est de déterminer ce que la Bible signifie pour lui personnellement. L'étude historique, fondée sur le texte et focalisée sur l'auteur — également protestante dans ses fondements —, fut largement un effort pour freiner la fragmentation infinie qui est l'aboutissement logique de l'interprétation par chaque sujet « dans son contexte social spécifique ».

L'approche adoptée dans ce livre est centrée sur le lecteur dans la mesure où s'interroger sur l'effet littéraire, alors même qu'on ne peut pas nécessairement établir l'intention de l'auteur, revient à privilégier un lecteur imaginaire singulier par qui est ressenti l'effet supposé. Mais mon propre lecteur imaginaire est idéal, plutôt que réel. Il ne doute pas de ma personne sociale, pas plus que je n'entends le poursuivre activement, puisque je revendique mes droits de « sujet de la signification ». Je défendrais la critique classique comme une voie moyenne entre l'érudition historique, à droite, et la thérapie politique ou psychologique, à gauche.

2. Rabbi José in *b. Megilla 16b*. Pour cette citation et les autres extraites de la littérature rabbinique, voir Jacob M. Myers in *Ezra, Nehemiah*, The Anchor Bible, New York, Doubleday, 1965, p. LXXII.

3. Parce que le Livre du Deutéronome est un ouvrage qui se prête à merveille à une lecture publique, qu'on le tient généralement pour le « livre de la loi » découvert et lu à voix haute au roi Josias à Jérusalem quelques décennies avant sa chute (voir 2 Rois 22), et que cette lecture publique et sa lecture en Néhémie 8 plongent les auditeurs dans une profonde détresse (le roi déchire ses vêtements, les gens pleurent), je crois, pour ma part, qu'il y a bel et bien eu, historiquement, un Esdras et une lecture, et que le rouleau lu (le texte parle d'un rouleau, non de plusieurs) contenait le seul Livre du Deutéronome, non pas toute la Tora.

J'imagine que la réaction rapportée, dans les deux cas, a été provoquée par le Deutéronome 28, le chapitre des promesses de bonheur et des menaces de malheur pour ceux qui ont observé ou bafoué l'alliance, plutôt que par le Deutéronome 32, les bénédictions de Moïse, qui termine le texte reçu. Les bénédictions et les malédictions, conclusion classique pour une ancienne alliance, ont fort bien pu être la conclusion originale, et les malédictions sont tout à fait de nature à arracher des larmes ou à inspirer la panique.

Le fait que la Tora ait été certainement éditée à Babylone et qu'Esdras rentre de Babylone (alors sous domination perse) en qualité de docteur de la loi a accrédité l'idée que le travail éditorial était largement achevé pour l'ensemble de la Tora à l'époque de sa visite. Mais comme Babylone demeura le centre de gravité intellectuel de la communauté juive mondiale après même le rétablissement d'une vie nationale juive en Judée, il est au moins vraisemblable que le travail d'édition se soit encore assez longtemps poursuivi sous la domination perse.

TABLE

Cet ouvrage a été composé par
Nord Compo, Villeneuve-d'Ascq, Nord
et achevé d'imprimer
sur presse CAMERON
dans les ateliers de Bussière Camedan Imprimeries
à Saint-Amand-Montrond (Cher)
pour le compte des Éditions Robert Laffont
en septembre 1996

Imprimé en France
Dépôt légal : octobre 1996
N° d'édition : 37221/01 — N° d'impression : 4/819